U0149284

臺海擊鉢吟集校注

臺海擊鉢吟集校注 第三冊 目次

拾貳、詠鳥獸蟲魚

拾參、詠　物……一一二五

卷二八……一一九四

拾肆、雜 詠……………………………………………………………………一二九四

拾壹、詠花卉草木

卷二二

三五八、苔　梅

鄭兆璜

孤山帳裏欣同夢①，明月投懷夢欲殘②。未肯春光輕漏洩③，霜高花孕一身寒④。

【析韻】

殘、寒，上平、十四寒。

【釋題】

枝幹着有苔蘚的梅樹，稱苔梅。南宋范成大梅譜：「古梅會稽最多，四明、吳興間亦有之。其枝樛曲萬狀，蒼蘚鱗皴，封滿花身。又有苔鬚，垂於枝間，或長數寸，風至綠絲飄飄可玩。初謂古木久歷風日致然，詳考會稽所產，雖小株亦有苔痕，蓋別是一種，非必古木。」

周密乾淳起居注：「苔梅有二種，宜興張公洞者，苔蘚甚厚，花極香；一種出越土苔如綠，絲長尺餘。」榮按：會稽、四明、吳興等地，即周密所稱越土也。南朝梁元帝和鮑常侍龍川館詩：「苔衣隨溜轉，梅氣入風香。」

【注解】

①孤山……夢　（我）高興和逋仙有一樣的夢。孤山帳裏，隱指北宋林逋。孤山，詳參卷六、一一三、釋題及注④，一一四、注④。帳裏，帳內。帳，帷幕的通稱。後漢書馬融傳：「常坐高堂，施絳紗帳。」欣，歡悅。喜樂。禮記月令：「立夏之日，……行賞、封諸侯，慶賜遂行，無不欣說。」東晉陶潛歸去來辭：「乃瞻衡宇，載欣載奔。」同夢，一樣的夢。夢，詳參考卷一、二、注①。

②明月……殘　皎潔光亮的月兒進入胸臆，這個夢即將缺損不全。明月投懷，典出南朝宋鮑照代淮南王詩之二：「朱城九門門九閨，願逐明月入君懷。」後人以「明月入懷」狀後宮怨曠；亦用以喻人心胸開闊明朗。投，入。進入。胸臆曰懷。夢，同前注。欲，副詞，表時間。將。後漢書隗囂傳：「……我與隗囂事欲不諧。」唐杜甫春望詩：「白頭搔更短，渾欲不勝簪。」殘，缺而不全。漢書劉歆傳：「孝成皇帝學殘文缺，稍離其真，乃陳發秘臧，校理舊文。」

③未肯……洩　不願意把春天那美好的風光、景致，隨意地公開。未肯，不肯。謂不願意。春光，詳參卷一六、二七五、注②。輕，妄。隨意。屬表性態之副詞。新論：「輕易其足，

雖夷路亦躓。」晉書張華傳：「時大臣皆以為未可輕進，華獨堅執，以為必克。」元史董文炳傳：「輕殺一人，則害大計，況屠一縣耶？」漏洩，本作「漏泄」。泄露。左傳襄公一四年：「今諸侯之事寡君，不如昔者，蓋言語漏泄，則職女之由。」韓非子亡徵：「淺薄而易見，漏泄而無藏，不能周密，而通羣臣之語者，可亡也。」北宋柳永玉樓春詞：「烏龍未睡定驚猜，鸚鵡能言防漏泄。」

④霜高……寒　秋空高爽的時節，它渾身充滿冷冽。霜高，秋空高爽的時節。南宋陸游子龍求烟雨軒詩口占絕句：「霜高木落應尤好，長挂西窗更怕寒。」花，指梅。孕，包裹。包含，在此，引申作充滿解。唐錢起禁闈玩雪寄薛左丞詩：「細逐隨風轉，輕隨落羽浮；怒濤堆砌石，新月孕簾鈎。」皮日休霍山賦：「岳之異狀，其勢如危。或不可支，若不可維；或仰而呀，有如吮空；或俯而拔，有如攫地；其曉而東，有如冠日，其暮而西，有如孕月。」一身，指全身。謂渾身。蕩寇志第七一回：「這廝一身橫肉，正好喂（餵）豬狗。」兒女英雄傳第三回：「打出一身的黑紫色來，他的手腳纔漸漸的熱了過來。」寒，冷冽。餘參卷一五、二六五、注③。

墨梅圖元王冕（？~1359）絹本、水墨 164.5×94cm（幹上，點狀濃墨部分，即表示梅苔）

苔梅（幹上色澤淺淡處即梅苔）

三五九、瘦梅

陳朝龍

十分清減十分春①，吟到梅花韻亦新②。詩骨年來瘦於汝③，聳肩擱筆為傳神④。

【析韻】

春、新、神，上平、十一真。

【釋題】

梅枝幹削直、突兀，稱瘦梅。「斷橋煙雨梅花瘦，梅瘦有情橫淡月。月中欲與人爭瘦，雪後偷憑笛訴寒。」

【注解】

①十分……春　非常消瘦，同時很有喜色。十分，非常。極。甚。很。表示程度高。北宋蘇軾橄欖詩：「待得微甘回齒頰，已輸崖蜜十分甜。」明李贄與楊鳳里書：「世間人有家小、田宅、祿位、名壽……性命非一，自宜十分穩當。」清減，亦作「清減」。消瘦。屬婉辭。元關漢卿四時園第一折：「姐姐，你天生的花容月貌，這幾日可怎生清減了，可端的為何也？」再生緣第一五回：「呀！小君侯，你怎生這般清減了？」春，春色。喜色。北朝魏陸凱贈范曄詩：「折梅逢驛使，寄與隴頭人。江南無所有，聊寄一枝春。」北宋王安石送潮州呂使君詩：「呂使揭陽去，笑談面生春。」再生緣第四五回：「瑞

卿遠呼大姐，端然回禮面含春。」

②吟到……新　哦咏至梅花這首詩，它的韻目還是新的呢！吟，哦咏。莊子德充符：「倚樹而吟。」成玄英疏：「行則倚樹而吟詠。」藝文類聚卷五五引西晉束皙讀書賦：「原憲潛吟而忘賤，顏回精勤以輕貧。」唐韓愈進學解：「先生口不絕吟於六藝之文，手不停披於百家之編。」到，至。梅花，詩題。「韻」亦「新」，謂選用新的韻目做韻腳。按：詩詞有其平仄、格式、押韻等規則。新，與「舊」相對。

③詩骨……汝　近年以來，詩的風骨比你來得削直、突兀。詩骨，詩的風骨。唐孟郊戲贈無本詩之一：「詩骨聳東野，詩濤湧退之。」金元好問王黃華墨竹詩：「雪溪仙人詩骨清，畫筆尚餘詩典型。」近人胡懷琛（一八八六—一九三八）次韻和漱岩並示堅白：「市樓不識炎天熱，自笑平生詩骨寒。」年來，近年以來或一年以來。唐戴叔倫越溪村居詩：「年來橈客寄禪扉，多話貧居在翠微。」清劉瀛珠江奇遇記：「適媒媼來，以賤價售去，年來音耗遂絕。」近人魯迅書信集致臺靜農：「收集畫像事，擬暫作一結束，因年來精神體力大不如前。」瘦，形容削直、突兀。

④聳肩……神　擡起肩膀、中止書寫，這一切在求生動、逼真啊！聳肩，擡起肩膀。唐韓愈石鼎聯句序：「道士啞然笑曰：『子詩如是而已乎？』即袖手聳肩，倚北墻坐。」擱筆，參卷一八、二九六、注③。為，ㄨㄟˋ。求。韓非子存韓：「非之來也，未必不以其能存韓也，為重於韓也。」高亨諸子新箋韓非子一：「為，猶求也。」孟子盡心上：「雞

鳴而起，孳孳為善者，舜之徒也。」傳神，生動逼真的神情態度。多用以形容詩等藝術技法。世說新語 巧藝：「顧長康畫人，或數年不點目精。人問其故，顧曰：『四體妍蚩，本無關於妙處，傳神寫照，正在阿堵中。』」南宋 黃昇（？—？，世次不詳）木蘭花 慢題馮雲月二連環詞後詞：「惟有空梁落月，至今能為傳神。」清 陳廷焯（一八五三—一八九二）白雨齋詞話卷五：「通首虛處傳神，結語輕輕一聲，妙甚。」

三六〇、問　梅

鄭兆璜

之一

誰植孤山數百株①？珊珊骨格費神摹②。二分明月三分雪③，畫意詩情逼肖無④？

之二

仙姿綽約自清癯⑤，流水空山孰與俱⑥？未識海棠君聘後，可曾偕隱到西湖⑦？

【析韻】

株、摹、無，上平、七虞。（之一）

癯、俱、湖，上平、七虞。（之二）

【釋題】

作者將梅擬人化，而訴問於彼，曰問梅。

【注解】

①誰植……株　什麼人栽種了好幾百株的梅樹？植，栽種。玉臺新詠 古詩 為焦仲卿妻作：「東西植松柏，左右種梧桐。」東漢 張衡 東京賦：「植華平於春圃，豐朱草於中唐。」唐 李洞（？—八九七？）古柏詩：「手植知何代？年齊偃蓋松。」孤山，隱指梅。北宋 林逋 結廬孤山隱居之，植梅為妻、飼鶴為子，因以為典。詳卷六、一一三。數百，好幾百。數，猶若干；未定數也。株，量詞。樹木一本曰一株。三國志 蜀書 諸葛亮傳：「成都有桑八百株，薄田十五頃，子弟衣食，自有餘饒。」北宋 蘇軾 海棠詩 序：「有海棠一株，土人不知貴也。」

②珊珊……摹　妳那高潔飄逸的氣質、儀態，須用心依樣描繪。珊珊，參考卷六、一一三、注①。骨格，氣質、儀態。元 鄭光祖 伊尹耕莘第一折：「此子生得形容端正、骨格清奇，非等閑之人也。」明 何景明 相逢行贈孫從一詩：「只今骨格殊恒調，傾都見者嗟英妙。」清 袁枚 隨園詩話補遺卷三：「見骨格清整，白鬚飄然。」費神，耗用精神。墨子 所染：「不能為君者，傷形費神，愁心勞意。」南宋 袁燮（一一四四—一二二四）陸宣公論：「斯道甚易知易行，不費神，不勞力，在約之于心爾。」摹，依樣畫寫、繪製。南朝 梁 武帝 答陶弘景書：「鍾書乃有一卷，傳以為真，意謂悉是摹學，多不足論。」唐 封演 封

氏聞見記 圖畫：「元宗（按指玄宗）時，以圖畫歲久，恐漸微昧，使曹霸重摹飾之。」南宋 桑世昌（？—？，世次不詳。）蘭亭博議 臨摹：「摹謂以薄紙覆古帖上，就明牖景而摹，謂之響搨焉。」

③二分……雪 整幅畫，兩成摹寫玉盤皎潔、三成表現瑞雪紛飛。二分、三分，謂空間分成五分（ㄈㄣˋ），其中五分之二、五分之三。明月，參本卷、三五八、注②。雪，指雪景言。

④畫意……無 意境、情趣很相似嗎？畫意詩情，詩畫的意境與情趣。近人朱自清 燕知草序：「杭州是歷史上的名都，西湖更為古今中外所稱道；畫意詩情，差不多俯拾即是。」本作「詩情畫意」。南宋 周密 清平樂 橫玉亭秋倚詞：「詩情畫意，只在闌干外，雨露天低生爽氣，一片吳山越水。」清 黃鈞宰（一八二六—一八七六？）金壺逸墨 晚學齋詩詞：「詩情畫意正清絕，我來深巷無喧嘩。」逼肖，很相似。唐 鮑溶 採葛行：「鏡湖女兒嫁鮫人，鮫綃逼肖也不分。」明 徐渭 葉子肅詩序：「此雖極工逼肖，而已不免於鳥之為人言矣。」清 俞蛟（？—？，世次不詳。）夢厂雜著 王湘洲傳：「其寫婦女，則更於逼肖中增嫵媚。」

⑤仙姿……癯 仙女般的（或非凡的）風姿，秀逸、美好；原就清瘦抖擻。仙姿，仙人（女）的風姿。非凡的姿貌。形容清雅秀逸的姿容。唐 鄭嵎（？—？，世次不詳。）津陽門詩：「鳴鞭後騎何躞蹀，宮妝襟袖皆仙姿。」南宋 朱松（一〇九七—一一四三）答林康民見和梅花詩：「仙姿不受凡眼汙，風斂天香瘴烟裏。」明 屠隆 綵毫記 夫妻玩賞：「佛果

前身號金粟，仙姿現世是青蓮。」綽約，形容秀逸、美好。莊子 逍遙遊：「肌膚若冰雪，綽約若處子。」唐 白居易 長恨歌：「樓閣玲瓏五雲起，其中綽約多仙子。」聊齋志異 聶小倩：「母見其綽約可愛，始敢與言。」自，本來。東漢 王充 論衡 問孔：「人之死生自有長短，不在操行善惡也。」唐 杜甫 古柏行：「扶持自是神明力，正直原因造化工。」金 段克己 水調歌頭詞：「月自與人無意，人被月明催老，今古共悠悠。」清癯，亦作「清臞」。猶清瘦。清瘦即瘦，為瘦的婉辭。謂消瘦而有清逸之態。南宋 陸游 賀張參政修史啟：「鎮撫四夷，位居臺鼎，而有山澤清臞之容。」元 張可久 折桂令 別後曲：「一年餘鳳隻鸞孤，枕上嗟吁，鏡裏清癯。」清 厲鶚 東城雜記 僧了心：「仰視雲根，秀拔天骨，清臞玉立。」

⑥流水……俱　誰？能一併擁有泠泠活水和幽深山巒。流水，流動的水，謂活水。詩 小雅 沔水：「沔彼流水，朝宗于海。」北宋 沈括 夢溪補筆談 藥議：「孫思邈 千金方人參湯，言須用流水煮，用止水則不驗。」空山，幽深人跡罕至的山。唐 韋應物 寄全椒山中道士詩：「落葉滿空山，何處尋行迹？」明 李攀龍 仲春虎丘詩：「古剎雲光杳，空山劍氣深。」孰，誰。何人。疑問代稱詞。論語 公冶長：「子謂子貢曰：『女與回也孰愈？』」與，皆。全部。易 无妄：「天下雷行，物與无妄。」王弼注：「與，猶皆也。天下雷行，物皆不可以妄也。」清 王念孫（一七四四─一八三二）讀書雜志 荀子六：「與讀為舉。舉，皆也。言其說皆無益於人也。」墨子 天志中：「當若子之不事父，弟之不事兄，臣之不事

君也，故天下之君與謂之不祥者。」俱，具有。俱備。東漢王充論衡物勢：「五臟在內，五行氣俱。」唐杜甫入奏行贈西山檢察使竇侍御：「年未三十忠義俱，骨鯁絕代無。」

⑦未識……湖　不知道妳被納徵迎娶以後，是不是曾經一起去西湖孤山隱居？未識，不知道。不了解。海棠君聘，妳被逋仙納徵迎娶。北宋惠洪（一作洪覺範。榮按：渠年幼父母雙亡，寄食佛堂，為釋子。俗姓喻，又說姓彭，待考。）冷齋夜話卷一：「東坡作海棠詩曰：『只恐夜深花睡去，更燒銀燭照紅妝。』事見太真外傳，曰：『上皇登沈香亭，詔太真妃子，妃子時卯醉未醒，命力士從侍兒扶掖而至。妃子醉顏殘妝，鬢亂釵橫，不能再拜。上皇笑曰：『豈是妃子醉，真海棠睡未足耳。』」此處，作者借上引典故，以海棠隱指「梅」君，逋仙。詳卷六、一一三、釋題。聘，納徵迎娶。後，時間較遲或較晚，與「先」相對。易坤：「君子有攸往，先迷後得主。」可曾，曾否。是否。曾，ㄘㄥˊ。元鄭廷玉看錢奴第四折：「滿口假慈悲，可曾有半文兒布施。」偕隱，一起隱居。左傳僖公二四年：「其母曰：『能如是乎？與女偕隱。』」到，去。往。詩大雅韓奕：「蹶父孔武，靡國不到。」西湖，指杭州城郊西湖孤山。餘詳參卷六、一一三。

附：海棠

蘇　軾

東風嫋嫋泛崇光，香霧空濛月轉廊；只恐夜深花睡去，更燒紅燭照紅妝。

榮按：清謝疊山選輯千家詩，作「故燒紅燭照紅妝。」

三六一、宋梅

曾逢時

勝地尋香感慨深①，古祠零落樹陰陰②。可憐炎宋繁華盡③，不及梅花冷到今④。

【析韻】

深、因、今，下平、十二侵。

【釋題】

兩宋時代（九六〇—一二七九）所植梅樹，稱宋梅。後，取其種子、枝條、播植、扦插而成樹者亦屬之。

【注解】

①勝地……深　遊賞風景優美的名勝之地，引發我非常地感觸、歎息。勝地，名勝之地。南朝齊王屮頭陁寺碑文：「東望平皋，千里超忽，信楚都之勝地。」明劉基養志齋記：「華亭在松江之濱，勝地冠於浙右。」尋香，遊賞佳景。唐元稹遣春詩之三：「柳堤遙認馬，梅徑誤尋香。」李義府（六一四—六六六）堂堂詞：「春風別有意，密處也尋香。」感慨，亦作「感嘅」。感觸、歎息。史記季布欒布列傳論：「夫婢妾賤人感慨而自殺者，非能勇也，其計畫無復之耳。」唐韓愈送董邵南序：「燕趙古稱多感慨悲歌之士。」深，極。甚。表性態之副詞。

②古祠……陰　年久的廟宇傾圮、殘破，老樹枝葉茂密、幽暗。古祠，年久的廟宇。廟曰祠。史記 萬石君列傳：「慶為齊相大治，為立石相祠。」漢書 朱邑傳：「民果為邑起冢立祠，歲時祭祀不絕。」零落，本謂草木、人物枯萎、衰亡；在此，引申作傾圮、殘破解。陰陰，枝葉茂密幽暗貌。唐 王維 輞川積雨詩：「漠漠水田飛白鷺，陰陰夏木囀黃鸝。」又，酬郭給事詩：「洞門高閣靄餘暉，桃李陰陰柳絮飛。」

③可憐……盡　趙宋蓬勃發展、興旺昌盛，已成過眼雲煙，令人哀憫！可憐，參考卷一、九、注④。炎宋，宋以火德王，故稱，以別於南朝自稱以水德王的劉宋。宋史 樂志十：「於赫炎宋，十葉華耀。」繁華，參卷一一、一九九、注③。盡，終。莊子 養生主：「緣督以為經，……可以盡年；……」

④不及……今　比不上梅花至今依然耐寒啊！不及，比不上。謂不如。史記 游俠列傳 論：「吾視郭解，狀貌不及中人，言語不足採者。」唐 王昌齡 西宮秋怨詩：「芙蓉不及美人妝，水殿風來珠翠香。」冷到今，猶言至今依然耐寒。

三六二、紅　梅

鄭　鵬　雲

聘得海棠真艷福①，也從脂粉洗寒冰②。夕陽一角花千朵③，誤把羅浮作武陵④。

【析韻】

冰、陵，下平、十蒸。

【釋題】

梅，原產於我國，長江以南尤其盛栽。其品種甚多，花朵色紅者，稱紅梅。

【注解】

①聘得……福　（能）迎娶她，誠令人羨慕有福份。聘得海棠，參考本卷、三六〇、注⑦。真，實在是。信。誠。史記 蕭相國世家：「夫職事苟有便於民而請之，真宰相事。」艷福，本作「豔福」。昔謂室有嬌妻美妾，或有美女相伴的福份（氣）。清 薛福成 庸盦筆記 幽怪二麻姑締姻：「凡人祿享萬鍾，榮居一品者，俗福也；山水怡情，著述壽世，清福也；其介於俗福、清福之間者莫如豔福。」孽海花第二回：「那孝琪有兩個妾，在上海討的，寵奪專房。孝琪有所著作，一個磨墨，一個畫紅絲格，總算得清才豔福。」

②也從……冰　她一向用寒冰滌淨兩唇的胭脂和臉龐的香粉。也，通「他」、「她」。史記 老子韓非列傳：「彼顯有所出事，迺自以為也故，說者與知焉，則身危。」王念孫 讀書雜志 史記四：「也，讀為『他』。他故，他事也……他字古通作『也』。」墨子 備城門：「城上皆毋得有室，若也可依匿者，盡除去之。」「也」，同「他」。從，一向。脂粉，胭脂和香粉。淮南子 脩務訓：「曼頰皓齒，形夸骨佳，不待脂粉芳澤而性可說者，西施、陽文也。」唐 王維 西施詠：「邀人傅脂粉，不自著羅衣。」醒世恒言 兩縣令競義婚孤

女：「有潘家原聘財禮，置下莊田，就把與他做脂粉之費。」洗，滌淨。寒冰，亦作「寒冰」。寒冷的冰。詩大雅生民：「誕寘之寒冰，鳥覆翼之。。」西晉陸機從軍行：「夏條集鮮藻，寒冰結衝波。」元王士熙（？—？，至元、至正間人）玉環引送伯庸北上詩：「推雪漉寒冰，凝此英瓊瑤。」清錢謙益石田翁畫奚川八景圖歌：「有竹莊中好賓主，寒冰栗玉清眉須。」

③夕陽……朵　黃昏，太陽斜照的那個角落，紅梅盛綻。夕陽，參考卷七、一二九、注④。一角，猶一隅。隅，ㄩˊ。本義「陬」，謂屋角落處也。戰國策趙策：「不存其一角，而野戰不足用也。」史記樊酈滕灌列傳：「冒頓開圍一角。」北宋蘇軾次韻僧潛見贈詩：「故人各在天一角，相望落落如晨星。」花，指紅梅。千朵，猶云盛綻。

④誤把……陵　張冠李戴，竟把洞天福地當成避秦桃源。誤，謬。錯。表性態副詞。史記外戚世家：「宦者忘之，誤置其籍代伍中。」唐岑參送裴判官自賊中再歸河陽幕府詩：「誤落胡塵裏，能持漢節歸。」北宋司馬光晚暉亭詩：「醉立斜陽頭似雪，往來誤認白公家。」把，將。屬介詞。水滸傳第四回：「智深把房中桌椅等物都掇過了，……把銷金帳子下了。」羅浮，地名。詳參卷一六、二七一、注④。作，當做。算是。書舜典：「扑作教刑。」南宋羅公升（？—？，世次不詳。）溪上詩：「門前溪一髮，我作五湖看。」清李漁奈何天計左：「就作才思極高，不過像鄒小姐罷了；就作容貌極美，不過像何小姐罷了。」武陵，武陵源的省詞。借指避世隱居的地方。參卷八、一五六。

三六三、紅　梅

陳濬芝

之一

天女塵緣脫未能①，來從香國歷霜冰②。豔妝不作迎人笑③，一見花身證上乘④。

之二

豔說紅妝得未曾⑤，春風香國首恩承⑥。玉皇新賜湘妃酒⑦，醉倒羅漢喚不譍⑧。

【析韻】

能、冰、乘，下平、十蒸。（之一）

曾、承、譍，下平、十蒸。（之二）

【釋題】

詳前首，茲從略。

【注解】

①天女……能　天上的仙女，竟免不了人間俗緣。天女，天上的仙女。魏書 序紀 聖武帝：「歘見輜軿自天而下。既至，見美婦人……對曰：『我，天女也。』」北宋 王安石 宿定

林示寶覺詩：「天女穿林至，姮娥度隴來。」清 龔自珍 好事近行篋中有小像一幅，以詞為贊：「三界最消魂，只有辯才天女。」又，天女亦為星名，即織女星。史記 天官書：「織女，天女孫也。」司馬貞索隱引荊州占曰：「織女，一名天女，天子女也。」塵緣，釋、道二教謂與塵世的因緣。塵世，猶俗世。人間。唐 韋應物 春月觀省屬城始憩東西林精舍詩：「佳士亦棲息，善身絕塵緣。」明 陳汝元 金蓮記 賦鶴：「端只為愛河慾海起波濤，名韁利鎖不能逃，這塵緣怎消？」清 姚鼐 徐半山桂詩：「已將僧衲謝塵緣，猶有深情拜杜鵑。」脫，免。免去。秦 陳餘（？—前二〇四）遺章邯書：「彼趙高素諛日久，今事急，亦恐二世誅之；故欲以法誅將軍以塞責，使人更代將軍以脫其禍。」漢書 枚乘傳：「能聽忠臣之言，百舉必脫。」顏師古注：「脫者，免於禍也，音土活反。」又，高五王傳：「問知其鴆，乃憂，自以為不得脫長安。」顏師古注：「脫，免也。言死於長安，不得更至齊國也。」未能，不能。

②來從……冰　來自花國，經過霜、冰的考驗。從，自。香國，猶花國。南宋 許月卿（？—？，世次不詳。）木犀詩：「分封在香國，筮仕得黃裳。」金 元好問 紫杜丹詩之三：「已從香國偏薰染，更惜花神巧剪裁。」歷，經過。書 君奭：「故殷禮陟配天，多歷年所。」霜冰，霜與冰。

③豔妝……笑　鮮明美麗的裝飾，不刻意笑臉迎人。豔妝，亦作「豔粧」、「艷妝」。鮮明美麗的裝飾（或打扮）。南朝 齊 王融 春遊迴文詩：「低吹雜綸羽，薄粉豔妝紅。」比

宋 晁沖之 傳言玉女詞：「豔妝初試，把珠簾半揭。」清 龔自珍 法曲獻仙音詞：「藍布衫兒，墨紬裙子，未要豔妝明抹。」不作，不為。迎人笑，謂以笑臉迎人。迎人，猶待人。清 孫道乾（？—？）小螺庵病榻憶語：「少奇慧，善解書義；性孝，處父母側，婉婉迎人。」歧路燈第六七回：「不知此乃張類村一聲善氣迎人，所以生下這個好後代來。」

④一見……乘　一旦看到花，必可徵驗確是上品。花身，即花。南宋 范成大 內丘梨園詩：「汗後鶖梨爽似冰，花身耐久老猶榮。」證，驗。徵驗。楚辭 九章 惜誦：「故相臣莫若君兮，所以證之而不遠。」王逸注：「證，驗也。」明 葉子奇（？—？，世次不詳。）草木子 克謹：「變不虛生，宜有其證。」上乘，上品。上等。明 李贄 雜說：「雜劇院本，遊戲之上乘也。」花月痕第一五回：「采秋言道：『人之相知，貴相知心，落了言詮，已非上乘。』」近人況周頤（一八五九—一九二六）蕙風詞話卷五：「以性靈語詠物，以沈著之筆達出，斯為無上上乘。」

⑤豔說……曾　可不曾豔羨地詳說鮮明美麗的百花眾卉。豔說，豔羨地詳說。清 洪亮吉（一七四六—一八〇九）漫賦截句之三：「才人豔說李深之，束髮能題七字詩。」近人郭沫若（一八九二—一九七八）題三江程陽橋詩：「豔說林溪風雨橋，橋長廿尺四尋高。」紅妝，亦作「紅粧」。在此，喻豔麗的花卉。唐 孫逖（六九六—七六一）和常州崔使君詠後庭梅之一：「弱幹紅妝倚，繁香翠羽尋。」北宋 蘇軾 海棠詩：「只恐夜深花睡去，故燒高燭照紅粧。」元本高明 琵琶記 伯喈彈琴訴怨：「向晚來雨過南軒，見池面紅妝零亂……

只見荷香十里，新月一鉤，此景佳無限。」近人曹靖華（一八九七—一九八七）飛花集 豔豔紅豆寄相思：「紅妝滿樹，四季嬌豔。」得，少。禮記 喪服四制：「夫禮，吉凶異道，不得相干，取之陰陽也。」春秋繁露 保位權：「制之者，制其所好，是以勸賞而不得多也；制其所惡，是以畏罰而不可過也。」未曾，不曾。墨子 親士：「緩賢忘事，而能以其國存者，未曾有也。」唐 韓愈 辛卯年雪詩：「生平未曾見，何暇議是非。」老殘遊記第一回：「依我看來，駕駛的人並未曾錯，只因兩個緣故，所以把這船就弄的狼狽不堪了。」

⑥春風……承　花國居先獲得春風的德澤。春風，指春季的和風言。戰國 楚 宋玉 登徒子好色賦：「寐春風兮發鮮榮，絜齋俟兮惠音聲。」唐 元稹 鶯鶯傳：「春風多厲，強飯為嘉。」香國，詳參注②。首，居先。後漢書 崔瑗傳：「大將軍梁商初開幕府，復首辟瑗。」又，李通傳：「有司奏請封諸皇子，帝感通首創大謀，即日封通少子雄為召陵侯。」恩承，猶云恩遇。受德澤也。恩，德澤。承，受。

⑦玉皇……酒　最近，天帝剛贈送佳釀—湘妃酒。玉皇，道教稱天帝曰玉皇大帝，簡稱玉帝、玉皇、玉皇帝，又稱玉皇上帝。唐 李白贈別舍人臺卿之江南詩：「入洞過天地，登真朝玉皇。」王維金屑泉詩：「翠鳳翊文螭，羽節朝玉帝。」白居易 夢仙詩：「仰謁玉皇帝，稽首前致誠。」南宋 辛棄疾 聲聲慢 送上饒黃倅秩滿赴調詞：「況有星辰劍履，是傳家、合在玉皇香案。」葉適 魏華甫鶴山書院詩：「梳風洗雨耳目醒，玉帝詔許瞻宸居。」清 孫枝蔚 聞黃九烟自投水死哀且異之詩之一：「有客招魂魂不返，玉皇恩召侍仙班。」新賜，

最近剛贈送。賜，予。上對下之給予曰賜。禮記 少儀：「其以乘壺酒、束脩、一犬賜人。」注：「於卑者曰賜。」湘妃酒，酒名。以湘妃為名的酒。舜有二妃娥皇、女英。傳說渠等二人沒於湘水，遂為湘水之神。北周 庾信 周儀同松滋公拓跋競夫人尉遲氏墓誌銘：「西臨織女之廟，南望湘妃之墳。」唐 岑參 秋夕聽羅山人彈三峽流泉詩：「楚客腸欲斷，湘妃淚斑斑。」南宋 張孝祥 水調歌頭 泛湘江詞：「湘妃起舞一笑，撫琴奏清商。」

⑧醉倒……麐 羅漢酣臥，千呼萬喚，就是不對答。醉倒，飲酒逾量，不支而臥。羅漢，梵語 Arhat（阿羅漢）的省稱。小乘的最高果位，稱為「無學果」。謂已斷煩惱，超出三界輪迴，廣受人天供養的尊者。我國佛寺中供奉有十六尊、十八尊、五百尊、八百尊之分。唐 玄奘大唐西域記 縛喝國：「故諸羅漢，將入涅盤，示顯神通。」司空圖 十會齋文：「維摩赴會，捧瑞露以同沾；羅漢飛空，曳危峰而亦至。」喚，叫。喊叫。麐，一ㄙ。正字通：「麐，以言對問也。通作『應』。」

三六四、梅　龍

蔡振豐

一樹梅花綽約多①，如龍蟠曲古枝柯②。小齋松亦如鱗老③，風雨當空勢欲摩④。

【析韻】

多、柯、摩，下平、五歌。

【釋題】

老梅偃臥如龍形，稱梅龍。南宋范成大梅譜：「去成都二十里，有臥梅，偃蹇十餘丈，相傳唐物也，謂之梅龍。」陸游大醉梅花下走筆賦此詩：「終當騎梅龍，海上看春色。」自注：「梅龍，蓋蜀苑中故物也。」

【注解】

①一樹……多　（這）一株梅（是）那麼地秀逸、美好。樹，量詞。樹木一株曰一樹。清王太岳（一七二二—一七八五）自題古松圖詩：「烟墨一螺香一炷，寫出長松兩三樹。」梅花，梅花樹。梅（樹）。綽約，詳參本卷三六〇、注⑤。多，表狀態副詞。猶那麼。何等。

②如龍……柯　年久的枝條像龍一般、盤旋屈曲。鱗蟲之長曰龍，與麟、鳳、龜合稱四靈。近人考證化石，知其為遠古大爬蟲，種類頗多，形體亦異。典籍所載，間近虛玄，難以盡信。管子水地：「龍生於水，被五色而游，故神；欲小、則化為蠶蠋，欲大、則藏於天下，欲上、則凌於雲氣，欲下、則入於深泉，變化無日，上下無時，謂之神。」說苑辨物：「神龍能為高，能為下，能為大，能為小，能為幽，能為明，能為短，能為長。……」劉琬（？—？世次待考）神龍賦：「大哉！龍之為德，變化曲伸，隱則黃泉，出則雲伸。」蟠曲，ㄆㄢˊ ㄑㄩ。盤旋屈曲。近人朱自清阿河：「籬邊還有幾株枝幹蟠曲的大樹，有一株幾乎要伸到水裏去了。」枝柯，枝條。西漢焦贛（？—？）易林无妄之困：「鷹棲茂樹，猴雀往來，一擊獲兩，利在枝柯。」晉書石崇傳：「武帝每助愷，嘗以珊瑚樹賜之，高二尺許，

枝柯扶疏，世所罕比。」北宋王安石移桃花詩：「枝柯蔫綿花爛熳，美錦千兩敷亭皋。」

③小齋……老　寒舍庭前的古松，像龍一樣的年歲。齋，ㄓㄞ。家居的房屋。世說新語言語：「孫綽賦遂初，築室畎川，自言見止足之分。齋前植一株松，恆自手壅治之。」晉書陶侃傳：「侃在州無事，輒朝運百甓於齋外，暮運於齋內。」唐杜甫絕句漫興之三：「熟知茅齋絕低小，江山燕子故來頻。」鱗，鱗甲動物的泛稱。在此，指龍。

④風雨……摩　凝視天象，眼看風雨即將排空而來。風雨，風和雨。當空，在空中。唐元稹清都春霽寄胡三吳十一詩：「白日當空天氣暖，好風飄樹柳蔭涼。」勢，形勢。情勢。孟子公孫丑上：「齊人有言曰：『雖有智慧，不如乘勢，雖有鎡基，不如待時。』」清梅曾亮（一七八六—一八五六）栗恭勤公傳：「千里長隄，勢不可為儲備。」本句「勢」，係指天象言。欲，參本卷、三五八、注②。摩，迫近。接近。淮南子人間訓：「背負青天，膺摩赤霄，翱翔乎忽荒之上，析惕乎虹蜺之間。」唐杜甫寄題江外草堂詩：「蛟龍無定窟，黃鵠摩蒼天。」南宋李綱上道君太上皇帝封事：「設使犬羊之眾，蝟結蟻眾，侵邊徼而摩封疆，將何以禦之。」

三六五、梅　龍

陳濬芝

托根正好在巖阿①，梅竟如龍辨不訛②。鳴鶴無聲雲忽起③，也疑噓氣者番多④。

【析韻】

阿、訛、多，下平、五歌。

【釋題】

詳本卷、三六四。

【注解】

①托根……阿　恰好寄身在山曲。托根，猶寄身。近人蘇曼殊斷鴻零雁記第三章：「後此，夫人綜覽季世，漸入澆灕，思攜爾托根上國。」周瘦鵑（一八九五—一九六八）蘇州游踪記義士梅附詩：「鐵榦虬枝綉古苔，羣芳譜裏百花魁，托根曾在五人墓，尊號應封義士梅。」正好，恰好。謂時間、位置不前不後，體積不大不小，數量不多不少、程度不高不低等均適用之。北宋蘇軾雨中花慢詞：「又豈料，正好三春桃李，一夜風霜。」巖阿，ㄧㄢˊ ㄜ。山的曲折處。即山曲。東漢王粲七哀詩：「山崗有餘映，巖阿增重陰。」西晉潘岳河陽縣作詩之二：「川氣冒山嶺，驚湍激巖阿。」呂良注：「巖阿，山曲也。」北宋歐陽修伊川獨遊詩：「巖阿誰可訪，興盡復空還。」清許承欽（？—？）石竺山詩：「坐想洪荒初，神禹未開鑿，汎濫沒巖阿，雲巢棲海若。」

②梅竟……訛　梅樹的長相竟像極了龍，幾乎區分不了。辨，別。判別。易乾：「君子學以積之，問以辨之。」禮記中庸：「有弗辨，辨之弗明弗措也。」訛，ㄜˊ。虛假。三國魏曹植橘賦：「神蓋幽而易激，信天道之不訛。」

③鳴鶴……起　鳴鶴緘默不言，士龍突然居先施禮講話。荀隱（生卒年不詳）字鳴鶴。西晉潁川人。累官太子舍人、廷尉。雲，陸雲（二六二—三〇三）字士龍。西晉 吳郡 吳人；陸機弟。雲年十六舉賢良，曾官清河內史，世稱陸清河。兄機為成都王 司馬穎所殺，雲亦同時遇害。文才與機齊名，時稱「二陸」。世說新語 排調：「荀鳴鶴、陸士龍二人未相識，俱會張茂先坐。張令共語，以其并有大才，可勿作常語。陸舉手曰：『雲間陸士龍。』荀答曰：『日下荀鳴鶴。』」晉書 陸雲傳：「雲字士龍，……。雲與荀隱素未相識，嘗會（張）華坐。華曰：『今日相遇，可勿為常談。』雲因抗手曰：『雲間陸士龍。』隱曰：『日下荀鳴鶴。』鳴鶴，隱字也。」榮按：舊時將帝王比為「日」，故帝王所在之地稱日下。「鳴鶴日下」為昔時蒙求標題。起，開始。開端。史記 李斯列傳：「明法度，定律令，皆以始皇始。」南宋 姜夔 續書譜 草：「又一字之體，率有多變，有起有應，如此起者當如此應，各有義理。」

④也疑……多　呀！這次吐氣來得多，令人迷惑不解。也，虛字，表停頓。作「呀」解。疑，迷惑。易 坤：「君子敬以直內，義以方外，……則不疑其所行也。」噓氣，吐氣。說文：「噓，吹也。从口、虛聲。」吐氣為噓。莊子 齊物論：「南郭子綦隱机而坐，仰天而噓，答焉似喪其耦。」唐 韓愈 雜說一：「龍噓氣成雲，雲固弗靈於龍也。」元 張翥 題十八開士圖詩：「鼻端噓氣作飛瑲，舌上彈呪招降龍。」者番，這番。這次。北宋 晏幾道 少年游詞之三：「細想從來，斷腸多次，不與者番同。」兒女英雄傳第一五回：「何用漢書

來下酒？者番清話也消愁。」近人姚光（？—？）餞春詩：「者番花事匆匆甚，回首天涯又綠陰。」

三六六、九月梅

林維丞

冰肌玉膚漏香痕①，早與黃花鬬豔【豔】②。想是臺陽天氣暖③，不須十月便開樽④。

【析韻】

痕、豔、樽，上平、十三元。

【釋題】

九月梅，秋梅也。時序入秋，日溫漸降，霜露漸濃，與草木發榮滋長之春季迥異。秋梅盛綻，自有一番殊景也。

【注解】

①冰肌……痕　潔美的身軀，散發著芬芳氣味。梅別稱冰肌玉骨。後蜀孟昶避暑摩訶池上作詩：「冰肌玉骨清無汗，水殿風來暗香暖。簾開明月獨窺人，欹枕釵橫雲鬢亂。」南宋周紫芝（一〇八二—一一五五）竹坡詩話：「冰肌玉骨清無汗，水殿風來暗香滿。此詩為花蕊夫人作。」北宋蘇軾梅花詞：「玉骨那愁瘴霧，冰肌自有仙風；梅花自遺採芳，倒掛綠毛么鳳。」榮按：作者為合平仄，改「玉骨」為「玉膚」，義同。花蕊夫人，又作「花

蘂夫人」。為後蜀主孟昶妃。姓徐，青城人，能文，曾效唐王建作宮詞百首。後蜀亡，入宋宮。竹坡詩話所載待考。又，一作「無汗」、一作「無汙」蓋汗、汙，字形相似；惟均待查證之。漏，液體、氣體、光線等從孔隙中滲出或透出。易井：「井谷射鮒，甕敝漏。」孔穎達疏：「有似甕敝漏水，水漏下流，故曰甕敝漏也。」香痕，芬芳的氣味。

②早與……繁　老早就和黃菊一爭長短，較量飄然之美。早，指在一定時間以前。左傳宣公二年：「（趙盾）盛服將朝，尚早，坐而假寐。」南朝宋顏延之秋胡詩：「春來無時豫，秋至恆早寒。」黃花，亦作「黃華」。指黃色菊花。禮記月令：「（季秋之月）鞠有黃華。」陸德明釋文：「鞠，本又作菊。」北宋李清照醉花陰重陽詞：「莫道不銷魂，簾捲西風，人比黃花瘦。」明徐渭畫菊詩之一：「東籬蝴蝶閒往來，看寫黃花過一秋。」鬭，參卷一六、二七三、注②。豔飜，作者筆誤，將「飜」誤作「繁」。繁、飜均屬元韻。飄然之美曰豔飜。飜，ㄈㄢ。唐白居易九日宴集醉題郡樓詩：「觥盞豔飜菡萏葉，舞鬟擺落茱萸房。」

③想是……暖　料想這臺灣向陽之地，氣候溫熱。想，料想。猜想。後漢書黨錮傳李膺：「方今天地氣閉，大人休否，智者見賢，投以遠害，雖匱人望，內合私願，想甚欣然，不為恨也。」北宋王安石與王子醇書之三：「邊事難遙度，想公自有定計。」是，這。這裏。此。詩大雅崧高：「因是謝人，以作爾庸。」近人郭沫若西江月謁晉冀魯豫烈士陵園詞：「問君何處去尋詩？詩曰在斯在是。」水滸傳第六四回：「想是京師救軍去取他

梁山泊，這廝們恐失巢穴，慌忙歸去。」臺陽，臺灣向陽之地。

④不須……樽　不必等到十月，就可以舉杯飲酒賞梅了。不須，不必要。十月，指農曆十月。始於霜降之後，立冬之前。開樽，亦作「開尊」。舉杯（飲酒）。唐 杜甫 獨酌詩：「步屧深林晚，開樽獨酌遲。」北宋 秦觀 長相思詞：「開尊待月，掩箔披風，依然燈火揚州。」

三六七、梅　夢

蔡　振　豐

自別連仙夢已孤①，橫斜闌外倩誰扶②？春風無力低籠紙③，一幅樓東曉睡圖④。

【析韻】

孤、扶、圖，上平、七虞。

【釋題】

作者與其好友連君皆嗜梅。二人相別後，言梅之夢，孑然無伴，有所思而吟也。

【注解】

①自別……孤　從和連翁敘別以後，做夢已經孑然無伴。自，介詞。從。孟子 公孫丑下：「自天子達於庶人，非直為觀美也，然後盡於人心。」漢書 霍光傳：「初輔幼主，政自己出，天下想聞其風采。」唐 王維 雜詩之二：「君自故鄉來，應知故鄉事。」別。離訣。唐 李白 送友人詩：「此地一為別，孤蓬萬里征。」連仙，猶今語連先生。昔本島成

人喜以「仙」、「翁」互稱，以示尊敬、用表情篤。與古之「子」，同屬男子美稱也。榮按：連君應係連劍花先生。作者於光緒廿八年（割臺後第七年）始加入櫟社為社員。劍花先生與櫟社諸公夙已時相過從，切磋詩文。夢、孤，均詳參卷一、二、注③。

②橫斜……扶　枝幹或橫或斜地長到闌干的外邊，請誰來撐持？橫斜，參卷二一、三五二、注②。闌，闌干。餘參卷一八、二九三、注①。倩，ㄑㄧㄥˋ。請。懇求。西漢 王褒 僮約：「蜀郡王子淵以事到煎上寡婦楊惠舍，有一奴名便了，倩行酤酒。」南宋 姜夔 月下笛詞：「多情須倩梁間燕，問吟袖、弓腰在否？」誰，何人。扶，撐持。

③春風……紙　春天的和風沒有能耐垂直而下罩住薄薄的畫紙。春風，參卷一七、二九〇、注④。無力，沒能耐。沒有力量。唐 杜甫 茅屋為秋風所破歌：「南村羣童欺我老無力，忍能對面為盜賊。」劉滄（？—？，大中間猶在世。）懷汶陽兄弟詩：「書信經年鄉國遠，弟心無力海田荒。」北宋 秦觀 春日詩：「雪霜便覺都無力，只見桃花次第開。」低籠，垂直而下地罩注。低，垂下。籠，罩。東晉 陶潛 詠三良詩：「荊棘籠南墳，黃鳥聲正悲。」唐 杜牧 泊秦淮詩：「煙籠寒水月籠紗，夜泊秦淮近酒家。」元 謝宗可（？—？，世次不詳。）詠魚蓑詩：「月冷籠衣眠舵尾，天晴隨網曬船頭。」

④一幅……圖　那是一幅天已大亮，還在樓閣東隅睡懶覺的圖啊！幅，計算書、畫等的量詞。樓東，樓閣東隅。曉睡，天亮猶眠。

三六八、雪美人

陳濬芝

玲瓏素質一塵無①，削雪何須粉與朱②。合與梅花脩淨果③，孤山明月伴清癯④。

【析韻】

無、朱、癯，上平、七虞。

【釋題】

典出高啟（一三三六—一三七四）詠梅。明高啟梅花詩：「瓊姿只合在瑤臺，誰向江南處處栽？雪滿山中高士臥，明月林下美人來。寒依疎順蕭蕭竹，春掩殘香漠漠苔。自去何郎無好詠，東風愁寂幾回開？」何郎，何遜。遜（公元？—五一八）。南朝梁東海郯（今山東郯城縣）人。字仲言。官至尚書水部郎。詩與陰鏗齊名，世號陰何。文與劉孝綽齊名，世稱何劉。其詩擅於寫景，工於煉字。有集八卷，今不傳。明張溥漢魏百三家集輯有何水部集一卷。梁書、南史皆有傳。杜甫和裴迪登蜀州東亭送客詩注，蘇曰：「梁何遜為揚州法曹。廨舍有梅花一株，花盛開。遜吟詠其下，後居洛，思梅花。再請其往，從之。抵揚州，花方盛，遜對花徬徨終日。」

【注解】

①玲瓏……無　體膚潔淨、一塵不染。妳，天生麗質。詩詞中恆以「玲瓏」指梅花或雪。有

明徹等義。唐韓愈春雪間早梅詩：「玲瓏開已遍，點綴坐來頻。」錢仲聯集釋引張相曰：「上句指梅，下句指雪。」又，喜雪獻裴尚書詩：「照耀臨初日，玲瓏滴晚澌。」此處，指雪言。北宋王安石次韻王勝之詠雪：「玲瓏翦水空中墮，的皪裝春樹上歸。」此亦指雪。素質，本來的性質。管子勢：「正靜不爭，動作不貳，素質不留，與地同極。」西晉張華勵志詩之四：「如彼梓材，弗勤丹漆，雖勞樸斲，終負素質。」清汪懋麟（一六三九－一六八八）憶秦娥詞：「天然素質鉛華賤，從教傅粉何郎羨。」一塵無，一塵不染。形容非常清潔；亦用以喻人品高尚，沒有些許污點。宋子全書釋氏：「不染一塵，不捨一法；既不染一塵，卻如何不捨一法到了。」

②削雪……朱　刮去身上的雪花；又何必抹粉施朱。削，ㄒㄩㄝ；ㄒㄧㄠ。括。好逑傳第八回：「若非天賦老面皮，痛削如何當得起！」何須，猶何必。何用。三國魏曹植野田黃雀行：「利劍不在掌，結友何須多？」唐封演封氏聞見記敏速：「宰相曰：『七千可為多矣，何須萬？』」北宋賀鑄臨江仙詞：「何須繡被，來伴擁篝眠？」粉，指香粉。朱，指胭脂。

③合與……果　應該和梅花學得莊嚴清澄的果報。合，應該。應當。史記司馬相如列傳：「然則受命之符，合在於此矣。」唐白居易與元九書：「每讀書史，多求理道：始知文章合為時而著，歌詩合為事而作。」元金仁傑（？－一三二九）追韓信第三折：「他（榮按：指項羽）不合燒阿房三十六宮，殺降兵二十萬人。」脩，ㄒㄧㄡ。學習。禮記學記：

「故君子之於學也，藏焉、脩焉、息焉、遊焉。」鄭玄注：「脩，習也。」南朝宋謝莊宋孝武宣貴妃誄：「脩詩貴道，稱圖照言。」淨果，莊嚴清澄、滌盡五濁的果報。

④孤山……癯　孤山上空的明月與清瘦抖擻的妳作陪、相隨。孤山，參考卷六、一一三、釋題及注④。明月，參本卷、三五八、注②。伴，參卷二一、三四八、注④。清癯，參本卷、三六〇、注⑤。

卷二三

三六九、盆　竹

陳濬芝

凌雲直節本天生①，寄迹磁盆自發榮②。憑藉莫言無尺土③，化龍有日雨風驚④。

【析韻】

生、榮、驚，下平、八庚。

【釋題】

以盆缽養竹，曰盆竹。竹，禾本科，多年生植物。有木質化長（或短）之地下莖。稈（竿）

木質化，有節，節與節之間中空。主稈上之葉與普通葉有顯著區別。通稱籜，籜（葉）縮小且無明顯主脈；普通葉片具短柄，且與葉梢相連處成一關節，易從葉梢脫落。竹不常開花。我國約有三百種，主要分布於長江流域及華南、西南等地。常見者有毛竹、剛竹、箬竹、淡竹、麻竹、綠竹……等。用途極廣，稈可供為建材、編織用具與造紙；幼芽及竹笋，屬鮮美菜蔬，亦可醃製、曬乾保存。而唐竹、墨竹、朱竹、紫竹、方竹、黃金竹、葫蘆竹等則可植于庭園或盆栽觀賞。

【注解】

①凌雲……生　原就直上雲霄、不屈不斜、中空有節。凌雲，直上雲霄，多用以形容志向崇高或意氣高超。史記 司馬相如列傳：「相如既奏大人之頌，天子大說，飄飄有凌雲之氣，似游天地之閒意。」唐 裴夷直 寄婺州李給事詩之一：「不知壯氣今何似，猶得凌雲貫日無？」北宋 蘇軾 次韻王定國得潁倅之一：「仙風入骨已凌雲，秋水為文不受塵。」竹高挺有意氣軒昂之態，故以凌雲形容之。不屈不斜曰直。詩 小雅 大東：「周道如砥，其直如矢。」南朝 宋 謝靈運 平原侯植詩：「平衢脩且直，白楊信梟梟。」北宋 林逋 雜興詩之三：「梯斜晚樹收紅柿，筒直寒流得白魚。」節，竹節。竹枝幹分段處，亦稱竹約。西晉 左思 吳都賦：「其竹則篔簹箖箊，……苞筍抽節，往往縈結，綠葉翠莖，冒霜停雪。」北宋 王禹偁 黃崗竹樓記：「黃崗之地多竹，大者如椽，竹工破之，刳去其節，用代陶瓦。」本天生，原就天生；自然生成。韓非子 解老：「夫能自全也而盡隨於萬物之理者，必且

有天生。天生也者，生心也。」唐 白居易 長恨歌：「天生麗質難自棄，一朝選在君王側。」警世通言 白娘子永鎮雷峰塔：「煩小乙官人尋一個媒證，與妳共成百年姻眷，不枉天生一對，卻不是好！」

②寄迹……榮　暫時托身土缽，自個兒葉綠莖翠、生氣盎然。寄迹，暫時托（棲）身。猶言借住。東晉 陶潛 命子詩：「寄迹風雲，冥茲慍喜。」唐 許堯佐（？—？，貞元前後人。）柳氏傳：「天寶末，盜覆二京，士女奔駭。柳氏以豔獨異，且懼不免，乃剪髮毀形，寄迹法靈寺。」清 吳偉業 題河渚圖送胡彥遠南歸詩：「同好四五人，招尋忘出處，寄迹依琳宮，雙松得儔侶。」磁盆，黏土燒製的瓷盆。自，第一人稱。本身。指竹。發榮，（草本）生長茂盛。東漢 張衡 南都賦：「芙蓉含華，從風發榮，斐披芬葩。」北宋 梅堯臣 擬宋之問春日剪綵花應制詩：「不是將春競，天心重發榮。」明 劉基 旅興詩之四六：「今晨視郊原，草木皆發榮。」

③憑藉……無尺土　不要說僅靠著尺深不到的泥土。憑藉，亦作「憑籍」、「憑借」。依靠。依賴。北魏 酈道元 水經注 㶟水：「憑藉涓流，方成川甽。」南朝 梁 沈約 恩倖傳 論：「州都郡正，以才品人，而舉世人才，升降蓋寡，徒以憑藉世資，用相陵駕。」南宋 趙彥衛 雲麓漫鈔卷一五：「享國之久莫過三代，初未聞憑藉於無情之金石也。」二十年目睹之怪現狀第二二回：「將來望升官起來，勢位大了，便有所憑藉，可以設施了。」無尺土，土深不及一尺。

④化龍……驚　有一天蛻變為四靈之長；雨呀！風呀！都會駭怖呢！化，變（化）。改變。此處，化龍，謂蛻變成龍。有日，有期。不久。史記 樗里子甘茂列傳：「行有日，甘羅謂文信侯曰：『借臣車五乘，請為張唐先報趙。』」唐 韓愈 答李翊書：「道德之歸也有日矣，況其外之文乎？」初刻拍案驚奇卷一八：「且喜他肯與我修鍊，丹成料已有日。」驚，駭怖。東漢 張衡 西京賦：「感河馮，懷湘娥，驚蝄蜽，憚蛟蛇。……澤虞是濫，何有春秋？」注：「驚、憚謂皆使之駭怖也。」

盆竹（一）

盆竹（二）

三七〇、新 荀

陳 濬 芝

第一春光屬此君①，疏疏密密獨離羣②。干霄自是他年事③，出得頭來已幾分④。

【析韻】

君、羣、分，上平、十二文。

【釋題】

竹之嫩芽，曰筍，ㄙㄨㄣˇ。亦作「笋」。笋甫破土而出，稱新筍。詩 大雅 韓奕：「其蔌維何，維筍及蒲。」鄭玄箋：「筍，竹萌也。」

【注解】

①第一……君 領先見到和煦的陽光，就是你。第一，領先。居先。春光，和煦的陽光。又特指消息。清 洪昇 長生殿 絮閣：「（內侍）啟萬歲爺，楊娘娘到了。（生作呆科）呀，這春光漏泄怎地開交？」本句此處採前解。屬，歸……所擁有。此君，指新筍。

②疏疏……羣 一個個紛紛不約而同地揮別同伴。疏疏密密，稀疏稠密。引申作「紛紛不約而同地」解。獨，一人。表數量。左傳 宣公十一年：「諸侯縣公皆慶寡人，女獨不慶寡人，何故？」孟子 公孫丑下：「得之為有財，古之人皆用之；吾何為獨不然？」唐 杜甫 月夜詩：「今夜鄜州月，閨中只獨看。」北宋 王安石 懷元度詩之二：「不見秘書心若失，

百年衰病獨登臺。」離羣，與眾人分開。易 乾：「上下無常，非為邪也；進退無恒，非離羣也。」唐 皇甫曾（？—七八五）送元侍御玄使湖南詩：「離羣復多病，歲晚憶滄州。」清 錢謙益潞河別劉咸仲吏部詩：「衰鬢數莖還去國，秋風一葉又離羣。」

③干霄……事　高入雲霄，自然是將來的事。干霄，高入雲霄。唐 劉禹錫 和兵部鄭侍郎省中四松詩十韻：「便有干霄勢，看成構廈才。」南宋 葉適 溫州社稷記：「數十百年，其大百圍，其崇干霄，民無敢不肅也。」清 袁枚隨園詩話卷一：「江西 魏允迪……詠山中積雪云：『干霄篁竹翠盈眸，雪壓風欺撲地愁。』」自是，自然是。唐 杜甫 古柏行：「扶持自是神明力，正直原因造化功。」李商隱 咸陽詩：「自是當時天帝醉，不關秦地有山河。」南宋 陸游 讀近人詩詩：「琢琱自是文章病，奇險尤傷氣骨多。」他年，將來。以後。左傳成公一三年：「曹人使公子負芻守……負芻殺其大子而自立也，諸侯乃請討之。晉人以其役之勞，請俟他年。」唐 杜牧寄題甘露寺北軒詩：「他年會著荷衣去，不向山僧道姓名。」清 龔自珍 乙酉十二月十九日得漢鳳紐白玉印一枚喜極賦詩：「引我飄搖思，他年能不能？」

④出得……分　筍尖破土而出，已經相當明顯了。出得頭來，指新筍的筍尖破土而出。幾分，謂相當的明顯。

三七一、竹胎

蔡振豐

朵花梅影動黃昏①，竹亦懷胎許共論②。準待凍雷傳喜【訊】③，淇園添得一龍孫④。

【析韻】

昏、論、孫，上平、十三元。

【釋題】

筍別稱竹胎。唐皮日休夏景無事因懷章來二上人詩之一：「水花移得和魚子，山蕨收時帶竹胎。」清朱彝尊普天樂曲：「釣侶詩朋看都在，把封泥酒甕齊開，雞頭竹胎，穀芽餅餤，油菜花薹。」

【注解】

①朵花……昏　一朵朵淡雅清朗的梅影，觸動了日落斜陽。朵花，一朵朵的花。朵，俗作「朶」。花、花狀物等的計量單位。唐曹松（八三〇？—九〇二？）寒食日題杜鵑花詩：「一朵又一朵，併開寒食時。」水滸傳第六七回：「一個似北方一朵烏雲，一個如南方一團烈火，飛出陣前。」梅影，梅花的疏影。南宋汪藻（一〇七九—一一五四）點絳唇詞：「新月娟娟，夜寒江靜山銜斗。起來搔首。梅影橫窗瘦。」范成大次韻同年楊廷秀使君寄題石湖：「書到石湖春亦到，平隄梅影縠紋生。」元劉秉忠焚勝梅香詩：「簷外杏花橫素月，

恰如梅影在西窗。」動，觸動。唐 杜甫 和裴迪登蜀州東亭：「東閣官梅動詩興，還如何遜在揚州。」黃昏，日落斜陽。餘參卷二〇、三四一、注①。

②竹亦……論　翠竹有孕在身，那是可以一起探討、講明的。亦，助詞。無義。詩 召南 草蟲：「亦既見止，亦既覯止，我心則降。」懷胎，懷孕。謂有孕在身。許，可。書 金縢：「爾之許我，我其以璧與珪歸俟爾命；爾不許我，我乃屏璧與珪。」戰國策 趙策一：「魏文侯借道於趙攻中山，趙侯將不許。」共論，同論。謂一起探討、講明。

③準待……訊　必等春雷帶來好消息。準，表狀態。必。北史 賈思伯傳：「損盛之極，極於三王；後來擬議，難可準信。」待，等。凍雷，即春雷。天氣未暖，尚未解凍，故稱。北宋 歐陽修 戲答元珍詩：「殘雪壓枝猶有橘，凍雷驚筍欲抽芽。」喜訊，好消息。使人高興消息。榮按：原刊「喜訊」誤作「喜信」，茲訂正之。

④淇園……孫　竹園裡又增加了新筍。淇園，典出史記 河渠書：「是時東郡燒草，以故薪柴少，而下淇園之竹以為楗。」裴駰集解引晉灼曰：「淇園，衛之苑也，多竹篠。」添得，（又）增加。筍別稱龍孫；亦指新竹。北宋 梅堯臣 韓持國遺洛筍詩：「龍孫春吐一枝芽，紫錦包玉離泥沙。」又，依韻和孫待制新栽竹：「龍孫已見多奇節，鳳實新生入翠枝。」南宋 陸游 夏日詩：「將雛燕子暫離巢，過母龍孫已放梢。」又，夾路多修竹詩：「桑麻有餘地，家家養龍孫。」

三七二、竹影

蔡振豐

日隨清影弄書齋①，千个成文看更佳②。林鶴不來雲滿地③，十分涼意迫吟懷④。

【析韻】

齋、佳、懷，上平、九佳。

【釋題】

日光為竹（或竹叢）所遮擋，於其前端或左右兩側地面形成陰暗景象，稱竹影。亦稱竹陰。北周 庾信 至仁山銘：「壁繞藤苗，窗御竹影。」唐太宗 儀鸞殿早秋詩：「松陰背日轉，竹影避風移。」杜甫 舍弟占歸草堂檢校詩：「東林竹影薄，臘月更須栽。」白居易池上詩：「山僧對棊坐，局上竹陰清。」

【注解】

①日隨……齋　太陽跟從那清朗的光影，好像在和書房嬉遊。隨，跟從。追從。禮記 仲尼燕居：「行則有隨，立則有序，古之義也。」老子：「音聲相和，前後相隨。」唐 李漢（？—？，貞元、大中間人。）韓昌黎集 序：「……隨兄播遷韶嶺。」清影，清朗的光影。在此，係用以形容太陽照射所形成的影像。本常用以形容月光。三國 魏 曹植 公宴詩：「明月澄清影，列宿正參差。」唐 羊滔（？—？，開元、建中間人。）遊爛柯山詩之二：「瓦罋蠹

丹虹，排雲弄清影。」北宋張先相思兒令詞：「願教清影長相見，更乞取長圓。」弄，嬉遊。書齋，書房。唐王勃贈李十四詩之四：「直當花院裏，書齋望曉開。」金董解元西廂記諸宮調卷五：「白日且猶自可，黃昏後是甚活？對冷落書齋，青熒燈火。」

②千个……佳　許許多多的文采，越瞧越美好。个，作者本作「ケ」，茲訂正之。恆用於沒有專用量詞處。猶「枚」。成文，形成文采。指稱竹影的形象。

③林鶴……地　棲息在叢木中的羣鶴，沒有飛臨；卻到處盡是白茫茫。林，成片的竹、木。詩邶風擊鼓：「于以求之，于林之下。」呂氏春秋安死：「世之為丘壟也，其高大若山，其樹之若林。」鶴，鳥綱鶴科各種類的統稱。我國常見者有丹頂鶴、白鶴、灰鶴、黑頸鶴、赤頸鶴、白頭鶴、白枕鶴、蓑羽鶴等。古詩詞圖畫中常見丹頂鶴或白鶴。易中孚：「鶴鳴在陰，其子和之。」南朝宋謝惠連雪賦：「皓鶴奪鮮，白鷴失素。」不來，未飛臨。雪滿地，一片白茫茫。大般涅槃經：「爾時拘尸那（迦）城娑羅樹林變白，

竹　影

猶如白鶴。」

④十分……懷　非常清冷的感覺，逼使我蓄藏作詩的情懷。十分，參卷二二一、三五九、注①。涼意，亦作「涼意」。清冷的感覺。北宋 梅堯臣 次韻和景彝對月：「蕭蕭風雨變涼意，索索晚雲開斗晴。」南宋 戴昺（？—？，嘉泰、寶祐間人。）四月即景詩：「蒼竹颭風涼意足，碧梧留雨夜聲多。」迫，逼（使）。西漢 嚴忌（？—？，景帝時人；榮按渠本姓莊。）哀時命：「眾比周以相迫兮。」三國志 魏書 袁紹傳：「紹……急迫珪等，珪等悉赴河死。」東晉 陶潛 雜詩：「日月不肯遲，四時相催迫。」吟懷，作詩的情懷。唐 杜荀鶴 近試投所知詩：「白髮隨梳落，吟懷說向誰？」元 張養浩（一二七〇—一三二九）擬四季歸田樂 春詩：「天隨野色遙，山與吟懷情。」趙善慶 憶王孫 尋梅曲：「橫斜數枝僧寺側，動吟懷。」清 華嵒（一六八二—？）辛酉題古木泉石圖詩：「誠可羈游目，況復達吟懷。」

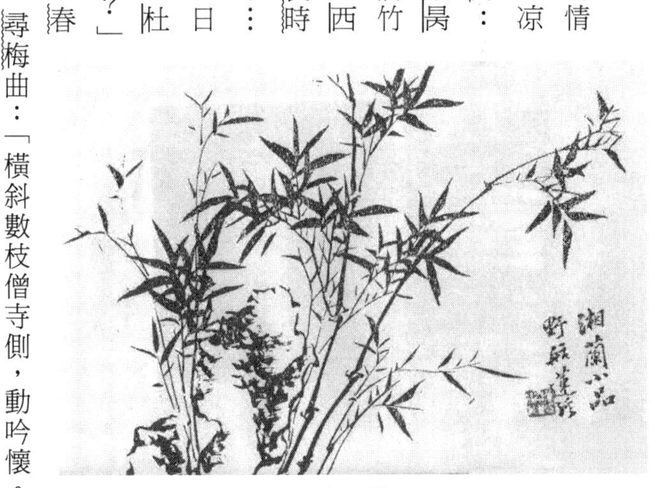

竹石圖

三七三、白　菊

曾逢時

紅紫何堪結賞音①，愛將秋色靜中尋②。漫嫌雅淡難諧俗③，三徑歸來證素心④。

【析韻】

音、尋、心，下平、十二侵。

【釋題】

菊，學名Chrysanthemum morifolium。通稱菊花。菊科。多年生草本。葉卵圓形至披針形，具粗大鋸齒或深裂。秋開花，頭狀花序，大小、顏色與形狀因品種而異。原產我國，久經栽培，品種極多，為着名觀賞植物。花白色者稱白菊花，可沖泡為飲料；黃菊與白菊入藥，性微寒、略甘苦，能疏風清熱、平肝明目，主治外感風熱、頭痛、刺目諸症。疏風清熱多用黃菊；平肝明目多用白菊。

【注釋】

①紅紫……音　間色（一作閒色）怎能締交知音？古以青、赤、白、黑、黃為正色，紅紫屬正色外的間（閒）色。論語鄉黨：「紅紫不以為褻服。」朱熹集注：「紅紫，間色不正，且近於婦人女子之服。褻服，私居服也。」文心雕龍情采：「正乎耀乎朱藍，間色屏於紅紫。」清曹寅孔雀詩：「有時妬紅紫，獨立愁雲天。」結，締交。詩檜風素冠：「庶

見素韠兮，我心蘊結兮，聊與子如一兮！」左傳 文公五年：「秦，舊好也。……結舊則安。」賞音，知音。三國 魏 曹植 求自試表之一：「夫臨博而企竦，聞樂而竊抃者，或有賞音而識道也。」金 段成己 望月婆羅門引詞：「風流已置，撫遺編，三歎賞音稀。」清 趙翼 王夢樓挽詩之一：「黠癡各半無真癖，謗譽相兼有賞音。」

②愛將……尋 喜歡從寂闃無聲中覓求白色。愛，喜歡。將，從。由。宣和遺事前集：「徽宗遂入茶坊坐定，將金篋內取出七十足伯長錢，撒在那桌子上。」清 秋瑾 寶刀歌：「誓將死裏求生路，世界和平賴武裝。」秋色，與秋季相應的顏色。指白色。太平御覽卷二四引禮記 月令：「立秋之日……天子居總章左个，乘白駱。」注：「乘白駱，從秋色也。」尋，參卷五、一〇一、注①。

③漫嫌……俗 毋須質疑雅致素淨不容易與平庸、一般調和。漫嫌，不要質疑。嫌，疑。疑惑。金史 宣宗紀：「上嫌其太重。」又，亦作「惡」，「厭惡」解。後漢書 崔烈傳：「論者嫌其銅臭。」雅淡，本作「雅澹」。雅致素淨。元 高明 琵琶記 牛氏規奴：「珠翠叢中長大，倒堪雅淡梳妝。」梁辰魚 浣紗記 游春：「照面盆為鏡，誰憐雅澹梳妝。」紅樓夢第八回：「（寶釵）一色兒半新不舊的，看去不見奢華，惟覺雅淡。」難諧，不容易調和。俗，平庸、一般。唐 杜甫 李鄠縣丈人胡馬行：「始知神龍別有種，不比俗馬空多肉。」

④三徑……心 從隱者的家園回來，徵驗純潔的心地。三徑，亦作「三逕」。餘詳參卷五、六二、注③。證，卷二二、三六三、注④。素心，純潔的心地。南朝 宋 顏延之 陶徵士

誄：「弱不好弄，長實素心。」南朝胡錡（？—？，世次不詳。）耕祿藁代耒牟謝表：「鬖鬖黃髮，老風雪之凋殘；皦皦素心，抱冰霜之潔白。」清方文潤州訪錢馭少詩：「見我入門驚且喜，素心相對如冰雪。」

三七四、白菊

蔡振豐

轉眼風霜三徑深①，白衣送酒是知音②。陶公老去頭如雪③，淡裡交情說到今④。

【析韻】

深、音、今，下平、十二侵。

【釋題】

詳本卷、三七三。

【注解】

①轉眼……深　歲月不居，一溜煙，隱者家園的菊花盛開。轉眼，參卷一一、二二〇、注①。風霜，喻變遷的歲月。西漢枚乘忘憂館柳賦：「弱絲清管，與風霜而共雕。」唐沈佺期遊少林寺詩：「雁塔風霜古，龍池歲月深。」北宋林逋洞霄宮詩：「風霜唐碣久，草木漢祠空。」明梅鼎祚（一五四九—一六一五）玉合記賜完：「故人相向，還憶別幾度風霜。」三徑，隱指陶潛辭官後的居所。餘參卷五、八二、注③。深，盛。喻多。戰國

策 秦策三：「三國之兵深矣。」注：「深，盛也。」

②白音……音　白衣僕役攜酒轉贈，不愧交誼至深、諳其所好。白衣送酒，南朝 宋 檀道鸞（？—？，生卒年不可考。）續晉陽秋：「陶潛九月九日無酒，於宅邊菊叢中摘盈把，坐其側，望見白衣人，乃王弘送酒，即便就酌而後歸。」梁 蕭統 陶淵明傳：「嘗九月九日出宅邊菊叢坐，久之，滿手把菊，忽值（王）弘送酒至，即便就酌，醉而歸。」此一典故，宋書 隱逸傳、南史 隱逸傳均有載，茲從略。唐 羅隱 菊詩：「千載白衣酒，一生青女霜。」南宋 陳與義 粹翁用奇父韻賦九日：「白衣終不至，渺渺空愁予。」張孝祥 郡侯遣騎至山中饋名醞詩：「青壁倚天元未見，白衣送酒故相關。」辛棄疾 水調歌頭 九日遊雲洞詞：「酒亦關人何事，政自不能不爾，誰遣白衣來？」元 薩都剌 病中雜詠之六：「陶令貧無酒，郎官菊也無。」知音，喻知己。呂氏春秋 本味：「伯牙鼓琴，鍾子期聽之。方鼓琴而志在太山，鍾子期曰：『善哉乎鼓琴！巍巍乎若太山。』少選之間，而志在流水，鍾子期又曰：『善哉乎鼓琴！湯湯乎若流水。』鍾子期死，伯牙破琴絕弦，終身不復鼓琴，以為世無足復為鼓琴者。」列子 湯問、說苑 尊賢均有載，文略異。三國 魏 曹丕 與吳質書：「徐、陳、應、劉，一時俱逝，痛可言邪……伯牙絕絃於鍾期，仲尼覆醢於子路，痛知音之難遇，傷門人之莫逮。」南朝 梁 江淹 傷友人賦：「吝妙賞之不留，悼知音之已逝。」唐 杜甫 哭李常侍嶧詩：「斯人不重見，將老失知音。」明 唐順之 謝病贈別高參政詩：「逝將歸舊林，復此別知音。」

③陶公……雪　陶翁年歲越增、體力越衰，滿頭白髮，像雪一般。陶公，陶潛。餘詳卷五、八二。老去，謂人漸漸衰老。唐 杜甫 往在詩：「歸號老松柏，老去苦飄蓬。」北宋 歐陽修 贈王介甫詩：「老去自憐心尚在，後來誰與子爭先。」明 汪循（？—？，世次不詳。）老去詩：「老去心還競，春來花又新。」引申為老年，晚年。亦通。頭，指頭髮。莊子 說劍：「吾王所見劍士，皆蓬頭突鬢垂冠，曼胡之纓，短後之衣，瞋目而語難。」唐 白居易 春題華陽觀詩：「落華何處堪惆悵，頭白宮人掃影堂。」如雪，像雪一般。雪呈白色，故稱。

④淡裏……今　從遠古到目前，總有人談述（要）在平淡中，去營造彼此的情誼。莊子 山木：「且君子之交淡若水，小人之交甘若醴；君子淡以親，小人甘以絕。」郭象注：「無利故淡，道合故親。」禮記 表記：「故君子之接如水，小人之接如醴；君子淡以成，小人甘以壞。」鄭玄注：「接或為交。」孔穎達疏：「君子之接如水者，言君子相接，不用虛言，如兩水相交，尋合而已。」南宋 辛棄疾 洞仙歌 丁卯八月病中作詞：「味甘終易壞，歲晚還知，君子之交淡如水。」元 費唐臣（？—？，世次不詳。）貶黃州第三折：「我止望周人之急緊如今，君子之交淡如水。」淡謂味不濃；濃度不高。交情，人於彼此來往中所建立的感情。史記 汲鄭列傳：「一生一死，乃知交情。一貧一富，乃知交態。一貴一賤，交情乃見。」唐 皎然 春夜與諸同宴呈陸郎中詩：「南國宴佳賓，交情老倍親。」金 元好問 寄答劉生詩：「省郎共結交情厚，野老還欣禮數寬。」說，談述。唐 朱慶餘 宮

中詞：「含情欲說宮中事，鸚鵡前頭不敢言。」前蜀韋莊應天長詞：「暗相思，無處說。」南宋陸游蜀漢詩：「舊事已無人共說，征途猶與夢相關。」到今，至目前。至現在。

三七五、瘦　菊

鄭兆璜

連番霜信迫雕欄①，瘦到黃花骨欲珊②。伴我吟肩雙聳處③，不堪籬外耐秋寒④。

【析韻】

欄、珊、寒，上平、十四寒。

【釋題】

菊，枝梗削直、突兀，曰瘦菊。

【注解】

①連番……欄　霜期（將臨的消息），一次次地靠近雕飾精美的欄杆。連番，接連幾次。多次。三寶太監西洋記通俗演義第八九回：「連番廝殺來，諸將不能取勝。」清趙翼袁子才挽詩：「索挽連番竟不行，此番真是送登程。」霜信，霜期（將臨的消息）。北宋沈括夢溪筆談雜志一：「北方有白雁，似雁而小，色白，秋深則來。白雁至則霜降，河北人謂之『霜信』。杜甫詩云：『故國霜前白雁來』即此也。」胡道靜校證：「白雁非普通之白化個體，而為另一獨立雁種，蓋今稱『雪雁』者是。」金元好問藥山道中詩之二：

「白雁未銜霜信過，青林閑送雨聲來。」元 薩都刺 三益堂芙蓉詩：「只恐淮南霜信早，絳紗籠燭夜深看。」清 厲鶚 九月十三夜月詩：「江聲喧歲稔，霜信壓秋殘。」迫，靠近。周禮 地官注：「同宗生者相近，死相迫。」三國 魏 何晏（一八九？—二四九）景福殿賦：「遠而望之，若擒朱霞而耀天文；迫而察之，若仰崇山而戴垂雲。」雕欄，亦作「雕闌」。雕花彩飾的欄杆。南唐 李煜 虞美人詞：「雕闌玉砌應猶在，只是朱顏改。」北宋 蘇軾 法惠寺橫翠閣詩：「雕欄能得幾時好？不獨憑欄人易老！」清 陳維崧 探春令 咏窗外杏花詞：「崇仁宅靠善和坊，舊雕欄都壞。」

②瘦到……珊　黃菊的枝梗削直、突兀得高潔飄逸。瘦，參考釋題。黃花，參卷二二、三六六、注②。骨，花的枝梗。骨欲珊，參卷六、一一三、注①。

③伴我……寒　它，默默相隨左右；可是，我的肩頭卻不能忍受荊籬外那深秋的冷峭。伴，參卷二一、三四八、注④。吟肩，詩人的肩膀。頸項下臂與身軀相連接的部分，稱肩，即肩甲。左、右兩肩謂雙。聳，高起。吟肩雙聳處，指詩人左右兩肩頭。不堪，參卷一三、二二七、注④。籬，ㄌㄧˊ。編柴竹而成的障蔽，俗稱籬笆。超出某一區劃範圍

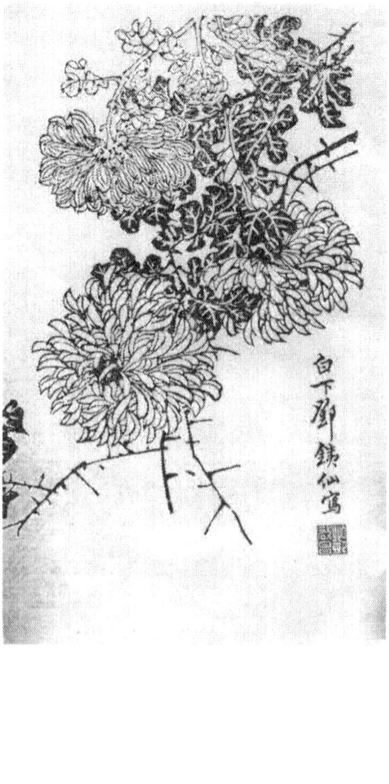

之定界者為外。耐，忍受。忍耐屬同義複詞。秋寒，深秋的冷峭。唐李賀溪晚涼詩：「白狐向月號山風，秋寒掃雲留碧空。」杜牧雨中詩：「一褐擁秋寒，小窗侵竹塢。」唐彥謙秋晚高樓詩：「晚蝶飄零驚宿雨，暮雅零亂報秋寒。」

三七六、瘦　菊

陳濬芝

黃花三徑畫偏難①，孤立亭亭怯影單②。我道秋容無礙瘦③，輕霜冷月耐人看④。

【析韻】

難、單、看，上平、十四寒。

【釋題】

詳本卷、三七五。

【注釋】

①黃花……難　寫成黃花三徑圖可特不容易。黃花，參卷二二、三六六、注②。三徑，參卷五、八二、注③。畫，繪。偏，特。表示意外。唐劉方平夜月詩：「今夜偏知春風暖，蟲聲新透綠窗紗。」紅樓夢第三九回：「眾人又拉平兒坐，平兒不肯；李紈瞅着他笑道：『偏要你坐！』因拉他身旁坐下。」難，不容易。

②孤立……單　筆直獨立，卻畏懼孑然無依。孤立，獨立。謂無所依傍或聯繫。漢書張湯

傳：「禹奉公孤立。」北魏酈道元山經注沽水：「山石白色特上，亭亭孤立，超出羣山之表。」唐李頎送東陽王太守詩：「野鶴每孤立，林鼯常晝悲。」清劉大櫆（一六九八—一七七九）金氏節母傳：「憂危困苦，叢集其心；飢餓寒凍，交迫其體；而太恭人若冥然無知，獨身孤立於層冰積雪之中，率使金氏之門，烝嘗無缺，墜而復興。」亭亭，直立貌。獨立貌。東漢劉楨贈從第詩之二：「亭亭山上松，瑟瑟谷中風。」唐溫庭筠夜宴謠：「亭亭蠟淚香珠殘，暗露曉風羅幕寒。」北宋歐陽修鷺鷥詩：「灘驚浪打風兼雨，獨立亭亭意欲閑。」近人朱自清荷塘月色：「葉子出水很高，像亭亭的舞女的裙。」怯，ㄑㄧㄝˋ。ㄑㄩㄝˋ。畏懼。史記魯仲連列傳：「勇士不怯，死而滅名。」影單，即影單形隻，又作「影隻形單」，亦作「形單影隻」、「影隻形孤」。引申作「孤立無依」解。唐韓愈祭十二郎文：「承先人後者，在孫惟汝，在子惟吾；兩世一身，形單影隻。」

③我道……瘦　我說：秋色並未妨礙（你的）清癯、飄逸。道，猶說。秋容，秋色。唐李賀追合何謝銅雀妓：「佳人一壺酒，秋容滿千里。」南宋陸游秋陰詩：「陂澤秋容淡，郊原曉氣清。」明孫仁孺東郭記卒之東郭墦間之祭者：「看秋色一片荒郊寫，盡處霜紅葉，愁來不可遮。」無礙，沒有妨礙（或阻礙）。西漢揚雄法言君子：「子未覩禹之行水與？一東一北，行之無礙也。君子之行，獨無礙乎？」紅樓夢第四一回：「有木頭的杯取個來，我就失了手，掉了地上也無礙。」瘦，意謂清癯狀。

④輕霜……看　薄霜、玉團經得起細瞧、久看。輕霜，薄霜。南朝梁簡文帝鴈門太守行：

「輕霜中夜下，黃葉遠辭枝。」冷月，月亮。月光予人冰冷的感覺，故稱。按：月有多名，一作玉團。北宋蘇軾次韻劉景文路分上元：「華燈閟艱歲，冷月掛空府。」紅樓夢第七六回：「寒塘渡鶴影，冷月葬詩魂。」耐人看，經得起人細瞧、久看。元倪瓚題畫詩之七：「篝燈染筆三更後，遠岫疏林亦耐看。」清李漁慎鸞交造端：「少年填詞填到老，好看詞多，耐看詞偏少。」

三七七、迎年菊

林朝琛

寒威歷盡度春光①，臘鼓聲中花正黃②。勁節從來天付【予】③，不因冷暖改芬芳④。

【析韻】

光、黃、芳，下平、七陽。

【釋題】

菊於陰曆十二月下旬大寒前後盛綻者，似為迎新歲而開，故稱迎年菊。

【注釋】

①寒威……光　飽嘗嚴寒的威力，就要享受春的景緻和風光。寒威，嚴寒的威力。唐方干歲晚言事寄鄉中親友詩：「急景蒼茫晝若昏，夜風乾峭觸前軒。寒威半入龍蛇窟，暖氣全歸草樹根。」北宋梅堯臣雪中通判家飲回詩：「凍禽聚立高樹時，密雲萬里增寒威。」歷

盡，經過。猶飽嘗。餘詳參卷一九、三二四、注①。度，過。通過。漢書　西域傳：「谿谷不通，以繩相引而度。」唐　王之渙（六八八—七四二）涼州詞：「羌笛何須怨楊柳，春風不度玉門關。」春光，參卷一六、二七五、注②。

②臘鼓……黃　臘日驅疫的鼓聲頻催，恰又有黃森森的花海。臘鼓，古人於臘日（或臘前一日）往往擊鼓驅疫，因有是名。呂氏春秋　季冬：「命有司大儺旁磔。」高誘注：「今人臘歲前一日擊鼓驅疫，謂之逐除。」南朝　梁　宗懍　荊楚歲時記：「十二月八日為臘日，諺語：臘鼓鳴，春草生。村人竝擊細腰鼓，戴胡頭及作金剛力士以逐疫。」唐　韓翃　送崔秀才赴上元兼省叔父詩：「寒塘斂暮雪，臘鼓迎春早。」近人甯調元　海上次韻答天梅：「殘雪未消成臘鼓，新元彈指過黃龍。」聲中，謂擊鼓發聲的當頭。花，指菊花言。正，恰。論語　述而：「子曰：『若聖與仁，則吾豈敢！抑為之不厭，誨人不倦，則可謂云爾已矣。』公西華曰：『正唯弟子不能學也。』」襄陽耆舊傳：「莫作孔明擇婦，正得阿承醜女。」黃，形容花色。猶云黃森森。

③勁節……予　堅貞的節操，向來都是上蒼所賜給的。勁節，堅貞的節操。南朝　梁　范雲　詠寒松：「凌風知勁節，負雪見貞心。」北宋　王安石　景福殿前柏詩：「知君勁節無榮慕，寵辱紛紛一等看。」近人朱光潛（一八九七—一九八六）藝文雜談　子非魚安知魚之樂：「陶淵明何以愛菊呢？因為他在傲霜、殘枝中見出孤臣的勁節。」從來，向來。歷來。顏氏家訓　勉學：「元氏之世，在洛京時，有一才學重臣，新得史記音，而頗紕謬，誤反顓

頊字，頊當為許錄反，錯作許緣反，遂為朝士言：『從來謬音專旭，當音專翾耳。』」明張居正文華殿論奏：「此地從來多荒少熟。」清紀昀閱微草堂筆記灤陽消夏錄四：「至于兩妻並立，則從來無一相得者，亦從來無一相安者。」天，猶云上蒼或大自然。付予，賜給。給與。急就篇卷二：「取受、付予相因緣。」

④不因……芳　不會因為寒冷或溫暖而變更它的香氣。冷暖，在此，採本義。謂寒冷與溫暖。改，變更。更。論語學而：「三年無改於父之道，可謂孝矣。」宋書樂志：「琴瑟殊未調，改弦當更張。」芬芳。香。香氣。荀子榮辱：「口辨酸鹹甘苦，鼻辨芬芳腥臊。」漢書司馬相如傳上：「橘柚芬芳。」唐韓愈重雲李觀疾贈之詩：「窮冬百草死，幽桂乃芬芳。」

三七八、菊　影

鄭兆璜

蕭蕭瘦菊自清宵①，供我閒吟興便饒②。涼月半籬風又靜③，許多秋意耐人描④。

【析韻】

宵、饒、描，下平、二蕭。

【釋題】

陽光為菊栽遮擋，於其前端或左右側所形成之陰暗景象，肉眼可清楚見及者，曰菊影。

【注解】

①蕭蕭……宵　（在）清靜的夜（晚）裏，高潔脫俗的瘦菊。蕭蕭，瀟灑，謂清高脫俗、無拘無束。世說新語 容止：「嵇康身長七尺八寸，風資特秀，見者歎曰：『蕭蕭肅肅，爽朗清舉。』」明 唐寅 題畫竹次杜水庵韻：「蕭蕭美人脫風俗，蕉姓稱蘿名碧玉。」瘦菊，清癯飄逸的菊。自，在。于。易 小畜：「密雲不雨，自我西郊。」詩 小雅 正月：「不自我先，不自我後。」西晉 張華 答何劭詩之一：「自昔同寮寀，於今比園廬。」清霄，清夜。清靜的夜晚。南朝 梁 蕭統（昭明太子）鍾山講解詩：「清宵出望園，詰晨屆鍾嶺。」

②供我……饒　它，帶來適宜的時機和豐富的素材，讓我隨意吟唱。供，給。三國志 魏書 鍾繇傳：「供給資費，使得專學。」北史 陸通傳：「有魚，遂得以供膳。」此處，引申作「讓」解。閒吟，亦作「閑吟」。任意吟唱。唐 白居易 閑吟：「唯有詩魔降未得，每逢風月一閒吟。」杜牧 江南懷古詩：「戊辰年向金陵過，惆悵閑吟憶庾公。」明 湯潛（？—？，世次不詳。）雁宕載菊謝貞明王子詩：「日日籬根下，閒吟興不窮。」興，起。左傳 襄公二五年：「門啟而入，枕尸股而哭，興，三踊而出。」西晉 張協 七命：「言未終，公子蹶然而興。」在此，引申作「帶來」解。便饒，適宜的時機、豐富的素材。

③涼月……靜　秋月不完全映照著竹籬，風更是寂然未動。涼月，秋月。南朝 齊 謝朓 移病還園示親屬詩：「停琴佇涼月，滅燭聽歸鴻。」北宋 蘇舜欽 和彥猷晚宴明月樓之二：「綠楊有意簷前舞，涼月多情海上來。」清 納蘭性德 河瀆神詞：「涼月轉雕闌，蕭蕭木

葉聲乾。」半，不完全。籬，參本卷、三七五、注③。又，更。且。史記 魏其侯列傳：「今將軍傅太子，太子廢而不能爭；爭不能得，又弗能死。」靜，寂然未動。

④許多……描　不少秋的淒清、蕭瑟，經得起人來摹寫。許多，很多。猶言不少。秋意，秋季淒清、蕭瑟的景象。唐 顏真卿（七〇九—七八四）贈僧皎然詩：「秋意西山多，別岑縈左次。」北宋 晏殊 點絳唇詞：「露下風高，井梧宮簟生秋意。」清 龔自珍 水龍吟 題家繡山停琴聽簫圖詞：「有相思兩字，呼之欲出，秋意裂，冰紋斷。」耐人，經得起人……。描，摹寫。唐 白居易 小童薛陽陶吹觱篥歌：「緩聲展引長有條，有條直直如筆描。」北宋 朱敦儒 雙鸂鶒詞：「小艇誰吹橫笛？驚起不知消息。悔不當時描得，如今何處尋覓？」明 湯顯祖 牡丹亭 寫真：「三分春色描來易，一段傷心畫出難。」紅樓夢第二六回：「這兩個花樣子叫你描出來呢。」

三七九、菊　影

陳　濬　芝

十分淡到太無聊①，破費詩人着意描②。一抹霜痕荒徑外③，可憐冷月又秋宵④。

【析韻】

聊、描、宵，下平、二蕭。

【釋題】

詳本卷、三七八。

【注解】

①十分……聊　顏色淺得不能再淺。十分，參卷二二、三五九、注①。淡，指顏色不深。餘參本卷、三七四、注④。到，至。太無聊，極無聊。無聊，沒有意義。沒有作用。唐杜牧寄浙東韓乂評事詩：「無窮塵土無聊事，不得清言解不休。」清俞樾春在堂隨筆卷一：「此則無聊之語，聊以解嘲。」

②破費……描　徒然消耗詩人的精神，集中心力摹寫。破費，花費。消耗。前者指財貨而言，後者兼及精神層次。近人魯迅南腔北調集序：「只是偶然也還想借書來休息一下精神，而又耐不住嘮叨不已，破費功夫，于是就使短篇小說交了桃花運。」着意，集中注意力。南宋辛棄疾卜算子詞：「着意尋春不肯香，香在無尋處。」二十年目睹之怪現狀第五一回：「到了明天，着意打扮。」描，參前首注④。

③一抹……外　雜草叢生的小路外圍，映著一片月光。一抹，一片。清鄭燮唐多令寄懷劉道並示酒家徐郎詞：「一抹晚天霞，微江透碧紗，顫西風涼葉些些。」霜痕，喻月光。月色。清厲鶚念奴嬌湘月詞：「淡寫霜痕，愛到處，吹盡尋常歌酒。」荒徑，雜草叢生的小路。通「荒蹊」。南朝宋鮑照秋夜詩：「荒徑馳野鼠，空庭聚山雀。」齊謝朓和沈祭酒行園詩：「清淮左長薄，荒徑隱高蓬。」南宋陸游秋懷詩：「蠻童掃荒徑，獠

婥滌空鐺。」外，參本卷三七五、注③。

④可憐……宵　唉！冰冰涼涼的月並且是個秋夜。可憐，參考卷一、九、注④。冷月，參考本卷、三七六、注④。又，並。表進一步連接。秋宵，秋夜。唐 曹松 僧院松詩：「此木韻彌全，秋宵學瑟絃。」前蜀 韋莊 撫盈歌：「玉庭兮春晝，金屋兮秋宵。」南宋 朱松 宿石龍寺詩：「道人身似南枝鵲，更盡秋宵一再飛。」

三八〇、菊　影

劉廷璧

十分秋色淡中描①，簾外西風破寂寥②。瘦到詩人誰寫照③？籬東明月伴清宵④。

【析韻】

描、寥、宵，下平、二蕭。

【釋題】

詳本卷三七八。

【注解】

①十分……描　在平淡的氛圍裏，摹寫出濃濃的秋日景象。十分，參卷二二、三五九、注①。秋色。秋日的景色、氣象。北周 庾信 周驃騎大將軍柴烈李夫人墓志銘：「秋色悽愴，松聲斷絕，百年幾何，歸于此別。」唐 李賀 鴈門太守行：「角聲滿天秋色裏，塞上燕支凝

夜紫。」明夏完淳秋懷詩之三：「秋色從西來，風物自淒緊。」淡，參本卷、三七四、注④。描，參本卷、三七八、注④。

②簾外……寥　珠簾外頭，秋風吹拂，排除了沈寂。簾，指珠簾。餘參卷六、一一七、注①。外，參本卷、三七五、注③。西風，參卷一五、二六一、注③。破，排除。南宋陳與義八關僧房遇雨詩：「世故方未闌，焚春破今夕。」清龔麗正（？—？）答丁品江書：「俚言八首，……閱之或可破悶。」寂寥，沈寂。意謂安靜無聲。西漢枚乘忘憂館柳賦：「鎗鍠啾唧，蕭條寂寥。」章樵注：「鎗鍠，大音；啾唧，小音。並寂然無聲。」唐柳宗元至小丘西小石潭記：「坐潭上，四面竹樹環合，寂寥無人。」近人甯調元立秋柬鈍劍松江詩：「江海悲冥滅，音塵久寂寥。」

③瘦到……照　詩人形銷骨立，誰來替他畫像？瘦到，瘦及。瘦，形銷骨立。寫照，寫真，謂畫肖像。世說新語巧藝：「顧長康畫人，或數年不點目睛。人問其故，顧曰：『四體妍蚩，本無關於處，傳神寫照，正在阿堵中。』」明高攀龍書名公玉宇卷：「陳伯符寫照，肖其形并肖其神。」清周亮工（一六一二—一六七二）書影卷一：「又傳小仙幼時，戲為蒙師之婦寫照，師怒詈之。」

④籬東……宵　荊籬東隅，皎潔的月亮正陪著清靜的夜晚。籬，參本卷、三七五、注③。東，謂東隅。明月，參卷二二、三五八、注②。伴，參卷二一、三四八、注④。清宵，參本卷、三七八、注①。

三八一、菊　影

蔡　振　豐

滿籬疏影認搖搖①，霜自精神月自描②。我愛陶窗相對久③，一瓶斜插燭高燒④。

【析韻】

搖、描、燒，下平、二蕭。

【釋題】

詳本卷、三七八。

【注解】

①滿籬……搖　（整個）籬笆內，淡雅清朗的影子隨意擺動。滿，遍。全。唐 杜牧 九日齊山登高詩：「人世難逢開口笑，菊花須插滿頭歸。」明 瞿佑 清明即事詩：「滿院曉煙聞燕語，半窗晴日照蠶生。」劉武子（？—？，世次不詳。）立秋詩：「睡起秋聲無處覓，滿階梧葉月明中。」籬，參本卷、三七五、注③。疏影，亦作「疎影」。淡雅清朗的影子。唐 杜牧 長安夜月詩：「古槐疏影薄，仙桂動秋聲。」北宋 林逋 山園小梅詩之一：「疏影橫斜水清淺，暗香浮動月黃昏。」明 陸采 明珠記 酬節：「碧梧蒼竹，疎影離離。」認，用同「任」。任憑。謂隨其意也。清平山堂話本 快嘴李翠蓮記：「認你家財萬貫，弄得你錢也無、來人也死。」搖搖，擺動、搖曳貌。大戴禮記 武王踐阼：「若風將至，

先必搖搖。」太平廣記卷四八五引唐 許堯佐 柳氏傳：「（柳氏）乃回車，以手揮之，輕袖搖搖，香車轔轔，目斷意迷，失於驚塵。」明 高啟 風樹操：「朝風之飄飄兮，維樹之搖搖兮。」

②霜自……描 霜，原就生氣勃勃；月，自個兒修飾著形狀。精神，形容人或物有生氣。世說新語 言語載周顗（字伯仁，世稱周僕射。）一節，劉孝標注引晉紀云：「伯仁儀容弘偉，善於俛仰應答，精神足以蔭映數人。」南宋 范成大 再題瓶中梅花詩：「風袂挽香雖淡薄，月窗橫影已精神。」紅樓夢第四九回：「十數枝紅梅，如胭脂一般，映着雪色，分外顯得精神，好不有趣。」描，引申作「修飾」解。本義詳參本卷、三七八、注④。

③我愛……久 我喜歡陶製的窗牖，彼此面對面的時間不短。陶窗，用陶土燒製的窗框。相對，相向。面對面。唐 元稹 與李十一夜飲詩：「寒夜燈前賴酒壺，與君相對興猶孤。」北宋 李師中（？—？，世次不詳。）菩薩蠻詞：「佳人相對泣，淚下羅衣溼。」久，形容時間不（算）短。

④一瓶……燒 瓶鉢內斜立著耀眼的黃英，燭臺上火焰正熾、紅淚欲滴。一瓶，一個瓶鉢。斜插，猶斜立。高燒，一般溫度在攝氏卅九度以上。在此，係用以描述臘燭點燃後，火焰正熾的情況。

三八二、菊　影

陳朝龍

短籬淡月照中宵①，密密疏疏影自搖②。我愛膽瓶秋思足③，折枝畫稿隔燈描④。

【析韻】

宵、搖、描，下平、二蕭。

【釋題】

詳本卷、三七八。

【注解】

①短籬……宵　午夜，朦朧的月光映在矮籬。短籬，猶矮籬。謂低矮的籬笆。籬，參本卷、三七五、注③。北宋蘇軾小圃五詠枸杞：「短籬護新植，紫筍生臥節。」南宋范成大四月五日集陳園照山堂詩：「短籬水面殘紅滿，團扇風前眾綠香。」淡月，不甚明亮的月（光）。猶朦朧的月（光）。南宋王明清揮麈餘話卷二：「少頃，白乳浮盞面，如疏星淡月。」近人許地山綴網勞蛛醍醐天女：「在淡月中可以看見兩三個男子坐在樹下吸烟、閑談。」照，對映。中宵，中夜。午夜。半夜。西晉陸機贈尚書郎顧彥先詩之二：「迅雷中宵激，驚電光夜舒。」清龔自珍懺心詩：「經濟文章磨白晝，幽光狂悲復中宵。」

②密密……搖　菊影，不約而同，自個兒隨風擺動。密密疏疏，本作「疏疏密密」，詳參本

卷、三七〇、注②。影，菊的花影。自，指己身。搖，擺動。

③我愛……足　我喜歡膽瓶。我內心充滿了秋的寂寞和悽涼。膽瓶，頸長腹大的花瓶，因形如懸膽而名。南宋　陳傅良（一一三七—一二〇三）水仙花詩：「掇花寘膽瓶，吾今得吾師。」元無名氏碧桃花第一折：「興兒，你將這碧桃花揀那開得盛的折一枝來，膽瓶裏插着，等我看咱。」清　納蘭性德　憶江南詞：「急雪乍翻香閣絮，輕風吹到膽瓶梅。」秋思，秋日寂寞悽涼的思緒。唐　沈佺期　古歌：「落葉流風向玉臺，夜寒秋思洞房開。」北宋　蘇轍　次韻徐正謝示閔子廟記及惠紙：「西溪秋思日盈牋，幕府拘愁學久騫。」明　高啟　謝陳山人贈其故弟長司所畫山水詩：「滿空雪凍動秋思，飛象落日何蕭騷。」足，充滿。充分。詩　召南　行露：「雖速我獄，室家不足。」南宋　陳造　再次韻自誑簡賓王之一：「山田雨足鳩呼婦，籬援春深竹有孫。」明　劉基　雜詩之十：「自謂樂無似，至足不求餘。」

④折枝……描　折枝畫的草本，遮著一盞燈摹寫。折枝，國畫花卉畫技法之一。不畫全株，只畫連枝折下的那一部分。唐　韓偓　已涼詩：「碧欄于外繡簾垂，猩血屏風畫折枝。」北宋　仲仁（？—？，世次不詳。）華光梅譜　取象：「（六枝）其法有偃仰枝、覆枝、從枝、分枝、折枝。」清　鄒一桂（一六八六—一七七二）小山畫譜卷上：「草花有方幹之不同，折枝無蜂蝶之來采（採）。」畫稿，畫的草本。隔燈，畫紙與景物間置燈。描，參本卷、三七八、注④。

三八三、菊　夢

蔡振豐

賞菊何須列盛肴①，愛花應否惹花嘲②？寒齋冷月疎籬雨③，一枕秋心未肯拋④。

【析韻】

肴、嘲、拋，下平、三肴。

【釋題】

未直接賞菊，而於另一空間，憑往日所累積之經驗與個人對菊之意念，自由思考以形成詩句，若作夢也。

【注解】

①賞菊……肴　玩賞菊花，何必備置豐富的佳肴。賞，玩賞。欣賞。東晉陶潛移居詩：「奇文共欣賞，疑義相與析。」唐薛濤（？—八三二）菱荇沼詩：「何時得向溪頭賞，旋摘菱花旋泛舟。」何須，參卷二二、三六八、注②。列，陳。置備。置設。禮記樂記：「鋪筵席，陳尊俎，列籩豆，以升降為禮者，禮之末節也。」盛肴，猶盛饌。謂豐富的佳肴。肴，泛指魚肉之類的葷菜。

②愛花……嘲　愛花應不應引來花的訕笑？愛，好（ㄏㄠˋ）。喜歡。論語顏淵：「愛之欲其生，惡之欲其死。」唐杜甫戲為六絕句之五：「不薄今人愛古人，清詞麗句必為鄰。」

元 耶律楚材 過金山和人韻之三：「我愛長天漢家月，照人依舊一輪明。」明 張邦奇 題畫詩：「鳩性愛雨花愛情，同倚東風不勝情。」惹，ㄖㄜˇ。引。引起。唐 賈至 春思詩：「東風不為吹愁去，春日偏能惹恨長。」紅樓夢第五回：「春恨秋悲皆自惹，花容月貌為誰妍。」兒女英雄傳第三回：「路上管著他些兒，別惹大爺生氣。」嘲，謔。訕笑。譏笑。漢書 揚雄傳：「執蝘蜓而嘲龜龍。」

③寒齋……雨　冷清的書齋、冰涼的古月、稀疏的竹籬、濛濛的細雨。寒齋，冷冷清清的書齋。唐 杜牧 醉眠詩：「秋醪雨中熟，寒齋落葉中。」北宋 梅堯臣 尹陽尉耿傳惠新栗詩：「野人寒齋會，山爐夜火炮。」冷月，參卷二三、三七六、注④。疎籬，本作疏籬。稀疏的（荊）竹籬。唐 杜甫 風雨看舟前落花詩：「江上人家桃樹枝，春寒細雨出疏籬。」白居易 小宅詩：「小宅里閭接，疏籬雞犬通。」北宋 張耒 夜聞風雨有感詩：「留滯拓提未是歸，臥聞秋雨響疏籬。」雨，指濛濛細雨。

④一枕……拋　滿腦子秋的悲愁，卻不願捨棄。一枕，猶一臥。臥必以枕，故有此說。在此，作「滿腦子」解尤宜。唐 丁仙芝 和薦福寺英公新搆禪堂：「一枕西山外，虛舟常浩然。」南宋 陸游 感秋詩：「一枕凄涼眠不得，呼燈起作感秋詩。」元 馬致遠 夜行船 秋思套曲：「蛩吟罷一枕纔寧貼，雞鳴後萬事無休歇，算名利何年是徹！」清 宋維藩（？—？）臺城路蟬詞：「午餘一枕游仙夢，幾番被伊驚醒。」秋心，秋日的心緒。謂秋來而引起的悲愁心情。唐 鮑溶 怨詩：「秋心還遺愛，春貌無歸妍。」北宋 張耒 夏日五言之十一：

「庭除延夜色，砧杵發秋心。」不肯，不願意。抛，參卷九、一七七、注②。

三八四、菊　夢　　陳濬芝

黃花開遍豔衡茅①，鎮日吟秋漫解嘲②。送酒不來天又晚③，滿床風雨夢難交④。

【析韻】

茅、嘲、交，下平、三肴。

【釋題】

詳本卷、三八三。

【注解】

①黃花……茅　黃森森的菊花盛開，炫誇衡門茅屋。黃花，參卷二一、三六六、注②。開遍，猶盛開。盛綻。豔，耀。意謂炫誇。三國 魏 何晏 景福殿賦：「開建陽則朱炎豔，啟金光則清風臻。」唐 王勃 採蓮賦：「鳴環釧兮響窈窕，豔珠翠兮光繽紛。」李白 越女詞：「長安 吳兒女，眉目豔星月。」衡茅，衡門茅屋。橫木為門，故稱衡門。指簡陋之居室。東晉 陶潛 辛丑歲七月赴假還江陵夜行塗口詩：「養真衡茅下，庶以善自名。」南宋 吳處厚 青箱雜記卷六：「衡茅改色，猿鳥交驚，夫何至陋之窮居，獲此不朽之奇事。」明 陳汝元 金蓮記 彈絲：「琴操姐久居樂籍，尚少奇逢。妾身困衡茅，怎諧佳偶。」聊齋志異

夢狼：「甲曰：『弟日居衡茅，故不知仕途之闒䆮耳。』」

②鎮日……嘲　整天對秋作詩，隨意自我消遣。鎮日，參考卷一五、二五七、注②。吟秋，以「秋」為題作詩吟哦。漫，隨意。表性態。唐杜甫江上短述詩：「老去詩篇渾漫與，春來花鳥莫深愁。」元結漫酬賈沔州詩：「漫醉人不嗔，漫眠人不喚，漫遊無遠近，漫樂無早宴。」解嘲，亦作「解謿」因遭人嘲笑而自作解釋。唐司空圖寄薛起居詩：「矗才自合無岐路，不破功夫漫解嘲。」

③送酒……晚　知音沒有駕臨，天色也已經不早。送酒不來，用「白衣送酒」典，參考本卷、三七四、注②。天，謂天色。借指時間早晚。清李漁風箏誤囑鷂：「如今天色尚早，還有半日好放，且去盡盡餘興了來。」又，猶也。晚，不早。

④滿床……交　風雨交加，殃及陋居，連夢都不容易暢達無阻。滿床風雨，謂陋居抵擋不住風雨肆虐。猶言屋漏逢風吹雨淋，不得安眠。夢，參卷一、二、注①。交，暢達無阻。易泰：「天地交而萬物通也，上下交而其志同也。」

三八五、尋　菊

鄭兆璜

雨雨風風載酒俱①，菊花時節正堪娛②。新霜印徧疎離跡③，一兩芒鞋一杖扶④。

【析韻】

俱、娛、扶，上平、七虞。

【釋題】

出遊賞菊，謂之尋菊。

【注解】

①雨雨……俱　颳風下雨，大伙兒攜酒同行。雨雨風風，即風風雨雨。作者為求符合平仄故。謂颳風下雨。元張可久普天樂憶鑑湖曲：「風風雨雨清明，鶯鶯燕燕閑情。」楊家府演義繼業夜觀天象：「是時風風雨雨，將近一月，才晴兩日，太祖即遣兵搦戰，如是者數次。」清納蘭性德清平樂詞：「六曲屏山深院宇，日日風風雨雨。」「載」酒，攜帶。帶著。舊唐書黃巢傳：「傭雇負販屠沽及病坊窮人，以為戰士，操刀載戟，不知鐓鋭。」俱，偕同。在一起。孟子告子上：「雖與之俱學，弗若之矣。」南宋趙汝茪漢宮春詞：「湖間舊時飲者，今與誰俱？」

②菊花……娛　菊花盛綻的季節，恰恰適合出遊歡樂。菊花時節，指菊綻放的季節。時節，猶季節。南宋楊萬里黃菊詩：「比他紅紫開差晚，時節來時畢竟開。」正，恰好。清黃遵憲十月十九日至滬詩：「公正南歸吾北上，欲論國事恨無緣。」近人劉大白西風詩：「風不長西……正和月不長虧一樣。」堪娛，能夠歡樂。意謂適宜（出遊）嬉樂。

③新霜……跡　遍地都是初霜稀稀疏疏的痕跡。新霜，初霜。農曆十月初為霜降，其前後所

下的霜，稱新霜。痕跡曰印。徧，全。滿。疎，本作「疏」。不密。稀。離，分散。跡，事或物的遺痕。

④一兩……扶　腳着草鞋、手持竹杖。一兩，猶一雙。明 劉績（？—？，元末、明初人。）憶原上人詩：「一兩棕鞋八尺藤，廣陵行徧又金陵。」芒鞋，亦作「芒鞵」。用芒莖外皮編織而成的鞋。亦泛指草鞋。唐 張祜題靈隱寺師一上人十韻：「朗吟揮竹拂，高揖曳芒鞋。」北宋 蘇軾 宿石田驛南野舍人詩：「芒鞵竹杖自輕軟，蒲薦松牀亦香滑。」西遊記第四三回：「芒鞋踏破山頭霧，竹笠沖開嶺上雲。」一杖，一支竹杖。扶，（撐）持。

三八六、問　菊

施天鈞

閒到籬東去復回①，秋風有約也疑猜②。陶潛第一君知己③，幾度攜樽冒雨來④。

【析韻】

回、猜、來，上平、十灰。

【釋題】

將菊予以擬人化，而與「渠」訴問之，稱問菊。

【注解】

①閒到……回　悠哉從容地在竹籬東隅踱來踱去。閒，亦作「閑」。悠哉從容。唐 韓愈 把

酒詩：「擾擾馳名者，誰能一日閒。」金 董解元 西廂記 諸宮調卷七：「白日渾閒夜難熬，獨自兀誰倸？」到，達。及。籬東，竹籬的東隅。猶東籬。東晉 陶潛 飲酒詩之五：「結廬在人境，而無車馬喧。問君何能爾？心遠地自偏。採菊東籬下，悠然見南山。山氣日夕佳，飛鳥相與還。此中有真意，欲辨已忘言。」去復回，去再回。去，來之反。回，返；歸。去復回，猶言踱來踱去。

②秋風……猜 即使和秋風有約，也令人費解。秋風。參卷三、五〇、注④。有約，彼此有相期的諾言。約，朋友間相期的諾言。北宋 司馬光 有約詩：「有約不來過夜半，閒敲棋子落燈花。」聊齋志異 陸判：「昨蒙高義相訂，夜偶暇，敬踐達人之約。」又，王六郎：「別居後，寤寐不去心，遠踐曩約。」疑猜，懷疑猜測。引申作「費解」。元 喬吉 兩世姻緣第四折：「眾文武都驚怪，不由咱心下轉疑猜。這個即世婆婆，莫不是前世的孏孏？」清 袁枚 隨園詩話卷一：「嵩亭上人題活埋菴云：『誰把菴名號活埋？令人千古費猜疑。』」紅樓夢第二八回：「寶玉聽他提出『金玉』二字來，不覺心裏疑猜。」

③陶潛……己 你（指菊）最要好的朋友可是靖節先生啊！陶潛（三六五—四二七）東晉 潯陽人，大司馬陶侃之曾孫。一名淵明，字元亮。不為五斗米折腰，棄官歸隱，詩酒自娛，尤酷愛菊。卒，世稱靖節先生。第一，猶言最。君，指稱菊。知己，瞭解自己的人。戰國策 趙策一：「豫讓遁逃山中，曰：『嗟乎！士為知己者死，女為說（悅）己者容，吾其報知氏之讎矣。』」亦謂情誼深厚的人。本句此處從後解。唐 王勃 杜少府之任蜀州詩：

「海內存知己，天涯若比鄰。」

④幾度……來　好多次頂着雨淋，拎酒來訪呢！幾度，好多次。唐劉長卿題靈祐上人法華院木蘭花詩：「庭種南中樹，年華幾度新。」攜樽，拎酒。攜，帶。樽，引申作「酒」解。餘參卷一二、二一七、注④。冒雨，頂著雨淋。不顧雨淋。冒，頂著。不顧。西漢司馬遷報任少卿書：「張空拳，冒白刃。」三國魏曹植求自試表：「是以敢冒其醜，而獻其忠。」唐韓愈請上尊號表：「天人合願，不謀而同，非臣之愚所敢隱蔽，輒冒死以聞。」

三八七、供　菊

蔡　振　豐

幾簇秋花九月天①，與花踐約又經年②。愛卿瘦比山妻樣③，香夢扶持小榻前④。

【析韻】

天、年、前，下平、一先。

【釋題】

以瓷瓶等容器插菊或以盆鉢養菊，置諸廳堂、書齋，隨時欣賞，曰供菊。

【注解】

①幾簇……天　九月的節候，好多叢秋菊。幾簇，好多叢。簇，ㄘㄨˋ。量詞。凡一叢、一堆皆曰簇。唐杜甫江畔獨步尋花詩：「桃花一簇開無主，不愛深紅愛淺紅。」韓偓夜船

詩：「誠知不覺天將曙，幾簇青山雁一行。」蕉帕記曲 幻形：「喜着他幾簇繁英，羞對我一雙白首。」秋花，指稱（秋）菊。九月，農曆九月。天，節候。時值二十四節氣中的「寒露」。

②與花……年 履行別後再見的諾言，且已有段很長的日子了。花，菊花。踐約、猶踐言。謂履行彼此別後再會的諾言。又，且。經年，參卷一一、一九八、注②。

③愛卿……樣 妳、清癯飄逸，像極了我老婆的容貌。愛卿，本帝制時代君對臣的暱稱。在此，用以借指秋菊。瘦，參本卷、三七五、注②。比，類似。相類。史記 天官書：「太白白，比狼；赤，比心。」張守節正義：「比，類也。」唐 鮑溶 夏日華山別韓博士愈詩：「跡比斷根蓬，憂如長飲酒。」山妻，對人稱己妻的謙詞。猶拙荊。荊妻。山荊。唐 李白 贈范金卿詩：「祇應自索漠，留舌示山妻。」杜甫 孟倉曹步趾領新酒醬二物滿器見遺老夫詩：「理生那免俗，方法報山妻。」高適 宋中遇林慮楊十七山人詩：「耕耘有山田，紡績有山妻。」鄭谷 贈咸陽王主簿詩：「自與山妻舂斗粟，祇憑鄰叟典孤琴。」鶴林玉露 人 山靜日長：「步山徑撫松竹與麛犢，共偃息於長林豐草閒，坐弄流泉，漱齒濯足。既歸竹窗下，則山妻稚子作筍蕨、供麥飯，欣然一飽。」容貌曰樣。南宋 史達祖 三姝媚詞：「記取崔徽（榮按：唐 河中倡女）模樣，歸來暗寫。」

④香夢……前 甜美的夢境裏，彼此在小榻前攙扶。香夢，甜美的夢境。唐 武元衡（七五八—八一五）春興詩：「春風一夜吹香夢，夢逐春風到洛城。」溫庭筠 郭處士擊甌歌：

「莫雲香夢綠楊絲，千里春風正無力。」扶持，攙扶。禮記 內則：「以適父母舅姑之所……出入，則或先或後，而敬扶持之。」史記 外戚世家：「女亡匿內中床下，扶持出門，令拜謁。」東晉 干寶 搜神記卷一六：「（秦巨伯）乃詐醉，行此廟間，復見二孫來，扶持伯。」榻，ㄊㄚˋ。玉篇：「狹且長之牀。」唐 魚玄機 題隱霧亭詩：「空捲珠簾不曾下，長移一榻對山眠。」

三八八、畫菊

林朝琛

日日東籬醉未休①，芳華消盡恐難留②。胸中無限柴桑感③，繪出屏風一片秋④。

【析韻】

休、留、秋，下平、十一尤。

【釋題】

用（毛）筆於宣紙上，以菊為主題之作畫，稱畫菊。或純水墨或兼用丹青；或寫意或工筆，不拘。

【注解】

①日日……休　天天在竹籬的東隅，酩酊、消遙，從未間斷。日日，每天。左傳 哀公一六年：「國人望君如望歲焉，日日以幾。」唐 王昌齡 萬歲樓詩：「年年喜見山長在，日日

悲看水濁流。」東籬，參本卷三八六、注①。醉，飲酒過量。戰國 楚 屈原 漁父：「舉世皆濁我獨清，眾人皆醉我獨醒。」東晉 陶潛 五柳先生傳：「既醉而退，曾不吝情去留。」南朝 梁 蕭統 陶淵明傳：「有酒輒設，淵明若先醉，便語客曰：『我醉欲眠，卿可去！』其真率如此。」不休，不停止。不罷休。史記 秦始皇本紀：「天下若苦戰鬥不休，以有侯王。」清 周亮工 書影卷三：「即如大風、垓下、易水、秋風，古人已臻極至，無容更贅一詞，乃尚刺刺不休，用心無用之地，何其不自量也！」

②芳華……留　美好的年華漸漸失去，直至完竭，或許不容易遺存。芳華ㄈㄤ ㄏㄨㄚˊ。美好的年華。五代 十國 閩 王繼鵬（？—九三九）批葉翹諫書紙尾詩：「人情自厭芳華歇，一葉隨風落御溝。」明 文徵明 和答石田先生落花一：「無情剛恨通宵雨，斷送芳華又一年。」清 龔自珍 洞仙歌詞：「奈西風信早，北地寒多，埋沒了，彈指芳華如電。」消盡，漸漸失去直至完竭。恐，表推測之詞。猶或許。今語多作「恐怕」。留，（遺）存。古詩 焦仲卿妻詩：「我命絕今日，魂去尸長留。」北宋 蘇軾 和子由澠池懷舊詩：「泥上偶然留指爪，鴻飛那復計東西。」明 于謙 詠石灰詩：「粉骨碎身全不顧，要留青白在人間。」

③胸中……感　內心充滿了無窮不盡的淵明情結。胸中，心中。恆指人的思想境界或精神狀態。孟子 離婁上：「胸中正，則眸子瞭焉；胸中不正，則眸子眊焉。」史記 蘇秦列傳：「是故明主外料其敵之彊弱，內度其士卒賢不肖，不待兩軍相當而勝敗存亡之幾固已形於胸中矣。」明 王守仁 泛海詩：「險夷原不滯胸中，何異浮雲過太空。」兒女英雄傳第一

回：「臉上一團正氣，胸中自然是一片至誠。」無限，沒有窮盡。謂程度至深、範圍極廣。後漢書 杜林傳：「及至其後，漸以滋章，吹毛索疵，詆欺無限。」唐 元稹 酬段丞與諸棋流會宿見贈詩：「此中無限興，唯怕俗人知。」北宋 謝逸（一〇六四—一一一三）柳梢青 離別詞：「無限離情，無窮江水，無邊山色。」醒世恆言兩縣令競義婚孤女：「高公夫婦歡喜無限。」柴桑，借指陶潛。因其故里在潯陽 柴桑，故稱。清 錢謙益 吳封君七十序：「指妻水為潯陽，即家園為廬阜，飲柴桑之酒，一觴獨進；鼓少文之琴，眾山皆響。」近人陳三立 次韻黃知縣苦雨：「陸沈共有神州痛，休問柴桑漉酒巾。」感，情意。念頭。西晉 陸機 愍思賦 序：「……以抒慘惻之感。」南朝 梁 江淹 別賦：「行子腸斷，百感悽惻。」

④繪出……秋 （在）屏風上，渲染成整幅「秋」的景色。屏風，用以擋風或遮蔽以區分內外的室內用陳設家具。其上恆有字畫。史記 孟嘗君列傳：「孟嘗君待客坐語。而屏風後常有侍史，主記君所與客語，問親戚居處。」唐 劉餗（？—？，生卒年不詳。）隋唐嘉話卷

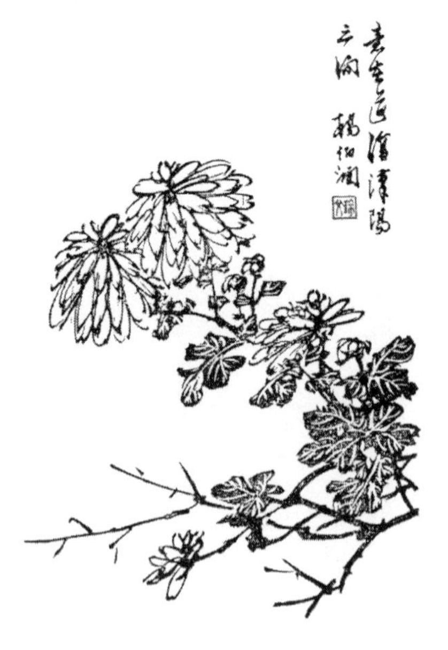

墨菊圖

中：「太宗令虞監寫烈女傳以裝屏風，未及求本，乃暗書之，一字無失。」清李漁玉搔頭抗節：「只好算個畫裏鴛鴦，便做他屏風上的侍妾。」片，量詞。恆用以計算薄而成片之物。在此，「一片」猶言一幅。秋，秋景。

三八九、畫　菊

鄭兆璜

愛菊頻將菊樣摹①，丹青破費畫工夫②。描成老圃秋容好③，十萬黃金遍地鋪④。

【析韻】

摹、夫、鋪，上平、七虞。

【釋題】

詳本卷、三八八。

【注解】

①愛菊……摹　喜歡菊花，一再地把它的狀貌依樣描繪。愛，參本卷、三八三、注②。頻，屢次。接連。唐杜甫蜀相詩：「三顧頻煩天下計，兩朝開濟老臣心。」劉滄晚歸山居詩：「秋淡頻憶故鄉事，日暮獨尋花徑歸。」將，猶「把」。菊「樣」，狀貌。容貌。摹，描繪。

②丹青……夫　作畫既消耗顏料，又須花時間。丹青，丹沙與青雘，可作顏料。周禮秋官職

金：「掌凡金玉錫石丹青之戒令。」史記 李斯列傳：「江南金錫不為用，西蜀丹青不為采。」漢書 司馬相如傳：「其土則丹青赭堊。」顏師古注：「張揖曰：『丹，丹沙也。青，青雘也。』……丹沙，今之朱沙也。青雘，今之空青也。」破費，參本卷、三七九、②。畫，作畫。工夫，時間。時光。唐 元稹 琵琶詩：「使君自恨常多事，不得工夫夜夜聽。」南宋 辛棄疾 西江月 遣興詞：「醉裏且貪歡笑，要愁那得工夫。」清 李漁 巧團圓 途窮：「我急急趕去交卷，好進科場，哪有工夫講話。」近人劉半農 瓦釜集 手攀楊柳望情哥詞 小序：「又採到了短歌三四十首，長歌二首，至今還沒有工夫整理出來。」

③描成……好　寫成一幅維妙維肖的老圃秋色圖。描成，寫成功。昔國人以毛筆、丹青作畫恒稱寫。老圃，年長且有經驗的菜農。論語 子路：「樊遲請學稼，子曰：『吾不如老農。』請學為圃，曰：『吾不如老圃。』」何晏集解：「樹菜蔬曰圃。」唐 杜甫 種萵苣詩：「中園陷蕭艾，老圃永為恥。」又，亦稱有經驗的花農。此處從後解。南宋 朱弁（一〇八五—一一四四）曲洧舊聞卷四：「張峋撰譜三卷，凡一百十九品，皆敘其顏色容狀及所以得名之因，又訪於老圃得種種養護之法，各載於圖後。」秋容，猶秋色。唐 李賀 追和何謝銅雀妓：「佳人一壺酒，秋容滿千里。」餘參本卷、三七六、注③。好，美。善。猶謂維妙維肖。傳神。

④十萬……鋪　就好像好多好多的黃金，敷布各處一般。作者描寫「黃」菊盛綻，故云遍地鋪黃金。十萬，形容數量極多。孟子 公孫丑下：「如使予欲富，辭十萬而受萬，是欲富

乎？」唐杜甫漁陽詩：「繫書請問燕耆舊，今日何須十萬兵？」南宋陸游好事近詞：「驅退睡魔十萬，有雙龍蒼璧。」黃金，金呈赤黃色，故稱。此處「十萬黃金」係用以描繪（黃）菊盛開狀。遍地，滿地。到處。唐張說岳州別梁六入朝詩：「月餘遍地賞，心盡故人杯。」兒女英雄傳第三一回：「這座北京城，遍地是錢，就只沒人去揀。」鋪，敷布。詩大雅江漢：「匪安匪舒，淮夷來鋪。」注：「鋪，布也，布其師旅也。」唐魚玄機江邊柳詩：「影鋪秋水面，花落釣人頭。」

三九〇、畫　菊

陳朝龍

疎離老圃碎金鋪①，畫意憑誰妙手摹②。我愛白描謝脂粉③，秋心淡到一分無④。

【析韻】

鋪、摹、無，上平、七虞。

【釋題】

詳本卷、三八八。

【注解】

①疎離……鋪　地面散落著稀稀疏疏的黃英花瓣，耆齡的花農佇立在那兒、觀望。疎離，參本卷、三八五、注③。老圃，參前首注③。碎金，喻黃菊花瓣。北宋蘇軾次韻子由所居

六詠之一：「堂後種秋菊，碎金收辟寒。」鋪，引申作散落解。餘參前首注④。

②畫意……摹　畫作裏的意境，依託那個人高超的手藝表現出來？畫意，指繪畫的意境或意旨。宣和畫譜　王維：「維善畫，尤精山水……其思致高遠，初未見於丹青，時時詩篇中已自有畫意。」金　元好問　祖唐臣所藏樗軒畫冊詩之二：「牧笛無聲畫意工，水村煙景綠楊風。」明　袁宏道　入盤山詩：「分明真山子，的的有畫意。」憑，依（託）。書　顧命：「甲子，王乃洮頮水，相被冕服憑玉几。」又：「曰：『皇后憑玉几，道揚末命……。』」後漢書　黨錮傳　序：「假仁以效己，憑義以濟功。」妙手，高超的手藝、手法。明　王世貞　鳴鳳記　二臣哭夏：「他也曾和羹妙手調金鉉。他也曾丹楫宏材濟大川。」清　唐孫華　恕堂再次前韻見贈後次韻答之：「詩家廢疾不可起，借君妙手加攻砭。」摹，引申作表現解。餘參前首注①。

③我愛……粉　我喜歡白描；不用刻意地潤飾。愛，參本卷、三八三、注②。白描，國畫的一種技法。用墨鉤勒輪廓，用水墨渲染，不設色。多用於人物、花卉。元　夏文彥（？—？，世次不詳）圖繪寶鑑卷四：「趙孟堅，字子固。善水墨白描水仙花、梅、蘭、山、礬竹、石，清而不凡，秀而雅淡，有梅譜傳世。」清　趙翼　題九蓮菩薩畫像詩：「著色生綃閻立本，白描神筆李公麟。」紅樓夢第八九回：「二人身旁邊略有些雲護，別無點綴，全仿李龍眠白描筆意。」謝，絕。不用。唐　韓愈　醉贈張秘書詩：「至寶不雕琢，神功謝鋤耘。」北宋　黃庭堅　奉和公擇舅氏送呂道人研詩：「汲井滌敗墨，蒼珪謝磨鑴。」脂粉，猶潤飾。

南朝陳徐陵晉陵太守王厲德政碑：「立於網羅圖籍，脂粉藝文，學侶挹其精微，詞宗稱其妙絕。」北齊鄭子尚墓志：「周旋六藝，脂粉八能。」

④秋心……無　秋日的悲愁，少得只有一分嗎？秋心，參本卷、三八三、注④。淡，表性態。猶言少。北宋蘇軾湖上初雨詩：「欲把西湖比西子，淡粧濃抹也相宜。」無，參卷一、二、注④。

卷二四

三九一、白蓮

蔡振豐

高擎曉露玉盤妍①，不辨寒【鴉】葉下眠②。花亦六根清淨好③，如來座上試參禪④。

【析韻】

妍、眠、禪，下平、一先。

【釋題】

爾雅釋草：「荷，芙渠……其實蓮。」後多與荷混用。古樂府江南：「江南可採蓮，蓮葉何田田。」荷，學名 **Nelumbo nucifera**。亦稱「蓮」。睡蓮科。多年生水生草本。根莖初細瘦如指，稱蔤（蓮鞭）。蔤上有節，節再生蔤。節向下生鬚根，向上抽葉與花梗。夏秋生長末期，蓮鞭先端數節入土後膨大成藕，翌春萌生新株。夏開花，淡紅或白色，單瓣或複瓣。花謝後成蓮蓬，內生多數堅果（俗稱蓮子）。藕可食用或製藕粉；蓮子屬滋補品。蓮節、蓮子、荷葉均可入藥。花、葉供觀賞。蓮性喜溫暖濕潤。原產我國，華中、華南淺水塘泊栽種較多。花色白者，稱白蓮。

【注解】

①高擎……姸　枝梗昂屹、挺拔，上端頂著葉片，凝聚一團清晨的露珠。圓月，皎潔亮麗。高，離地面遠，與「低」相對。唐韓愈同竇牟韋執中尋劉尊師不遇詩：「院閉青霞入，松高老鶴尋。」擎，ㄑㄧㄥˊ。舉起。向上托。世說新語紕漏：「婢擎金澡盆盛水，瑠璃盌盛澡豆。」白雪遺音剪靛花五色祥雲：「五色祥雲繞碧天，如意金鉤掌上擎。」曉露，清晨的露珠（水）。唐韋應物曉至園中詩：「秋塘偏衰草，曉露洗紅蓮。」孟郊別妻家詩：「芙蓉濕曉露，秋別南浦中。」白居易荷珠賦：「宿雨霽而猶在，曉露裛而正鮮。」日菅原道真（八四五—九〇三）倭漢朗詠集荻：「商飇颯颯葉輕輕，壁蛬流音數處鳴。曉露鹿鳴花始發，百般攀折一時情。」玉盤，喻圓月。唐李白古朗月行：「小時不識月，呼作白玉盤。」元侯克中（？—？，至元前後人。）醉花陰套曲：「玉盤光靜，澄澄萬里晴。」近人續範亭（一八九三—一九四七）中秋有感詩：「貧人看來如燒餅，富人誇誇說

玉盤。」妍，ㄧㄢ。美麗。美好。方言第一：「娥㜲，好也……自關而西，秦晉之故都曰妍。」西晉陸機吳王郎中時從梁陳作詩：「玄冕無醜士，冶服使我妍。」唐韓愈送窮文：「面醜心妍，利居眾後，責在人先。」

②不辨……眠　竟不清楚葉背下慈烏安然地閉目養神。辨，明察。周禮天官小宰：「六曰廉辨。」注：「辨，辨然，不疑惑也。」不辨，猶云不清楚。不明白。不知道。寒鴉，原作寒「鷗」，應係誤植，茲訂正之。寒鴉，學名 **Corvus monedula dauuricus**。亦稱慈烏、小山老鴰。鳥綱、鴉科。體長可達三十五公分左右。上體除頸後羽毛呈灰白色外，其餘部分呈黑色。腹、胸部亦灰白。冬季常與禿鼻烏鴉混羣。因其體型甚小，極易識別。在我國大多終年留居北方，冬季亦見於華南。葉下，指蓮葉的葉背下言。眠，睡覺。列子周穆王：「（古莽之國）其民不食不衣而多眠，五旬一覺。」元仇遠（一二四七—？）懷古詩：「吹殺青燈炯不眠，滿襟懷古恨綿綿。」

③花亦……好　蓮花，出汙泥而不染，完美無瑕。花，指蓮花。亦，且。又。六根清淨，猶言身出汙泥而不染。眼、耳、鼻、舌、身、意，佛家謂之六根。根為能生之意，眼為視跟，耳為聽根，鼻為嗅根，舌為味根，身為觸根，意為念慮。百喻經小兒得大龜喻：「凡夫之人亦復如是。欲守護六根，修諸功德，不解方便，而問人言：作何因緣而得解脫？」北宋王安石望江南歸依三寶贊詞：「願我六根常寂靜，心如寶月映琉璃，了法更無礙。」近人朱謙良（？—？）感懷和病俠：「書生自古崇三戒，俠士何時淨六根？」清淨，清潔

純淨。素問 四氣調神大論：「天氣清淨，光明者也。」北宋 蘇轍 和子瞻過嶺：「手挹祖師清淨水，不嫌白髮照毿毿。」紅樓夢第五二回：「況且這屋子裏一股子藥香，反把這花香攪壞了，不如你擡了去，這花兒倒清淨了，沒有什麼雜味來攪他。」好，猶善。

④如來……禪　佛的座上客，正在考驗修持。如來，佛的別名。梵語 Ththāgata 的意譯。「如」，謂如實。「如來」，從如實之道而來，謂開示真理的人；釋迦牟尼十種法號之一。金剛經 威儀寂靜分：「如來者，無所從來，亦無所去，故名如來。」南朝 宋 謝靈運 廬山慧遠法師誄：「仰弘如來，宣揚法雨；俯授法師，威儀允舉。」座上，座上客之省詞。指受到禮遇的客人。唐 韓愈 醉贈張秘書詩：「今日到君家，呼酒持勸君。為此座上客，及余各能文。」試，考驗。書 舜典：「敷奏以言，明試以功。」傳：「言之善者，則從而明考其功。」東漢 許慎（三〇—一二四）說文解字敘：「尉律學童十七以上，始試諷籀書九千字，乃得為吏。」參禪，佛教禪宗的修持方法。有游訪問禪、參究禪理、打坐禪思等形式。唐 玄覺（六五五—七一三；亦作六七五—七一三）永嘉證道歌：「遊江海，涉山川，尋師訪道為參

白　蓮

禪。」西遊記第九回：「眾人同坐在松陰之下，講經參禪，談說奧妙。」紅樓夢第二二回：「二人笑道：『這樣愚鈍，還參禪呢？』」本句此處，作「修持」解。

三九二、白　蓮

鄭鵬雲

曉風門外鏡湖開①，采采蘭橈載酒回②。懺盡鉛華空色相③，一花【五】葉一如來④。

【析韻】

開、回、來，上平、十灰。

【釋題】

同本卷、三九一。

【注解】

①曉風……開　天色既白，清風徐拂。門戶外頭，湖面如鏡、從容伸展。曉風，拂曉時分的風。南朝梁何遜入西塞示南府同僚詩：「露清曉風冷，天曙江晃爽。」唐太宗遠山澄碧霧詩：「鬟鬌分初月，飄颻度曉風。」羅隱竹詩：「籬外清陰接藥闌，曉風交戛碧琅玕。」門外，門戶之外。禮記曲禮上：「君言至，則主人出拜。君言之辱，使者歸則必拜送于門外。」左傳宣公二年：「華元逃歸，立于門外，告而入。」漢書高五王傳：「門外舍人怪之。」宋書戴法興傳：「天下輻輳，門外成市。」鏡湖，湖面如鏡，故稱。唐李

白 送賀賓客歸越詩：「鏡湖流水漾清波，狂客歸舟逸興多。山陰道士如相見，應寫黃庭換白鵞。」榮按：鏡湖，本湖名。一在安徽 蕪湖縣西北赭山之南，一在浙江 紹興縣南，原稱鑑湖，又名鏡湖、長湖、南湖。李詩鏡湖係指鑑湖。本句鏡湖，則謂湖面如鏡之湖。開，舒展。東漢 張衡 西京賦：「前開唐中，彌望廣潒；顧臨太液，滄池漭沆。」西晉 陸機 猛虎行：「人生誠未易，曷云開此衿。」唐 杜甫 往在詩：「京都不再火，涇 渭開愁容。」

②采采……回　歌聲優揚，小舟帶着美酒歸返。采采，參卷一〇、一八五、注③。蘭橈，參卷一九、三一五、注③。載酒，參卷二三、三八五、注①。回，參卷二三、三八六、注①。

③懺盡……相　透徹地悔悟，美麗的容貌、青春的歲月，那原是虛無不實的形相。懺盡，悔悟至竭。意謂透徹地悔悟。鉛華，ㄑㄧㄢ ㄏㄨㄚˊ。亦作「鉛花」。借指婦女的美麗容貌與青春歲月。東晉 葛洪 抱朴子 暢玄：「冶容媚姿，鉛華素質，代命者也。」前蜀 韋莊 撫盈歌：「鉛華窅窕兮穠姿，棠公肸蠻兮靡依。」明 徐復祚 投梭記 逼娼：「老去病來纏，花謝豈重妍，曾擅平康鉛華選。」清 孔尚任 桃花扇 傳歌：「鉛華未謝，丰韻猶存。」空，因緣和合而生之一切事物，究竟而無實體。亦謂虛無不實。八大人覺經：「四大（地、水、火、風）苦空，五陰（色、受、想、行、識）無我。」般若心經：「色不異空，空不異色，色即是空，空即是色。」唐 楊郇伯（？—？，建中、元和間人。）送妓人出家詩：「從今艷色歸空後，湘浦應無解佩人。」色相，亦作「色象」。佛家謂萬物的形貌。涅槃

經　德王品四：「（菩薩）示現一色，一切眾生各各皆見種種色相。」唐　白居易　感芍藥花寄正一丈人詩：「開時不解比色相，落後始知如幻身。」清　王錫　法相寺詩：「性真既已離，色相復何有！」

④一花……來　一位始祖、五支流派都源自如來佛。本句原刊本誤植為「一花一葉一如來」，茲訂正為「一花『五』葉一如來」。榮按：佛教傳到中國後，禪宗以菩提達摩為祖，謂一花；其後衍成溈仰、臨濟、曹洞、雲門與法眼五派，謂五葉。景德傳燈錄　菩提達摩：「一花開五葉，結果自然成。」北宋　黃庭堅　漁家傲詞：「面壁九年看二祖，一花五葉親分付。」元　鮮于樞（一二四六—一三〇二）困學齋雜錄引北宋　雪竇禪師（榮按：即重顯禪師。俗姓李，遂州人（九八〇—一〇五二）。示寂，賜號明覺大師。）真迹詩：「末代兒孫列戶牖，一花五葉失其傳。」如來，參前首注④。

附：禪宗主支流傳衍圖

吳椿榮　九十一年一月一日製

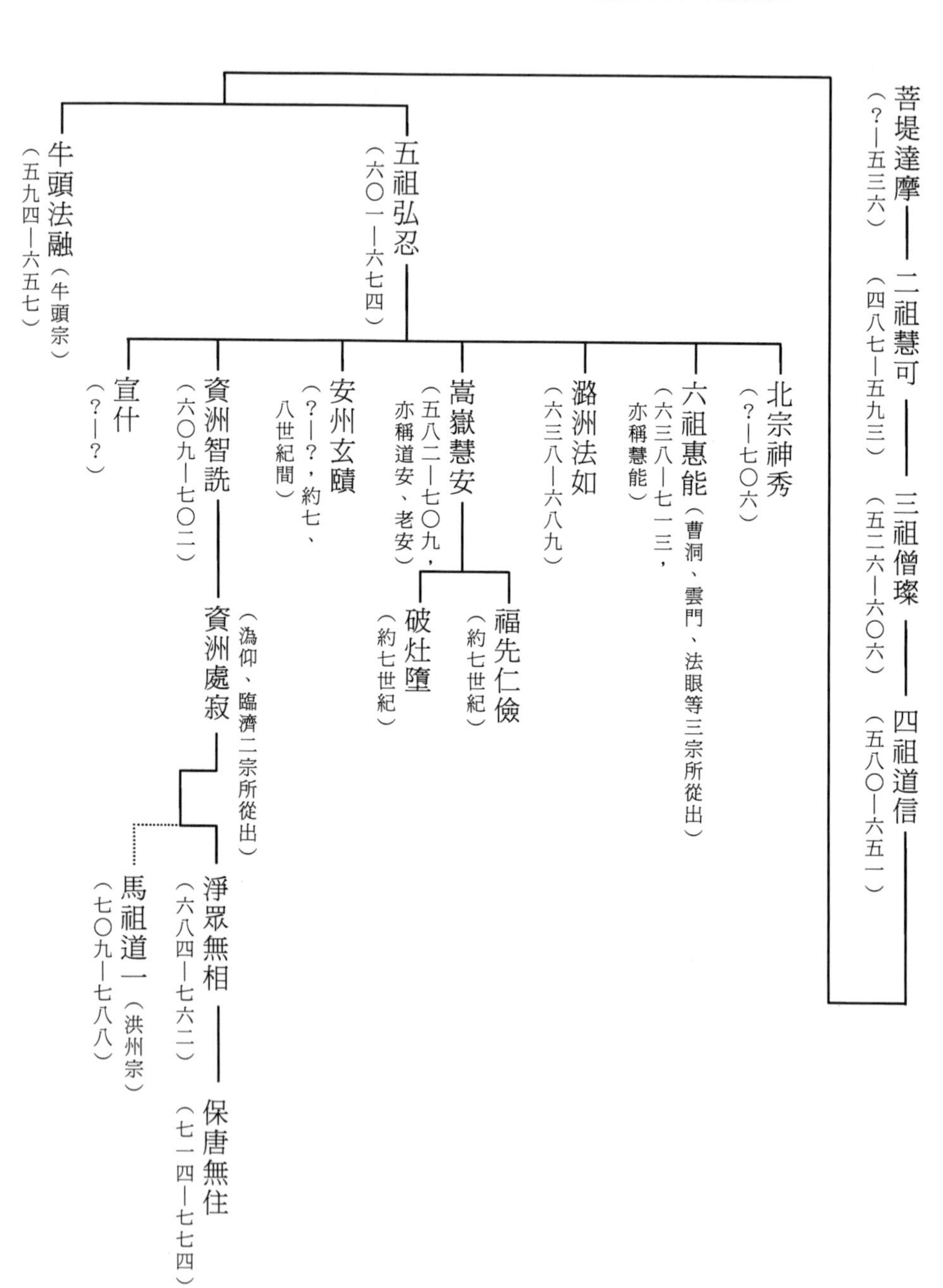
菩提達摩（？—五三六）
二祖慧可（四八七—五九三）
三祖僧璨（五二六—六〇六）
四祖道信（五八〇—六五一）
五祖弘忍（六〇一—六七四）
牛頭法融（牛頭宗）（五九四—六五七）
北宗神秀（？—七〇六）
六祖惠能（曹洞、雲門、法眼等三宗所從出）（六三八—七一三，亦稱慧能）
潞洲法如（六三八—六八九）
嵩嶽慧安（五八二—七〇九，亦稱道安、老安）
福先仁儉（約七世紀）
破灶墮（約七世紀）
安州玄賾（？—？，約七、八世紀間）
資洲智詵（六〇九—七〇二）
資洲處寂（為仰、臨濟二宗所從出）
淨眾無相（六八四—七六二）
保唐無住（七一四—七七四）
馬祖道一（洪州宗）（七〇九—七八八）
宣什（？—？）

三九三、墨　蓮

陳　貫

雙渠開向墨池中①，滿紙松煙點染工②。無復翻【空】如濯錦③，依雲黯淡月朦朧④。

【析韻】

中、工、朧，上平、一東。

【釋題】

屬水墨花卉畫。以墨畫蓮，謂之墨蓮。

【注解】

①雙渠……中　兩條壕溝直通洗滌筆硯的水塘。雙渠，兩條壕溝。渠，指壕溝。人工開鑿的水道。三國 魏 曹丕 芙蓉池作詩：「雙渠相溉灌，嘉木繞通川。」開向，猶通到了。墨池，洗滌筆硯的水池（或水塘）。名書法家東漢 張芝、東晉 王羲之等，均有墨池傳說著稱後世。唐 裴說（？—？，世次不詳。）懷素臺歌：「永州東郭有奇怪，筆冢墨池遺跡在。」北宋 曾鞏 墨池記：「（臨川）新城之上，有池窪然，而方以長，曰王羲之之墨池。」

②滿紙……工　整張畫紙，著墨精妙。滿紙，全紙，謂整張畫紙。滿，全。遍。南宋 陸游 雞鳴前起待旦詩：「掃塵拾得殘詩稿，滿紙風鴉字半斜。」松煙，亦作「松烟」。指墨。唐 安鴻漸 題楊少卿書後詩：「端溪石硯宣城管，王屋松煙紫兔毫。」北宋 黃庭堅 答王道

濟寺丞觀許道寧山水圖詩：「往逢醉許在長安，蠻溪大硯磨松煙。」金　董解元　西廂記　諸宮調卷四：「文房四寶都拈住，謾把松煙試。」清　孫道乾　小螺庵病榻憶語：「兒好墨成癖，知之者多所持贈，師曹文孺大令，並賜以詩云：『報與松烟三十笏，蘸毫憑學衛夫人。』」點染，點筆染翰，謂著色。元典章　禮部五陰陽學：「（鞭子）用粉五色點染。」工，精妙。美好。說苑：「巧而好度，必工。」唐　韓愈　答陳商書：「王好竽而子鼓瑟，雖工，如王不好何？」

③無復……錦　不再奇想聯翩，一味追求華美。無復，不再。不會再次。呂氏春秋　義賞：「詐偽之道，雖今偷可，後將無復。」陳奇猷校釋：「此文意謂詐偽之道，雖今日可以苟且得利，後將不可復得利也。」唐　韓愈　落葉送陳羽詩：「落葉不更息，斷蓬無復歸。」清　李漁　閒情偶寄　詞曲下格局：「聖嘆

墨蓮　近人張大千（1899-1983）紙本,設色

之評西廂（記），可謂晰毛辨髮，窮幽極微，無復有遺議於其間矣。」原刊誤植—翻風，應訂正為「翻空」。語出文心雕龍 神思：「意翻空而易奇，言徵實而難巧。」恆用以形容詩文、字畫等構思時奇想聯翩。如濯錦，像濯錦。昔成都一帶所產織錦，色彩鮮潤逾常。益州志云：「成都織錦既成，濯於江水，其文分明，勝於初成，他水濯之不如江水也。」如濯錦，引申作「（不）一味追求華美」解。

④低雲……朧　低空的雲朵陰沉，月色如許微明。低雲，低空的雲。低與「高」相對，謂距離近。杜甫 別房太尉墓詩：「近淚無乾土，低空有斷雲。」黯淡，亦作「黯澹」。陰沉。昏黑。唐 杜牧 代吳興妓春初寄薛軍事詩：「柳暗霏微雨，花愁黯淡天。」明 何景明 冬雨率然有二十韻：「二儀黯澹交，百川莽迴薄。」清 王士禛 羚羊峽詩：「寵樅雲雷窟，暗澹蛟鼉宮。」月，謂月色。朦朧，參卷二一、三四八、注①。

三九四、墨　蓮

林載昭

亭亭纔脫墨池中①，休認淤泥污染同②。三十六鴛雲護處③，免教驚雨又驚風④。

【析韻】

中、同、風，上平、一東。

【釋題】

同前首。

【注解】

①亭亭……中　剛剛掙扎出墨池，高聳、直立起來。亭亭，高聳、直立貌。東漢 張衡 西京賦：「干雲霧而上達，狀亭亭以苕苕。」薛綜注：「亭亭，苕苕，高貌也。」劉楨 贈從弟詩之二：「亭亭山上松，瑟瑟谷中風。」唐 溫庭筠 夜宴謠：「亭亭蠟淚香珠殘，暗露曉風羅幕寒。」北宋 蘇軾 虎跑泉詩：「亭亭石塔東峯上，此老初來百神仰。」纔，甫。始，謂剛剛。漢書 鼂錯傳：「救之，少發則不足；多發遠縣纔至，則胡又已去。」唐 魚玄機 閨怨詩：「別日南雁纔北去，今朝北雁又南飛。」北宋 李清照 一剪梅詞：「花自飄零水自流，一種相思，兩處閑愁；此情無計可消除，纔下眉頭，又上心頭。」脫，離。離開。引申作「掙扎」解。史記 魯世家：「庶子桓子，幸而得脫。」參同契：「作丹之時，脫胎入口；功成之日，脫胎出殼。」幕府燕談：「范文正嘗為人作墓銘，以示尹師魯言其脫俗。」墨池，參前首、注①。

②休認……同　不要看作爛泥漿一樣（會）沾染。淤泥，即污泥。爛泥漿。南朝 梁武帝 淨業賦：「淤泥不能污其體，重昏不能覆其真。」唐 方干 東山瀑布詩：「不緣真宰能開決，應向前山雜淤泥。」北宋 周敦頤（一〇一七—一〇七三）愛蓮說：「予獨愛蓮之出淤泥而不染，濯清漣而不妖。」污染，本作「汙染」。玷染不潔。玷污。漢書 王莽傳下：「出

見男女不異路者，尊自下車，以象刑赭幡汙染其衣。」三國志 魏書 管輅傳：「軍屍流血，汙染丘山。」南宋 張世南 游宦紀聞卷六：「不隨凡石追時好，直與日月爭光輝。韜藏久矣不亂用，惟恐翰墨污染之。」同，一樣。

③三十……處　許許多多彩雲遮蔽的地方。三十六，約略計量之詞。極言其多。東漢 班固 西都賦：「離宮別館，三十六所。」李善注：「離別，非一所也。上林賦曰：離宮別館，彌山跨谷。」唐 駱賓王 帝京篇：「秦塞重關一百二，漢家離宮三十六。」北宋 王珪 宮詞：「漏永禁宮三十六，宴回爭踏月輪蹄。」鴛雲，猶彩雲。如鴛之雲。鴛羽毛色澤鮮麗。護，遮蔽。樂府詩集 橫吹曲辭五捉搦歌：「粟穀難舂付石臼，弊衣難護付巧婦。」處，指地方。

④免教……風　不讓妳既懼雨淋且怕風吹。免，不。唐 韓愈 賀張十八得裴司空馬詩：「旦夕公歸伸拜謝，免勞騎去逐雙旌。」教，ㄐㄧㄠ。讓。使。令。唐 王昌齡 出塞詩之一：「但使龍城飛將在，不教胡馬渡陰山。」北宋 周邦彥 玉樓春詞：「酒邊誰使客愁輕，帳底不教春夢到。」驚雨，驚風，意謂懼雨、怕風。按：閩南語迄今仍常用之。驚，（恐）懼。

三九五、白桃花　　蔡汝修

春風開到玉無痕①，閑煞崔郎白板門②。人面也應脂粉洗③，可憐掩映此黃昏④。

【析韻】

痕、門、昏，上平、十三元。

【釋題】

桃，學名 prunus persica。薔薇科。落葉小喬木。黃濶披針形、有鋸齒，葉基有蜜腺。花單生，淡紅、深紅或白色。核果近球形，表面有毛茸，肉厚汁多，肉色分乳白、金黃、紅色三種。多採嫁接繁殖。原產我國，以華北、華東、西北各地栽培最多。果實除生食外，可製成桃脯或罐頭。花色豔麗，屬重要觀賞樹種。仁、花、乾幼果均可入藥。白色桃花，稱白桃花。

【注解】

①春風……痕　東風送暖，潔白如玉的桃花，不著形跡地盛綻。春風，東風。禮記 月令孟春之月：「東風解凍，蟄蟲始振。」開到，猶云盛綻。玉，指稱潔白的桃花。無痕，不著形跡。南宋 范公偁（？—？，紹興間猶在世。）過庭錄：「子野郎中（榮按：張先字子野，官至尚書都官郎中。九九〇—一〇七八）一叢花詞云：『沈恨細思，不如桃杏。猶能嫁東風。』一時盛傳，永叔（歐陽修字。一〇〇七—一〇七二）尤愛之，恨未識其人；子野家南地（湖州 烏程）。以故至都，謁永叔，永叔倒屣迎之曰：『此乃桃杏嫁東風郎中。』」

②閑煞……門　崔殷功那未上漆的門板，悠哉游哉極了。閑煞，優哉游哉極了。煞，ㄕㄚˋ。極甚。很。唐 羅鄴 嘉陵江詩：「嘉陵南岸雨初收，江似秋嵐不煞流。」崔郎，指崔護

（？—？）。護字殷功。唐博陵（今河北定縣人）。貞元十二年（七九六）舉進士，累官至廣南節度使，並終於任。渠有詩名，惟存詩不多，全唐詩卷三六八，錄有八首。郎，古男子之美稱。白板，亦稱「白版」。未施油漆的木板。唐王維田家詩：「雀乳青苔井，雞鳴白板扉。」元稹春分投簡陽明洞天作詩：「村扉以白版，寺壁耀赬糊。」明袁宏道又和龍君超韻：「白板赤欄橋，石根繫小舠。」清吳偉業遣悶詩：「扁舟遇雨煙村出，白版溪門主人立。」唐孟棨（一作孟啟）本事詩情感：「博陵崔護，清明日獨遊都城南。得居人莊，叩門求飲。有女子意屬殊厚。來歲清明日，逕往尋之，門牆如故，而已鎖扃，題詩左扉云：『去年今日此門中，人面桃花相映紅。人面不知何處去，桃花依舊笑春風。』數日復往，聞其中有哭聲，叩門問之。有老父出曰：『君非崔護耶？』曰：『是也！』哭曰：『君殺我女。』崔感動，請入哭之。須臾復活，遂以女歸之。」

③人面……洗　臉龐上的胭脂、香粉，亦該洗滌潔淨。人面，參卷一三、二三五、注②。也應，亦該。脂粉，參卷一五、二四八、注③。洗，滌垢令潔。

白桃花

④可憐……昏　那可愛的模樣，竟遮蔽了傍晚的夕陽。可憐，可愛。玉臺新詠 古詩為焦仲卿妻作：「東家有賢女，自名秦羅敷，可憐體無比，阿母為汝求。」唐 杜甫 韋諷錄事宅觀曹將軍畫馬圖歌：「可憐九馬爭神駿，顧視清高氣深穩。」掩映，隱蔽；遮蔽。元稹 賽神詩：「採薪持斧者，棄斧縱橫奔。山深多掩映，僅免鯨鯢吞。」元 鄭光祖 老君堂第一折：「我在此樹邊掩映著，等他出來時，著他死於斧下。」三國演義第一〇九回：「（司馬昭）豈不知兵法？若見地勢掩映，必不肯近。」此，這。指時間。黃昏，參卷二〇、三四一、注①。

三九六、白桃花

曾逢時

別遣幽情到小園①，靚妝相對淡無言②。元都今亦繁華盡③，風月庭中總斷魂④。

【析韻】

園、言、魂，上平、十三元。

【釋題】

作者借白桃花隱指神女而諷之。

【注解】

①別遣……園　行抵小園，莫發鬱結、隱密的感情。別遣猶莫發。別，莫。不要。表禁止或勸阻。紅樓夢第九四回：「這是哪裡的話，玩是玩，笑是笑，這個事非同兒戲，你可別混

說。」遣，發。左傳 僖公二三年：「姜氏與子犯謀，醉而遣之。」幽情，參卷一一、二○五、注①。到，行抵。至。小園，規模不大的花園。小圃。北周 庾信 小園賦：「桐閒露落，柳下風來。」唐 杜甫 春水詩：「接縷垂芳餌，連筒灌小園。」

②靚妝……言　濃妝豔抹，彼此面面相覷；卻冷冷漠漠、未發一言。靚妝，ㄐㄧㄥˋ ㄓㄨㄤ。濃妝豔抹。南朝 宋 鮑照 代朗月行：「靚妝坐帷裏，當戶弄清絃。」元 錢抱素（？—？，世次不詳）瑣窗寒 題玉山草堂詞：「璚蓮倚蓋，曉水靚妝孤裊。」清 袁枚 新齊諧 披厤煞：「旦覘新婦，則已靚妝坐牀，琴瑟之好甚篤。」相對，面對面。相向。儀禮 士昏禮：「婦乘以几，從者二人，坐持几相對。」後漢書 烏桓鮮卑傳：「父子男女相對踞蹲。」唐 元稹 與李十一夜飲詩：「寒夜燈前賴酒壺，與君相對興猶孤。」北宋 李師中 菩薩蠻詞：「佳人相對泣，淚下羅衣濕。」淡，薄。不厚。北宋 程顥（一〇三三—一一〇七）春日偶成詩：「雲淡風輕近午天，傍花隨柳過前川。」本句此處，猶云冷陌。無言，不言。詩 魯頌 閟宮：「無災無言，彌月不遲。」論語 陽貨：「子曰：『予欲無言。』」莊子 寓言：「故曰：『無言。言無言，終身言未嘗言。』」列子 仲尼：「耳無聞，目無見，口無言，心無知。」東晉 王續（？—？，世次不詳。）游北山賦 序：「孫登獨坐，對稽 阮而無言。」

③元都……盡　現在，玄都（觀）也不再（那麼）桃花盛綻、香客如織了。元都，即玄都關。北周、隋、唐時道觀名，原稱通道觀。（詳北宋 宋敏求 長安志。）後廢。唐 劉禹錫 戲贈看花諸君子詩：「玄都觀裏桃千樹，盡是劉郎去後栽。」金 元好問 玄都關桃花詩：「前

度劉郎復阮郎，玄都觀裏醉紅芳。」繁華，參卷一一、一九九、注③；此處，作桃葩盛綻、香客如織解。盡，完。竭。

④風月……魂　妓院裏，本就銷魂神往，既一往情深又哀傷纏綿。風月門庭，省詞作風月庭。指妓院。元楊暹（？—？，世次不詳。）劉行首第三折：「休占風月門庭鬧，莫厭蓬萊途路賒。」中，指稱地點、空間。總，本。表性態。唐高適觀李固言司馬題山水圖詩：「方丈渾連水，天台總映雲。」杜牧題美人詩：「多情卻似總無情，但覺尊前笑不成。」斷魂，銷魂神往。形容一往神深或哀傷。唐宋之問江亭晚望詩：「望水知柔性，看山欲斷魂。」明梁辰魚浣紗記演舞：「難消受花間數巡，怎禁得燈前常近，一聲聲怨分離欲斷魂。」清龔自珍摸魚兒乙亥六月留別新安作詞：「問館閣梅花，誰家公子，來詠斷魂句？」

三九七、白桃花

陳朝龍

雅淡新妝試小園①，十分春色惹銷魂②。天台別有仙如玉③，崔護重來誤扣門④。

【析韻】

園、魂、門，上平、十三元。

【釋題】

同前首。

【注解】

①雅淡……園　一身雅緻潔淨、打扮時髦別致，來訪小園。雅淡，參卷二三、三七三、注③。新妝，亦作「新粧」。新穎別致的打扮修飾。恆用以形容女子。南朝梁王訓應令詠舞：「新妝本絕世，妙舞亦如仙。」唐李白清平調詞之二：「借問漢宮誰得似，可憐飛燕倚新粧。」試，探。唐韓偓詠美人浴詩：「教移蘭燭頻羞影，自試香湯水怕深。」引申作「訪」解。唐杜甫聶耒陽以僕阻水書致酒肉詩：「耒陽馳尺素，見訪荒江渺。」小園，參前首注①。

②十分……魂　非常嬌豔的容顏，引人無比的歡樂。十分，參卷二二、三五九、注①。春色，喻嬌艷的容顏。北宋柳永梁州令詞：「一生惆悵情多少，月不長圓，春色易為老。」明楊珽龍膏記開閣：「小女以蒲柳弱質，幾萎秋霜，得賜龍鳳仙膏，再生春色。」惹，引。引起。參卷二三、三八三、注②。消魂，同「銷魂」。謂靈魂離散。形容極度歡樂。北宋秦觀滿庭芳詞：「銷魂，當此際，香囊暗解，羅帶輕分。」南宋陸游夜與子遹說蜀道因作長句示之：「憶自梁州入劍門，關山無處不消魂。」清孔尚任桃花扇卻奩：「枕上餘香，帕上餘香，消魂滋味，才從夢裡嘗。」

③天台……玉　天台山另外還有仙女姿容姣好冠絕。天台，指天台山。在今浙江天台縣北。

南朝梁陶弘景（四五六—五三六）真誥：「（山）當斗牛之分，上應台宿，故名天台。」東晉支盾（三一四—三六六）天台山銘序：「剡縣東南有天台山。」山勢自東北向西南延伸，由赤城、瀑布、佛隴、香爐、華頂、桐柏等山組成。主峯華頂海拔一、〇九八公尺，多懸崖、峭壁、飛瀑。為甬江、曹娥江與靈江的分水嶺。佛教天台宗發源於此。相傳東漢劉晨、阮肇入山採藥遇二女，滯留半載回家，子孫已歷七世，乃知彼等為二仙女。分詳太平御覽卷四一、太平廣記卷六一。榮按：「台」本作「臺」，惟俗多作「台」，附誌之。別有。另（外）有。仙，指仙女。如玉，「如」花似「玉」的省詞，形容姿容像花、玉般地姣好、白皙。

④崔護……門　崔殷功啊！你再度駕臨，恐會敲錯門扉呢！崔護，字殷功。餘參本卷三九五、注②。重來，再度（或再次）駕臨。誤，錯。扣，本作「敂」，通「叩」。正字通：「叩，俗以『叩』為『扣』。」敲。擊。唐杜甫破船詩：「船舷不重扣，埋沒已經秋。」南宋張孝祥念奴嬌過洞庭詞：「扣舷獨（榮按：一本作「一」。）笑，不知今夕何夕。」門，謂門扉。

三九八、白桃花

蔡振豐

樹樹花開玉有痕①，春風淡到武陵源②。劉郎想亦頭如雪③，明月天台幾斷魂④。

【析韻】

痕、源、魂，上平、十三元。

【釋題】

詳本卷、三九六、釋題，茲從略。

【注解】

①樹樹……痕　株株綻放，遍布潔白的形跡。樹樹，猶株株。顆顆。樹，量詞。株。顆。元仇遠（一二四七—一三二六）糖多令詞：「問劉郎，別後何如？縱有桃花千萬樹，也不似，舊玄都。」唐王績（五九〇—六四四）野望詩：「樹樹皆秋色，山山唯落暉。」花開，花朵綻放。南朝梁劉孝威奉和湘東王應令春宵詩：「花開人不歸，節暖衣須變。」唐宋之問餞中書侍郎來濟詩：「雲峯衣結千重葉，雪岫花開幾樹妝。」李白大隄曲：「漢水臨襄陽，花開大隄暖。」杜甫傷春詩：「鶯入新年語，花開滿故枝。」「玉」有「痕」，參本卷、三九五、注①。

②春風……源　東風微弱，只好去武陵源覓求。春風，參本卷、三九五、注①。淡，少。引申作「微弱」解。到，至。猶去。東晉陶潛桃花源記載：晉太元中，武陵漁人誤入桃花源，見其屋舍儼然，有良田美池，阡陌交通，雞犬相聞，男女老少怡然自樂。村人自稱先世避秦亂，遂與外界隔絕。未幾，漁人復尋其處，「迷不復得」。後以「武陵源」借指避世隱居的地方。唐宋之問宿清遠峽山寺詩：「寥寥隔塵事，何異武陵源。」李白登

金陵治城西北謝安墩詩：「功成拂衣去，歸入武陵源。」北宋 王安石 即事詩之七：「歸來向人說，疑是武陵源。」武陵源，昔人亦作「武陵灘」、「武陵川」附誌之。

③劉郎……雪 劉晨啊！你可是頭髮白的像雪一般吧？劉郎，指稱劉晨。南朝 宋 劉義慶（四〇三—四四四）幽明錄載：東漢 永平年間，劉晨、阮肇於天台 桃源洞遇仙。太康年間，兩人重到天台。餘參前首注③。南宋 周密 探芳信 西泠春感詞：「向水院維舟，津亭喚酒。嘆劉郎重到，依依漫懷舊。」想亦，推測諒已……。意謂可是……吧？頭如雪，髮白得像雪一般。

④明月……魂 天台 桃源洞，皎潔光亮的春月高懸，你差點兒銷魂神往。明月，參卷二二、三五八、注②。天台，參本卷、三九七、注③及本首注③。幾，殆。近。表性態。猶今語差點兒。斷魂，參本卷、三九六、注④。

三九九、桃花浪

辛邦彥

新漲纔添水滿陂①，武陵十里暮春時②。亂紅昨夜飛如雨③，隔浦閒鷗恐未知④。

【析韻】

陂、時、知，上平、四支。

【釋題】

桃花浪，桃花盛開之際，河川水漲，興起波浪。三秦記：「河津一名龍門。桃花浪起，鯉躍而上之。過者為龍，否則點頟而退。」唐杜甫春水詩：「三月桃花浪，江流復舊痕。」南宋辛棄疾鷓鴣天送廓之秋試詞：「禹門已準桃花浪，月殿先收桂子香。」桃花浪，省稱「桃浪」。北宋范仲淹依韻酬冊湜推官詩：「桃浪觀秦塞，薰風省舜城。」元高明琵琶記才俊登程：「乘桃浪，躍錦鱗，一聲雷動過龍門。」清魏源關中覽古詩之一：「何必桃浪至，謬稱鯉三級。」按：三秦記署辛氏著已失傳。據前人考證，疑為漢時偽託之作。所引據清王謨輯本。

【注解】

①新漲……陂　水位剛剛提升，很快地、塘水增到了上限。新，副詞。剛剛。後漢書荀彧傳：「操以紹新破，未能為患，但欲留兵衛之，自欲南征劉表。」北宋趙抃（一〇〇八—一〇八四）初入峽詩：「峽江初過三遊洞，天氣新調二月風。」漲，ㄓㄤˇ。水上升。唐杜甫江漲詩：「江漲柴門外，兒童報急流。」北宋王安石詳雲詩：「冰入春風漲御溝，上林花氣欲飛浮。」纔添，甫增。參卷六、一〇九、注①，卷一五、二七〇、注③。滿，盈。意謂達到上（或極）限。史記蔡澤列傳：「日中則移，月滿則虧。」東漢孔融雜詩：「座上客常滿，樽中酒不空。」陂，ㄅㄟ。池塘、湖泊。淮南子說林訓：「十頃之陂可以灌四十頃，而一頃之陂可以灌四頃，大小之衰然。」高誘注：「畜水曰陂。」世說新語德行：「叔度汪汪如萬頃之陂。澄之不清，擾之不濁。」北宋王安石招約之職方並示正甫書記詩：「橫陂受後澗，直塹輸前瀆。」

②武陵……時　武陵　桃源，此際正好晚春。武陵十里，指武陵　桃源。十里，一里的十倍，猶言周遭、附近。參卷八、一五六、釋題及前首注②。暮春，春末。農曆三月。逸周書　文傳：「文王受命之九年，時維暮春。」論語　先進：「莫春者，春服既成，冠者五六人、童子六七人，浴乎沂……。」南朝　梁　丘遲　與陳伯之書：「暮春三月，江南草長，雜花生樹，羣鶯亂飛。」初學記卷三引南朝　梁元帝　纂要：「三月季春，亦曰暮春。」清　王士禛　池北偶談　談藝七王慧詩：「（王慧）閨詞云：『輕寒薄暖暮春天，小立閑庭待燕還。』」

③亂紅……雨　昨夜，數不清的紅花像雨一般，到處飄蕩。亂紅，指稱紛繁的紅色桃花。亂，紛繁。唐　杜甫　江畔獨步尋花七絕句之二：「稠花亂蕊畏江濱，行步敧危實怕春。」白居易　錢塘湖春行：「亂花漸欲迷人眼，淺草纔能沒馬蹄。」元　何中（一二六五—一三三二）歷溪詩：「山花已亂發，煙暖東風遲。」紅花曰紅。唐　張籍　唐昌觀看花詩：「新紅舊紫不相宜，看覺從前兩月遲。」皇甫松　摘得新詞：「繁紅一夜經風雨，是空枝。」韓偓　哭花詩：「曾愁香結破顏遲，今見妖紅委地時。」昨夜，昨天晚上。南朝　宋　鮑照　上潯陽還都道中詩：「昨夜宿南陵，今旦入蘆洲。」前蜀　毛文錫　醉花間詞之一：「昨夜雨霏霏，臨明寒一陣。」飛，飄。飄蕩。唐　杜甫　寒食詩：「寒食江村路，風花高下飛。」韓愈　柳巷詩：「柳巷還飛絮，春餘幾許時？」獨孤及　慶鴻銘頌：「風動雲行，雨飛露垂。」如雨，像下雨一般。

④隔浦……知　對岸那位退隱閑散的老哥，或許還不知道呢！隔浦，猶對岸。浦，河岸。水

邊。詩大雅常武：「率彼淮浦，有此徐土。」毛傳：「浦，涯也。」南宋葉適送蔣少韓詩：「濯足洞庭浦，晰髮君山巔。」閒鷗，閒鷗野鷺的省詞。喻退隱閑散之人。清龔自珍水調歌頭詞：「賤子平生出處，雖則閒鷗野鷺，十五度黃河。」恐，參卷二三、三八八、注②。未知，還不知道。

四〇〇、合歡花

蔡振豐

連理枝開號合歡①，春風無力鳥聲殘②。花猶如此人何仍③？斷腸孤衾醒後看④。

【析韻】

歡、殘、看，上平、十四寒。

【釋題】

合歡，學名 Albizzia julibrissin。一名馬纓花。豆科。落葉喬木。二回羽狀複葉，小葉呈鐮狀，夜間成對相合。夏季開花，頭狀花序，合瓣花冠，雄蕊多條，淡紅色。莢果條形，扁平、不裂。主要產地—華中。木材紅褐色，可製家具、枕木……。樹皮可提製栲膠。乾燥樹皮入藥，性平、味甘，具安神、解鬱、活血等功能，主治氣鬱胸悶、失眠、鐵打損傷、肺癰諸症。花稱「合歡花」。俗名夜合花、榕花；色淡紅。古人恒以合歡（花）贈人，謂可消怨去嫌合好也。三國魏嵇康養生論：「合歡蠲念，萱草忘憂。」晉崔豹古今注草木：「合歡，樹似梧桐，枝葉繁互相交結，每風來，輒身相解，了不相牽綴，樹之階庭，使人不忿，嵇康種之舍前。」又，問答釋義：「欲蠲人之忿，則贈之青堂。清堂一名合懽，合懽則忘忿。」南朝梁簡文帝聽夜妓詩：「合歡蠲忿葉，萱草忘憂條。」

【注解】

①連理……歡　兩樹枝條相連並發，稱呼它叫合歡。連理枝，兩樹枝條相連。喻恩愛的夫妻。隋江總雜曲之三：「合懽錦帶鴛鴦鳥，同心綺袖連理枝。」唐白居易長恨歌：「在天願為比翼鳥，在地願為連理枝。」初刻拍案驚奇卷一六：「我多因這蝸角虛名，賺得我連理枝分。」另參卷五、九〇、注①。開，發。綻放。唐劉禹錫再遊玄都觀詩：「百畝庭中半是苔，桃花淨盡菜花開。」號，ㄏㄠˋ。稱（呼）。後漢書矯慎傳：「慎同郡馬瑤，隱於汧山，以兔罝為事，百姓美之，號為馬牧先生。」宋史陸九齡傳：「與弟九淵，相為師友，和而不同，學者號二陸。」合歡，參本首釋題。

②春風……殘　東風疲憊乏力、禽聲稀稀疏疏。春風，參本卷、三九五、注①。無力，沒有力氣。沒有力量。周禮考工記梓人：「銳喙、決吻……若是者謂之羽屬，恒無力而輕。」莊子逍遙遊：「且夫水之積也不厚，則其負大舟也無力。」唐杜甫茅屋為秋風所破歌：「南村羣童欺我老無力，忍能對面為盜賊。」鳥聲，禽聲。猶鳥語。北周庾信春賦：「新年鳥聲千種囀，二月楊花滿路飛。」唐盧照鄰秋霖賦：「巷無馬跡，林無鳥聲。」殘，將盡。謂稀稀疏疏。

③花猶……仍　花，尚且這樣；為甚麼，人依然……？花，指合歡花。猶，表性態。尚且。左傳　宣公一二年：「困獸猶鬭，況國相乎？」三國　蜀　諸葛亮（一八一－二三四）後出師表：「先帝每稱操為能，猶有此失，況臣駑下，何能必勝？」如此，這樣。禮記　樂記：「如此，則國之滅亡無日矣。」唐　杜甫　房兵曹胡馬詩：「驍騰有如此，萬里可橫行。」何仍，為甚麼依然……。

④斷腸……看　獨宿至悲至痛！夢覺再注視吧！斷腸，形容極度悲痛。東晉　干寶　搜神記卷二〇：「臨川　東興，有人入山，得猿子，便將歸。猿母自後逐至家。此人縛猿子於庭中樹上，以示之。其母便搏頰向人，欲乞哀狀，直謂口不能言耳。此人既不能放，竟擊殺之，猿母悲喚，自擲而死。此人破腸視之，寸寸斷裂。」唐　白居易　長恨歌：「行宮見月傷心色，夜雨聞鈴腸斷聲。」元　王實甫　西廂記第三本第四折：「異鄉易得離愁病，妙藥難醫腸斷人。」孤衾，一牀被子。喻獨宿。南朝　梁　柳惲（四六五－五一七）擣衣詩：「孤衾引思緒，獨枕愴憂端。」北宋　蘇軾　次韻定惠院寓居月夜偶出：「至今歸計負雲山，未

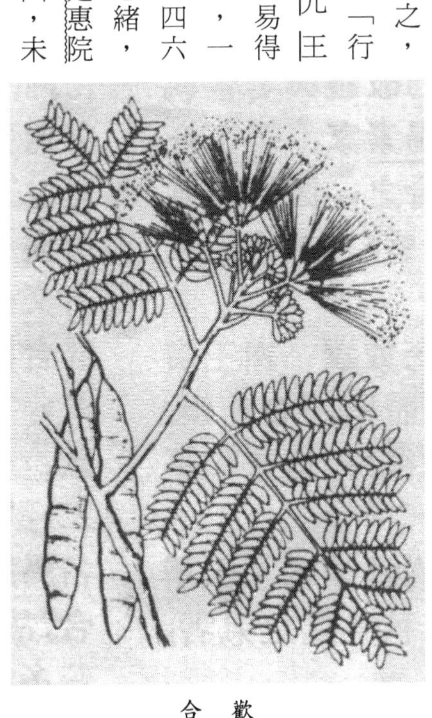

合　歡

免孤衾眠客舍。」南宋陸游社前一夕未昏輒寢中夜乃得寐詩：「祠事當行懼不任，未昏強臥擁孤衾。」明洪瀛（？—？，世次不詳。）烏夜啼詩：「烏啼無聲霜月泣，一夜孤衾淚如織。」衾，ㄑㄧㄣ。夢覺曰醒。唐章孝標雲際寺詩：「雲領浮名去，鐘撞大夢醒。」南宋朱熹梧竹詩：「此君同一笑，午夢頓能醒。」後，在時間上與「先」相對。呂氏春秋長見：「故審知今則可知古；知古則可知後。」看，注視。北宋李清照點絳唇詞：「倚門回看，卻把青梅嗅。」明陸卿子花燭詞：「細看鏡裏徘徊影，重掛鴉黃貼翠鈿。」

四〇一、合歡花

林資修

鵜膏淬處寶光寒①，措大休將佩犢看②。曾向吳門斬龍子③，莫言斷水古來難④。

【析韻】

寒、看、難，上平、十四寒。

【釋題】

作者藉花暗諷，意在言外。餘參本卷、四〇〇釋題，茲從略。

【注解】

①鵜膏……寒　幾經鍛冶的劍體，抹上層層的鵜膏。它，發出神奇的光輝，令人膽戰心驚。鷿鷉膏，作者省作「鵜膏」。鷿鷉，ㄆㄧ ㄊㄧ。野凫。鷉，或作「鷈」、「鵜」（ㄊㄧ）。鷿

鶻鳥之膏，用之塗刀劍防繡。唐 杜甫 荊南兵馬使太常卿趙公大食刀歌：「鐫錯碧罌鸊鵜膏，鋩鍔已瑩虛秋濤。」北宋 蘇軾 謝曹子方惠新茶詩：「囊簡久藏科斗字，銛鋒新瑩鸊鵜膏。」淬處，鍛冶的部位，指劍體。淬，ㄘㄨㄟˋ。鑄件經高溫燒紅，隨即投入水中，使之堅硬。猶言鍛冶。處，指部位。寶光，神奇的光輝。楞嚴經卷一：「即時如來從胸卍字涌出寶光，其光昱昱有百千色。」雲笈七籤卷三〇：「日月寶光，洞我軀形。」清 劉大櫆 羅西園詩集序：「夫文章之傳於後世，必有其得於天地菁英之氣，如珠如玉，如珊瑚木難，抛淪糞土，而寶光夜發，望氣者皆能見之。」寒，使害怕。南宋 劉過 沁園春 壽詞：「況自昔軍中，膽能寒虜，而今胸次，氣欲吞胡。」清 魏源 嵩麓諸谷詩 大室南溪逍遙谷：「牝谷夏空濛，雄峯冬豁閉。水走萬石上，聲寒絕壁下。」

②措大……看　貧困潦倒的士人，切莫以為：從此棄官務農。措大，昔指貧困失意的讀書人。唐 李匡文（？—？，晚唐人。）資暇集卷下：「代稱士流為醋大，言其峭醋而冠四人之首；一說衣冠儼然，黎庶望之，有不可犯之色，犯必有驗，比于醋而更險，故謂之焉。或云：往有士人，貧居新鄭之郊，以驢負醋。巡邑而賣，復落魄不調，邑人指其醋馱而號之。新鄭多衣冠所居，因總被斯號。亦云：鄭有醋溝，士流多居。就州溝之東，尤多甲族，以甲乙敘之，故曰醋大。愚以為四說皆非也。醋，宜作「措」，正言其能舉措大事而已。」類說卷四〇引唐 張鷟 朝野僉載：「江陵號衣冠藪澤，人言琵琶多於飯甑，措大多於鯽魚。」南宋 吳曾 能改齋漫錄 議論：「太祖曰：『安得宰相如桑維翰者，與之謀乎？』（趙）

普對曰：『使維翰在，陛下亦不用，蓋維翰愛錢。』太祖曰：『苟用其長，亦當護其短。措大眼孔小，賜與十萬貫，則塞破屋子矣。』」元 王仲文（？—？，金末、元初人。）救孝子第一折：「讀書的功名須奮發，得志呵做高官，不得志呵為措大。」清 青城子 志異續編 陳自明：「酸措大正氣逼人，妾不願近。」休將，猶今語「不要把……。」休，制止對方行為。漢書 循吏傳 龔遂：「遂見齊俗奢侈，好末技、不田作，乃躬率以儉約，勸民務農桑……民有帶持刀劍者，使賣劍買牛、賣刀買犢，曰：『何為帶牛佩犢？』」後因以佩犢喻棄官務農。陳書 世祖紀：「自頃寇戎，游手者眾。民失分地之業，士有佩犢之譏。」北宋 曾鞏 越武堂詩：「柳間自詫投壺樂，桑下方安佩犢行。」看，對待。唐 高適 詠史詩：「不知天下士，猶作布衣看。」白居易 酬別周從事詩：「辭官歸去緣衰病，莫作陶潛范蠡看。」北宋 蘇軾 慶源宜義王丈詩：「吏民莫作官長看，我是識字耕田夫。」

③曾向……子　它，可曾經被帶往姑蘇，持以刺殺龍子。曾，ㄘㄥˊ。嘗。即曾經。唐 王梵志（？—？，隋末、唐初人。）前死未長別詩：「義陵秋節遠，曾逢幾箇春？」清 黃景仁 尹六丈為作雲峰閣圖歌：「我曾夜半登祝融，鐵笛叫出金鉦紅。」向，趨赴。古詩 為焦仲卿妻作：「卿當日勝貴，吾獨向黃泉。」東晉 陶潛 歸去來兮辭：「木欣欣以向榮，泉涓涓而始流。」吳門，古吳縣（今蘇州）城的別稱。春秋 吳都。因稱吳縣城曰吳門。韓詩外傳：「顏回從孔子登日觀，望吳門焉。」唐 張繼 閶門即事詩：「試上吳門看郡郭，清明幾處有新煙。」斬，猶刺殺。龍子，隱指吳王 僚（公元前五二六—前五一五年，在位。）本句

典出史記 吳太伯世家、吳越春秋 闔閭內傳。周敬王五年（公元前五一五年、丙戌）四月，公子光求王位，謀於專諸（即專設諸）曰：「我，真王嗣也，當立。」專諸曰：「王僚可殺也。母老子弱。而兩公子將兵攻楚，楚絕其路。」光使專諸殺王僚，自立，是為吳王 闔閭（或稱闔廬）。

④莫言……難 不能說：自古到今，寶劍不容易覓得。莫言，不能說。莫，副詞。表否定。不。不能。詩 邶風 終風：「莫往莫來，悠悠我思。」荀子 解蔽：「桀死於鬲山，紂縣於赤旆，身不知先，人又莫之諫，此蔽塞之禍也。」言，說。說話。書 無逸：「（殷高宗）三年不言。」左傳 隱公六年：「周桓公言於王曰：『我周之東遷，晉 鄭焉依。』」斷水，古寶劍名。前秦 王嘉 拾遺記 昆吾山：「越王 句踐，使工人以白馬白牛祠昆吾之神，採金鑄之，以成八劍之精：一曰掩日……二曰斷水，以之劃水，開即不合。」古來，猶自古至今。難，難求。猶不（容）意覓得。

四〇二、合歡花

鄭兆璜

花開並蒂亦奇觀①，異種生成號合歡②。恰好對花人一笑③，昨宵心緒上眉端④。

【析韻】

觀、歡、端，上平、十四寒。

【釋題】

詳本卷、四〇〇、釋題。

【注解】

①花開……觀　同一個花足；竟綻放兩朵花，也是怪異、罕見的景象。花開，花朵綻放。南朝梁劉孝威奉和湘東王應令春宵詩：「花開人不歸，節暖衣須變。」唐宋之問餞中書侍郎來濟詩：「雲峯衣結千重葉，雪岫花開幾樹妝。」李白大隄曲：「漢水臨襄陽，花開大隄暖。」杜甫傷春詩：「鶯入新年語，花開滿故枝。」並蒂，同一個花足。花蒂，又稱花足。蒂，本作蔕，ㄉㄧˋ。花或瓜果與枝莖相連的部位。北宋李清照瑞鷓鴣雙銀杏詞：「誰教並蒂連枝摘，醉後明皇倚太真。」明徐渭牡丹賦：「爾則粉承日華，朱含霧雨。群蔕如翔，交柯如拒。」奇觀，怪異且少見的景象。東漢王充論衡別通：「人之游也，必欲入都，都多奇觀也。」北宋秦觀顯之禪老許以草菴見處詩：「橡葉岡頭釋馬銜，區中奇觀得窮探。」

②異種……歡　奇特的品種長成的，就稱做合歡。異種，指生物奇特的品種。南宋洪邁（一一二三—一二〇二）容齋隨筆玉蕊杜鵑：「物以希見為珍，不必異種也。」清王士禛池北偶談談異五墨芍藥：「館陶人家有墨芍藥，與曹州墨牡丹，皆異種。」生成，長成。唐杜甫屏迹詩之二：「桑麻深雨露，燕雀半生成。」號，參本卷、四〇〇、注①。合歡，詳本卷、四〇〇、釋題。

③恰好……笑　正當向著花，展現一些許笑容。恰好，猶正當。元無名氏黃花峪第二折：「你便似那烟薰的子路，墨洒的金剛，休道是白日裏夜晚間撲著你，也不是恰好的人。」對花，面向著花朵。人，指作者本身。一笑，剎那間展現（一）些許的笑容。又，一，亦作「一次」解。如：一笑傾城，再笑傾國。

④昨宵……端　昨夜歡愉的心情，不自覺地浮現在我的眉尖。昨宵，昨夜。南朝梁沈約早行逢故人車中為贈詩：「昨宵何處宿，今晨拂露歸。」唐韓愈送張道士詩：「昨宵夢倚門，手取連環持。」元王實甫西廂記第二本第一折：「昨宵箇錦囊佳製明勿引，今日箇玉堂人物難親近。」心緒，心情。隋孫萬壽（？—？，北齊、隋初人。）遠戍江南寄京邑親友詩：「心緒亂如麻，空懷疇昔時。」北宋歐陽修與孫威敏公書：「昨日范公宅得書，以埋銘見託。哀苦中無心緒作文字，然范公之德之才，豈易稱述！」初刻拍案驚奇卷二七：「但重整雲鬟，再施鉛粉，丈夫已亡，有何心緒？」上，升。易需：「雲上於天。」陸德明釋文引干寶：「上，升也。」紅樓夢第七〇回：「韶華休笑本無根。好風頻借力，送我上青雲。」眉端，眉尖。眉頭。近人冰心（一九〇〇—一九九九）斯人獨憔悴：「憑窗立著一個少年……眉目很清秀，只是神色非常的沉寂，似乎有重大的憂慮壓在眉端。」

四〇三、黃雞冠花

陳朝龍

昂昂獨舉帶秋容①，風雨西窗舞態慵②。天與頭銜高一品③，加冠端合錫黃封④。

【析韻】

容、慵、封，上平、二冬。

【釋題】

雞冠花，學名 **Celosia cristata**。莧科。一年生草本。葉卵形、卵狀披針形或披針形。夏、秋開花，花狀如雞首肉冠，呈紅、紫、黃、橙或紅黃相間等各色。栽培供觀賞。花具清熱止血，主治赤痢、便血、崩漏帶下諸症；種子能清肝明目，主治赤目、腫痛、翳障等症。明李時珍（一五一八—一五九三）本草綱目草四雞冠：「雞冠，處處有之。三月生苗。入夏高者五六尺，矬者纔數寸……六七月梢間開花，有紅、白、黃三色。其穗圓長而尖者，儼如青葙之穗；扁卷而平者，儼如雄雞之冠。」

【注解】

①昂昂……容　孤伶伶、含秋色，器宇軒昂地挺立著。昂昂，器宇軒昂貌。隋書音樂志下：「顒顒卿士，昂昂侯旬。」唐韋應物上東門會送李幼舉南游徐方詩：「令姿何昂昂，良馬遠遊冠。」獨舉，猶言孤伶伶地挺立著。獨，單（獨）。南朝宋鮑照代放歌行：「君

今有何疾，臨路獨遲迴。」唐 杜甫月夜詩：「今夜鄜州月，閨中只獨看。」北宋 王安石懷元度詩之二：「不見秘書心若失，百年衰病獨登臺。」舉，向上托。擎。孟子 梁惠王上：「吾力足以舉百鈞，而不足以舉一羽。」帶，含。南朝 齊 孔稚圭 北山移文：「風雲悽其帶憤，石泉咽而下愴。」秋容，參卷二三、三七六、注③、三八九、注②。

②風雨……慵　西窗周遭，又是風又是雨；妳的舞姿多麼懶散。風雨，風和雨。颳風、下雨。北宋 蘇軾 次韻黃魯直見贈古風之一：「嘉穀臥風雨，稂莠登我場。」醒世恆言 李汧公窮邸遇俠客：「風雨蕭蕭夜正寒，扁舟急槳上危灘。」以上從前解。書 洪範：「月之從星，則以風雨。」東晉 干寶 搜神記卷一四：「王悲思之，遣往視覓，天則風雨，嶺震雲晦，往者莫至。」西窗，西面的窗牖。亦指婦人居室之一方。又作「西窓」、「西牕」。唐 戎昱（？—？，上元、貞元間人。）長安秋夕詩：「昨宵西窓夢，夢入荊南道。」李商隱 夜雨寄北詩：「何當共翦西窗燭，卻話巴山夜雨時。」南宋 趙令畤（一〇五一—一一三四）妻詩：「晚雲帶雨歸飛急，去作西窗一夜愁。」舞態，猶舞姿。舞容。唐 羅鄴 春閨詩：「玉笛豈能留舞態，金河猶自浣戎衣。」北宋 曾鞏 喜雪詩：「宛轉花飛密，紆餘舞態長。」慵，ㄩㄥ。古本「庸」字，漢以後始加心旁，作「慵」。懶散。唐 白居易 詠慵詩：「有琴慵不彈，亦與無絃同。」

③天與……品　上蒼所授予妳的官銜，高人一等。天，指上蒼。與，授（予）。給予。孟子 萬章上：「然則舜有天下也，孰與之？曰：『天與之。』」禮記 曲禮：「與人者，不問

其所欲。」頭銜，官銜的別稱。舊時官場所用名刺，恆將官銜加在姓名之上，故稱。南宋范成大洛中呈幼度詩：「手板頭銜意已慵，墨池書枕興無窮。」元洪希文（一二八二—一三六六）朱千戶自京歸詩：「紆朱喜換頭銜舊，衣錦榮歸鬢髮新。」高一品，猶言高人一等。

④加冠……封　應當賞給妳黃羅製成的元服，好好地戴上。加冠，著冠。冠，ㄍㄨㄢ。弁冕的總稱，今語帽子，雅詞作「元服」。榮按：雞冠花，其花瓣排列之形如雞冠，故稱。北齊劉晝新論慎獨：「人之須善，猶首之須冠、足之待履。首不加冠，是越類也；行不躡履，是夷民也。」端合，應當。應該。近人張伯駒（一八九八—一九八二）續洪憲紀事詩之八七：「青史千秋誰得似，阿爹端合比桓溫。」錫，賞給。通「賜」。禮緯：「九錫：一曰輿馬，二曰衣服，三曰樂器，……九曰秬鬯。」東漢潘勗（一六〇？—二一五）冊魏公九錫文：「今又加君九錫，其敬聽後命。」弘明集後序：「天宮險驗，趙簡秦穆之錫是也。」黃封，本指宮廷釀製的酒，以黃羅帕封其甕口，故稱。亦用以泛稱美酒。北宋蘇軾與歐育等六人飲酒詩：「苦戰知君便白羽，倦遊憐我憶黃封。」又岐亭詩之三：「為我取黃封，親拆官泥赤。」按：本句此處，作「黃羅布料」解。

四〇四、乞花

蔡振豐

春事何堪太寂寥①？乞來佳種抵藏嬌②。生平昏暮羞奔走③，今為花迷一折腰④。

【析韻】

寥、嬌、腰，下平、二蕭。

【釋題】

乞，求也。左傳 定公二年：「邾莊公與夷射姑飲酒，私出。閽乞肉焉，奪之杖以敲之。」唐 韓愈 郴州祈雨詩：「乞雨女郎魂，炰羞潔且繁。」向友人等求取花種或花苗，謂之乞花。

【注解】

①春事……寥　男歡女愛，怎能忍受非常的孤單、非常的空虛？春事，指男女歡愛。明 沈仕（一四八八—一五六五）偶見曲之二：「交鸞鳳春事無涯，不覺香露滴、牡丹芽。」何堪。怎能忍受。唐 李肇 唐國史補卷上：「盧相邁不食鹽醋，同列問之：『足下不食鹽醋，何堪？』」明 呂大器（？—？，萬曆、弘光間人。）鎮羌道上有感詩：「鷹眼何堪秋草枯？姑臧清節至今無。」太，極。甚。寂寥，參卷二〇、三三一、注④。

②乞來……嬌　求得優良的花種，等同畜養了美人。乞來，猶求得。求到。乞，詳本首釋題。佳種，ㄐㄧㄚ ㄓㄨㄥˇ。優良的種子（品種）。近人黃人（一八六六—一九一三）清文匯 序：「撥佳種於龍野，存國粹於滄桑。」抵，當。使兩相等。史記 高祖本紀：「殺人者死，傷人及盜抵罪。」藏嬌，猶言納妾。餘參卷三、四四、注①。

③生平……走　年事已高，不好意思再為尋芳忙忙碌碌。生平昏暮，猶言年事已高。生平，本謂一生。終身。南朝 梁 何遜 入西塞示南府同僚詩：「年事已蹉跎，生平任浩蕩。」

明 沈德符 野獲編 言事 一人先忠後佞：「此二人先以迕中官廢，後以附中官用，所得幾何，而生平掃地矣。」昏暮，黃昏。傍晚。孟子 盡心上：「民非水火不生活，昏暮叩人之門戶，求水火，無弗與者，至足矣。」聊齋志異 尸變：「一日昏暮，四人偕來，望門投止。」羞，難為情。猶今語「不好意思」。說苑 說叢：「君子不羞學，不羞問。」奔走，為某一目的而忙錄。書 武成：「丁未，祀于周廟，邦甸侯衛，駿奔走，執豆籩。」唐 柳宗元 捕蛇者說：「永之人爭奔走焉。」

④今為……腰　現在做個戀花者，竟然卑躬屈膝呢！今，現在。為，ㄨㄟˋ。做。花迷，戀花的人。愛花成迷的人。一，乃。竟然。表示出乎意料之外。呂氏春秋 知士：「宣王太息動於顏色曰：『靜郭君之於寡人，一至此乎！』」高誘注：「一，猶乃也。」史記范雎蔡澤列傳：「須賈意哀之，留與坐飲食，曰：『范叔一寒如此哉！』」唐 李白與韓荊州書：「何令人之景慕，一至於此耶？」晉書 隱逸傳 陶潛：「吾不能為五斗米折腰，拳拳事鄉里小人焉！」後以「折腰」為屈身事人之典。折腰，亦作「折要」。餘參卷五、八二、釋題。

四〇五、乞　花

鄭　鵬　雲

每對名花朝復朝①，分春有意載吟瓢②。生平風骨崚嶒甚③，獨為紅妝一折腰④。

【析韻】

朝、瓢、腰，下平、二蕭。

【釋題】

詳前首。惟作者「此」花恐非「彼」花，意在言外也。

【注解】

①每對……朝　只要遇上有名的美女，總是天天思念著她。每對，猶言只要遇上。每，表示反復發生同樣情況中的任何一次。詩　秦風　權輿：「於，我乎！夏屋渠渠，今也每食無餘。」漢書　匈奴傳上：「每漢兵入匈奴，匈奴輒報償。」南宋　陸游　老學庵筆記卷四：「建炎大駕南渡後，每邊事危急，則往常程。謂專治軍旅，其他皆權止施行。」對，遇。逢。後漢書　周燮黃憲等傳　贊：「琛寶可懷，貞期難對。」李賢注：「貞期謂明時也。對，偶也。」名花，有名的美女。舊時恆指名妓。猶今所謂名交際花也。西湖佳話　西泠韻跡：「既係妓家，便不妨往而求見。縱不能攀折，對此名花，留連半晌，亦人生之樂事也。」近十年之怪現狀第一一回：「正是坐對名花，足不出戶，連自己公館也不回去。」朝復朝，ㄓㄠ　ㄈㄨˋ　ㄓㄠ。朝又朝。猶朝朝。復，又。禮記　禮運：「言偃復問曰：『如此乎禮之急也？』」餘參卷八、一四六、注②。

②分春……瓢　春分，想要置備酒食，吟詩會友。分春，即春分。管子　乘馬：「分春曰書比，立夏曰月程。」有意，有意圖。有願望。猶想要。戰國策　燕策三：「願得將軍之首以

獻秦，秦王必喜而善見臣，臣左手把其袖，而右手揕抗其胸，然則將軍之仇報，而燕國見陵之恥除矣，豈有意乎？」北宋王安石招葉致遠詩：「最是一年春好處，明朝有意抱琴來。」載，ㄗㄞˋ。陳設。放置。詩大雅旱麓：「清酒既載，騂牡既備，以享以祀，以介景福。」高亨注：「載，設置。」史記禮書：「側載臭茝，所以養鼻也。」司馬貞索隱：「載者，置也，言天子之側常置芳香於左右。」唐柳宗元送薛存義之任序：「河東薛存義將行，柳子載肉於俎，崇酒於觴，追而送之江滸。」吟，指吟詩。瓢，ㄆㄧㄠˊ。酒器。引申作「酒食」解。

③生平……甚　有生以來，性情極其堅定不屈。生平，參考前首注③。風骨，概指人的性格，品格。晉書赫連勃勃載記論：「然其器識高爽，風骨魁奇，姚興覩之而醉心，宋祖聞之而動色。」北宋王禹偁右衛上將軍贈侍中宋公神道碑：「以公名家子，又後唐之出也，且風骨俊秀，異乎諸孤。」近人胡先驌（一八九三—一九六八）詩別蕭叔絅燕京：「蕭郎二十風骨奇，嶄然頭角何嶷嶷。」崚嶒甚，極崚嶒。崚嶒，ㄌㄧㄥˊㄘㄥˊ。喻堅定不屈、剛正不阿。明鄔佐卿（？—？，嘉靖、萬曆間人。）沁園春招隱看梅詞：「鐵骨崚嶒，冰姿修潔，可是神仙萼綠華。」清秋瑾寶劍歌：「俠骨崚嶒傲九州，不信大剛剛則折。」

④獨為……腰　單單為了美女，竟然屈身事人。紅妝，亦作「紅粧」。指美女。南宋周密齊東野語尹惟曉詞：「蘋末轉清商，溪聲供夕涼，緩傳杯催喚紅妝。」元鄭廷玉忍字記第三折：「你送了我這一場，休了俺那紅妝，棄了俺那兒郎。」清洪昇長生殿傳概：

「馬嵬驛，六軍不發，斷送紅妝。」一折腰，參前首注④。

四〇六、乞　花

蔡汝修

欲借名花破寂寥①，偷香有約可憐宵②。紫雲得遂樊川願，不惜侯門效折腰③。

【析韻】

寥、宵、腰，下平、二蕭。

【釋題】

同本卷、四〇五。

【注解】

①欲借……寥　想和名妓依偎、繾綣。抒解空虛、孤單。欲，想。借，憑藉。利用。楚辭九章悲回風：「借光景以往來兮，施黃棘之枉策。」西晉陸機演連珠：「臣聞良宰謀朝，不必借威；貞臣衛主，脩身則足。」清朱錫幽夢續影：「善詐者借我疑，善欺者借我察。」名花，參本卷、四〇五、注①。破，開。釋。東晉劉琨答盧諶書：「時復相與舉觴對膝，破涕為笑。」唐杜甫諸將詩：「多少材官守涇渭，將軍且莫破愁顏。」五燈會元：「是時，眾皆寂然，惟迦葉尊者破顏微笑。」寂寥，參卷二〇、三三一、注④。

②偷香……宵　彼此商定幽會，令人高興的夜晚。世說新語惑溺：「韓壽美姿容，賈充辟

以為掾。充每聚會，賈女（按：指賈午）於青璅中看，見壽，說（按：通「悅」）之。恆懷存想，發於吟詠。後婢往壽家，具述如此，並言女光麗。壽聞之心動，遂請婢潛修音問。及期往宿。壽蹻捷絕人，踰牆而入，家中莫知。自是充覺女盛自拂拭，說（悅）暢有異於常。後會諸吏，聞壽有異香之氣，是外國所貢，一箸人，則歷月不歇。充計武帝唯賜己及陳騫，餘家無此香，疑壽與女通；而垣牆重密，門閤急峻，何由得爾？乃托言有盜，令人修牆。使反（返）曰：『其餘無異；唯東北角如有人跡。而牆高，非人所踰。』充乃取女左右婢考問，即以狀對。充秘之，以女妻壽。」後人遂以「偷香」謂女子愛悅男子，或謂與婦女私通。太平御覽卷九八一引郭子謂此為陳騫女事；惟一般均稱引世說新語，且晉書賈充傳亦載，併志之。有約，彼此事先商定的事情。在此，指幽會之約。可憐，可喜。唐王昌齡 蕭駙馬宅花燭詩：「可憐今夜千門裏，銀漢星回一道通。」白居易 曲江早春詩：「可憐春淺遊人少，好傍池邊下馬行。」宵，夜晚。

③紫雲……腰　紫雲可以符合樊川的期望。不在乎向權貴人家竭盡卑躬屈膝地乞求。紫雲，唐司徒李愿家妓。得遂，可以符合。杜牧別業樊川，自稱樊川翁。願，內心的期望。不惜，不顧惜。不吝惜。猶今語「不在乎」。古詩十九首西北有高樓：「不惜歌者苦，但傷知音稀。」北宋 梅堯臣 觀何君寶畫詩：「買時不惜金與帛，帛載羊車錢載驢。」侯門，指權貴人家言。元無名氏 連環計第二折：「俺只道侯門一入出如天遠，誰承望漢 劉晨誤入桃源，枉著你佳人受盡相思怨。」清 梁章鉅 歸田瑣記 北東園日記 詩：「侯門都作沈沈夢，

翻笑衰翁局外癡。」效，竭盡。宋史朱勝非傳：「上皇待燕士如骨肉，那無一人效力者乎？」折腰，參本卷、四〇四、注④。榮按：此二句典出唐詩紀事杜牧：「牧為御史，分務洛陽時，李司徒愿（？—八二五）罷鎮閑居，聲妓豪侈，洛中名士咸謁之云云。杜獨坐，南行瞪目注視，引滿三巵，問李云：『聞有紫雲者。』就是，李指之。杜凝睇良久曰：『名不虛得，宜以見惠。』李俯而笑，妓亦回首破顏。」作者風流倜儻；似有自詡為樊川再世之意。

四〇七、葬花

蔡振豐

百寶闌前玉一堆①，酬卿有酒幾徘徊②。名花終亦歸黃土③，辜負春風羯鼓催④。

【析韻】

堆、徊、催，上平、十灰。

【釋題】

葬，ㄗㄤˋ。埋藏、掩埋屍體。禮記檀弓上：「葬也者，藏也；藏也者，欲人之弗得見也。」花朵萎謝後，將之掩埋於地下，曰葬花。

【注解】

①百寶……堆　百寶闌杆的前面，散落著許許多多的花朵。百寶闌，用各種各樣的珍寶為材

料妥加裝飾鑲製的闌（欄）杆。明　沈受先（？—？，世次不詳。）三元記　賞花：「東風惡，無力抗，都墜在百寶闌杆上。」前，與「後」相對，指處所。玉，喻花。明無名氏四喜記　親憶瓊英：「鶴鷺溪橋尋梅玩，萬玉枝頭綻，芳姿雪襯妍。」堆，量詞。計算積聚而高起的東西。唐　杜甫　喜聞盜賊總退口號之四：「舊隨漢使千堆寶，少答胡王萬匹羅。」唐　白居易　太湖石詩：「錯落復崔嵬，蒼然玉一堆。」杜牧　初冬夜飲詩：「砌下梨花一堆雪，明年誰此凭闌干。」水滸傳第九二回：「偌大一塊空地，上面有數十堆柴草。」

②酬卿……徊　備辦水酒來奠祭妳，我來來回回，不知道走了多少次。酬，ㄔㄡˊ。亦作「酧」、「醻」。用酒奠祭。清　姚鼐　重修石湖范文穆公祠記：「異日或從諸公瞻遊湖濱，造於祠下，見公像而一酧焉。」卿，有多義。在此，作夫妻情人間等的愛稱。玉臺新詠古詩為焦仲卿妻作：「我自不驅卿，逼迫有阿母。卿但暫還家，吾今且報府。」西晉　束皙　近遊賦：「婦皆卿夫，子呼父子。」清　沈復　浮生六記　閨房記樂：「唐以詩取士，而詩之宗匠必推李杜。卿愛宗何人？」近人郁達夫　贈隆兒詩之一：「人事蕭條春夢後，梅花五月又逢卿。」有酒，備辦水酒。幾，ㄐㄧˇ。表不定數。猶若干。徘徊，參卷七、一二七、注①。

③名花……土　即使是名花，最後也要長眠地下。名花，名貴的花。南宋　袁文（？—？，世次不詳。）甕牖閒評卷七：「蘇東坡　海棠詩云：『惟有名花苦幽獨』，是以海棠為名花也。」清　汪懋麟　雨後詠瓶中芍藥之二：「天街餘濕尚沾衣，無限名花捆載歸。」棨按：作者亦以「名花」隱指楊妃。唐　李白　清平調詞之三：「名花傾國兩相歡，長得君王帶笑

看。」另參卷五、九四。終，事物的結局。與「始」相對。詩大雅蕩：「靡不有初，鮮克有終。」亦，也。歸，返回。黃土，淺黃或黃褐色的土壤；亦指墳墓。北宋梅堯臣和韻三和戲示：「莫計暄寒與風雪，古來黃土北邙堆。」元楊果（一一九七－一二七一）摸魚兒同遺山賦雁丘詞：「待細讀悲歌，滿傾清淚，為爾酹黃土。」清陳維崧賀新郎汝州月夜被酒感懷董二詞：「明月也知千里共，炤盡秦樓楚戍，應漸到故人黃土。」

④辜負……催　虧欠春風和羯鼓的頻頻促使。辜負，參卷九、一六一、注④。春風，參卷三、五一、注④。羯鼓催，參卷九、一六一、釋題。

四〇八、葬花　陳濬芝

姹紫嫣紅付刦灰①，飄零脂粉總堪哀②。一鋤已了前生果③，無復春風綺夢來④。

【析韻】

灰、哀、來，上平、十灰。

【釋題】

花朵萎謝後，不忍見其散落地面，任人踐踏，設法集中，並覓妥適當空間，予以掩埋，曰葬花。餘參前首釋題。

【注解】

①姹紫……灰　各種豔麗的花朵，就這樣交與大災大難後的灰燼裏。姹紫嫣紅，ㄔㄚˋ ㄗˇ ㄧㄢ ㄏㄨㄥˊ。指各種色彩豔麗的花。明 湯顯祖 牡丹亭 驚夢：「原來姹紫嫣紅開遍，似這般都付與斷井頹垣。」清 黃景仁 飛雪滿羣山 冰花詞：「空花先現處，是姹紫嫣紅後身。」姹，亦作「奼」。付，交與。東漢 阮瑀（？—二一二）為曹公作書與孫權：「若能內取子布，外擊劉備，以効赤心，用復前好，則江表之任，長以相付。」唐 杜甫 暮秋枉裴道州呈蘇渙侍御書：「致君堯 舜付公等，早據要路思捐軀。」刼灰，「刼後灰」的省詞。意謂大災大難以後所餘的灰燼。近人蘇曼殊 為調箏人繪像詩：「湘弦灑遍胭脂淚，香火重生刼後灰。」

②飄零……哀　行蹤不定、東奔西走、窮困失意的女子，畢竟令人同情、憐念。飄零，居無定所、行蹤不定，東奔西走、窮困失意。唐 杜甫 衡州送李大夫七丈赴廣州詩：「王孫丈人行，垂老見飄零。」清 李漁 憐香伴 女校：「既無父母，又未曾嫁，飄零異國，何以為情？」近人 劉國鈞（一八九九—一九八〇）辛壬之間雜詩：「故園南望渺鴻魚，京洛飄零感歲除。」脂粉，參卷五、八四、注①。總，畢竟。堪，能。能夠。引申作「令人」解。哀，同情。憐念。魏書 報倭女王詔書：「汝所在踰遠，乃遣使貢獻，是汝之忠孝，我甚哀汝。」詩 豳風 破斧：「哀我人斯，亦孔之將。」

③一鋤……果　只翻鬆了一次泥土，已經結束上輩子的果報。一鋤，謂翻鬆一次泥土。了，結束。晉書 傅咸傳：「官事，未易了也。」前生，佛教語。謂前一（即上）輩子，對今

生而言。唐寒山詩之四一：「今日如許貧，總是前生作。」金董解元西廂記諸宮調卷一：「短命冤家薄情煞，兀的不枉教人害，少負你前生眼兒債。」紅樓夢第四回：「這也是前生冤孽：可巧遇見這丫頭，他便一眼看上了。」果，謂果報。佛教講因果報應，主張夙世種善因，今生得善果；為惡則得惡報。法苑珠林卷一七引惟無三昧經：「一善念者，亦得善果報；一念惡者，亦得惡果報。」

④無復……來　和風、美夢，不再來。無復，不再。不會再次。呂氏春秋義賞：「詐僞之道，雖今偷可，後將無復。」陳奇猷校釋：「此文意謂詐偽之道，雖今日可以苟且得利，後將不可復得利也。」唐韓愈落葉送陳羽詩：「落葉不更息，斷蓬無復歸。」清李漁閒情偶寄詞曲下格局：「聖歎之評西廂，可謂晰毛辨髮，窮幽極微，無復有遺議於其間矣。」春風，參卷三、五一、注④。綺夢，美夢。近人瞿秋白（一八九九—一九三五）亂彈代序：「『乾嘉以降』，不久，崑曲的清歌曼舞的綺夢，給紅巾長毛的『叛賊』搗亂了。」郁達夫贈姑蘇女子詩：「一春綺夢花相似，二月濃情水樣流。」來，參卷一、二、注④。

四〇九、葬　花

陳朝龍

玉瘞香埋土一堆①，新修花塚欲心灰②。祭君合作芙蓉誄③，「明月招魂」獨幾回④。

【析韻】

堆、灰、回，上平、十灰。

【釋題】

詳前首。

【注解】

①玉瘞……堆　枯落的花朵埋好了，它的芬芳消失了。只看見一堆黃土。玉，參本卷、四〇七、注①。瘞，ㄧˋ。埋。深埋入地。明王守仁瘞旅文：「念其暴骨無主，將二童子，持畚鍤往瘞之。」香埋，猶香消。謂芬芳消失。亦用以指死亡。埋，消。東漢仲長統（一七九—二一九）述志詩：「寄愁天上，埋憂地下。」土，黃土。一堆，參本卷、四〇七、注①。

②新修……灰　想到那剛整理好的花堆，內心不禁消沉、難過。新修，剛整理。甫經整治。花塚，「塚」，本作「冢」。前者為俗字。ㄓㄨㄥˇ。落花集成的（小）堆。近人郭沫若（一八九二—一九七八）瓶詩之十六：「有識趣的春風，把梅花吹集成一座花冢。」欲，想。心灰，意謂心如死灰。極言消沉。唐白居易冬至夜詩：「心灰不及爐中火，鬢雪多於砌下霜。」北宋蘇軾次韻答黃安中兼簡林子中：「老去心灰不復然，一麾江海意方堅。」

③祭君……誄　向妳奠享，應該寫一篇祭文。祭，奠享。置酒食，以儀式追悼死者。唐韓愈送楊少尹序：「古之所謂鄉先生沒而可以祭于社者，其在斯人歟！」君，指稱「花」。依第一、三兩句研判應係荷花，蓋荷花別稱芙蓉。合，應該。應當。後漢書獻帝紀：「皇

后非正嫡，不合稱后。」韓愈 論佛骨表：「天子大聖，猶一心敬信；百姓何人，豈合更惜身命？」誄，ㄌㄟˇ。累列死者在生德行、功業所為之文辭。南朝 梁 皇侃（四八八－五四五）論語義疏：「誄者，如今行狀也；誄之言累也，人生有德行，死而累列其行之迹為謚也。」

④明月……回　口中不停地唸著：「明月招魂」。明月，參卷二一、三五八、注②。招魂，參卷一二、二一六、注④。讀，誦。唸。孟子 萬章下：「頌其詩，讀其書，不知其人可乎？」史記 孔子世家 贊：「余讀孔氏書，想見其為人。」清 曾國藩（一八一一－一八七二）求闕齋記：「國藩讀易至臨而喟然歎曰：『剛侵而長矣。』」幾回，幾次。幾，不定數。

卷二五

四一〇、秋　草

陳　濬　芝

芳草秋來又滿窗①，可憐浪迹尚吳江②。西風一掬王孫淚③，無恨歸心未肯降④。

【析韻】

窗、江、降，上平、三江。

【釋題】

草，小篆作「𦯑」。ㄘㄠˇ。草本植物之總稱。說文通訓定聲：「草，叚借為艸。」詩小雅湛露：「在彼豐草。」書洪範：「庶草蕃廡。」又，雜草泛稱草。呂氏春秋任地：「大草不生。」東晉陶潛歸園田居詩：「時復墟曲中，披草共來往。」秋之草，曰秋草。文心雕龍隱秀：「涼風動秋草，邊馬有歸心。」西晉孫楚（？—二九三）征西官屬送於陟陽侯作詩：「晨風飄歧路，零雨披秋草。」唐杜甫秦州雜詩：「所居秋草靜，正閉小蓬門。」許渾咸陽懷古詩：「渭水故都秦二世，咸陽秋草漢諸陵。」

【注解】

①芳草……窗　向窗外一探，秋後香草再度滋蔓，綠油油、到處青翠欲滴。芳草，參卷一二、二二三、注③。秋來，秋後。來，後。還。謂自某時迄某時以後、以還意。孟子盡心下：「由孔子而來，至於今百有餘歲，去聖人之世，若此其未遠也。」唐韓愈與孟尚書書：「入秋來，眠食何似？」又，再度。復。滿窗，盈窗。謂向窗外探視，到處可見。表數量多而不勝數也。

②可憐……江　值得同情啊！你，散落四方、行蹤不定，遙逾吳淞江濱。可憐，參卷一、九、注④。浪迹，亦作「浪跡」。到處漫遊，行蹤不定。南朝梁江淹效張綽雜述詩：「浪

迹潁湄，棲景箕岑。」北宋蘇軾老人行：「老人舊日曾年少，浪迹常如不繫舟。」孽海花第一三回：「那位至交，也是當今赫赫有名的直臣，就為妄劾大臣，丟了官兒，自己一氣，削髮為僧，浪迹四海。」尚，過。超過。孟子公孫丑下：「今天下地醜德齊，莫能相尚，無他，……。」戰國楚宋玉神女賦：「近之既妖，遠之有望；骨法多奇，應君之相；視之盈目，孰者克尚。」三國吳陸遜（一八三—二四五）與關羽書：「于禁等見獲，遐邇欣歎，以為將軍之勳，足以長此，雖昔晉文城濮之師，淮陰拔趙之略，蔑以尚茲。」吳江，吳淞江別稱。國語越語上：「三江環之。」韋昭注：「三江：吳江、錢唐江、浦陽江。」南宋毛滂（一〇六〇—？）過吳淞江詩：「參軍身外祇圖書，獨與吳江分不疎。」清黃燮清（一八〇五—一八六四）吳江嫗詩：「徵帆自北來，晚泊吳江湄。」

③西風……淚　蕭瑟的秋風，引來他、些許低泣。西風，參卷一五、二六一、注③。一掬，亦作「一匊」。雙手所捧（的東西）。亦表示少而不定的數量。此處從後解。詩小雅采綠：「終朝采綠，不盈一匊。」毛傳：「兩手曰匊。」文子上德：「土之勢勝水，一掬不能塞江河。」唐賈島望山詩：「虬龍一掬波，洗蕩千萬春。」近人丘逢甲去歲初抵鮀江今仍客遊至此思之憮然詩：「西風一掬哀時淚，流向秋江作怒濤。」王孫淚，王孫的淚水。王孫，參卷二〇、三三八、注③。

④無恨……降　不埋怨返鄉的心緒始終不願屈伏。無恨，沒有埋怨。歸心，回鄉（家）的念頭。西晉王贊（？—三一一）雜詩：「朔風動秋草，邊馬有歸心。」北宋梅堯臣送庭

老歸河陽詩：「五月馳乘車，歸心豈畏者？」近人鄭振鐸（一八九六—一九五八）山中雜記 蟬與紡織娘：「『秋天到了。』我這樣說著，頗動了歸心。」未肯，參卷二二、三五八、注③。降，ㄒㄧㄤˊ。服。屈伏。春秋 莊公八年：「郕降於齊師。」兒女英雄傳第二一回：「這……又叫作一物降一物了！」

四一一、秋　草

林資修

莽蒼蒼處暮天低①，漠漠煙蕪望欲迷②。立馬亭【皋】看秋色③，五陵佳氣北原西④。

【析韻】

低、迷、西，上平、八齊。

【釋題】

詳本卷、四一〇。

【注解】

①莽蒼……低　草叢茂盛的地方，黃昏的天空顯得特別接近地平線。莽蒼蒼處，參卷一二、二一九、注②。暮天，傍晚的天空。唐 王昌齡 潞府客停寄崔鳳童詩：「秋月對愁客，山鐘搖暮天。」顧非熊（？—八五四？）成名後將歸茅山酬羣公見送詩：「暮天行雁斷，曉渡落潮寒。」低，矮。與「高」相對。謂自上至下距離小。唐 白居易 和劉郎中學士題集

賢閣：「傍聞大內笙歌近，下視諸司屋舍低。」清 吳嘉紀（一六一八—一六八四）絕句：「白頭竈戶低草房，六月煎鹽烈火旁。」

②漠漠……迷 向遠凝視那一片雲烟迷茫的草叢，著實引人陶醉、遐思。漠漠，參卷一九、三二三、注①。煙蕪，雲烟迷茫的草叢。唐 權德輿 奉和李大夫九日龍沙宴會：「煙蕪斂暝色，霜菊發寒枝。」北宋 柳永 破陣樂詞：「露花倒影，煙蕪蘸碧，靈沼波暖。」清 納蘭性德 憶秦娥 龍潭口詞之二：「青如翦，鷺鷥立處，煙蕪平遠。」望，向遠凝視。唐 魏徵（五〇八—六四三）述懷詩：「鬱紆陟高岫，出沒望平原。」欲，愛。喜好。孟子 告子上：「魚，我所欲也。熊掌，亦我所欲也。二者不可得兼，舍魚而取熊掌也。」迷，辨識不明。易 坤：「先迷後得，主利。」詩 小雅 節南山：「天子是毗，俾民不迷。」唐 韓愈 平淮西碑：「蔡人有言：始迷不知，今乃大覺，羞前之為。」此處，引申作「模糊不清」解。

③立馬……色 在水邊的平地上駐馬，觀賞秋的景色。立馬，駐馬。唐 朱慶餘 過舊宅詩：「榮華事歇皆如此，立馬踟躕到日斜。」明 高啟 大梁行：「立馬塵沙日欲昏，悲歌感慨向夷門。」亭皐，亦作「亭皋」、「亭臯」。水邊的平地。漢書 司馬相如傳上：「亭皐千里，靡不被築。」王先謙補注：「亭當訓平……亭皐千里，猶言平皐千里。皐，水旁地。」南朝 齊 王屮 頭陁寺碑文：「膴膴亭皐，幽幽林薄。」唐 張說 奉和出苑春日應制：「雨洗亭皐千畝綠，風吹梅李一園香。」北宋 王安石 移桃花詩：「枝柯篙綿花爛熳，美錦千

兩敷亭皋。」清納蘭性德東風第一枝桃花詞：「是誰移向亭皋，伴取暈眉青眼。」皋，ㄍㄠ。看，參卷一、一六、注②。秋色，參卷二三、三七三、注②。

④五陵……西　五陵的美好空氣，不就在北面平野的西隅嗎？五陵，西漢高祖、惠帝、景帝、武帝、昭帝的陵園。東漢班固西都賦：「南望杜霸，北眺五陵。」劉良注：「宣帝杜陵、文帝霸陵在南，高、惠、景、武、昭帝，此五陵皆在北。」榮按：高帝長陵、惠帝安陵、景帝陽陵、武帝茂陵、昭帝平陵，均位於渭水北岸，今陝西咸陽附近。唐韋應物驪山行：「秦川入水長繚繞，漢氏五陵空崔嵬。」佳氣，美好的雲氣。古以為吉祥、興隆的象徵。東漢班固白虎通封禪：「德至八方則祥風至，佳氣時喜。」唐李白明堂賦：「含佳氣之青葱，吐祥烟之鬱嵂。」北宋王安石南鄉子詞之二：「自古帝王州，鬱鬱葱葱佳氣浮。」明高啟登金陵雨花臺望大江詩：「秦皇空此瘞黃金，佳氣葱葱至今王。」北原西，北面平野的西隅。原，廣且平的土地。禮記月令：「時雨將降，下水上騰。循行國邑，周祖原野。修利隄防，道達溝瀆。」爾雅釋地：「大野曰平，廣平曰原。」北、西，均指方位。

四一二、秋　草

林　朝　琛

一道裙腰帶碧齊①，秋來到處尚萋萋②。西風落日平原路③，猶見蒙茸護馬蹄④。

【析韻】

齊、萋、蹄，上平、八齊。

【釋題】

詳本卷、四一〇。

【注解】

①一道……齊　像一條青綠勻稱的繫裙腰帶。一道，表數量。猶言一條。唐王維寒食城冬即事詩：「清溪一道穿桃李，演漾綠蒲涵白芷。」元稹望喜驛詩：「子規驚覺燈又滅，一道月光橫枕前。」兒女英雄傳第六回：「只見斜刺裏一道白光兒閃爍爍從半空裏撲了來。」裙腰帶，繫裙的腰帶。裙腰，下裳上端緊束於腰部之處。南史齊魚復侯子響傳：「子響密作啟數紙，藏妃王氏裙腰中，具自申明。」唐白居易和夢遊春詩一百韻：「裙腰銀線壓。梳掌金筐蹙。」金瓶梅詞話第四一回：「一面叫了趙裁來，都裁剪停當，又要一疋黃紗做裙腰貼裏，一色都是杭州絹兒。」帶，用以約束衣裳，呈狹長、扁平狀之物。古恆多以皮革、金玉、犀角、絲絹等製成。詩衛風有狐：「心之憂矣，之子無帶。」毛傳：「帶，所以申束衣也。」論語公冶長：「束帶立於朝，可使與賓客言也。」古詩十九首行行重行行：「相見日已遠，衣帶日已緩。」碧，青綠色。世說新語汰侈：「君夫（王愷）作紫絲布步障，碧綾裏四十里。」唐柳宗元溪居詩：「來往不逢人，長歌楚天碧。」前蜀韋莊菩薩蠻詞：「春水碧于天，畫船聽雨眠。」清納蘭性德聖駕臨江恭賦：「却上妙

高臺，悠悠天水碧。」齊，適中。管子 正世：「治莫貴於得齊。制民急則民迫……緩則縱。」淮南子 詮言訓：「善博者，不欲牟，不恐不勝，平心定意，捉得其齊。」高誘注：「齊，得其適也。」本句此處，引申作「勻稱」解。

②秋來……萋　入秋後，依然處處青草蔥翠、茂盛。秋來，參卷二五、四一〇、注①。到處，處處。各處。唐 李山甫 寒食詩：「有時三點兩點雨，到處十枝五枝花。」南宋 張道洽 嶺梅詩：「到處皆詩境，隨時有物華。」醒世恆言 錢秀才錯占鳳凰儔：「高贊為選中了乘龍佳婿，到處誇揚。」尚，參卷六、一一九、注④。萋萋，草木茂盛貌。詩 周南 葛覃：「葛之覃兮，施于中谷，維葉萋萋。」毛傳：「萋萋，茂盛貌。」唐 崔顥 黃鶴樓詩：「晴川歷歷漢陽樹，芳草萋萋鸚鵡洲。」明 何景明 平夷詩之一：「滇南八月中，綠林何萋萋。」

③西風……路　秋風、夕照、平坦沃野上的行道。西風，參卷九、一七五、注③。落日，夕陽。在此，指「夕照」。南朝 宋 謝靈運 廬陵王墓下作詩：「曉月發雲陽，落日次朱方。」唐 杜甫 後出塞詩之二：「落日照大旗，馬鳴風蕭蕭。」清 陸圻（一六一三—一六六七以後）與歌者陳郎詩：「落日橫江老白蘋，同鄉停問一相親。」平原，廣濶平坦的原野。左傳 桓公元年：「秋，大水。凡平原出水為大水。」東漢 王粲 七哀詩：「出門無所見，白骨蔽平原。」唐 方干 哭秘書姚少監詩：「曉向平原陳葬禮，悲風吹雨溼銘旌。」近人劉半農 曉詩：「太陽的光線，一絲絲透出來，照見一片平原，罩着層白蒙蒙的白霧。」路，人、馬、車等通行之途徑。今語謂道路。周禮 地官：「澮上有道，川上有路。」注：

「沴、涂、道、路，皆所以通車徒於國都也。」東晉 陶潛 桃花源記：「既出，得其船，便扶向路。」唐 韓愈 雨中寄張籍詩：「放朝還不報，半路蹋泥歸。」官場現形記第四八回：「在路早行夜泊，非止一日。」

④猶見……蹄　還看到綠草蒽蘢，掩蔽著馬蹄。猶見，還看到。蒙茸，蒽蘢。唐 羅鄴 芳草詩：「廢苑牆南殘雨中，似袍顏色正蒙茸。」清 魏際瑞（一六二〇—一六七七）諸葛公墓詩：「定軍山下柏蒙茸，曠古精誠在此中。」古今小說 吳保安棄家贖友：「只見萬山疊翠，草木蒙茸，正不知那一條是去路。」茸，ㄖㄨㄥˊ。護，掩蔽。三國 魏 曹丕 與吳質書：「觀古今文人，類不護細行，鮮能以名節自立。」西晉 嵇康 與山巨源絕交書：「仲尼不假蓋於子夏，護其短也。」唐 韓愈 紀夢詩：「乃知仙人未聖賢，護短憑愚邀我敬。」馬蹄，亦作「馬蹏」。馬的足蹄。莊子 馬蹄：「馬蹄可以踐霜雪，毛可以禦風寒。」唐 杜甫 將赴成都草堂途中有作先寄嚴鄭公詩之三：「書簽藥裹封蛛網，野店山橋送馬蹄。」

四一三、瓦　松

蔡　振　豐

青青疏影自黃昏①，耐得冰霜瓦上存②。老屋許多彫後感③，不貪垂蔭傍朱門④。

【析韻】

昏、存、門，上平，十三元。

【釋題】

瓦松，草名。生於屋瓦隙縫或深山石罅。葉厚、細長而尖，多數重疊，望之如松，故名。瓦松可入藥。又稱昨葉荷草。唐崔融（六五三—七〇六）瓦松賦序：「瓦松者產于屋霤之上，千株萬莖，開花吐葉，高不及尺，下纔如寸。」南宋陸游山寺詩：「林深栗鼠健，屋老瓦松長。」明李時珍本草綱目草十載有昨葉荷草。茲從略。

【注解】

①青青……昏　即使已經黃昏，那雅淡清朗的影子，依然無比青翠。青青，形容顏色很青。詩鄭風子衿：「青青子衿，悠悠我心。」古詩十九首青青河畔草：「青青河畔草，鬱鬱園中柳。」唐劉商山中寄元二侍御詩之一：「桃李向秋彫落盡，一枝松色獨青青。」清鄭燮濟南試院奉和宮詹德大主師枉贈之作：「饒他嵤華青青色，還讓先生泰岱橫。」疏影，參卷二三、三八一、注①。自，即使。雖。莊子列禦寇：「自是有德者以不知也，而況有道者乎？」漢書高帝紀下：「高祖不修文學，而性明達，好謀能聽，自監門戍卒，見之如舊。」唐杜甫日暮詩：「風月自清夜，江山非故園。」西遊記第一九回：「師父，我自持齋，卻不曾斷酒。」黃昏，參卷二〇、三四一、注①。

②耐得……存　忍住瓦片上冰霜的摧殘，堅強地活下去。耐，忍。忍受。荀子仲尼：「能耐任之，則慎自此道也。」南唐李煜浪淘沙詞：「簾外雨潺潺，春意闌珊，羅衾不耐五更寒。」得，ㄉㄜˊ。助語氣。唐杜甫漫興九絕之二：「恰似春風相欺得，夜來吹折數枝

花。」又草堂即事詩：「蜀酒禁愁得，無錢何處賒。」冰霜，冰與霜。東漢劉楨贈從弟詩：「冰霜正慘悽，終歲常端正。」唐杜甫遠懷舍弟穎觀等詩：「江漢春風起，冰霜昨夜除。」瓦上，瓦片上面。瓦，採土捏胚，高熱燒製呈彎曲正方、圓狀或圓筒狀等，用以覆蓋屋頂，隔離風雨霜害的建材。存，活。禮記中庸：「其人存，則其政舉，其人亡，則政息。」

③老屋……感　佇立在年久的屋舍前，不由得、興起一連串瓦松枯萎的遐思。老屋，年久的房舍。猶古屋。北宋趙抃書院詩：「雨久藏書蠹，風高老屋斜。」許多，猶言一連串。餘參卷二、二一、注②。彫，落。零落。通「凋」。指枯萎而言。論語子罕：「歲寒然後知松柏之後彫也。」在時間上與「先」對稱者曰後。呂氏春秋長見：「故審知今則可知古；知古則可知後。」感，情意。念頭。西晉陸機愍思賦序：「以抒慘惻之感。」南朝梁江淹別賦：「行子腸斷，百感淒惻。」

④不貪……門　它，並未奢求、不想仰仗權門、豪戶的庇護。不，未。沒有。孟子梁惠王上：「以五十步笑百步……直不百步耳，是亦走也。」貪，多慾。詩大雅桑柔：「民之貪亂，寧為荼毒。」禮記禮運：「用人之仁去其貪。」說文：「貪，慾物也。」唐姚合新昌里詩：「近貧日益廉，近富日益貪。以此當自警，慎勿信邪讒。」不貪，猶云未奢求。垂蔭，本作「垂陰」。樹木枝葉覆蓋形成陰影。亦指樹木枝葉覆蓋的陰影。東漢張衡西京賦：「吐葩颺榮，布葉垂陰。」北魏酈道元水經注贛水：「門內有樟樹高七丈五尺，大十二圍，枝葉扶疎，垂蔭數畮。」此處，引申作「庇護」解。傍，ㄆㄤˊ。倚。謂仰仗。

依仗。北宋程頤春日偶成詩：「雲淡風輕近午天，傍花隨柳過前川。」朱門，紅漆大門。指權門豪富之家。東晉葛洪抱朴子嘉遯：「背朝華於朱門，保恬寂乎蓬戶。」唐杜甫自京赴奉先縣詠懷五百字：「朱門酒肉臭，路有凍死骨。」明李攀龍平涼詩：「惟餘青草王孫路，不屬朱門帝子家。」清吳偉業蘆州行：「金戈鐵馬過江來，朱門大第誰能顧。」

四一四、瓦松

陳錫金

瓦上冰霜久托根①，青青閑護小籬垣②。何如破屋乘龍去③，春雨寒濤一夜奔④。

【析韻】

根、垣、奔，上平、十三元。

【釋題】

同前首。

【注解】

①瓦上……根　長期寄身在滿是冰霜的瓦片上。瓦上，參本卷、四一三、注②。冰霜，參本卷、四一三、注②。久，參卷六、一二二、注③。托根，猶寄身。近人蘇曼殊斷鴻零雁記第三章：「後此，夫人綜覽季世，漸入澆漓，思攜爾托根上國。」周瘦鵑（一八九四，一作一八九五—一九六八）蘇州遊踪記義士梅附詩：「鐵榦虬枝綉古苔，羣芳譜裏百花

魁，托根曾在五人墓，尊號應封義士梅。」

②青青……垣　無比青翠的綠草，防護著規模不頂大的竹籬牆垣。青青，參本卷、四一三、注①。閑護，防護。閑，ㄒㄧㄢˊ。防，防備。易　乾：「閑邪存其誠。」書　畢命：「雖收放心，閑之維艱。」左傳　昭公六年：「懼民之有爭心也，猶不可禁禦，是故閑之以義。」杜預注：「閑，防也。」小，形容規模並不頂大。籬垣，竹籬的墻垣。晉書　良吏傳　吳隱之：「數畝小宅，籬垣仄陋，內外茅屋六間，不容妻子。」清　杜岕　葉桐初五十詩：「又知光福梅，修竹為籬垣。」

③何如……去　不如擊毀房舍、趁機離開。何如，參卷二、三六、注③。破屋，擊毀房舍。破，（擊）毀。後漢書　李通傳：「破家為國，忘身奉主。」唐　李白　醉後贈從甥高鎮詩：「黃金逐手快意盡，昨日破產今朝貧。」聊齋志異　羅刹海市：「俄頃，疾雷破屋，女已無矣。」乘龍，喻趁機行動。語出易　乾：「時『乘』六『龍』以御天。」王弼注：「升降無常，隨時而用，處則乘潛龍，出則乘飛龍，故曰：『時乘六龍』也。」六龍指乾卦六陽爻。南齊書　芮芮虜傳：「陛下承乾啟之機，因乘龍之運，計應符革祚，久已踐極，荒裔傾戴，莫不引領。」去，離開。

④春雨……奔　整個晚上，春雨颼颼、寒濤湍急。春雨，春天的雨。莊子　外物：「春雨日時，草木怒生。」唐　方干　水墨松石詩：「垂地寒雲吞大漠，過江春雨入全吳。」明　劉基　春雨詩：「春雨和風細細來，園林取次發枯荄。」寒濤，冰冷的湖水。寒，冷。濤，潮水。

史記 刺客列傳 荊軻：「士皆垂淚涕泣，又前而歌曰：『風蕭蕭兮易水寒，壯士一去兮不復還。』……」潮曰濤。元和縣志：「浙江濤，每年八月十八日，數百里士女共觀，舟人漁子，泝濤觸浪，謂之弄濤。」西漢 枚乘 七發：「將以八月之望，觀濤廣陵之曲。」一夜，整個晚上。一整夜。一個夜晚。穀梁傳 定公四年：「以眾不如吳，以必死不如楚，相與擊之，一夜而三敗吳人。」南朝 梁 江淹 哀千里賦：「魂終朝以三奪，心一夜而九摧。」唐 李白 子夜吳歌之四：「明朝驛使發，一夜絮征袍。」疾趨曰奔。詩 周頌 清廟：「對越在天，駿奔走在廟。」在此，用以形容春雨颼颼、寒濤湍急。

四一五、蒲　劍

林維丞

綠艾為旗恰一軍①，休將拜竹笑殷勤②。較他示辱劉明府，更有威風勝十分③。

【析韻】

軍、勤、分，上平、十二文。

【釋題】

蒲劍，菖蒲葉也。其形細長似劍，故稱。唐 李咸用 和殷衙推春霖即事詩：「柳眉低帶泣，蒲劍歲初抽。」金 趙秉文 九日會極目亭再和詩：「霜凋蒲劍三稜折，雨裂荷衣十字開。」菖蒲，多年生水生草本，有香氣。葉狹長，似劍形。肉穗花序圓柱形，著生於莖端，初夏開花，淡黃色。全草為提煉芳香油、淬取澱粉和纖維等原料。根莖入藥。國人於端午節，常取之與艾葉紮束，懸掛門前。孝經援神契：「椒薑禦溼，菖蒲益聰。」北魏酈道元水經注伊水：「石上菖蒲，一寸九節，為藥最妙，服久化僊。」

【注解】

①綠艾……軍　取青翠的艾草權充識別、號令的標幟；正好成為一方的部旅。綠艾，青翠的艾草。艾，學名 **Artemisia vulgaris var indica**。菊科，多年生草木。高二三尺、葉互生、色深綠、呈長卵形、羽狀分裂，下端生灰白色密毛、夏秋間開淡黃小花，小頭狀花序，筒狀毛冠。花序周圍為雌花，中部為兩性花。嫩葉可食用，老葉曝乾製成艾絨灸疾。急救篇注：「艾，一名冰臺、一名醫草。」博物志：「削冰令圓，舉以向日，以艾承其影得火，故號冰臺。」為，ㄨㄟˋ。做。禮記大學：「為人君，止於仁；為人臣，止於敬；為人子，止於孝；為人父，止於慈；與國人交，止於信。」論語雍也：「子游為武城宰。」旗，以竹木為梃，揭布帛等於其上，用為識別、號令之特殊標幟。唐杜牧江南春絕句：「千里鶯啼綠映紅，水村山郭酒旗風。」又管子兵法：「旗，所以立兵也、所以制兵也、所以偃兵也。」恰，參卷八、一六〇、注⑤。一軍，一方的部旅。戰國策楚策一：「大王不從親，秦必起兩軍：一軍出武關，一軍下黔中。」

②休將……勸　不要拿禮拜綠竹來取笑別人情意深厚。休將，參考卷二四、四〇一、注②。拜竹，項禮、膜拜綠竹。笑，嘲。嗤，譏訕。孟子梁惠王上：「以五十步笑百步，則何

如？」戰國策 韓策：「兵為秦禽，智為楚笑。」西漢 鄒陽（？—？，文帝、武帝間人。）獄中上梁王書：「毋使臣為箕子接輿所笑。」殷勤，參考一一、二一〇、注④。

③較他……分　比起他讓劉知縣難堪，來得益發有氣焰，且極越乎其上呢！較，參卷三、六〇、注④。示辱，令人難堪、失去顏面。兩漢有以「明府」稱縣令，唐以後恆用以專稱縣令。後漢書 吳祐傳：「國家制法，囚身犯之。明府雖加哀矜，恩無所施。」王先謙集解引沈欽韓曰：「縣令為明府。始見於此。」唐 杜甫 北鄰詩：「明府豈辭滿，藏身方告勞。」金 元好問 薛明府去思口號之一：「只從明府到，人信有清官。」儒林外史第二一回：「其餘某太守、某明府、某少尹，不一而足。」劉明府，指劉元陞。元陞字覲廷，漢軍鑲白旗廣東 大埔人。光緒五年（一八七九）閏五月到任，為首任新竹縣知縣。更有，參卷六、一〇五、注③。威風，猶氣焰。紅樓夢第五八回：「等兩日消閑了，咱們痛回一回，大家把這威風殺一殺兒才好。」勝，超過。超乎其上。論語 雍也：「質勝文則野，文勝質則史。」明 方孝孺 豫讓論：「若然，則雖死猶生也，豈不勝於斬衣而死乎？」十分，參卷一一、一九九、注②。

菖　蒲

新竹縣鈐記
左，滿文；右，漢文。
印文：「新設臺北府新竹縣鈐記」。
光緒元年（一八七五）十二月增設臺北府，副郭設淡水縣，裁淡水，葛瑪蘭二廳，新置新竹，宜蘭二縣，前淡水廳東北地，改設基隆廳。

新竹縣印信
左，滿文；右，漢文
印文：「新竹縣印」。

四一六、秋柳

陳濬芝

沿堤煙雨正微濛①，殘絮飄零趁晚風②。絕好蘆【丁】漁棹返③，貫魚人話小橋東④。

【析韻】

濛、風、東，上平、一東。

【釋題】

柳，ㄌㄧㄡˇ。楊柳科。柳屬（Salix）植物之泛稱。落葉喬木或灌木。枝葉柔韌。葉狹長。花雌雄異株，柔荑花序，苞片全緣，無花被，有腺體，雄蕊往往只有一或兩個，花柱常一，柱頭兩枚兩裂或極短，種子具毛。約有五二〇餘種，我國有二五〇餘種。常見者如垂柳、旱柳、杞柳……等。秋之柳，曰秋柳。

【注解】

①沿堤……濛　順著堤防，正下著細雨，一片隱約迷濛。沿，ㄧㄢˊ。亦作「沿」。順著（江河、道路……）。書禹貢：「沿于江海，達于淮泗。」孔傳：「順流而下曰沿。」左傳昭公一三年：「王沿夏，將欲入鄢。」北宋孫光憲漁歌子詞：「沿蓼岸，泊楓汀，天際玉輪初上。」儒林外史第九回：「兩人出了鎮市，沿著大路去。」堤，同「隄」；防止流水泛濫的建物。昔恆以土、石築之。今語堤防。左傳襄公二六年：「初，宋芮司徒生女子，

赤而毛，棄諸堤下，……。」唐 韓愈 暮行河堤上詩：「暮行河堤上，四顧不見人。」煙雨，亦作「烟雨」。濛濛細雨。南朝 宋 鮑照 觀漏賦：「聊弭志以高歌，順煙雨而沈逸。」唐 杜牧 江南春絕句：「南朝四百八十寺，多少樓臺煙雨中。」說岳全傳第七三回：「行走了一餘里，皆是一片荒郊野地，烟雨霏霏，好像深秋時候。」正，參卷二、三四、注②。微濛，隱約迷濛。樂府詩集 清商曲辭一、子夜歌三二：「驚風急素柯，白日漸微濛。」

②殘絮……風 夜幕低垂，柳枝上潔白、輕軟的花絮，隨風亂竄。殘，剩餘的。北宋 蘇軾 早行詩：「馬上續殘夢，不知朝日升。」韓維（一〇一七—一〇九八）湖上遇雨詩：「殘炎一洗濯，霽景林西開。」潔白、輕軟之花朵曰絮。晉書 列女傳 王凝之妻謝氏：「安兄子朗曰：『散鹽空中差可擬。』道韞曰：『未若柳絮因風起。』（謝）安大悅。」殘絮，指尚存在柳枝上的花絮而言。飄零，參卷二四、四〇八、注①。趁，乘。因變而乘之。儒林外史第九回：「這位老先生是位和氣不過的人，前日趁了我的船去前村看戲。」清 唐英（一六八二—一七五六）環翠亭納涼詩：「古亭雅集趁新涼，明月依人照異鄉。」晚風，黃昏後的來風。南朝 宋 鮑照 還都道中作詩：「鱗鱗夕雲起，獵獵晚風遒。」唐 賈島 送耿處士詩：「川原秋色盡，蘆葦晚風鳴。」陳子昂 和陸明府贈將軍重出塞詩：「晚風吹畫角，春色耀飛旌。」

③絕好……返 渡水收割蘆葦的老哥啊！您，最好駕著漁舟，及時回來。絕好，參卷一六、二七二、注③。蘆丁，又稱蘆人。蘆子。謂刈蘆的人。宋史 唐璘傳：「又戒土豪團結漁

業水手、茶鹽舟夫、蘆丁。」東晉郭璞江賦：「蘆人漁子，擯落江山。」唐王起（七六〇—八四七）烹小鮮賦：「若乃海曲蘆人，江潭舟子，厭頒首於蒲藻，得纖鱗於沼沚。」明盛恩（？—？，世次不詳。）焦山賦：「蘆子乘槎，漁父汎帆。」漁棹，漁舟。棹，ㄓㄠˋ。唐溫庭筠利州南渡詩：「江上馬嘶看棹去，柳邊人歇待船歸。」羅隱中元夜泊淮口詩：「木葉瓢迎水面平，偶停孤棹已三更。」返，回。去而復回。古經籍多作「反」。唐王維聽宮鶯詩：「遊人未應返，為此故思鄉。」樓穎（？—？；景龍、乾元間人）西施石詩：「一去姑蘇不復返，岸邊桃李為誰春？」列仙傳劉晨：「入天臺採藥，路迷不得返。」

④貫魚……東　腰繫魚袋的那個人，正在訴說小橋東隅的掌故。貫魚，佩戴魚袋。清朱珪（一七三一—一八〇六）祭竇閣學母太夫人文：「佩龜貫魚，北向拜受。」話，參卷九、一六五、注②。小橋東，謂有關小橋東隅的掌故、往事。

秋柳（一） 小橋兩側不遠處一小（右），
三大（左）者即柳樹（臺大醉月湖畔攝）

秋柳（二）右上角呈下垂狀者為落葉後狀態 廣州越秀公園一隅

四一七、秋　柳

鄭兆璜

飄盡梧桐落盡楓①，可憐衰柳也相同②。夕陽一帶隋堤影③，無恨殘蟬咽晚風④。

【析韻】

楓、同、風，上平、一東。

【釋題】

同前首。

【注解】

①飄盡……楓　落完了桐葉，接著掉光了楓葉。飄盡，落完。飄，落。降落。舊唐書五行志：「京師大風雨，毀屋飄瓦。」明李東陽上元後十日會治齋觀梅值雪詩：「片雪斜飄別院東，此花致風偶能同。」盡，參卷五、九二、注②。梧桐，學名 Firmiana simplex。一名青桐。梧桐科。落葉喬木。幼樹皮綠、平滑。葉掌狀三至七裂。夏季開花，雌雄同株，花小，淡黃綠色，圓錐花序。果實分為五個分果，成熟前裂開呈小艇狀，種子生其邊緣。種子球形。產於我國與日本。木材供製樂器、家具。樹皮纖維可造紙。種子炒熟供食用，亦可榨油，供製肥皂與潤滑油。此處，梧桐，係指桐葉言。落盡，掉光。落，墮。草木花果葉下墮。今語多用「掉」。戰國屈原離騷：「惟草木之零落兮，恐美人之遲暮。」楓，

即楓香（Liquidambar formosana）。亦稱楓樹。金鏤梅科。落葉大喬木。高達四十公尺。葉互生、三裂、有細鋸齒，幼樹葉常五裂。花單性，雌雄同株，頭狀花序，春季與葉同放。蒴果集生成頭狀果序，有宿存細長花柱。種子矩圓形，上部有翅，不孕性種子無翅。分布於我國淮河流域至川西以南各地。喜光，多生於山麓河谷，成長尚速。材質輕軟、細緻，易開裂、不耐朽，可製箱板。秋，葉豔紅，供觀賞。榮按：詩詞中「楓葉荻花」等，係秋令紅葉植物之代稱，並非專指單一樹種；又，槭屬（Acer）植物俗稱楓。

②可憐……同　引人同情的弱柳，一樣不能免。可憐，參卷一、九、注④。衰柳，猶弱柳。南朝齊謝朓始出尚書省詩：「衰柳尚沈沈，凝露方泥泥。」北宋惠洪冷齋夜話：「集句貴拙速而不貴巧遲，如前輩曰：『晴湖勝鏡碧，衰柳似金黃，人以為巧，然皆疲費精力，積日月而後成。』」也，參卷一、一四、注②。相同，彼此無差異。唐劉知幾（六六一—七二一）史通列傳：「又傳之為體，大抵相同，而述者多方，有時兩異耳。」明李贄答鄧石陽書：「世間種種皆衣與飯類耳，故舉衣與飯而世間種種自然在其中；非衣飯之外更有所謂種種絕與百姓不相同者也。」清孫枝蔚題吳賓賢處士陋軒詩：「莫言英俊少，楚屈宅相同。」

③夕陽……影　黃昏餘暉，附近依稀出現隋堤那模糊的形象。夕陽，參卷二二、三六二、注③。一帶，參卷一三、二三一、注③。隋煬帝（楊廣。六〇五—六一八在位）時，沿通濟渠、邗溝修築御道，兩旁遍植楊柳，後人謂之隋堤。唐韓琮楊柳枝詩：「梁苑隋堤事

已空，萬條猶舞舊東風。」北宋蘇軾江城子詞：「隋堤三月水溶溶。背歸鴻，去吳中。」清李漁憐香伴婚始：「翩翩之子歸，正桃夭節候，紅滿隋堤。」影，模糊的形像。
④無恨……風　不埋怨秋蟬為日暮來風鬱悒悲鳴。無恨，參本卷、四一〇、注④。殘蟬，殘蜩，謂秋蟬。唐司空圖喜王駕小儀重陽相訪詩：「幽鶴傍人疑舊識，殘蟬向日噪新暗。」鄭谷江際詩：「萬頃白波迷宿鷺，一林黃葉送殘蟬。」南宋陸游雨後詩：「槐花落盡桐陰薄，時有殘蟬一兩聲。」咽，ㄧㄝˋ。聲音滯澀。恒用于形容悲切。南朝陳徐陵山池應令詩：「猿啼知谷晚，蟬咽覺山秋。」唐李端代宗輓歌：「寒霜凝羽葆，野吹咽笳簫。」清戴名世姚符御詩序：「間有一二歌咏，如寒螿之咽，病馬之嘶。」晚風，參本卷、四一六、注②。

四一八、榆　錢

陳濬芝

貼水荷曾點點皆①，更聞榆莢落空堦②。平生我亦羞銅臭③，藉汝醫貧亦大佳④。

【析韻】

皆、堦、佳，上平、九佳。

【釋題】

榆，ㄩˊ。學名 Ulmus pumila。亦稱白榆。榆科。落葉喬木，高可達廿五公尺。小枝細，呈灰或灰白色。葉互生，橢圓狀卵形，基部歪斜，具單鋸齒或不規則複鋸齒。早春先葉開花，翅果不久成熟。主要產地—長江流域至東北、內蒙、新疆等地平原地區。喜光，深根性，耐乾冷，生長快速。木材紋理直、結構稍粗，可為建材，亦可以製家具、車輛、餐具。嫩葉、嫩果可食。樹皮纖維可為麻之取代品。根皮可製糊料。葉煎汁可殺蟲。其果實聯綴成串，形似銅錢，稱榆莢、亦作「榆筴」，俗呼榆錢。北周 庾信 燕歌行：「桃花顏色好如馬，榆筴新開巧似錢。」清 陳維崧 定風波 贈牧仲歌兒阿陸詞：「蝴蝶成團榆莢飛，輕狂恰稱五銖衣。」唐 施肩吾 戲詠榆莢詩：「風吹榆錢落如雨，繞林繞屋來不住。」金 董解元 西廂記諸宮調卷一：「滿地榆錢，算來難買春光住。」清 卓爾堪 醉花陰詞：「風日近清明，幾片榆錢，都算鶯兒俸。」

【注解】

①貼水……皆　有過像圓團團的荷葉一般，又小又多、全都飄浮、緊挨在水面上。貼水，靠近水面。謂飄浮、緊挨水面也。唐 韋應物 始夏南園思舊里詩：「池荷初貼水，林花已掃園。」金 元好問 劉鄧州家聚鴨圖詩：「若為化作江鷗去，拍拍隨君貼水飛。」清 王士禛 呂城雪霽詩之一：「鳥飛皆貼水，舟泛若乘空。」荷，形容榆果滾圓似荷。曾，ㄘㄥˊ。嘗。表時間。公羊傳 閔公元年：「莊公之時，樂曾淫于宮中。」史記 袁盎列傳：「梁王以此怨盎，曾使人刺盎。」唐 元稹 詠崔鶯鶯詩：「曾經滄海難為水，除卻巫山不是雲。」點點，參卷一四、二四三、注④。皆，參卷一、九、注①。

②更聞……堦　又聽說榆果掉在廣闊的臺階。更聞，又聽說。更，再。復。猶言「又」。唐王之渙登樓詩：「欲窮千里目，更上一層樓。」聞，聽。聽。聽得。左傳僖公十年：「欲加之罪，其無辭乎？臣聞命矣。」論語陽貨：「子之武城，聞弦歌之聲。」孟子公孫丑上：「聞其禮而知其政，聞其樂而知其德。」榆莢，亦作榆「筴」。榆樹的果實。初春先葉而生，聯綴成串，形似銅錢，俗呼榆錢。餘詳參本首釋題。莢，ㄐㄧㄚˊ。落，參卷一九、三二二、注④。空堦，即空階。堦，同「階」。餘參卷一〇、一八七、注①。

③平生……臭　這一生，我總鄙棄金錢，並以唯利是圖為可恥。平生，參卷四、六五、注③。我，參卷一、二〇、注③。亦，參卷一、七、注①。羞，參卷二、四一、注③。銅臭，銅錢的臭氣。後常用以譏諷唯利是圖（的人）。後漢書崔駰列傳：「（崔）烈時因傅母入錢五百萬，得為司徒。……烈於是聲譽衰減。久之不自安，從容問其子鈞曰：『吾居三公，於議者何如？』鈞曰：『大人少有英稱，歷位卿守，論者不謂不當為三公；而今登其位，天下失望。』烈曰：『何為然也？』鈞曰：『論者嫌其銅臭。』」唐李商隱為桂

榆

州盧副使戡謝聘錢啟：「丙科擢第，未全染于桂香；盛府崇知，卻自驚于銅臭。」北宋梅堯臣和范景仁王景彝殿中雜題三十八首並次韻詩癖：「試看一生銅臭者，羨他登第亦何頻。」明沈采千金記遇仙：「呀，笑殺人間銅臭。」

④藉汝……佳　借你來救貧也頂好的嗎！藉，借。左傳僖公二八年：「使宋舍我而賂齊秦，藉之告楚。」杜注：「藉，借也。」戰國策西周：「藉兵乞食於西周。」史記留侯世家：「臣請藉前箸，為大王籌之。」醫貧，救貧。救治窮困。醫，救治。大佳，猶頂好。

四一九、榆錢

陳朝龍

纔看榆莢長新荄①，忽簇青錢滿地皆②。多謝東君空浪費③，好春買不到天涯④。

【析韻】

荄、皆、涯，上平、九佳。

【釋題】

同前首。

【注解】

①纔看……荄　剛剛注視到榆果才滋生又細又嫩的根。纔看，剛注視到。纔，ㄘㄞˊ。剛剛。方始。漢書鼂錯傳：「救之，少發則不足，多發，遠縣纔至。」唐元稹新竹詩：「新

篁纔解籜，寒色已青葱。」北宋蘇軾答胡穆秀才遺古銅器詩：「嗟君一見呼作鼎，纔注升合已飄逝。」看，參卷一、一六、注②。榆莢，參本卷四一八、注②。長，ㄓㄤˇ。生。滋生。孟子告子上：「苟得其養，無物不長；苟失其養，無物不消。」新荄，草木初始之根。荄，ㄍㄞ。西晉潘岳懷舊賦并序：「陳荄被於堂除，舊圃化而為薪。」北宋蘇軾冬至日獨遊吉祥寺詩：「井底微陽回未回，蕭蕭寒雨溼枯荄。」

②忽簸……皆　突然間，又綠又圓的錢狀物散落得遍地都是。忽簸，突然散落。忽，倏。突然。列子湯問：「涼風忽至，草木成實。」論語子罕：「瞻之在前，忽焉在後。」唐岑參白雪歌送武判官歸京：「北風卷地白草折，胡天八月即飛雪。忽如一夜春風來，千樹萬樹梨花開。」簸，ㄅㄛˇ。擲。投擲。引申作「散落」解。唐王建宮詞：「暫向玉花階上坐，簸錢贏得兩三籌。」青錢，喻色綠而形圓之物。後蜀歐陽炯（八九六—九七一）春光好詞：「風颭九衢榆葉動，簇青錢。」北宋張先木蘭花邠州作詞：「青錢貼水萍無數，臨曉西湖春漲雨。」元白樸牆頭馬上第一折：「榆散青錢亂，梅攢翠豆肥。」清唐孫華長夏閑居雜感次隨庵韻之二：「蕭條窮巷少人來，粧點青錢石上苔。」滿地，參卷六、一二二、注①。皆，參前首注①。

③多謝……費　很感激司春神君；不過，祂徒然虛耗精神。多謝，參卷二一、三四八、注④。東君，司春神君。唐王初（？—？，大曆、太和間人）主春後作詩：「東君珂佩響珊珊，青馭多時下九關。方信玉霄千萬里，春風猶未到人間。」南宋辛棄疾滿江紅暮春詞：

「可恨東君，把春去，春來無迹。」清 納蘭性德 蝶戀花詞：「若得尋春終遂約，不成長負東君諾。」空，徒。憑白。表性態。史記 越世家：「今遣少子，未必能生中子也；而先空亡長男，奈何？」漢書 匈奴傳上：「（霍）光誡（范）明友：『兵不空出，即後匈奴，遂擊烏桓。』……。」浪費，對人力、物力、時間等使用不當或無節制。鳴沙石室佚書太公家教：「才輕德薄，不堪人師，徒消人食，浪費人衣。」南宋 楊萬里 寄馬會叔詩：「賜金真浪費，換取從甘泉。」明 沈德符 野獲編 妓女 俠倡：「往時會飲大第，亦售三千金，盡為范所浪費。」兒女英雄傳第一二回：「非這番找足前文，不成文章片段。並不是他消磨工夫，浪費筆墨。」

④好春……涯　求取不了那遙不可及、冷暖宜人、景色綺麗的陽春。好春，猶陽春。形容冷暖宜人、景色綺麗的季節。南宋 楊萬里 除夜宿石塔寺詩：「幸無爆竹驚寒夢，休羨椒花頌好春。」元 王惲（一二二七—一三〇四）清明後一日雨中招林韓李三君子小酌且為梨花洗妝詩：「風簷數點催妝雨，辦與梨花作好春。」柳貫（一二七〇—一三四二）答吳立夫見寄之作詩：「接席連芳書，看花惜好春。」買不到，猶云求取不了。買，求取。戰國策 韓策一：「此所謂市怨而買禍者也！」南史 虞寄傳：「吾豈買名求仕者乎？」天涯，參卷六、一〇四、注④。

四二〇、松　濤

蔡振豐

寄傲松窗夢正長①，如濤聲忽下橫塘②。卻疑鱗老成龍去③，風雨扶搖一夜狂④。

【析韻】

長、塘、狂，下平、七陽。

【釋題】

風撼松林，聲若波濤，因稱松濤。元 趙孟頫 宿五華山懷德清別業詩：「一夜松濤枕上鳴，五華山館夢頻驚。」明 唐順之 蒼翠亭詩：「風來松濤生，風去松濤罷。」清 佟國鼐（？—？，順治、康熙間人）望江南 宿宣和古廟即事詩：「百尺松濤昨晚浪，幾枝樟蔭掛秋風。」

【注解】

①寄傲……長　將傲世的情愫、付託臨松之窗，恰巧綺夢頻頻。寄傲，付託傲世的情愫。寄，付託。論語 泰伯：「可以託六尺之孤，可以寄百里之命，臨大節而不可奪也。」傲，傲世的情愫。傲世，輕視世人。三國志 魏書 崔琰傳：「有白琰此書傲世怨謗者，太祖……於是罰琰為徒隸。」西晉 成公綏（二三一—二七三）嘯賦：「逸羣公子，體奇好異，傲世忘榮，絕棄人事。」紅樓夢第三八回：「孤標傲世偕誰隱？一樣開花為底遲。」東晉 陶

潛 歸去來兮辭並序：「倚南窗以寄傲，審容膝之易安。」松窗，臨松之窗。唐 顧況 憶山中詩：「蕙圃泉澆溼，松窗月映閒。」李德裕 寄茅山孫煉師詩之三：「獨洵蘭渚翫遲暉，閒倚松窗望翠微。」南宋 辛棄疾 賀新郎 題傅君用山園詞：「堪笑高人讀書處，多少松窗竹閣。」清 吳偉業 海虞孫孝維三十贈言詩之三：「松窗映火茗芽熟，見葉研朱梵夾成。」夢，參卷一、二、注①。正長，ㄓㄥˋ ㄔㄤˊ。恰巧頻頻（而來）。正，恰。恰巧。表性態。論語 述而：「子曰：『若聖與仁，則吾豈敢！抑為之不厭，誨人不倦，則可謂云爾已矣。』公西華曰：『正唯弟子不能學也。』」餘參卷二、三四、注②。長，多。呂氏春秋 觀世：「『士與聖人之所自來，若此其難也，而治必待之，治奚由至？雖幸而有，未必知也，不知則與無賢同，此治世之所以短，而亂世之所以長也……。』」注：「短、少也、長、多也。」

②如濤……塘 一股股類似大波瀾的音響，突然進入水塘。如濤聲，類似大波瀾的音響。大波瀾曰濤。東晉 郭璞 江賦：「激逸勢以前驅，乃鼓怒而作濤。」忽，參前首注②。下，進入。進。儒林外史第一六回：「不想這知縣這一晚就在莊上住下了公館，心中歎息。」橫塘，參卷一九、三一七、注③。

③卻疑……去 反而猜度，那是鱗介修持年久、化為神龍，忽忽騰空離開時所發出的聲音。卻疑，反而猜度。唐 司空圖 漫書詩之一：「逢人漸覺鄉音異，卻恨鶯聲似故山。」儀禮 士相見禮：「凡燕見於君，必辨君之南面，若不得，則正方，不疑君。」鄭玄注：「疑，

度之。」賈公彥疏：「不可預度君之面位邪立向之。」鱗老成龍，鱗介之屬修持年久，化為神龍。禮記　月令：「仲春之月，……其神句芒，其蟲鱗、其音角，律中夾鍾。」注：「鱗，龍蛇之屬。」年久曰老。成龍，變化為龍。去，離。離開。孟子　萬章上：「舜禹益相去久遠，其子之賢不肖皆天也，非人之所能為也。」

④風雨……狂　又是風、又是雨，整夜奔騰、盤旋，不歇不止。風雨，參考卷一六、二七四、注③。扶搖，飆風。指盤旋而上的暴風。莊子　逍遙遊：「鵬之徙於南冥也，水擊三千里，扶搖而上者九萬里。」成玄英疏：「扶搖，旋風也。」唐　元稹　有鳥詩之十四：「翩翾百萬徒驚噪，扶搖勢遠何由知？」清　魏源　送陳太初出都詩：「威鳳乘扶搖，一舉乘天衢。」一夜，參考卷二五、四一四、注④。狂，奔放之極。北周　庾信　小園賦：「落葉半林，狂花滿屋。」唐　韓愈　進學解：「障百川而東之，廻狂瀾於既倒。」榮按：「廻」，一本作「挽」，亦通。

四二一、猩猩木

梁啟超

處處腥心花欲然①，爛霞烘出艷陽天②。人生能得幾紅淚③，留取家山染杜鵑④。

【析韻】

然、天、鵑，下平、一先。

【釋題】

猩猩木，即一品紅（Euphorbia pulcherrima），亦稱聖誕花。大戟科。落葉灌木。葉卵狀橢圓形至披針形，下端葉綠色。入冬，花序下各葉轉變成紅或淡紅色，頗美麗。杯狀花序多數，生于枝頂；總苞壇形，齒裂，有一、兩個腺體。原產於墨西哥與中美洲。我國有栽培。屬冬末春初之觀賞植物。猩，ㄒㄧㄥ。紅色。猩色即紅色。色如猩猩之血，故名。唐韓偓已涼詩：「碧闌干外繡簾垂，猩色屏風畫折枝。」

【注解】

①處處……然　好像是花願，各處一片片火紅。處處，ㄔㄨˋ ㄔㄨˋ。各處。每個方面。漢書游俠傳原涉：「自哀平間，郡國處處有豪桀，然莫足數。」北宋蘇軾殘臘獨出詩之一：「處處野梅開，家家臘酒香。」兒女英雄傳第二七回：「這毛病人人易犯，處處皆同。」腥心，紅心。腥，詳參本首釋題。心，花草樹木的尖刺、花蕊、芽尖等。詩邶風凱風：「凱風自南，吹彼棘心。」唐薛昭蘊（？—？，晚唐人）浣溪沙詞：「握手河橋柳似金，蜂鬚輕惹百花心，蕙風蘭思寄清琴。」清褚華（一七五八—一八〇四）木棉譜：「苗之去心，在伏中晴日，三伏各一次。」在此，作者以腥心，隱指紅色的花朵。欲，願。孟子梁惠王上：「以若所為，求若所欲，猶緣木而求魚也。」然，亦作「𤏲」、「䕼」。「燃」的古字。在此，作助詞，表比擬。猶言「那樣」、「似的」。孟子滕文公下：「不見諸侯，宜若小然。」史記蘇秦列傳：「秦王聞若說，必若刺心然。」

②爛霞……天　絢麗的彩雲，襯托成陽光明媚的春天。爛霞，色彩絢麗的彩雲。爛，色彩絢麗。詩　唐風　葛生：「角枕粲兮，錦衾爛兮。」唐　杜牧　奉和門下相公送西川相公兼領相印出鎮全蜀詩十八韻：「奪霞紅錦爛，撲地酒壚香。」清　姚鼐　碩士約過舍久俟不至余將渡江留書與之成六十韻：「裁為五色文，爛若開晨霞。」霞，ㄒㄧㄚˊ。彩雲。西晉　左思　蜀都賦：「干青霄而秀出，舒丹氣而為霞。」烘，襯托。渲染。南宋　范成大　春後微雪一宿而晴詩：「朝暾不與同雲便，烘作晴空萬里霞。」紅樓夢第四二回：「那雪浪紙……拿了畫這個，又不托色，又難烘。」出，成。作成。史記　趙世家：「今胡服之意，非以養欲而樂志也，事有所止而功有所出，事成功立，然後善也。」張守節正義：「出猶成也。」艷陽天，本作「豔陽天」、亦作「豔陽天」。陽光明媚的春光。唐　杜甫　數陪李梓州泛江有女樂在諸舫戲為豔曲之一：「竟將明媚色，偷眼豔陽天。」前蜀　毛文錫　虞美人詞：「珠簾不捲度沉烟，庭前閑立畫鞦韆，豔陽天。」明　徐畛（？—？，世次不詳。）殺狗記　孫華家宴：「草芊芊，花荏苒，輕轉豔陽天。」

③人生……淚　一生可以贏得美人多少的珠淚？人生，指人的一生。左傳　襄公三一年：「人生幾何？誰能無偷？朝不及夕，將安用樹？」唐　韓愈　合江亭詩：「人生誠無幾，事往悲豈那。」能得，猶可以贏得。能，可。可以。左傳　僖公九年：「且人之欲善，誰不如我？我欲無貳而能謂人已乎？」史記　酷史列傳：「天子曰：『非此母不能生此子。』」凡有求而獲，此所獲者曰得。詩　周南　關雎：「求之不得，寤寐思服。」易　乾：「亢之為言

也，知進而不知退，知存而不知亡，知得而不知喪。」唐 溫庭筠 遐方怨詞：「未得君書，斷腸瀟湘春雁飛。」幾，參卷一〇、一八八、注②。紅淚，美人淚。典源自東晉 王嘉 拾遺記 魏：「文帝所愛美人，姓薛名靈芸，常山人也……靈芸聞別父母，歔欷累日，淚下霑衣。至升車就路之時，以玉唾壺承淚，壺則紅色。既發常山，及至京師，壺中淚凝如血。」唐 白居易 離別難詩：「不覺別時紅淚盡，歸來無淚可霑巾。」北宋 晏幾道 點絳脣詞：「妝席相逢，旋勻紅淚歌金縷。」清 納蘭性德 河傳詞：「微雨花間晝閒，無言暗將紅淚彈。」

④留取……鵑 留存起來，塗抹故鄉的杜鵑。留取，留存。取，語助詞。南宋 牟巘（一二二七—一三一一）木蘭花慢 餞公孫倅詞：「留取去思無限，江蘺香滿汀洲。」元本高明 琵琶記 新進士宴杏園：「干戈盡戢文教崇，人間此時魚化龍。留取瓊林，勝景無窮。」清 陳維崧 賀新郎 賀程崑崙生日並送其之任皖城詞：「留取臂間長命縷，算節過五日剛踰九，重馬我先生壽。」家山，故鄉。唐 錢起 送李棲桐道舉擢地還鄉者侍詩：「蓮舟同宿浦，柳岸向家山。」北宋 梅堯臣 讀漢書梅子真傳詩：「舊市越溪陰，家山鏡湖畔。」元 本高明 琵琶記 琴訴荷池：「十二欄杆，無事閒凭遍。悶來把湘簟展，夢到家山，又被翠竹敲風驚斷。」清 龔自珍 己亥雜詩之一五二：「踏偏中華窺兩戒，無雙畢竟是家山。」染，參卷四、六七、注④。杜鵑，在此，指花名。學名 **Rhododendron simsii**。杜鵑花科。常綠或落葉灌木。葉卵狀橢圓形。春季開花，花冠呈闊漏斗形，紅色，為著名的觀賞植物。亦

名映山紅。明 朱國禎（？—一六三二）湧幢小品 花：「杜鵑花以二三月杜鵑鳴時開，一名暎山紅，一名紅躑躅……又上虞 釣臺山上雙筍石，其頂有杜鵑花，春夏照爛，望之若人立而飾其冠冕者。」胡震亨（？—？，萬曆至崇禎初人。）唐音癸籤 詁箋五：「潤州 鶴林寺杜鵑，今俗名映山紅，又名紅躑躅者，此花在江東，彌山亘野，殆與榛莽相仍。」唐 李紳 新樓詩 杜鵑樓：「杜鵑如火千房拆，丹檻低看晚景中。」白居易 雨中赴劉十九二林之期及到寺劉已先去因以四韻寄之：「最惜杜鵑花爛熳，春風吹盡不同攀。」清 黃遵憲 杜鵑詩：「杜鵑花下杜鵑啼，苦心淒雨夢亦迷。」

上圖下段一片葉海即猩猩木
（台南應用科技大學校園一隅）

四二二、夏　木

施梅樵

千章蓊鬱傍巖阿①，涼意分明此處多②。大庇何須資廣廈③，行看避暑客婆娑④。

【析韻】

阿、多、娑，下平、五歌。

【釋題】

夏木，指柳。明 楊慎 丹鉛錄：「古禮，男子生而射天地四方。其文云：『東方之弧以梧桐。梧桐者，東方之草，春木也。南方之弧以柳。柳者，南方之草，夏木也。中央之弧以桑。桑者，中央之木也。西方之弧以棘。棘者，西方之草，秋木也。北方之弧以棗。棗者，北方之草，冬木也。是木亦稱草也。』」

【注解】

①千章……阿　約有千株大樹，依著山邊高聳直立、濃密茂盛。千章，千株大樹。史記 貨殖列傳：「水居千石魚陂，山居千章之材。」唐 杜甫 陪鄭廣文遊何將軍山林詩：「百頃風潭上，千章夏木清。」南宋 葉適 毋自欺室銘：「蔚然千章，被冒洞谷。」蓊鬱，亦作「蓊欝」。ㄨㄥˇㄩˋ。草木茂盛。東漢 張衡 南都賦：「杳藹蓊鬱於谷底，森蓴蓴而刺天。」唐 白居易 答桐花詩：「山木多蓊鬱，茲桐獨亭亭。」醒世恆言 小水灣天狐詒書：「但見樹木蓊鬱，百鳥嚶鳴，甚是可愛。」清 李漁 慎鸞交 久要：「你看松濤蓊鬱，花霧迷離。」傍，參本卷，四一三、注④。巖阿，參卷四、六九、注①。

②涼意……多　這地方，清冷的感覺顯然不少。涼意，參卷二三、三七二、注④。分明，顯然。南朝 梁武帝 遊仙詩：「委曲鳳臺日，分明柏寢事。」唐 杜甫 歷歷詩：「歷歷開元

事，分明在眼前。」元關漢卿竇娥冤楔子：「嗨！這箇那裏是做媳婦，分明是賣與他一般。」此處，這（個）地方。這裏。南朝陳後主戲贈沈后詩：「此處不留人，自有留人處。」多，參卷一、一五、注④。

③大庇……廈　優厚地保護，何必憑藉高大的房屋。大庇，優厚地保護。左傳昭公元年：「子盍亦遠績禹貢而大庇民乎？」南朝梁王屮頭陁寺碑文：「開八正之門，大庇交喪。」唐杜甫茅屋為秋風所破歌：「安得廣廈千萬間，大庇天下寒士俱歡顏。」何須，參卷一六、二六七、注①。資，憑藉。依靠。淮南子主術訓：「夫七尺之橈而制船之左右者，以水為資。」三國志魏書荀攸傳：「董卓無道，甚於桀紂，天下皆怨之，雖資彊兵，實一匹夫耳。」清史稿食貨志五：「至新疆茶斤，向資內地。」廣廈，本作「廣夏」。高大的房屋。楚辭王褒九懷陶壅：「息陽城兮廣夏，衰色罔兮中怠。」王逸注：「遂止炎野大屋廬也。」三國志魏書劉廙傳：「殿下可高枕於廣夏，潛思於治國。」近人林紓（一八五二—一九二四）張母謝夫人墓誌銘：「無詎真有廣廈以偏覆之者。」

④行看……娑　辟除燠暑、尋求涼爽，暫且寄居忍土。行看，猶且看。看，表進行。多用於句中（尾）。老殘遊記第五回：「他父親……道：『犯著這位喪門星，事情可就大大的不妥了！我先去走一趟看罷！』」唐韓愈郴州祈雨詩：「行看五馬入，蕭颯已隨軒。」元高明琵琶記才俊登程：「行看取，朝紫宸，鳳池鰲禁聽絲綸。」避暑，辟除燠暑、尋求涼爽。墨子公孟：「今我問曰：何故為室？曰：冬避寒焉，夏避暑焉。」北魏賈思勰齊

民要術 養豬：「圈不厭小，圈小則肥疾；處不厭穢，泥穢得避暑。」清 李漁 閒情偶寄 種植 荷花：「荷花之異馥，避暑而暑為之退，納涼而涼逐之生。」客，寄。寄居。史記 淮陰侯列傳：「漢兵二千里客居，齊城皆反之。」唐 韓愈 祭十二郎文：「吾念汝於東，東亦客也，不可以久。」婆娑，ㄆㄛˊ ㄙㄨㄛ。亦作「媻娑」。即娑婆。佛家語，義譯忍，又譯堪忍世界。意為忍土。忍界。敦煌變文集 大目乾連冥間救母變文：「俗間之罪滿婆娑，唯有慳貪罪最多。」藝文類聚 南朝 梁 蕭繹 光宅寺大僧正法師碑：「轉金輪於忍土，策紺馬於閻浮。」

四二三、種芭蕉

鄭以庠

耡【耘】彈指度花朝①，數尺清陰醮水搖②。絕好牕紗分綠處③，眼前生意雨瀟瀟④。

【析韻】

朝、搖、瀟，下平、二蕭。

【釋題】

種，ㄓㄨㄥˋ。栽植。芭蕉（Muse basjoo）亦稱甘蕉；果略呈弓狀，漳 泉人又稱弓蕉、根蕉。芭蕉科。多年生草本。具匍匐莖。假莖綠或黃綠色，高達六公尺，略被白粉。葉片長圓形，長達三公尺，頂端鈍圓，基部圓形，不對稱；中脈粗大，側脈多數，平行；葉柄長、葉翼開張。穗狀花序下垂，苞片紅褐或紫。果肉質，黃色，有多數種子，不堪食用。原產臺灣、琉球群島等地。秦嶺、淮河以南常露地栽培供觀賞。葉纖維稱蕉葛，可織布；假莖、葉、花蕾與匍匐莖可以入藥，具消熱解毒、利尿消腫、涼血、止痛諸功能。

【注解】

①耡耘……朝　鬆土、除草，才過不久，就過了百花生日。耡耘，翻鬆田土、拔除雜草。鋤，ㄔㄨˊ。西漢 桓寬 鹽鐵論 國病：「行即負羸，止作鋤耘。」彈指，ㄊㄢˊ ㄓˇ。捻彈手指作聲。佛家多用以喻時間短暫。唐 王維 六祖禪師碑銘：「飯食訖而敷坐，沐浴畢而更衣，彈指不流，水流燈焰，金身永謝，薪盡火滅。」翻譯名義集 時分：「僧祇云：二十念為一瞬，二十瞬名一彈指。」元 谷子敬 城南柳第二折：「年光彈指過，世事轉頭空。」清 紀昀 閱微草堂筆記 如是我聞四：「一轉瞬而即滅，一彈指而倏生。」度，參卷二三、三七七、注①。花朝，參卷一七、二八二、釋題。

②數尺……搖　頭頂著周圍好幾尺清涼的樹蔭、隨風擺動，可以說是分外的享受。數尺，好幾尺。古恆指二、三尺至五、六尺不等。孟子 盡心下：「堂高數仞，榱題數尺，我得志弗為也。」南史 江淹傳：「淹探懷中，得數尺與之。」清陰，清涼的樹蔭。東晉 陶潛 歸鳥詩：「顧儔相鳴，景庇清陰。」唐 薛能 楊柳枝詞：「游人莫道栽無益，桃李清陰卻不如。」元 李壽卿（？—？，世次不詳。）度柳翠第一折：「您戀著那清陰半畝香千陣。」醮水，額外的好處。儒林外史第四二回：「我們好些時沒有大紅日子過了，不打他的醮水

還打那個！」在此，引申作「分外的享受」解。搖，擺動。墨子 備城門：「城上千步一表，長丈，棄水者操表搖之。」古詩十九首迴車駕言邁：「四顧何茫茫，東風搖百草。」元 陳孚（一二五九—一三〇九）鄂渚晚眺詩：「櫓聲搖月歸巫峽，燈影隨潮過漢陽。」

③絕好……處　最美妙的景象，莫過於芭蕉分給窗紗的舒爽青翠。絕好，參卷一六、二七二、注③。牕紗，即窗紗。牕，通「窗」。分綠，給與青翠。分，與。施。南宋 楊萬里 初夏睡起詩之一：「梅子留酸軟齒牙，芭蕉分綠與窗紗。」處，ㄔㄨˋ。所曰處。謂所在的地方。指稱空間。餘參卷一、七、注③。

④眼前……瀟　現在的境遇是又急又驟的風雨。眼前，目下。現時。北宋 蘇軾 次韻參寥寄少游：「巖棲木石已皤然，交舊何人慰眼前。」警世通言 老門生三世報恩：「世人只知眼前貴賤，那知去後的日長日短。」清 梁章鉅 退庵隨筆 家禮一：「如今須考定人人眼前可行方好。」生意，境遇。唐 杜甫 追酬故高蜀州人日見寄詩序：「老病懷舊，生意可知。」清 王貴一（？—？）寒雪詩：「篝火親無焰，綈袍擁不溫，饑

蕉園 水彩畫

寒兼老稚，生意向誰言。」雨，參卷二三、三八三、注③。瀟瀟，風雨急驟貌。詩鄭風風雨：「風雨瀟瀟，雞鳴膠膠。」毛傳：「瀟瀟，暴疾也。」明王錂尋親記修築：「雨瀟瀟似銀燭千條，瀉平地頓成滄海。」清徐光治（一八一一—一八五五）折桂林湖上曲：「看湖頭急雨瀟瀟。早烟冪秋扃，雲布山椒。」

四二四、種芭蕉

陳　貫

舊衣乍脫轉苗條①，汲水攜鋤過短橋②。喜是靈根初着地③，綠天庵外雨瀟瀟④。

【析韻】

條、橋、瀟，下平、二蕭。

【釋題】

同前首。

【注解】

①舊衣……條　老葉猝然剝落，軀幹變的清瘦、脩長。舊衣，喻老葉。舊，陳。陳，陳久的。論語陽貨：「舊穀既沒，新穀既升。」唐杜甫晦日尋崔戢李封詩：「李生園欲荒，舊竹頗修修。」乍，ㄓㄚˋ。猝。突然。孟子公孫丑上：「今人乍見孺子將入於井，皆有怵惕惻隱之心，……。」脫，落下。掉下。老子：「善建者不拔，善抱者不脫。」南朝宋謝莊

月賦：「洞庭始波，木葉微脫。」唐 韓愈 苦寒詩：「熒惑喪纏次，六龍冰脫髯。」明史 文苑傳三高叔嗣：「子業詩如高山鼓琴，沉思忽往，木葉盡脫，石氣自青。」轉，變化。改變。莊子 田子方：「獨有一丈夫，儒服而立乎公門，公即召而問以國事，千轉萬變而不窮。」東漢 王充 潛夫論 夢列：「且凡人道見瑞而修德者，福必成，見瑞而縱恣者，福轉為禍；見妖而驕侮者，禍必成，見妖而戒懼者，禍轉為福。」唐 王昌齡 過華陰詩：「羇人感幽棲，窅映轉奇絕。」北宋僧延壽（？—？，高僧，智覺禪師。）宗鏡錄：「還丹一粒，轉鐵為金；至理一言，轉凡為聖。」苗條，本謂細長的枝條；芭蕉有幹無枝，在此，用以形容老葉剝落後，蕉幹顯得清瘦、脩長。南宋 史達祖 臨江仙詞：「草腳春回細膩，柳梢綠轉苗條。」近人周實（一八八七—一九一一）歲暮雜感詩：「楊柳成圍無限意，苗條猶記昔時栽。」

②汲水……橋　取水、提勦，步經短橋。汲水，取水。汲，從井裏取水。泛稱打水。易 井：「井渫不食，為我心惻，可用汲。」南史 沈麟士傳：「負薪汲水，并日而食，守操終老，讀書不倦。」唐 韓愈 盆池詩：「老翁真個似童兒，汲水埋盆作小池。」攜鋤，提著鋤頭。攜，亦作「攜」。俗作「携」、「擕」。ㄒㄧ。提。提持。詩 大雅 生民之什 板：「如璋如圭，如取如攜。」唐 白居易 病中龐少尹相過詩：「勞動故人龐閣老，提魚攜酒遠相尋。」過，步經。短橋，長度極有限的橋。

③喜是……地　高興的是蕉根剛剛附著在地。喜，歡。歡樂。詩 小雅 彤弓：「我有嘉賓，

中心喜之。」史記孔子世家：「君子禍至不懼，福至不喜。」靈根。美稱植物的根苗。唐柳宗元種朮詩：「戒徒斸靈根，封植閟天和。」明陳所聞懶畫眉月下劉中明招賞牡丹曲：「一叢凝露在沉香，移得靈根傍錦堂。」清秋瑾白梅詩：「淡到羅浮忘色相，謫來塵世具靈根。」初，參卷一〇、一九六、注③。着地，附着在地。著，ㄓㄨㄛˊ。俗作「着」。韓非子解老：「上不屬天而下不著地，以腸胃為根本。」唐韓愈詠雪詩：「著地無由卷，連天不易推。」王建送人詩：「人生足著地，寧免四方游。」

④綠天……瀟　蕉廬外頭，風雨又驟又急。綠天庵，唐懷素之號。在此，用以借指蕉園邊草廬。綠天，參卷一五、二四九、注④。外，與「內」相對。此處，用以指草廬四周空間。雨，參卷二三、三八三、注③。瀟瀟，參前首注④。

四二五、種芭蕉

鄭神寶

靈根種植趁花朝①，懷素生涯一院饒②。待汝紗牕分綠上③，護持鹿夢月明宵④。

【析韻】

朝、饒、宵，下平、二蕭。

【釋題】

詳本卷、四二三、釋題。

【注解】

①靈根……朝　藉花朝的時機，趕緊栽培芭蕉苗。靈根，參本卷、四二四、注③。種植，栽種培育。唐 翁洮（？—？，咸通、天祐間人。）葦叢詩：「得地自成叢，那因種植工。」明 陳子龍 禮論：「夫古之制禮，如種植焉，其播之均也。」清 周亮工 書影卷三：「（李公起）晚年尤好種植。奇花異卉，常滿堦庭。」趁，參本卷、四一六、注②。花朝，參卷一七、二八二、釋題，二八六、注③。

②懷素……饒　房舍周遭，充滿醉素的情調。懷素（七二五—七八五）。俗姓錢。唐僧、名書法家。字藏真。今湖南 長沙人。渠精勤學書，以狂草名世。相傳禿筆成塚，並廣植芭蕉，以蕉葉代紙練字，顏所居曰綠天庵。好飲酒，興到運筆，如驟雨旋風，飛動圓轉。雖多變化，而法度俱備。晚年趨於平淡。前人評其狂草繼承張旭（生卒年不詳，玄宗在位時期人），而有所發展，謂「以狂繼顛」，並稱「顛張醉素」，對後世書法影響深遠。存世書蹟有自敘帖、苦笋帖等作品。餘參卷一五、二四九、注④、本卷四二四、注④。生涯，引申作「（生活）情調」解。本意參卷一三、二二九、注②。一院，整個院落。院，房舍前後有牆（或籬）圍著的空間。北宋 蘇軾 春宵詩：「歌舞樓臺聲寂寂，鞦韆院落夜沉沉。」饒，參卷二一、三四八、注①。

③待汝……上　等候著你讓紗窗分得青翠。待，等。等候。左傳 隱公元年：「多行不義，必自斃，子姑待之。」汝，你。指稱芭蕉。紗牕，即紗窗。蒙紗的窗戶。牕，通「窗」。

唐劉方平春怨詩：「紗窗白落漸黃昏，金屋無人見淚痕。」北宋柳永梁州令詞：「夢覺紗窗曉，殘燈掩然空照。」元張可久一半兒梅邊曲：「枝橫翠竹暮寒生，花淡紗窗殘月明。」紅樓夢第三回：「（黛玉）從紗窗瞧了一瞧，其街市之繁華，人烟之阜盛，自非別處可比。」分綠，參本卷、四二三、注③。上，猶「到」。

④護持……宵　金輪光滿的夜晚，好好保住這如夢幻般難得的擁有。護持，保護維持。唐白居易香山寺新修經藏堂記：「爾時，道場主，佛弟子香山居士樂天，欲使浮圖之徒，游者歸依，居者護持，故刻石以記之。」水滸傳第四九回：「便令兄弟孫新與舅舅樂和，先護持車兒前行著。」鹿夢，喻得失榮辱如夢幻。列子周穆王：「鄭人有薪於野者，遇駭鹿，御而擊之，斃之。恐人之見也，遽而藏諸隍中，覆之以蕉，不勝其喜。俄而遺其所藏之處，遂以為夢焉。」清錢學綸（？—？，世次不詳。）語新卷下：「（李遇濱）北上考得教習，行將就選，一旦中寒，卒死於道，向日夫榮妻貴之冀，竟同鹿夢。」近人蔡寅（？—？，世次不詳。）瞻園次漸庵韻：「一代園林歸鹿夢，百年風月付鵑魂。」月明，月光明朗。唐白居易崔十八新池詩：「見底月明夜，無波風定時。」元袁士元（？—？，元末明初人）和乘縣梁公輔夏月泛東湖：「小橋夜靜人橫笛，古渡月明僧喚舟。」水滸傳第九回：「兩個教頭在月明地上交手。」夜曰宵。書堯典：「宵中星虛，以殷仲秋。」唐項斯（？—？，興元、會昌間人）宿寺詩：「中宵能得幾時睡，又聽鐘聲催著衣。」

四二六、羊角蕉

陳叔寶

昨宵蕉鹿夢初成①，羊角居然葉底生②。樹向綠天誰化起③？欲將海上訪初平④。

【析韻】

成、生、平、下平、八庚。

【釋題】

羊角蕉，屬芭蕉科。多年生草本。葉柄相互包合如莖，高可及三尺餘；葉甚大，呈長橢圓形。花軸自葉心橫生而出。雄花與雌花分別生於花叢上、下部，其漿果成羊角狀故名。本草甘蕉集解云「一種子大如拇指，長六寸，銳似羊角，兩兩相抱者，名羊角蕉。」又南方草木狀：「蕉子大如拇指，長而銳，有類羊角，名羊角蕉。」

【注解】

①昨宵……成　昨夜、好夢剛剛發生。昨宵，參卷一一、二一〇。注④。蕉鹿，同「鹿夢」。指夢幻言。典源參前首注④。南宋辛棄疾水調歌頭呈南澗詞：「笑年來，蕉鹿夢，畫蛇杯。」元貢師泰（一二九八—一三六二）寂靜庵上人詩：「世事同蕉鹿，人心類棘猴。」近人廖仲愷（一八七七—一九二五）念奴嬌詞：「夢覺滄江蕉鹿幻，惟向天南凝盼。」清黃景仁滿江紅贈王桐巢詞：「蕉鹿幾番驚往事，關山若箇常年少。」夢初成，夢剛剛發

生。生曰成。易 繫辭上：「君不密則失臣，臣不密則失身，幾事不密則害成。」

②羊角……生　葉片下、竟長出「羊角」。羊角，指形似羊角的芭蕉。居然，參卷一、五、注①。葉底，葉片與蕉幹接連處的下端。長曰生。禮記 中庸：「今夫山……草木生之；……今夫水……黿鼉蛟龍魚鱉生焉。」老子：「師之所出，荊棘生焉。」唐 王烈（？—？，大曆前後人。）塞上曲之一：「明鏡不須生白髮；風霜自解老紅顏。」

③樹向……起　那個人幫它改成朝著綠天庵種植？樹，種植。詩 鄘風 定之方中：「樹之榛栗，椅桐梓漆。」孟子 滕文公上：「后稷教民稼穡，樹藝五穀。五穀熟而民人育。」淮南子 原道訓：「萍樹根於水，木樹根於土。」向，朝著。對著。莊子 秋水：「（河伯）望洋向若而歎曰：『野語有之曰：聞道百以為莫己若者，我之謂也。』」唐 韓愈 南山詩：「或背若相惡。或向若相佑。」綠天，綠天庵的省詞。餘參卷一五、二四九、注④，本卷四二四、注④。誰化起，何人將其改變成……。變易曰化。

④欲將……平　渴望乘桴渡海，一尋仙人。欲將，猶云渴望。屬未來式。海上，本義海島。呂氏春秋 恃君：「柱厲叔事莒敖公，自以為不知而去，居於海上，夏日則食菱芡，冬日則食橡栗。」訪，參卷一二、二二四、注①。初平，傳說中的仙人，此處，用以代稱仙人。東晉 葛洪 神仙傳 黃初平：「黃初平者丹溪人也。年十五，家使牧羊。有道士見其良謹，便將至金華山石室中，四十餘年不復念家。其兄初起，行山尋索初平，歷年不得。後見市中有一道士。初起召問之云云。道士曰：『金華山中有一牧羊兒，姓黃、字初平，是卿弟

非疑。』初起聞之，即隨道士去求弟，遂得相見。悲喜語畢，問初平：『羊何在？』曰：『近在山東耳。』初起往視之，不見；但見白石而還。謂初平曰：『山東無羊也。』初平曰：『羊在耳，兄但自不見之。』初平與初起俱往看之，初平乃叱曰：『羊起！』於是白石皆變為羊數萬頭。」榮按：黃初平，一本作「皇初平」。

羊角蕉（本草綱目彩色藥圖）

拾貳、詠鳥獸蟲魚

卷二六

四二七、白　燕

陳　朝　龍

雪滿身輕影亦寒①，雙飛燕子淡中看②。可因王謝衰微後③，改卻烏衣舊日觀④。

【析韻】

寒、看、觀，上平，十四寒。

【釋題】

白燕，亦作白鷰、白鷰。燕尾白，故名。古人以為瑞鳥。西京雜記卷四：「元后在家，嘗有白鷰銜白石，大如指，墜后績筐中。」南史隱異傳下馬樞：「有白鷰一雙，巢其庭樹……春去秋來，幾三十年。」唐權德輿大行皇太后挽歌詞之三：「青鳥靈兆久，白燕瑞書頻。」

清 孔宥函（？—一八五八）江上述秋詩之四：「樓幽紅粉黃金贖，巷冷烏衣白燕愁。」

【注解】

①雪滿……寒　軀體又瘦又小，裹著一層厚厚的白雪，映在地面的暗像也冰冷無比。雪滿，全裹著雪。空中水蒸氣，冷至攝氏零度以下，凝結下降之白色絮狀小結晶體曰雪。清 朱駿聲（一七八九—一八五八）說文通訓定聲：「凡水下於雲，為寒氣結諸雨中者為霰；水未出雲，而濕氣結諸雲中者為雪；故霰點如雨，必在雪前。」詩 邶風 北風：「北風其涼，雨雪其雱。」又 小雅 采薇：「今我來思，雨雪霏霏。」禮記 月令：「雪霜大摯，首種不入。」西漢 司馬相如 美人賦：「流風慘冽，素雪飄零。」滿，參卷九、一七一、注④。身輕，參卷三、五五、注①。影亦寒。（連）映在地面上的暗像，也令人感到冰冷無比。影，參卷二一、三四九、注①。寒，冷。書 洪範：「庶徵：曰雨，曰暘，曰燠，曰寒，曰風。曰，時。五者來備，各以其叙，庶草蕃廡。一極備，凶。一極無，凶。」荀子 勸學：「青，取之於藍，而青於藍；冰，水為之，而寒於水。」唐 韓愈 琴操覆霜操詩：「兒寒何衣？兒飢何食？」

②雙飛……看　意定神閑地注視成對的家燕飛來飛去。雙飛，成對飛翔。三國 魏 曹丕 清河作詩：「願為晨風鳥，雙飛翔北林。」唐 李白 雙燕離詩：「雙燕復雙燕，雙飛令人羨。」燕子，家燕的通稱。樂府詩集 雜曲歌辭十三楊白花：「秋去春還雙燕子，願銜楊花入窠裏。」唐 杜甫 絕句之一：「泥融飛燕子，沙煖睡鴛鴦。」南宋 陳與義 對酒詩：「是非

衰衰書生老，歲月忽忽燕子回。」淡中看，意定神閒地注視。淡，閑適。北宋蘇軾送俞節推詩：「吳興有君子，淡如朱絲琴。」南宋陸游浴罷詩：「浴罷淡無事，出門隨意行。」清允禧（一七一一—一七五八）灌花詩：「盱睢忘憂子，淡焉此靜對。」不忙迫曰閑，通「閒」。中，指稱「看」的過程、態度。看，參卷一、一六注②。

③可因……後　是否因為王、謝兩家已經不再興旺。可因，是否因為。可，表疑問。猶是否。元朱凱（？—？至正前後人）昊天塔第四折：「客官，這一間僧房可乾淨？」二刻拍案驚奇卷一三：「你丈夫說，有錢若干、粟若干、布若干，在你家，可有麼？」清納蘭性德滿江紅茅屋新成卻賦詞：「可學得，海鷗無事，閒飛閒宿？」因，原因。理由。猶因為。紅樓夢第四二回：「眾人不知話內有因。」王謝，兩晉至南朝劉宋間的望族王氏、謝氏的並稱。南史侯景傳：「景請娶於王謝，帝曰：『王謝門高非偶，可於朱張以下訪之。』」唐劉禹錫烏衣巷詩：「朱雀橋邊野草花，烏衣巷口夕陽斜。舊時王謝堂前燕，飛入尋常百姓家。」近人王闓運（一八三三—一九一六）上征賦：「仰王謝之高風兮，夕余宿乎汝左。」衰微，衰敗式微。不興旺。史記周本紀：「王道衰微，穆王閔文武之道缺，乃命伯臩申誡太僕國之政，作臩命。」北宋梅堯臣依韻和王平甫見寄：「其後漸衰微，餘襲猶未彈。」清顧炎武貞烈堂記：「屬當岸谷之變，門戶衰微，無能光大其業。」後，參卷一、一、注③。

④改卻……觀　更除往昔烏衣巷的景象。改卻，更除。改，更。論語學而：「三年無改於

父之道，可謂孝矣。」後漢書 彌衡傳：「鼓吏何不改裝，而敢輕進乎？」宋書 樂志：「琴瑟殊未調，改弦當更張。」卻，除。老子：「天下有道，卻走馬以糞。」烏衣，指烏衣巷。在今南京 秦淮河 南。三國 吳在該處置烏衣營，以士官兵著烏衣而得名。東晉 王 謝等望族自中原徙居此，因著聞。世說新語 雅量：「有往來者云：『庾公有東下意。』或謂王公曰：『可潛稍嚴，以備不虞。』王公曰：『我與元規雖俱王臣，本懷布衣之好，若其欲來，吾角巾徑還烏衣，何所稍嚴？』」元 薩都剌 滿江紅 金陵懷古詞：「王謝堂前雙燕子，烏衣巷口曾相識。」清 陳維崧 滿庭芳 贈表兄萬大士詞：「烏衣巷，蔓草平田。誰能耕，童時伴侶，相對兩華顛。」舊日，往日。從前。唐 李白 古風之九：「青門種瓜人，舊日東陵侯。」杜甫 九日詩之二：「舊日重陽日，傳盃不放盃。」紅樓夢第一一七回：「只有喜鸞、四姐兒是賈母舊日鍾愛的。」觀，景象。西漢 司馬相如 封禪文：「皇皇哉！此天下之壯觀，王者之卒業。」北宋 范仲淹 岳陽樓記：「銜遠山，吞長江，浩浩湯湯，橫無際涯，朝暉夕陰，氣象萬千，此則岳陽樓之大觀也。」

燕

四二八、新　鴉

鄭登瀛

幾日新成弱羽翰①，嘔嘔聲細噪林端②。小姑山下夕陽路③，傍母低飛學接丸④。

【析韻】

翰、端、丸，上平、十四寒。

【釋題】

新鴉，猶言幼鴉，未久始破殼而出之雛鴉也。鴉，鳥綱、部分鴉科之通稱。成鴉體型大，羽色大多單純，喙與足均強壯，鼻孔恒被鼻鬚。多築巢於高樹；雜食穀類、果實、昆蟲、鳥卵、雛鳥與腐屍。廣布於全球。我國常見者有大嘴烏鴉、禿鼻烏鴉、白頸鴉、寒鴉、渡鴉等多種。

【注解】

①幾日……翰　不久前，才長好纖細的雙翅。幾日，多少日。猶言不久。幾，謂不定的少數。水滸傳第六五回：「哥哥放心，在此住幾日，等這廝來吃酒，我與哥哥報仇。」新成，剛剛長好。新，剛。纔。北宋趙抃初入峽詩：「峽江初過三遊洞，天氣新調二月風。」成，參卷三、五二、注②，引申作長好（ㄓㄤˇ　ㄏㄠˇ）解。弱，纖細。東晉盧諶（二八四—三五〇）贈劉琨書：「根淺難顧，莖弱易雕。」南朝宋謝靈運還舊園作見顏范二中書詩：

「感身操不固，質弱易版纏。」北宋張先滿江紅詞：「過雨小桃紅未透，舞烟新柳青猶弱。」羽翰，翅膀。指雙翅。南朝宋鮑照詠雙燕之一：「雙燕戲雲崖，羽翰使差池。」唐孟郊出門行之二：「參辰出沒不相待，我欲橫天無羽翰。」明張景飛丸記月下傷懷：「思癡無羽翰，想極夢魂旋。」清陳康祺郎潛記聞卷一一：「已看文彩振鵷鸞，重向青宵別羽翰。」

②嘔嘔……端　就在林間的樹梢，溫和輕啼。嘔嘔，ㄒㄩ ㄒㄩ。溫和貌。史記淮陰侯列傳：「項王見人，恭敬慈愛，言語嘔嘔，人有疾病，涕泣不食飲。」漢書韓信傳作「姁姁」。聲細，猶輕聲。細，形容聲音輕微。韓詩外傳卷六：「夫聲無細而不聞，行無隱而不形。」南史張彪傳：「彪左右韓武入視，彪已蘇，細聲謂曰：『我尚活，可與乎？』」清黃鷟來秋日記淮陰吳嵩三詩：「破屋荳花白，墻草蟲吟細。」噪，ㄗㄠˋ。蟲鳥喧叫。東晉王嘉拾遺記魯僖公：「僖公十四年，晉文公焚林以求介之推。有白鴉遶煙而噪，或集子推之側，火不能焚。」北宋梅堯臣依韻和達觀師聞蟬：「飲餘晨露吸餘風，噪遍高枝為俗聾。」清陳維崧滿江紅風雪行丹陽道中詞：「凍雀迎人籬角噪，村翁傲我牆根睡。」林端，林間的樹梢。林，林間的。北宋歐陽修醉翁亭記：「若夫日出而林霏開，雲歸而巖穴暝，晦明變化者，山間之朝暮也。」端，頂部。鋒尖。末梢。在此指樹梢。禮記檀弓下：「柏椁以端，長六尺。」孔穎達疏：「端，猶頭也。積柏材作椁，並葺材頭，故云以端。」

③小姑……　小姑山山腳西面的行道。小姑，山名。小孤山的別稱。在今江西彭澤縣北。北宋歐陽修歸田錄卷二：「江南有大小孤山……俚俗轉孤為姑。江側有一石磯，謂之彭浪磯，遂轉為彭郎磯云。彭郎者，小姑壻也。」北宋蘇軾李思訓畫長江絕島圖詩：「舟中賈客莫漫狂，小姑前年嫁彭郎。」清王士禛送彭十羨門遊粵詩：「大姑彎彎眉黛長，小姑窈窕宮亭妝，三日潯陽封信到，雙姑早晚嫁彭郎。」山下，山腳（下）。山麓。易蒙：「彖曰：『蒙，山下有險。險而止，蒙。』……象曰：『山下出泉，蒙。君子以果行育德。』」史記留侯世家：「孺子見我濟北穀城山下，黃石即我矣。」西晉潘岳內顧詩：「不見山下松，隆冬不易故。」唐王維田園樂：「山下孤烟遠村，天邊獨樹高原。」杜甫黃草詩：「黃草峽西船不歸，赤甲山下行人稀。」夕陽，指山的西面。詩大雅公劉：「度其夕陽，豳居允荒。」毛傳：「山西曰夕陽。」釋名釋山：「山東曰朝陽，山西曰夕陽，隨日所照名之也。」路，猶道。行道。周禮地官：「澮上有道，川上有路。」注：「畛、涂、道、路，皆所以通車徒於國都也。」東晉陶潛桃花源記：「既出，得其船，便扶向

鴉

路。」

④傍母……丸　倚靠母鳥，貼近地面飛翔，並認真練習承受那既圓又小的食物。傍，倚靠。餘參卷二五、四一三注④。母，指母鴉。低飛，貼近地面飛翔。低，垂，俯。在此，引申作貼近（或接近）地面解。學，習。猶云練習。餘參卷二、二一、注②。接，承受。莊子 秋水：「赴水則接腋持頤，蹶泥則沒足滅跗。」王先謙集解引宣穎曰：「水承兩腋而浮兩頤。」初刻拍案驚奇卷六：「口裏推拖『不當』，手中已自接了。」東周列國志第五回：「州吁雙手去接，詐為失手，墜盞於地。」丸，ㄨㄢˊ。泛稱小圓珠狀的物體。逸周書 器服：「二丸弇。」朱右曾校釋引丁嘉葆曰：「凡物圓轉者皆曰丸。」在此，指既圓又小的食物。

四二九、瘦　鶴　　　施士洁

前身合是詩人島①，嘹【唳】空山此苦吟②。脫盡凡胎清見骨③，芝田槁餓到如今④。

【析韻】

吟、今，下平、十二侵。

【釋題】

瘦鶴，即鶴。以其嘴長直、腳細長，故云。亦用以形容人之清瘦也。此處從後解。北宋蘇軾 次韻子由以詩見報編禮公：「應有仙人依樹聽，空教瘦鶴舞風騫。」又，姚屯田挽詞：

「七年一別真如夢，猶記蕭然瘦鶴姿。」南宋翁卷（？—？紹興、開禧間人。）留別南昌諸友詩：「衰顏怕被青銅見，病骨堪同瘦鶴羣。」趙師秀（一一七〇—一二一九）病起詩：「身如瘦鶴已伶俜，一臥兼旬更有零。」

【注解】

①前身……島　前輩子該是詩人賈島？前身，參卷七、一四〇、注①。合是，應該是。合，應該。應當。史記司馬相如列傳：「然則受命之符，合在於此矣。」唐白居易與元九書：「每讀書史，多求理道：始知文章合為時而著，歌詩合為事而作。」詩人島，詩人賈島。榮按「瘦島」之稱，源於蘇軾祭柳子玉文云：「郊寒島瘦，元輕白俗。」明徐渭次夕降搏雪詩：「寒郊瘦島吟成蟄，煖肉肥肌屏作闈。」餘參卷五、九八、釋題。

②嘹唳……吟　在幽深人少的山林裏，聲音響亮淒清，這樣地苦心推敲、反覆吟詠。嘹唳，狀聲音響亮淒清。南朝齊謝朓從戎曲：「嘹唳清笳轉，蕭條邊馬煩。」唐陳子昂西還至散關答喬補闕知之詩：「葳蕤蒼梧鳳，嘹唳白露蟬。」北宋梅堯臣范饒州夫人挽詞之一：「江邊有孤鶴，嘹唳獨傷神。」清陳維崧天香中元感舊詞：「許多流鶯聲細，似啼猿楚峽嘹唳。」亦作「唳嘹」。天雨花第一六回：「只見天邊一羣鴻雁，自南而北，唳嘹高飛。」唳，ㄌㄧˋ。空山，幽深且人煙稀少的山林。唐韋應物寄全椒山中道士詩：「落葉滿空山，何處尋行迹？」明李攀龍仲春虎丘詩：「古剎雲光杳，空山劍氣深」此，這樣地。北周庾信哀江南賦：「以鶉首而賜秦，天何為而此醉！」唐杜甫宿青溪驛奉

懷張員外十五兄之緒詩：「中夜懷友朋，乾坤此深阻。」苦吟，苦心推敲、反覆吟詠。狀作詩極認真。唐 馮贄 雲仙雜記 苦吟：「孟浩然眉毫盡落，裴祐袖手，衣袖至穿，王維至走入醋甕，皆苦吟者也。」北宋 梅堯臣 還吳長文舍人詩卷詩：「苦吟三十年，所獲唯巾幗。」清 洪亮吉 北江詩話卷二：「可見天地間景物無所不有，苦吟者亦描寫不盡耳。」

③脫盡……骨　完完全全除去血肉之軀，蛻化為高潔的風骨。脫盡，完全地除去。脫，除。禮記 內則：「肉曰脫之，魚曰作之，棗曰新之，……。」皇注：「治肉除其筋膜，取好者。」盡，遍。全。餘參卷五、九二、注②。凡胎，與「聖胎」相對。謂血肉之軀，猶凡身也。元 馬致遠 任風子第二折：「雖然是平日凡胎，一旦修真，無甚功夫，撇下這砧刀什物，情取那經卷藥葫蘆。」西遊記第三五回：「那怪雖也能騰雲駕霧，不過是些法術，大端是凡胎未脫，到了寶貝裏就化了。」清 龔自珍 小遊仙詞之七：「幾輩凡胎無覓處，仙姨初 豢可憐蟲。」清見骨，出現高潔的風骨。清，高潔。書 堯典下：「夙夜惟寅，直哉惟清。」見，ㄒㄧㄢˋ。通「現」。出現。論語 泰伯：「天下有道則見，無道則隱。」骨，指風骨。人的骨相、氣質。北宋 黃庭堅 劉邦直送早梅水仙花詩之三：「仙風道骨今誰有？淡掃蛾眉篸一枝。」北宋 徐積（一〇二八—一一〇三）李太白雜言詩：「乃知公是真英物，萬疊秋山聳清骨。」

④芝田……今　至今，仍在芝草園裏，窮困潦倒、絕糧受餓。芝田，傳說中仙人種植芝草的地方。三國 魏 曹植 洛神賦：「爾迺稅駕乎衡皋，秣駟乎芝田。」李善注：「嵩高山記

曰：『山上有神芝，良曰：芝田』」東晉王嘉拾遺記：「崑崙山第九層，山行漸小狹，下有芝田、蕙圃皆數百頃，羣仙種耨焉。」南朝宋鮑照舞鶴賦：「朝戲於芝田，夕飲於瑤池。」槁餓，窮困饑餓。近人鄭觀應盛世危言鐵路：「彼此相較，貧富相形，而欲邊境之民盡甘槁餓而不為敵人用也，其可得哉？」景耀月（一八八三—一九四四）讀史感言詩：「槁餓直至今，遑云千載後。」到，至。如今，現在。史記項羽本紀：「樊噲曰：『大行不顧細謹，大禮不辭小讓。如今人方為刀俎，我為魚肉，何辭為？』」唐杜甫泛江詩：「故國流清渭，如今花正多。」紅樓夢第七八回：「我這如今是天上的神仙來請，那裡捱得時刻呢？」

四三〇、鶴　子

蔡汝修

梅花帳外舞蹁躚①，繼與林家鶴有緣②。一樣乃翁逃世想③，共安飲啄太平年④。

【析韻】

躚、緣、年，下平，一先。

【釋題】

典出梅妻鶴子。鶴子，以鶴為子也。詳卷六、一一三、釋題，茲從略。鶴，鳥綱，鶴科各種類之泛稱。大型涉禽，形似鷺、鸛。喙、翼與跗蹠甚長，惟足趾短，且後趾著生部位較高，與前三趾不在同一平面上。常活動於平原水際或沼澤地帶，食各種小動物與植物。全球有十五種，我國有丹頂鶴、白鶴、灰鶴、蓑羽鶴、黑頸鶴…等九種。

【注解】

①梅花……躚　你，在梅帳外頭展翅伸曲、搖曳迴旋。梅花帳，即梅花紙帳，亦省作「梅帳」。一種多樣物件組合、裝飾而成的臥具。南宋 林洪（？—？，開禧 景定間人。）山家清事 梅花紙帳：「法用獨床。旁置四黑漆柱，各掛以半錫瓶，插梅花數枝，後設黑漆板約二尺，自地及頂。欲靠以清坐。左右設橫木一，可掛衣，角安斑竹書貯一，藏書三四，掛白麈一。上作大方目頂，用細白楮衾作帳照之。前安小踏牀，於左直綠漆小荷葉一，寘香鼎，燃紫藤香。中只用布單、楮衾、菊枕、蒲褥。」明 湯顯祖 牡丹亭 魂遊：「小姐，你受此供呵，教你肌骨涼，魂魄香。肯回陽，再住這梅花帳？」清 梁紹壬 兩般秋雨盦隨筆 銘：「梅花帳額銘：學林和靖，以梅為妻；學趙師雄，以梅為姬。梅兮梅兮，吾亦與爾同夢兮。」外，參卷二五、四二四、注④。舞，參卷三、五五、注②。蹁躚，ㄆㄧㄢˊ ㄒㄧㄢ。亦作「𨇤躚」、「蹁躚」。形容旋轉的舞姿。東漢 張衡 南都賦：「翹遙遷延，蹩躠蹁躚。」唐 盧照鄰 五悲 悲人生：「鐘鼓玉帛，蹩躠𨇤躚。」元稹 代曲江老人詩：「掉蕩雲門發，蹁躚鷺羽振。」元 無名氏 小孫屠 戲文第二齣：「鬥清明鶯聲婉轉，蕩花枝蝶翅蹁躚。」明 顧大典 青衫記 裴興歸衕：「相公，你還該到二位夫人那裏去，休落了宛轉歌喉細，蹁躚舞袖長。」

②繼與……緣　接續和林和靖畜養的鶴投緣。繼，續。接續。禮記 中庸：「夫孝者，善繼

人之志。」左傳莊公二二年：「飲桓公酒，樂；公曰：『以火繼之！』辭曰：『臣卜其晝，未卜其夜，不敢。』」論語堯曰：『興滅國、繼絕世、舉逸民，天下之民歸心焉。』與，和。林家鶴，林逋（和靖）的家鶴。林逋，詳卷六、一一三、釋題。有緣，參卷六、一一四、注③。

③一樣……想　隱居避世的念頭，竟跟你的老爸沒有不同。一樣，參卷二、二九、注④。乃翁，你的父親。漢書項籍傳：「吾翁即汝翁。必欲亨（烹）乃翁，幸分吾一杯羹。」顏師古注：「翁，謂父也。」又：「乃，亦汝也。」南宋陸游示兒詩：「王師北定中原日，家祭無忘告乃翁。」明史文苑傳三文徵明：「（楊）一清亟謂曰：『子不知乃翁與我友耶？』」逃世想，隱居避世的念頭。西晉皇甫謐高士傳老萊子：「老萊子者，楚人也。當時世亂。逃世耕於蒙山之陽。」北宋王安石寄張襄州詩：「四葉表閭唐尹氏，一門逃世漢龐公。」元方瀾（？—？世次不詳）淵明詩：「嵇阮能逃世，終非出自然。」一念頭、理念曰想。東晉陶潛和胡西曹詩：「逸想不可淹，猖狂獨長悲。」南朝齊孔稚珪北山移文：「夫以……瀟灑出塵之想。」

④共安……年　期盼時世安寧和平的歲月早日來臨。一起舒適安穩地過活。共安，一起舒適地……。史記灌嬰列傳：「與絳侯陳平共立代王為孝文皇帝。」荀子榮辱：「為堯禹則長安榮，為桀跖則常危辱。」飲啄，飲水啄食。語出莊子養生主：「澤雉十步一啄，百步一飲，不蘄畜乎樊中。」成玄英疏：「飲啄自在，放曠逍遙。豈欲入樊籠而求服養！

譬養生之人，蕭然嘉遁，唯適情於林籟，豈企羨於榮華！」南朝宋何承天（三七〇—四七七）雉子遊原澤篇：「稚子遊原澤，幼懷耿介心，飲啄雖勤苦，不願棲園林。」引申作「吃喝」、「生活」解。唐李益罷秩後入華山採茯苓逢道者詩：「何事逐豪遊，飲啄以羶腥？」北宋孫光憲北夢瑣言卷七：「劉山甫亦蒙夏生言示五年行止，是無不驗，蓋飲啄之有分也。」清方文路灌溝喜遇談長益話舊詩之二：「飲啄依朋友，湖山本性情。」榮按：飲啄一詞，亦用以比喻自由自在地生活。南史沈約傳：「（沈警）無進仕意，謝病歸……警曰：『使君（謂謝安）以道御物，前所以懷德而至，既無用佐時，故遂飲啄之願爾。』」唐元結欲瀼溪鄉舊遊詩：「終當來其濱，飲啄全此生。」近人謝樹瓊（民初人，生卒年不詳）詠懷詩：「腹中雖饑餒，飲啄猶自閒。」太平年，時世安寧和平的歲月。呂氏春秋大樂：「天下太平，萬物安寧。」史記秦始皇本紀：「黔首脩絜。人樂同則，嘉保太平。」唐溫庭筠長安春晚詩之二：「四方無事太平年，萬象鮮明禁火前。」古今小說窮馬周遭際賣䭔媼：「凡天下有才有智之人，無不舉薦在位，盡其抱負，所以天下太平，萬民安樂。」年，猶云歲月。

四三一、鶴夢

陳濬芝

不尋仙侶彩雲間①，鎮日忘機自養閒②。一霎游魂何處覓③，梅花萬樹月千山④。

【析韻】

間、閒、山，上平、十五刪。

【釋題】

作者對林逋鶴子梅妻，不與聞俗事等之聯想也。林逋，詳卷六、一一三、釋題。

【注解】

①不尋……間　沒有去一朵朵絢麗的雲彩中訪問眾仙。不尋，沒有訪問。未訪問。不，未。沒有。孟子 梁惠王上：「以五十步笑百步，……直不百步耳，是亦走也。」尋，訪問。唐 皇甫冉 送蔣逸人歸義興山詩：「花源君若許，雖遠亦相尋。」仙侶，仙人之輩。猶云眾仙。明 文徵明 閏正月十一日游玄妙觀歷諸道院詩之三：「仙侶登真幾百年，清風遺影尚依然。」清 方文 廬山詩 尋真觀：「五老雲氎間，髣髴有仙侶。」彩雲，絢麗的雲彩。文心雕龍 序志：「予生七齡，乃夢彩雲若錦，則攀而採之。」唐 李白 早發白帝城詩：「朝辭白帝彩雲間，千里江陵一日還。」清 龔自珍 長相思詞：「仙參差，佩參差，數罷鸞期又鳳期，彩雲西北飛。」中曰間。指兩者之中，本作「閒」，ㄐㄧㄢ。國語 周語上：「我先王不窋，用失其官，而自竄於戎 狄之間。」史記 孫子列傳：「孫武既死，後百餘歲有孫臏，臏生阿、鄄之間。」唐 杜甫 送孔巢父謝病歸遊江東詩：「詩卷長留天地間，釣竿欲拂珊瑚樹。」

②鎮日……閒　整天甘於淡泊、與世無爭，渾然自在地在閑靜中養生。鎮日，參卷一五、二

五七、注②。忘機，消除機巧之心。常用以指甘於淡泊、與世無爭。唐 王勃 江曲孤鳧賦：「爾乃忘機絕慮，懷聲弄影。」北宋 司馬光 花庵獨坐詩：「忘機林鳥下，極目塞鴻過，為問市朝客，紅塵深幾何？」明 何景明 雨後詩：「沙頭莫相識，與爾久忘機。」清 俞國賢（？—？，世次不詳。）歸來詩：「荒圃一區行灌畝，遺書幾卷坐忘機。」自，參卷六、一一三、注②。養閒，在閑靜之中養生。唐 張蠙（？—？，晚唐、前蜀間人。）和崔監丞春遊鄭僕射東園：「春興隨花盡，東園自養閒。」五代 王定保 唐摭言 師友：「餌芝朮以養閒，坐煙篁而收思。」

③一霎……覓　頃刻間，流動不固定的精氣，到那兒去尋找？一霎，謂時間極短。頃刻（之）間。今語一下子。唐 孟郊 春後雨詩：「昨夜一霎雨，天意蘇羣物。」南宋 姜夔 慶宮春詞：「如今安在，唯有闌杆，伴人一霎。」清 洪昇 長生殿 定情：「受寵承恩，一霎裏身判人間天上。」游魂，流動不固定的精氣。古人認為人或動物的生命是由精氣凝聚而成。精氣流動散失，則趨于死亡。易 繫辭上：「精氣為物，游魂為變。」王弼注：「精氣烟熅聚而成物，聚極則散，而游魂為變也。」唐 包佶 近獲風痹之疾題寄所懷詩：「無醫能卻老，有變是游魂。」清 王夫之 張子正蒙注 太和：「易曰：『精氣為物，游魂為變。』游魂者，魂之散而游于虛也，為變，則還以生變化，明矣。」何處，ㄏㄜˊ ㄔㄨˋ。那裏。什麼地方。漢書 司馬遷傳：「且勇者不必死節，怯夫慕義，何處不勉焉！」唐 王昌齡 梁苑詩：「萬乘旌旗何處在？平臺賓客有誰憐？」宋史 歐陽脩傳：「脩論事切直，人視之如仇，

帝獨獎其敢言，而賜五品服。顧侍臣曰：『如歐陽脩者，何處得來？』」覔，「覓」俗字。餘參卷六、二七六、注④。

④梅花……山　白梅萬株，明月深山。梅花，參卷六、一〇三、注④。萬樹，萬株。萬木。樹，作量詞用。元岑安卿雪詩：「空階夜落雪一尺，起看萬樹梨花雲。」月，謂月明。千山，在此指深山。唐盧照鄰秋霖賦：「千山埋煙，百壑涵潦。」李華寄趙侍御詩：「雨濯萬木鮮，霞照千山濃。」柳宗元江雪詩：「千山鳥飛絕，萬徑人蹤滅。」北宋王安石古松詩：「萬壑風生成夜響，千山月照挂秋陰。」

四三二、松上鶴

鄭燦南

九【皋】聲已達天閽①，恥向羣雞獨立尊②。縱不乘軒沾薄俸③，清眠高處亦君恩④。

【析韻】

閽、尊、恩，上平、十三元。

【析韻】

鶴棲止於松樹枝幹之上，謂松上鶴。

【注解】

①九皋……閽　曲折深遠的沼澤，鶴鳴已經傳到了宮門。九皋，本作「九皋」、亦作「九臯」。

曲折深遠的沼澤。詩 小雅 鶴鳴：「鶴鳴于九皋，聲聞于野。」毛傳：「皋，澤也。言身隱而名著也。」鄭玄箋：「皋，澤中水溢出所為坎，自外數至九，喻深遠也。鶴在中鳴焉，而野聞其鳴聲……喻賢者雖隱居，人咸知之。」又，九皋亦指鶴。元 薩都剌 鶴笛：「九皋聲斷楚天秋，玉頂丹砂一夕休。」聲，指鶴鳴。已達，已經傳到……。達，至。到。書 禹貢：「浮于濟 漯，達于河。」唐 杜甫 天末懷李白詩：「寄書長不達，況乃未休兵。」天閽，帝王宮殿的門。唐 蔣防 藩臣戀魏闕詩：「恩波懷魏闕，獻納望天閽。」宋史 孟昶傳：「抗手疏以陳誠，伏天閽而請命。」清 陳夢雷 耿又樸年兄以三絕句見慰走筆步韻志感之一：「索米長安亦聖恩，途窮難望叩天閽。」閽，ㄏㄨㄣ。

②恥向……尊 如果，朝著雞羣，昂然佇立、炫耀崇高、貴顯，那將是多麼地難為情啊！恥，羞愧。猶今語難為情。詩 小雅 賓之初筵：「彼醉不臧，不醉反恥。」論語 里仁：「士志於道，而恥惡衣惡食者，未足與議也。」孟子 梁惠王下：「一人衡行於天下，武王恥之，此武王之勇也。」向，朝著。對。莊子 秋水：「於是焉河伯始旋其面目，望洋向若而歎，曰：『……』。」羣雞，猶雞羣。羣，眾。表多數。禮記 中庸：「凡為國家有九經……體羣臣也。」晉書 阮籍傳：「博覽羣籍，尤好莊 老。」唐 杜甫 羌邨詩：「羣雞正亂叫，客至雞鬭爭。」獨立，單獨站立。論語 季氏：「嘗獨立，鯉趨而過庭。」唐 杜甫 獨立詩：「天機近人事，獨立萬端憂。」初刻拍案驚奇卷一二：「（王生）見一女子生得十分美貌，獨立在門內，徘徊凝望。」尊，崇高。貴顯。易 繫辭上：「天尊地卑，

乾坤定矣。」禮記 中庸：「下焉者，雖善不尊。」

③縱不……俸　即使沒有坐上大夫的專車，也沒有支領微不足道的薪給。縱不，即使沒有。縱，即使。縱令。詩 鄭風 子衿：「縱我不往，子寧不嗣音？」唐 杜甫 兵車行：「縱有健婦把鋤犁，禾生隴畝無東西。」乘軒，乘坐大夫的車子。典出左傳 閔公二年：「冬十二月，狄人伐衛。衛懿公好鶴，鶴有乘軒者。將戰，國人受甲者皆曰：『使鶴，鶴實有祿位，余焉能戰。』」唐 沈佺期 移禁司刑詩：「寵邁乘軒鶴，榮過食稻鳧。」北宋 蘇軾 次韻子由述懷四絕之三：「兩鶴摧頹病不言，年來相繼亦乘軒。」近人郁達夫 寄和荃君原韻之三：「鬼蜮乘軒公碌碌，杜陵詩句只牢愁。」受益曰沾。舊唐書 杜甫傳：「他人不足，甫乃厭餘，殘膏賸馥，沾匄後人多矣。」老殘遊記第一〇回：「何妨取來彈一曲，連我也沾光聽一回。」薄俸，猶薄祿。薄給。微不足道的薪給（或待遇）唐 陸龜蒙 送延陵張宰

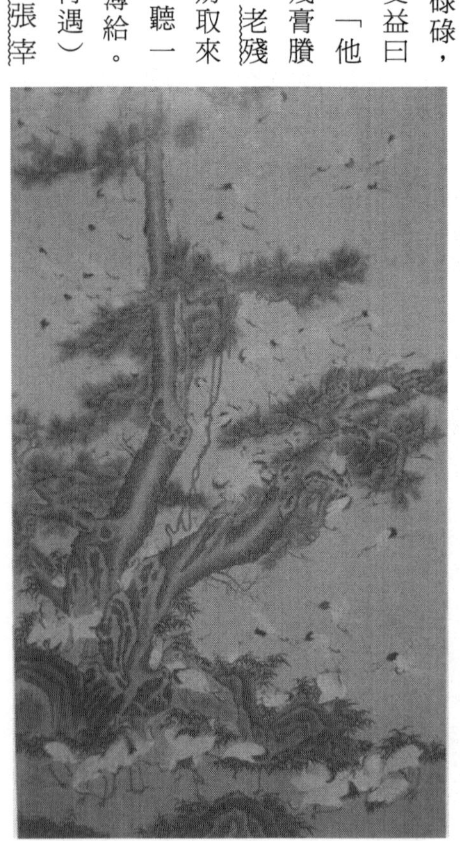

松鶴圖局部　近人陳師曾（1876-1923）

詩：「不嫌請薄俸，為喜帶名山。」

④清眠……恩　能夠在高聳的松樹上，閑靜地閉目養神，也是帝王所施予的德惠。清眠，猶云閑靜地閉目養神。清，閑靜。馬王堆　漢墓帛書甲本老子：「（重）為巠根，清為趮君。」莊子　天下：「芴乎若亡，寂乎若清。」唐　杜甫　曉望詩：「地坼江帆隱，天清木葉聞。」北宋　王安石　寄酬曹伯玉因以招之詩：「清坐苦無公事擾，高談時有故人經。」寢息曰眠。在此，引申作閉目養神解。杜甫　示姪詩：「自聞茅屋趣，祇想竹林眠。」韓愈　與孟尚書書：「未審入秋來，眠食何似？」高處，高的部位。本句此處，指松樹樹梢。北宋　蘇軾　寄黎眉州詩：「膠西高處望西川，應在孤雲落照邊。」亦，參考卷一、七、注①。君恩，參考卷五、九〇、注③。

四三三、雁　字

蔡振豐

忽來征雁楚雲端①，字勢橫斜耐細看②。似有秋心難寫處③，數行斷續碧空寒④。

【析韻】

端、看、寒，上平、十四寒。

【釋題】

雁字，亦作「鴈字」。雁羣恆成列而飛。羣雁飛行時，常排成「一」字或「人」字形，故稱。唐 白居易 江樓晚眺景物鮮奇吟玩成篇寄水部張員外詩：「風翻白浪花千片，雁點青天字一行。」南宋 范成大 北門赴舟山道中詩：「鴈字江天聞塞管，梅梢山路欠溪橋。」清 孔尚任 桃花扇 寄扇：「欄杆低雁字，簾幙掛冰條，炭冷香消，人瘦晚風峭。」

【注解】

①忽來……端　雲端北邊，倏然出現成羣的鴻雁。忽，突然。忽然。列子 湯問：「涼風忽至，草木成實。」唐 岑參 白雪歌送武判官歸京：「北風卷地白草折，胡天八月即飛雪。忽如一夜春風來，千樹萬樹梨花開。」來，至。詩 小雅 采薇：「憂心孔疚，我行不來。」傳：「來，至也。」易 繫辭下：「日往則月來，月往則日來，日月相推而明生焉。」論語 學而：「有朋自遠方來，不亦樂乎？」按本句此處，「來」引申作「出現」解，似較傳神。征雁，亦作「征鴈」。遷徙的雁，恆指秋天南飛的雁羣。南朝 梁 劉潛（四八六—五五〇）從軍行：「木落雕弓燥，氣秋征鴈肥。」唐 李涉（？—？，廣德、寶曆間人。）送魏簡能東遊詩之二：「燕市悲歌又送君，日隨征雁過寒雲。」北宋 秦觀 憶秦娥詞：「愁如織，兩行征雁，數聲羌笛。」楚雲端，楚天的雲端。楚天，楚地的天空。榮按：臺島位楚地之東南端，故楚雲端作「雲端北邊」解。尖曰端，即頭。晉書 天文志中：「韓雲如布，趙雲如牛，楚雲如日，宋雲如車。」韓詩外傳：「君子避三端：避武士之鋒端，避辯士之舌端，避文士之筆端。」

②字勢……看　雁列或橫或斜，值得細細地觀賞。字勢，寫字的筆勢、筆法。東晉 衛恆（？—

二九一；衛瓘子，字巨山。）四體書勢序　古文：「古書亦有數種，其一卷論楚事者最為工妙。恆竊悅之，故竭愚思，以贊其美，愧不足廁前賢之作，冀以存古人之象焉。古無別名，謂之字勢云。」唐　薛存誠（七六五－八一四）御題國子監門詩：「筆鋒迴日月，字勢動乾坤。」北宋　蘇軾　書麐公詩後詩：「壁間餘清詩，字勢頗拔俗。」按：以「字勢」形容雁列也；餘參釋題。橫斜，參卷二一、三五二、注②。耐，值得。唐　岑參　喜韓樽相遇詩：「三月灞陵春已老，故人相逢耐醉倒。」細看，猶細視。謂細細地觀賞。封氏聞見記：「遂復取視曰：『細看之亦未能好。』」朱子大全集：「但顯道記憶中數段，子細看皆好。」榮按：古作「子細」、今作「仔細」。金元好問　龍門雜詩：「細看潛溪樹，高臥香山雲。」

③似有……處　好像：存在著一股秋的悲思，並不容易描繪。似，像。好像。史記　陸賈列傳：「尉佗因問陸生曰：『我孰與蕭何、曹參、韓信賢？』陸生曰：『王似賢。』」事物存在曰有。左傳　隱公元年：「宋武公生

雁群

仲子，仲子生而有文在其手，曰為魯夫人，故仲子歸于我。」孟子 梁惠王上：「庖有肥肉，廄有肥馬，民有饑色，野有餓莩。」秋心，參卷一八、三〇〇、注③。難寫處，不容易描繪的地方。

④數行……寒　幾行秋雁、時斷時續，青空格外冷冽。數行，猶云幾行。數，ㄕㄨ。幾。約舉之詞。孟子 梁惠王上：「數口之家，可以無饑矣。」列之直者為行（ㄏㄤˊ）。鳥飛成行曰行。唐 羊士諤 寄江陵韓少尹詩：「蜀國魚牋數行字，憶君秋夢過南塘。」斷續，時而中斷、時而接續。南朝 齊 王融 巫山高詩：「煙霞乍舒卷，猿鳥時斷續。」唐 劉知幾 史通 二體：「若乃因為一事，分在數篇，斷續相離，前後屢出。於高紀則云語在項傳，於項傳則云事具高紀。」醒世恆言 獨孤生歸途鬧夢：「那白氏歌這一曲，聲氣已是斷續，好生喫力！」碧空，青天。南朝 梁 簡文帝 京洛篇：「夜輪懸素魄，朝光蕩碧空。」雲笈七籤卷一三：「太極真宮住碧空，絳闕崇臺一萬重。」金 董解元 西廂記 諸宮調卷五：「微月透簾櫳，螢光度碧空。」寒，冷。溫度低。史記 刺客列傳：「高漸離擊筑，荊軻和而歌為變徵之聲。士皆垂淚涕泣，又前而歌曰：『風蕭蕭兮易水寒，壯士一去兮不復還。』」

四三四、斷　雁

鄭以庠

平沙萬里鳥程迂①，嘹唳聲淒渡葦蘆②。振觸弟兄分袂後③，相思秋水滿江湖④。

【析韻】

迂、蘆、湖，上平、七虞。

【釋題】

斷雁，亦作「斷鴈」。失羣之雁，即孤雁也。隋 薛道衡 出塞詩之二：「寒夜哀笛曲，霜天斷雁聲。」唐 方干 別從兄郜詩：「已呼斷雁歸行裏，全勝枯鱗在轍中。」明 文徵明 才伯過訪詩：「歸心聞斷鴈，衰鬢逼殘年。」

【注解】

①平沙……迂　既廣又闊的沙原，綿延萬餘里，飛行的路途多麼地遙遠。平沙，參卷一二、二一八、注①。萬里，形容沙原廣闊。百之百倍曰萬。里，計量長度的單位。路曰程。鳥程，猶云鳥路。謂鳥飛行的路途。晉書 郤詵傳 贊：「鳥路層飛，龍津派流。」南朝 齊 謝朓 夜發新林京邑贈西府同僚詩：「風雲有鳥路，江 漢恨無梁。」迂，遠。荀子 榮辱：「失之己，反之人，豈不迂乎哉。」王先謙 集解引王念孫曰：「廣雅曰：『迂，遠也。』韓詩外傳曰：『身不善而怨他人，不亦遠乎？』語意正與此同。」

②嘹唳……蘆　啼聲淒清響亮、孤寂哀傷，直達溪畔的蘆叢。嘹唳，ㄌㄧㄠˊ ㄌㄧˋ。形容聲音響亮淒清。南朝 齊 謝朓 從戎曲：「嘹唳清笳轉，蕭條邊馬煩。」唐 陳子昂 西還至散關答喬補闕知之詩：「葳蕤蒼梧鳳。嘹唳白露蟬。」北宋 梅堯臣 范饒州夫人挽詞之一：「江邊有孤鶴，嘹唳獨傷神。」清 陳維崧 天香 中元感舊詞：「許多流鶯聲細，似啼猿楚峽

嘹唳。」聲「淒」，ㄑㄧ。亦作「凄」。孤寂哀傷。清顧炎武酬歸戴王潘四子韭溪草堂聯句見懷二十韻：「清醑傳杯緩，哀弦入坐淒。」渡，過。通過。唐宋之問牛女星詩：「奔龍爭渡月，飛鵲亂填河。」唐韓愈岳陽樓別竇司直詩：「追思南渡時，魚腹甘所葬。」在此，引申作「直達」解。葦蘆，猶云蘆叢。大戴禮夏小正：「葦未秀者為蘆。」易林：「鷦鳩徙來，西至平州，遭逢雷電，損我葦蘆。」

③振觸……後　碰到和同伴離別以後。振觸，參卷一〇、一八六、注③。弟兄，對同伴表親切的稱呼。金董解元西廂記諸宮調卷三：「弟兄休作外，幾盞兒淡酒，聊復致謝。」水滸傳第九〇回：「今者拜辭還京，某等眾弟兄此去前程如何，萬望吾師明彰點化。」分袂，離別。東晉干寶秦女賣枕記：「（秦女）取金枕一枚，與度（孫道度）為信，乃分袂泣別。」唐李山甫別楊秀才詩：「如何又分袂，難話別離情。」南宋范成大吳船錄卷上：「早食後，與送客出寺，至慈姥巖前徘徊，皆不忍分袂。」後，表時間。猶今語「以後」。

④相思……湖　四方各地普遍留下它們彼此想念的明澈眼波。相思，參卷一一、一九七、注①。秋水，喻明澈的眼波。唐白居易宴桃源詞之二：「鬒鬢軃輕鬆，凝了一雙秋水。」元趙雍人月圓詞：「別時猶記，眸盈秋水，淚濕春羅。」聊齋志異宦娘：「今日箇蹙損春山，望穿秋水。」滿、江湖，分別參考卷九、一七一、注④、卷一、一七、注④。

四三五、途中逢雁

黃鴻翔

迢迢雁陣橫天遠①，渺渺征途匝地長②。萬仞雲泥同北上③，嗟予作客汝還鄉④。

【析韻】

長、鄉，下平、七陽。

【釋題】

旅途或征途中，遇見雁羣，謂之途中逢雁。

【注解】

①迢迢……遠　成列而飛的雁羣，橫陳天空，是那麼地遙遠。迢迢，參卷五、八八、注①。雁陣，成列而飛的雁羣。唐 王勃 滕王閣序：「雁陣驚寒，聲斷衡陽之浦。」南宋 陸游 幽居詩：「雨霽雞栖早，高風雁陣斜。」金 王特起 喜遷鶯詞：「千里，關塞遠，雁陣不來，猶把欄干倚。」兒女英雄傳第四回：「一天曉月殘星，滿耳蛩聲雁陣。」橫天，橫陳天空。橫越天空。東漢 王逸 荔支賦：「曖若朝雲之興，森如橫天之彗。」唐 顧況 小孤山詩：「古廟楓林江水邊，寒鴉接飯雁橫天。」明 何景明 望郭西諸峰有懷昔隱兼發鄙志詩：「橫天巖巒疊，暎日蒼翠積。」距離不近曰遠。左傳 隱公三年：「且夫賤陵貴、少陵長、遠閒親，新閒舊、小加大、淫破義，所謂六逆也。」

②渺渺……長　悠悠路程，大地遼闊。渺渺，悠遠貌。北宋王安石憶金陵詩之一：「想見舊時遊歷處，煙雲渺渺水茫茫。」清平山堂話本西湖三塔記：「薄暮憑欄，渺渺暝朦，數重山色。」征途，亦作「征塗」。遠行的路程。行程。南朝陳徐陵秋日別庾正員詩：「征途愁轉旆，連騎慘停鑣。」唐杜甫龍門詩：「往來時屢改，川陸日悠哉！相關征途上，生涯盡幾迴。」北宋柳永鵲橋仙詞：「屆征途，攜書劍，迢迢匹馬東去。」清陳裴之（？—？）香畹樓憶語：「伏雨闌風，征途迢滯。」匝地，遍地。唐王勃還冀州別洛下知己序：「風煙匝地，車馬如龍。」南宋趙崇嶓榮按：一作「皤」（一一九八—一二五六）蝶戀花詞：「風旋落紅香匝地，海棠枝上鶯飛起。」清孔尚任桃花扇投轅：「你那蘇張舌辯高，我的巧射驚羿奡，只愁那匝地煙塵何處掃。」遍地，引申作「大地」解。長，形容遼闊。王勃滕王閣序：「落霞與孤鶩齊飛，秋水共長天一色。」唐玄宗（六八五—七六二）野次喜雪詩：「繁雲低遠岫，飛雪舞長空。」

③萬仞……上　雪和泥，相距七萬尺，一起向北而行！萬仞，七萬尺。古一仞七尺；又，四尺、五尺、五尺六寸、八尺等亦謂一仞。列子湯問：「太形，王（玉）屋二山，方七百里，高萬仞。」鬼谷子本經陰符：「轉圓石於萬仞之溪。」西晉陸機文賦：「精鶩八極，心遊萬仞。」李善注：「包咸論語注曰：『七尺曰仞。』」南朝梁江淹江上三山賦：「挂青蘿兮萬仞，豎丹石兮百重。」舊唐書王勃傳：「孤峯絕岸，壁立萬仞。」唐王之渙涼州詞：「黃河遠上白雲間，一片孤城萬仞山。」白居易初入峽有感詩：「上有萬仞山，

下有千丈水。」雲泥，雲和泥。後漢書逸民傳矯慎：「（吳蒼）遺書以觀其志曰：『仲彥足下，勤處隱約，雖乘雲行泥，棲宿不同，每有西風，何嘗不歎！』」雲在天，泥在地，因用以形容兩物相去甚遠。同，參卷一六，二七五、注③。北上，向北而行。向北去。戰國楚宋玉風賦：「然後徜徉中庭，北上玉堂。躋于羅帷，經于洞房，迺得為大王之風也。」東漢曹操苦寒行：「北上太行山，艱哉何巍巍。」

④嗟予……鄉　唉！我暫時寄居此地；你們又要飛回故里啊！嗟，歎詞。猶今語「唉！」予，我。作客，寄居異地。唐杜甫刈稻了詠懷：「無家問消息，作客信乾坤。」又，登高詩：「萬里悲秋常作客，百年多病獨登臺。」南宋陸游醉中長歌：「人生未死貴適意，萬里作客元非窮。」汝，指雁羣言。還鄉，返回鄉里。南史劉之遴傳：「武帝謂曰：『卿母年德並高，故令卿衣錦還鄉，盡榮養之理。』」兒女英雄傳第一五回：「老弟，你這年紀正好給朝廷出力，為什麼倒要告老還鄉。」

四三六、病　虎　　　　施士洁

紛紛倀鬼任揶揄①，誰信今吾即故吾②。便被犬欺心豈死③，人間還認少師無④？

【析韻】

揄、吾、無，上平、七虞。

【釋題】

身有傷痛、生理狀態不佳，曰病。虎，學名 Panthera tigris。哺乳綱，食肉目，貓科。頭大而圓。體長一・四—二公尺餘，尾長約一・一米。體呈淡黃色、褐色或白色，有黑色橫紋，尾部有黑色環紋。背色濃，唇、頷、腹側與四肢內側白色，前額有似「王」字形斑紋。夜行性，能游泳，不善爬樹。性凶猛。捕食野豬、鹿、獐、羚羊等，有時亦傷人類。分布於亞洲、非洲、中南美洲等地。

【注解】

①紛紛……揄　許許多多受虎役使的鬼魂，卻聽憑別人嘲弄。紛紛，參卷九、七五、注①。倀鬼，舊時傳說：人死於虎，其鬼魂受虎役使者。唐 裴鉶（？—？，開成、文德間人。）傳奇 馬拯：「二子並聞其說，遂詰獵者，曰：『此是倀鬼，被虎所食之人也，為虎前呵道耳。』」倀，ㄔㄤ。任，參卷一、一、注①。揶揄，亦作「揶揄」。ㄧㄝˊㄩˊ。嘲笑。戲弄。東觀漢記 王霸傳：「上令霸至市口募人，將以擊郎，市人皆大笑，舉手揶揄之，霸慚而去。」北宋 歐陽修 葛氏鼎詩：「器大難用識者不，以示世俗遭揶揄。」清 錢謙益 雲陽草堂記：「舉世之人，見不越晦朔，智不出口耳，聞點石移山之說，未有不揶揄手笑者也，而又何怪與！」

②誰信……吾　那個人知道現在的我就是過去的我？知曰信。南宋 陸游 蝶戀花詞：「早信此生終不遇，當年悔草長楊賦。」即，參卷一、一〇、注③。

③便被……死　即令遭到惡狗的陵辱，內心難道就絕望了嗎？便，即令。南宋 陳與義 送人

歸京師詩：「故園便是無兵馬，猶有歸時一段愁。」人生必讀卷上：「龍游淺水遭蝦戲，虎落平陽被犬欺。」欺，陵辱。「陵」通「凌」。警世通言卷二五：「公子倚勢欺人，無所不至。」心死，猶云絕望。

④人間……無　民間仍然記得少師嗎？人間，參卷二、三三、注②。還，ㄏㄞˊ。尚。猶。仍然。表性態。唐岑參山房春事詩：「庭樹不知人去盡，春來還發舊時花。」杜甫有感詩：「盜滅人還亂，兵殘將自疑。」北宋蘇軾詠廬山敖洞詩：「還在此山中，相逢不相識。」認，記得。北宋孫光憲浣溪沙詞：「烏帽斜欹倒佩魚，靜街偷步訪仙居，隔牆應認打門初。」南宋劉辰翁（一二三二—一二九七）摸魚兒詞：「門前度桃花，劉郎能記，花復認郎否？」少師，古官名。與少傅、少保合稱三孤。亦稱「三少」。周始置，為君國輔弼之官，地位次於太師。一般為高品官加銜，以示恩寵而無實職。無，參卷一、二、注④。

四三七、老　牛

鄭以庠

無多筋力感殘形①，犁雨鋤雲歲幾經②。伴汝耕春來綠野③，主人雙【髩】亦星星④。

【析韻】

形、經、星，下平、九青。

【釋題】

成牛壽齡已高，稱老牛。黃牛、水牛、瘤牛、犛牛與其種間雜種者，通稱之曰牛。哺乳綱，牛科。有牛（Bos）與水牛（Bubalus）兩屬。體型大。一般有角。四趾，第三、四趾特別發達，趾端為蹄。上顎無門齒，胃分四室，草食反芻。體重自數百公斤至千餘公斤不等。有乳用、肉用、役用與兼用等數種。

【注解】

①無多……形　沒有多少的體力，使我想到你的軀體耗損、衰老。無多，沒有多少。唐杜荀鶴和友人寄孟明府：「莫嫌月入無多俸，須喜秋來不廢吟。」清周亮工郭去問還家未半載復作章貢之行送之詩：「亂後還家慶更生，無多日月復成行。」筋力，亦作「觔力」。猶體力。禮記曲禮上：「貧者不以貨財為禮，老者不以筋力為禮。」後漢書獨行傳劉茂：「少孤，獨侍母居。家貧，以筋力致養，孝行著於鄉里。」唐柳宗元唐故嶺南經略副使御史馬君墓志：「今年至慮耗，終不能以筋力為人贏縮。」感，參卷三、五二、注③。殘形，軀體耗損不全、衰老乏力。樂府詩集琴曲歌辭殘形操：「琴操曰：『殘形操，曾子所作。曾子夢一狸不見其首，而作此曲也。』」唐韓愈殘形操：「有獸維狸兮、我夢得之，其身孔明兮、而頭不知。吉凶何為兮、覺坐而思。巫咸上天兮、識者其誰？」

②犁雨……經　風雨中、烏雲下，鬆土作活，不知已渡過幾個年頭了？犂，俗作「犁」，ㄌㄧˊ。耕。使牛挽犂起土。古詩十九首之十四：「古墓犂為田，松柏摧為薪。」南宋陸游舍北

行飯詩：「一霜驟變千林色，兩犢新犂百畝荒。」鋤，耕。以鋤除草治田。唐李紳憫農詩：「鋤禾日當午，汗滴禾下土。」薛能老圃堂詩：「邵平瓜地接吾盧，穀雨乾時偶自鋤。」雨，指風雨。雲，謂烏雲。歲，年。年頭。幾、經，分別參考卷一〇、一八八、注②，卷八、一五三、注②。

③伴汝……野　春信降臨綠油油的原野，（我）陪著你一道耘耔。伴，相陪。唐司空曙送人北歸詩：「家禽與衰草，處處伴愁顏。」汝，指老牛。耕，耘耔。ㄩㄣˇㄗˇ。謂從事田間勞動。詩小雅甫田：「今適南畝，或耘或耔。」春。春信。來，至。引申作「降臨」解。餘詳參卷一、二、注④。綠野，綠色的原野。南朝宋謝靈運入彭蠡湖口詩：「春晚綠野秀，巖高白雲屯。」唐太宗詠雨：「和氣吹綠野，梅雨灑方田。」方干題應天寺上方詩：「勢橫綠野蒼茫外，影落平湖瀲灩間。」

④主人……星　我的兩頰鬢髮也花白了。主人，財物或權力的支配者。易明夷：「君子于行，三日不食，有攸往，主人有言。」東晉陶潛乞食詩：「主人解余

老　牛

意，遺贈豈虛來。」本句此處，係指老牛之飼主，猶云我。雙髩，兩鬢。兩頰的鬚髮。髩，原刊訛作「髩」，訂正之。北宋陳師道九月十三日出善利門詩：「共刊霜白鬢，似得半生閑。」亦，參卷一、七、注①。星星，頭髮花白貌。西晉左思白髮賦：「星星白髮，生於鬢垂。」北宋梅堯臣次韻答黃介夫七十韻：「散帙空堂上，垂冠髮星星。」清唐孫華再疊隨庵韻之一：「星星在鬢真堪慰，休向蒼華祝髮神。」

四三八、磨麪牛

蔡振豐

騂騂空具好形骸①，長託城東賣餅街②。掩眼不知門外事③，替人磨折作生涯④。

【析韻】

骸、街、涯，上平、九佳。

【釋題】

磨麪，將已曬乾之麥穀，輾除外殼並磨成粉狀物。牛，家畜之一。吾人運用其耕田、拖車、磨麪……等勞力性工作。餘參本卷四三七、釋題。

【注解】

①騂騂……骸　無緣無故擁有一具完美無缺的赤色軀體。騂騂，ㄒㄧㄥ ㄒㄧㄥ。赤色。西遊記第三〇回：「那隻虎生得……剛鬚直直插銀條，刺舌騂騂噴惡氣。」空具，無緣無故擁有。

空，ㄎㄨㄥ。徒。憑白。猶無緣無故。史記 越世家：「今遺少子，未必能生中子也；而先空亡長男，奈何？」唐 張籍 薊北春懷詩：「問路更愁遠，逢人空說歸。」具，具有。猶擁有。清 魏源 軍儲篇四：「每人願移者，許給地二頃，房屋、牛、種、器用、旅費畢具。」好，猶云完美無缺。餘參卷一九、三一〇、注③。形骸，人或動物的驅體、驅殼。莊子 天地：「汝方將忘汝神氣，墮汝形骸，而庶幾乎？」南朝 梁 范縝（四五〇？—五一〇？）神滅論：「死者之形骸，豈非無知之質邪？」骸，ㄏㄞˊ。

②長託……街　時常寄養在東門附近的賣餅街。長，ㄔㄤˊ。時常。戰國策 齊策一：「君長有齊（陰），奚以薛為？失齊，雖隆薛之城到於天，猶之無益也。」南朝 梁 任昉 為范始興作求立太宰碑表：「長想九原，樵蘇罔視其禁。」拍案驚奇第六卷：「那秀才在大人家館讀書，長是半年不回來。」託，寄。禮記 檀弓下：「久矣，予之不託於音也。」注：「託，寄也。」孟

上圖中間置於石臼上者即為石磨

子 萬章下：「士之不託諸侯，何也。」東漢 張衡 思玄賦：「痛火正之無懷兮，託山阪以孤魂。」唐 王勃 江南弄：「柴霧香煙渺難託，清風明月遙相思。」城東，竹塹城的東面，今新竹市 迎曦門附近。賣餅街，在今竹市東門街（迎曦門內）的路段。以製作、販售糕餅為業的成列店家，因稱。市（集）場曰街。老殘遊記第七回：「次日早飯後，便往街上尋覓書店。」

③掩眼……事　合上眼睛，不想瞭解街坊人家的所作所為。掩眼，即掩目。為合平仄，以「眼」代「目」。掩，ㄧㄢˇ。合上。（關）閉。三國志 魏書 陳琳傳：「陳琳曰：『諺有掩目補鬣。夫微物尚不可欺以得志，況國家大事乎！』」不知，謂不想瞭解。門外，指街坊人家。有機體之所作所為泛稱事。

④替人……涯　代人接受精神、肉體的各種凌虐、不得安逸，算是你的生活。替，代。無名氏木蘭詞：「願為市鞍馬，從此替爺征。」北宋 蘇軾 跋漁夫詞：「以山光水色，替其玉肌花貌。」磨折，同「折磨」。謂精神、肉體受凌虐、不得安逸，痛苦不堪。唐 白居易 自詠：「唯是無兒頭早白，被天磨折恰平均。」南宋 楊萬里 石灣雨作得躃師采若書約觀燈詩：「書生薄命多磨折，樂事良辰判卻休。」明 沈璟（一五五三—一六一〇）義俠記 巧媾：「若忘伊此情，暫時抛捨，願天罰我遭磨折。」清 納蘭性德 滿宮花詞：「麝烟消，蘭燼滅，多少怨眉愁睫。芙蓉蓮子待分明，莫向暗中磨折。」作，參卷三、四二、注①。生涯，生活。北周 庾信 謝趙王賚絲布等啟：「望外之恩，實符大賚；非常之錫，乃溢生

涯。」南宋陳亮謝陳參政啟：「暮景生涯，恍如落日；少年夢事，旋若好風。」孽海花第三一回：「從此，彩雲就和三兒雙宿雙棲在新居裡，度他們優伶社會的生涯。」

四三九、春　駒

蔡　振　豐

飛飛到處綠迴環①，影逐駒光屢往還②。消受香風春十里③，梅花驛路不勝閒④。

【析韻】

環、還、閒，上平、十五刪。

【釋題】

蛺蝶別名春駒。蝴蝶的一種。亦作「蛺蜨」。東晉葛洪抱朴子官理：「髫孺背千金而逐蛺蜨，越人棄八珍而甘鼁黽，即患不賞好，又病不識惡矣。」南朝梁何遜石頭答庾郎丹詩：「黃鸝隱葉飛，蛺蝶縈空戲。」唐杜甫曲江詩：「穿花蛺蝶深深見，點水蜻蜓款款飛。」近人林庚白（一八九七—一九四一）六月七日作詩：「綠到梧桐風力軟，飛來蛺蝶樹陰閒。」蛺，ㄐㄧㄚˊ。蜨，同「蝶」。又，蛺蝶別名𧉧（ㄧㄝˋ）蝶。餘參本卷、四四〇、釋題。

【注解】

①飛飛……環　在綠叢中，隨意反覆亂竄。飛飛，紛亂貌。唐杜甫絕句之二：「藹藹花蕊亂，飛飛蜂蝶多。」金朱弁（一〇八五—一一四四）炕寢三十韻：「飛飛湧玄雲，焱焱積

紅玉。」到處，參卷二五、四一二、注②。綠色（青中帶黃）物泛稱綠。在此，指綠葉、綠草等，猶綠叢也。酉陽雜俎：「應城北有蓮子湖，湖中多蓮花，紅綠間明，乍疑濯錦。」唐 宋之問 登藤州詩：「攀幽紅處歇，躋陰綠中行。」柳宗元 永州韋使君新堂記：「邇延綠野，遠混天碧。」迴環，亦作「廻環」。反覆。文心雕龍 雜文：「揚雄 解嘲，雜以諧謔，迴環自釋，頗亦為工。」唐 白居易 醉後贈人詩：「香毬趁拍迴環匼，花盞抛巡取次飛。」

②影逐……還　蝶影追著那短暫的光陰，一再地來回奔波。影，指蝶影。物（體）受光所生之陰暗形象曰影。列子 說符：「形枉則影曲，形正則影直。」逐，ㄓㄨˊ。追。謂自後及之。易 睽：「初九，悔亡。喪馬勿逐。自復，見惡人，無咎。」左傳 隱公一一年：「潁考叔挾輈以走，子都拔棘以逐之。」漢書 高帝紀：「當是時，秦兵彊，常乘勝逐北。」駒光，短暫的光陰。清 李氏 示兒詩：「勉矣趁朝暾，駒光不我與。」近人聞一多（一八九九－一九四六）青春篇 別後：「你在這一隙駒光之間，竟教我更迭地作了冰炭底化身。」屢，一再。數。累次。表數量。詩 小雅 巧言：「君子屢盟，亂是用長；君子信盜，亂是用暴……。」往還，往返。謂來回。列子 黃帝：「入火往還，埃不漫，身不焦。」東晉 郭璞 江賦：「介鯨乘濤以出入，鯼鮆順時而往還。」清 顧炎武 日知錄 軍行遲速：「而帝問往還幾日，懿對以往百日、攻百日、還百日，以六十日為休息，如此一年足矣。」

③消受……里　徜徉在帶著芬芳的和風裏，春的景色綿衍十里。消受，猶云徜徉其中。餘參

卷八、一五九、注②。香風，帶有香氣的風。南朝 梁 簡文帝 六根懺文：「香風淨土之聲，寶樹鏗鏘之響。於一念中，怳然入悟。」唐 楊師道（一作希道；？—？）賦終南山用風字韻應詔：「登臨日將晚，蘭桂起香風。」醒世恒言 錢秀才錯占鳳凰儔：「錢青貼裏貼外，都換了時新華麗衣服，行動香風拂拂，比前更覺標致。」春，指春色言。北朝 魏 陸凱 贈范曄詩：「折梅逢驛使，寄與隴頭人。江南無所有，聊寄一枝春。」十里，參卷六、一〇三、注④，卷一九、三一七、注④。

④梅花……閒　往梅花驛，一路上、非常消遙。梅花驛，驛站的美稱。南宋 范成大 南柯子詞：「悵望梅花驛，凝情杜若川。」路，路程。猶今語「一路上」。不勝，參卷五、九五、注④。閒，ㄒㄧㄢˊ。通「閑」。安逸舒適。猶云逍遙。莊子 知北遊：「嘗相與无為乎，澹而靜乎，漠而清乎，調而閒乎。」唐 張籍 送施肩吾東歸詩：「早聞詩句傳人遍，新得科

五彩百蝶瓶（清康熙年代燒製 1662-1722）
高 44cm 口徑 12cm 足徑 13cm

名到處閒。」金趙可（號玉峰散人。？—？；金貞元二年進士。）雨中花慢詞：「樓上四時長好，人生一世誰閒？」

四四〇、睡　蝶

陳　朝　龍

伶【俜】小樣曲欄憑①，睡態居然弱不勝②。我亦耽花成痼癖③，一場春夢醒何曾④。

【析韻】

憑、勝、曾，下平、十蒸。

【釋題】

蝶處於休眠狀態，稱睡蝶。蝶，昆蟲綱，鱗翅目，錘角亞目（Rhopalocera，舊稱蝶亞目）昆蟲之通稱。翅與體表密被各色鱗片即叢毛，形成各種花斑；大小因種類而異。頭部有錘狀或棍棒狀觸角一對、複眼一對；口器特化成喙，虹吸式，不用時作螺旋狀捲曲。品種甚多，約有一四、〇〇〇餘種；我國約有一、三〇〇餘種。臺灣於廿世紀六十年代前，且有蝴蝶王國之稱。某些種類如稻弄蝶、菜粉蝶等有害於經濟作物。蝶，俗稱蝴蝶。

【注解】

①伶俜……憑　嬌細、孤單的身子，靠著曲折的欄杆。伶俜，ㄌㄧㄥˊ ㄆㄧㄥ。孤單貌。玉臺新詠古詩為焦仲卿妻作：「晝夜勤作息，伶俜縈苦辛。」唐杜甫新安吏詩：「肥男有母

送，瘦男獨伶俜。」清那彥成（一七六四—一八三三）疏影詞：「惺忪香國，忍伶俜泡影，凍禁孤碧。」榮按：原刊，「俜」訛作「傳」，茲訂正之。小樣，形容軀體或物嬌細。南宋王仲甫（？—？，世次不詳。）滿朝歌詞：「小樣羅衫，淡紅拂過，風流萬般做處。」此指小腰身的衣裳。曲欄，曲折的欄杆。唐白居易題岳陽樓詩：「岳陽城下水漫漫，獨上危樓憑曲欄。」北宋文同蒲氏別墅十詠清蟾橋：「誰此伴高興，畫橋憑曲欄。」憑，靠著。書顧命：「相被冕服，憑玉几。」南朝梁江淹雜體詩效孫綽雜述：「冏冏秋月明，憑軒詠堯老。」

②睡態……勝　它的睡姿，明顯地呈現體態十分纖細。睡態，睡眠時的姿態。近人魯迅三閒集柔石作二月小引：「瞿曇（釋迦牟尼）從夜半醒來，目睹宮女們睡態之醜，于是慨然出家。」瞿秋白（一八九九—一九三五）赤都心史一：「酒闌興盡，倦舞的腰肢，已經頹唐散漫，睡態惺忪。」居然，參卷一、五、注①。弱，參本卷四二八、注①。不勝，參卷五、九五、注④。

③我亦……癖　我也愛花，愛得如癡如醉，已經無法改變這個嗜好。耽花，沉迷於花。耽，ㄉㄢ。愛好。專心於。西漢劉向說苑復恩：「耽我以道，說我以仁。」後漢書李固傳：「豈與此外戚凡輩耽榮好位者同日而論哉！」東晉陶潛勸農詩：「孔耽道德，樊須是鄙。」清龔自珍釋言詩之一：「略耽掌故非勛濟，敢侈心期在簡編。」成，變為。易繫辭上：「是故四營而成易，十有八變而成卦。」禮記學記：「玉不琢，不成器。」痼癖，ㄍㄨˋ ㄆㄧˇ。

長期養成，不容易改變的嗜好。元 潘音（一二七〇—一三五五）反北山嘲詩：「煙霞成痼癖，聲價藉巢由。」

④一場……曾　一番春天的美夢，並未明覺過來。一場，ㄧˋ ㄔㄤˊ。表數量。猶一回。一番。唐 白居易 感櫻桃花因招飲客詩：「誰能聞此來相勸？共泥春風醉一場。」京本通俗小說碾玉觀音：「若是押發人是個學舌的，就有一場是非出來。」紅樓夢第三二回：「別是想起什麼來，生了氣，叫他出去教訓一場罷！」春夢，春天的夢。唐 沈佺期 雜詩之二：「妾家臨渭北，春夢著遼西。」北宋 王安石 與微之同賦梅花詩：「好借月魂來映燭，恐隨春夢去飛揚。」醒，覺。夢覺。唐 章孝標（？—？；會昌中猶健在。）雲際寺詩：「雲領浮名去，鐘撞大夢醒。」南宋 朱熹 梧竹詩：「此君同一笑，午夢頓能醒。」何曾，何嘗。幾曾。以反問的語氣表示「不曾」、「並未」。三國 魏 曹丕 與吳質書：「昔日遊處，行則連輿，止則接席，何曾須臾相失？」唐 王昌齡 九日登高詩：「謾說陶潛籬下醉，何曾得見此風流？」北宋 蘇軾 和寄無選長官：「自古山林人，何曾識機巧？」

四四一、新蟬

林朝崧

臨風羽化一身輕①，莫便枝頭得意鳴②。滿地綠陰涼似水③，須防病僂丈人行④。

【析韻】

輕、鳴、行，下平、八庚。

【釋題】

新蟬，初夏的蟬鳴。唐白居易六月三日夜聞蟬詩：「微月初三夜，新蟬第一聲。」元本高明琵琶記伯喈彈琴訴怨：「柳陰中忽聽新蟬，更流螢飛來庭院。」蟬，學名蚱蟬（Cryptotympana pustulata），俗稱知了。昆蟲綱，同翅目，蟬科。體長四至四・八公分為最大。前後翅基部均呈黑褐色，斑紋外側呈截斷狀。夏日鳴聲甚大。幼蟲棲息土中，吸樹根液汁。其蛻殼稱蟬蛻、蟬衣，入藥。

【注解】

①臨風……輕　迎著風、蛻變蛹化，渾身瘦小、不堪一擊。臨風，參卷一五、二四六、注③。羽化，昆蟲由若蟲或蛹化為成蟲的過程。東晉干寶搜神記卷一三：「木蠹生蟲，羽化為蝶。」南宋周密齊東野語姚乾父雜文：「然卵生羽化，方孳育而未息；鑽椽穴柱，不盡嚙而不已。」一身，渾身。全身。蕩寇志第七一回：「這廝一身橫肉，正好喂（餵）豬狗。」兒女英雄傳第三回：「打出一身的黑紫色來，他的手腳纔漸漸的熱了過來。」不重曰輕。論語雍也：「乘肥馬，衣輕裘。」東晉湛方生（？—？）遊園賦：「乘夕陽而含詠，杖輕策以行遊。」南朝梁王籍（四八〇—五五〇？）櫂歌行：「輕櫂暮不息，復逐夜潮上。」

②莫便……鳴　不方便在枝梢上稱心地發聲。莫便，不便。謂不方便。莫，表否定。不，不能。詩邶風終風：「莫往莫來，悠悠我思。」荀子解蔽：「桀死於鬲山，紂縣於赤旆，身不知先，人又莫之諫，此蔽塞之禍也。」唐李白蜀道難詩：「一夫當關，萬夫莫開。」枝頭，樹枝上端。唐元稹元和五年予官不了罰俸西歸詩：「漸到柳枝頭，川光始明媚。」南宋翁森（？—？，紹興、慶元間人。）四時讀書樂詩：「好鳥枝頭亦朋友，落花水面皆文章。」得意，稱心。滿意。西漢劉向列女傳黎莊夫人：「黎莊夫人者，衛侯之女，黎莊公之夫人也。既往而不同欲，所務者異，未嘗得見，甚不得意。」新唐書柳公權傳：「嘗書京兆西明寺金剛經，有鍾、王、歐、虞、褚、陸諸家法，自為得意。」北宋蘇軾乘舟過賈收水閣不在見其子詩之二：「得意詩酒社，終身魚稻鄉。樂哉無一事，何處不清涼。」魚蟲發聲曰鳴。南史孔珪傳：「門庭之內，草萊不剪，中有蛙鳴。」西京雜記卷一：「昆明池刻玉石為鯨魚，每至雷雨，魚常鳴吼，鬐尾皆動。」

③滿地……水　到處都是翠綠的樹蔭，整個身子像水般地涼快。滿地，參卷六、一二二、注①。綠陰，亦作「綠蔭」。翠綠的樹蔭。唐來鵠病起詩：「春初一臥到深秋，不見紅芳與綠陰。」明高啟葵花詩：「艷發朱光裏，叢依綠蔭邊。」清徐喈鳳會仙記：「素娥抱一女至，曰：『此小姐所產，十閱月矣。以其生綠蔭下，因名綠陰。』」涼，微寒。東漢劉楨公宴詩：「華館寄流波，豁達來風涼。」三國魏曹丕燕歌行：「秋風蕭瑟天氣涼，草木搖落露為霜。」北宋孔武仲（一〇四六？—一一〇二？）和竹元珍夜雨：「帝

城塵土熱如湯，喜有殘宵雨送涼。」似水，猶如水般的溫度。似，如，好像。

④須防……行　要戒備駝背的老人，使用竹竿來捕捉你啊！須防，必要防備。須，必要。京本通俗小說 馮玉梅團圓：「馮公用手攙扶道：『不須如此。』」元 鄭廷玉後庭花第一折：「何須發怒，不索生嗔。」明 王世貞送胡子文太史使荊州遼府詩：「上林簪筆應相待，留滯何須念子長。」防，戒備。易 小過：「弗過防之，從或戕之，凶。」高亨注：「當人未有過失之時，宜預防之。」唐 皎然因遊支硎寺寄邢端公詩：「謇諤言無隱，公忠禍不防。」痀僂丈人，駝背的老人。列子 黃帝：「孔子顧謂弟子曰：『用志不分，乃疑於神，其痀僂丈人之謂乎？』」痀僂，ㄐㄩ ㄌㄡˊ；又讀ㄍㄡ ㄌㄡˊ。背脊彎曲。莊子 達生：「仲尼適楚，出於林中，見痀僂者承蜩，猶掇之也。」宋史 李允正傳：「素病痀僂，以是罕在要近。」清 陳維崧滿庭芳 贈西陵周勿庵詞：「頗怪丈人痀僂，卻恐舍人尻疊。」行，ㄒㄧㄥˊ。做。指老人承蜩一事。詳參前引莊子 達生。老殘遊記第十六回：「老剛道：『這們大個案情，一千銀子那能行嗎？』」蜩，ㄊㄧㄠˊ。蟬。詩 豳風 七月：「五月鳴蜩。」

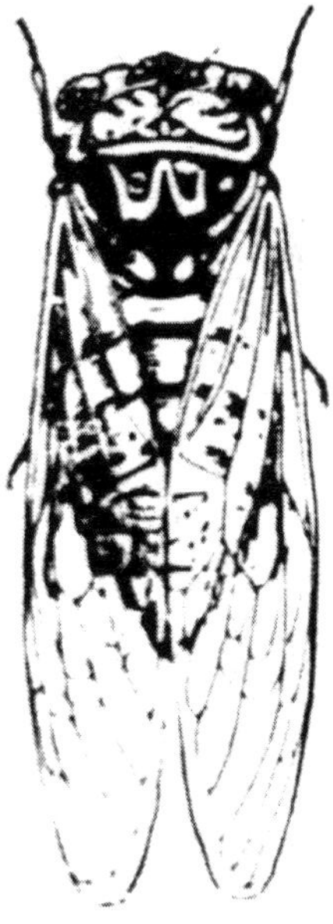

蟬

四四二、新　蟬

戴珠光

之一

扇景微聞描點點①，冠纓纔見綴輕輕②。綠槐五月薰風起③，痀僂機心又一萌④。

之二

鼓吹詩腸繼早鶯⑤，柳陰深處兩三聲⑥。無多飲露吟偏苦⑦，也似騷人太瘦生⑧。

【析韻】

輕、萌，下平、八庚。（之一）

鶯、聲、生，下平、八庚。（之二）

【釋題】

同前首。

【注解】

①扇景……點　隱約聽見小而薄的蟬翼，依樣完成、就振翅欲飛。扇景，振翅欲飛的情況。扇，振翼欲飛。爾雅 釋蟲：「蜖醜扇。」郭漢注：「好搖翅。」西晉 習嘏（？—？，世次不詳。）長鳴雞賦：「扇六翮以增輝，舒毛毳而不垂。」景，情況。漢書 梅福傳：「陰

盛陽微，金鐵為飛，此何景也。」顏師古注引蘇林曰：「景，象也。」清　富察敦崇　燕京歲時記　燈節：「市賣食物，乾鮮俱備，而以元宵為大宗。亦能以點綴節景爾。」紅樓夢第四六回：「把方才鳳姐過去回來所有的形景言詞始末原由告訴與他。」微聞，隱約聽到。謂聽見蟬蛹化成蟲時身軀變化所發出的聲音、慘狀。史記　項羽本紀：「諸將微聞其計，以告項羽。」南宋　岳珂　桯史　天子門生：「高宗更化，微聞其事。」描，依樣寫製；引申作「依樣完成」解。點點，形容小或少。明　湯顯祖　紫簫記　心香：「郡主點點年紀，說這般話，真是蕊珠仙品。」二十年目睹之怪現狀第一八回：「修理這點點屋角，不過幾十吊錢的事，怎麼要派起我們一百兩來。」

②冠纓……輕　方才注視到它毫不費力地把兩對薄翼繫結在頸項上。冠纓，帽帶。結於領下，使帽子固定于頭上。韓非子　奸劫弒臣：「楚王子圍將聘於鄭，未出境，聞王病而反，因入問病，以其冠纓絞王而殺之，遂自立也。」史記　滑稽列傳：「淳于髡仰天大笑，冠纓索絕。」榮按：作者將蟬擬人化，以「冠纓」隱指蟬的頭頸部位。纔見，方才注視到。纔，ㄘㄞˊ。甫。表時間。漢書　鼂錯傳：「救之，少發、則不足；多發、遠縣纔至，則胡又已去。」唐魚玄機　閨怨詩：「別日南雁纔北去，今朝北雁又南飛。」北宋　李清照　一剪梅詞：「花自飄零水自流，一種相思，兩處閒愁；此情無計可消除，纔下眉頭，又上心頭。」見，注視。詩　唐風　綢繆：「今夕何夕？見此良人！」易　乾：「飛龍在天，利見大人。」孟子　梁惠王上：「無傷也，是乃仁術也。見牛未見羊也。」綴，結。詩　商頌　長發：「受小球大

球，為下國綴旒。」箋：「猶結也。……」南宋朱淑真喜雨詩：「傍池占得秋意多，尚餘珠點綴圓荷。」不費力或著力不多曰輕。唐杜甫江漲詩：「細動迎風燕，輕搖逐浪鷗。」輕輕，形容毫不費力。

③綠槐……起　初夏、綠葉繁茂的槐樹下，和暖的東南風，迎面吹拂。綠槐，綠葉茂盛的槐樹。西晉潘岳在懷縣作詩：「白水過庭激，綠槐夾門植。」南朝梁簡文帝昭明太子集序：「致深黃竹，文冠綠槐。」唐沈佺期長安道詩：「綠槐開復合，紅塵聚還散。」韓翃別汜水縣尉詩：「綠槐陰陰出關道，上有蟬聲下秋草。」劉禹錫首夏閒居詩：「蕙草芳未歇，綠槐陰已成。」北宋蘇軾溪陰堂詩：「白氣滿時雙鷺下，綠槐高處一蟬吟，酒醒門外三竿日，臥看溪南十畝陰。」五月，參卷四、七四、注③。薰風，初夏和暖的東南風。呂氏春秋有始：「東南曰薰風。」唐白居易首夏南池獨酌詩：「薰風自南至，吹我池上林。」明李東陽天津八景詩之四：「層軒南向坐薰風，極目平疇遠近同。」起，興；作。明方孝孺深慮論：「然而，禍常發於所忽之中，而亂常起於不足疑之事。」禮記禮運：「協諸義而協，則禮雖先王未之有，可以義起也。」注：「起，作也。」本句此處採引申義。猶言迎面吹拂。

④痀僂……萌　駝背老人巧詐之心，再度開始發生。痀僂，參本卷、四四一、注④。機心，參卷一、一、注①。又，參卷五、九八、注④。一萌，開始發生。一，開始。孟子梁惠王下：「書曰：『湯一征，自葛始。』」萌，生。發生。管子牧民：「能備患於未形也，

故禍不萌。」

⑤鼓吹……鶯　天濛濛亮，接續清晨黃鸝的低唱，激發我作詩的情思。鼓吹詩腸，昔人恒作「詩腸鼓吹」，喻激發作詩的情思。唐　馮贄　雲仙雜記　俗耳針砭詩腸鼓吹：「戴顒春攜雙柑斗酒，人問何之，曰：『往聽黃鸝聲，此俗耳鍼砭，詩腸鼓吹，汝知之乎？』」戴顒（？—四四一年）南朝　宋　譙郡　銍（今安徽　宿縣西）人。字仲若。父逵、兄勃，並隱遁有高名。顒亦終生未仕。世居剡下，嘗隱京口　黃鵠山，寄情山水。顒博學多藝，好音樂，擅鼓琴，並自造新聲變曲。又工雕塑，所塑佛銅像，上下得體，時人歎服。渠精通莊子，曾撰逍遙論述莊子大旨；注禮記中庸篇，均已佚。繼，續。接續。禮記　中庸：「夫孝者，善繼人之志。」左傳　莊公二二年：「飲桓公酒，樂；公曰：『以火繼之！』辭曰：『臣卜其晝，未卜其夜，不敢。』」論語　堯曰：「興滅國，繼絕世，舉逸民，天下之民歸心焉。」早鶯，清晨的黃鸝。鶯，黃鸝。

⑥柳陰……聲　垂柳蔭下，隱密的地方，傳來多少聲。柳陰深處，參卷一二一、一二五、注④。兩三聲，多少聲。猶幾聲。兩三，幾個。表示少量。樂府詩集　相和歌辭九相逢行：「兄弟兩三人，中子為侍郎。」唐　皎然　舟行懷閻士和詩：「相思一日在孤舟，空見歸雲兩三片。」元　薩都刺　秋詞：「清夜空車出建章，紫衣小隊兩三行。」聲，指鶯唱。

⑦無多……苦　喝少許的露水；哦咏特別艱辛。無多，參卷二六、四三七、注①。飲露，語出莊子　逍遙遊：「藐姑射之山，有神人居焉。……不食五穀，吸風飲露。」吟，哦咏。

莊子德充符：「倚樹而吟，據槁梧而瞑。」南宋陸游晝臥初起書事詩：「待睡不來聊小憩，煅詩未就且長吟。」偏苦，特別艱辛。

⑧也似……生　也像閬仙的作品一般，清峭瘦硬極了。也似，也像……一般。騷人，隱指詩人賈島。餘參卷一二、二三四、注④。賈島（七七九－八四三年）一字閬仙。餘詳卷五、九八、釋題。太瘦，非常清峭瘦硬。北宋蘇軾祭柳子玉文：「元輕白俗，郊寒島瘦。嘹然一吟，眾作卑陋。」南宋張表臣（？－？，政和、建炎間人。）珊瑚鉤詩話卷一：「（詩）以氣韻清高深眇者絕，以格律雅健雄豪者勝。元輕白俗，郊寒島瘦，皆其病也。」清李楷（？－一六七〇）岙山集序：「乃世所援以為口實者，元輕白俗，郊寒島瘦，予竊以為不然……若四公者，皆自成一家者也。」生，產。禮記大學：「生財有大道，生之者眾，食之者寡，為之者疾，用之者舒，則財恒足矣。」在此，引申作「作品」解。

四四三、秋螢

戴珠光

萬點螢光檻外過①，佳人小扇撲輕羅②。可憐芳草前生夢③，隋苑西風舊恨多④。

【析韻】

過、羅、多，下平、五歌。

【釋題】

秋螢，秋夜所見之螢。螢，ㄧㄥˊ。俗稱螢火蟲。昆蟲綱，鞘翅目，螢科。種類甚多。體小型或中型，一般細長而扁平，雌雄均有鞘翅，或僅雄螢有鞘翅；鞘翅較軟。腹部末端下方有發光器。螢於呼吸過程中，螢光素氧化而產生光。螢屬夜間活動性昆蟲。一般常見者為黃螢（Luciola terminalis）。隋盧思道（約五三一—五八二）為隋檄陳文：「運岱山而壓春卵，引渤海而濯秋螢。」唐杜甫橋陵詩：「主人念老馬，廨署容秋螢。」劉禹錫秋螢引詩：「漢陵秦苑遙蒼蒼，陳根腐葉秋螢光。」

【注解】

①萬點……過　成千上萬顆的螢光，從門外飛逝。萬點，成千上萬顆。萬，百之百倍。表數量眾多，猶云成千上萬，未必一萬也。顆曰點。唐趙嘏（八〇六—八五二？）長安秋望詩：「殘星幾點雁橫塞，長笛一聲人倚樓。」螢光，螢火蟲發出的光。唐韋承慶（六四〇—七〇六）直中書省詩：「螢光向日盡，蚊力負山疲。」南宋徐照（？—一二一一）宿翁靈舒幽居期趙紫芝不至詩：「蛩響移砧石，螢光出瓦松。」清沈復浮生六記閨房記樂：「（余）但見隔岸螢光明滅萬點，梳織於柳堤蓼渚間。」檻外，猶門外。檻，ㄎㄢˇ。門下橫木，即門檻、門限。明史太祖紀一：「移兵兩河，破其藩籬，拔潼關而守之，扼其戶檻。」紅樓夢第七回：「走至堂屋，只見小丫頭豐兒坐在房門檻兒上。」外，參卷二五、四二四、注④。過，引申作「飛逝」解。餘參卷一五、二六一、注①。

②佳人……羅　美人手持精巧的團扇，輕輕地拂著她那細薄的羅裳。佳人，美女。戰國 楚 宋玉 登徒子好色賦：「天下之佳人，莫若楚國；楚國之麗者，莫若臣里；臣里之美者，莫若臣東家之子。」西漢 司馬相如 長門賦：「夫何一佳人兮，步消遙以自虞；魂踰佚而不反兮，型枯槁而獨居？」北宋 蘇軾 虢國夫人夜游圖詩：「佳人自鞚玉花驄，翩如驚燕踏飛龍。」金 董解元 西廂記 諸宮調卷一：「右壁箇佳人舉止輕盈，臉兒說不得的搶。」明 李攀龍 七夕集元美宅送茂秦詩：「仙吏揮金椀，佳人罷錦梭。」小扇，精巧的團扇。物之微曰小。謂面積不大、細巧也。撲，拂（著）。唐 岑參 韋員外家花樹歌詩：「朝回花底恒會客，花撲玉缸春酒香。」輕羅，質地細薄的絲織物。東晉 葛洪 抱朴子 博喻：「故輕羅霧縠，冶服之麗也，而不可以禦流鏑。」北宋 曾鞏 南湖行之一：「著紅少年里中出，百金市上裁輕羅。」花月痕第一一回：「又見采秋晚粧如畫，頭上烏雲，一絲不亂，一身輕羅薄縠，映著玉骨冰肌，遂把前事忘了。」

③可憐……夢　值得同情啊！這是她前世的幻象。可憐，參卷一、九、注④、卷二、二一、注③等。芳草，香草。用以隱指美人。前生，參卷二四、四〇八、注③。夢，猶幻象，餘參卷一、二、注①。

④隋苑……多　隋苑裏，那秋風、過去所積的怨氣可不少呢！隋苑，隋煬帝（楊廣，六〇五—六一八年在位）所營構的園苑。原稱上林苑，又名西苑。故址在今江蘇 揚州西北。唐 杜牧 寄題甘露寺北軒詩：「天接海門秋水色，煙籠隋苑暮鐘聲。」馮集梧注：「一統志：

揚州隋苑，在江都縣北七里。」西風，參卷九、一七五、注③。舊恨，昔日的怨氣。猶舊怨。唐盧綸秋中野望寄舍弟綬兼呈上西川尚書舅詩：「舊恨尚填膺，新悲復縈睫。」孟郊無題詩：「新悲徒自起，舊恨空浮江。」多，不少。另參卷一、一五、注④。

螢

四四四、蛩聲

陳濬芝

唧唧聲來聽最真①，微蛩四壁咏頻頻②。秋心別有難傳處③，似解人愁又惱人④。

【析韻】

真、頻、人，上平、十一真。

【釋題】

蛩聲，蟋蟀的鳴聲。蛩，ㄑㄩㄥˊ。蟋蟀的別名。南朝宋鮑照擬古詩之七：「秋蛩扶戶吟，寒婦晨夜織。」一本作「蛬」。南宋趙與時（一一七五—一二三一）賓退錄卷六：「（路德延孩兒詩）等鵲潛籬畔，聽蛩伏砌邊。」唐白居易禁中聞蛩詩：「西窗獨闇坐，滿耳新蛩聲。」北宋王安石五更詩：「只聽蛩聲已無夢，五更桐葉強知秋。」

【注解】

①唧唧……真　「ㄐㄧ ㄐㄧ！ㄐㄧ ㄐㄧ！」傾聽起來，十分自然。唧唧，ㄐㄧ ㄐㄧ。鳥鳴聲、蟲吟聲。唐王維青雀歌：「猶勝黃雀爭上下，唧唧空倉復若何？」北宋歐陽修秋聲賦：「但聞四壁蟲聲唧唧，如助余之嘆息。」聲來，蟲鳴的聲音傳到。聽，參卷一九、三二三、注④。最真，十分自然。最，極。甚。猶云十分。真，自然。莊子秋水：「謹守而勿失，是謂反其真。」

②微蛩……頻　小小的蟋蟀，就在屋子的四周，連續不斷地曼聲長吟。微蛩，小小的蟋蟀。微，小的。後漢書班超傳：「幸得以微功，特蒙重賞。」蛩，詳釋題。四壁，房子的四面。唐韓愈病中贈張十八詩：「傾尊與斟酌，四壁堆罌缸。」清洪昇長生殿雨夢：「單則聽颯刺刺風搖樹搖，啾唧唧四壁寒蛩絮，一片愁苗、怨苗。」咏，同「詠」。曼聲長吟。禮記檀弓下：「人喜則斯陶，陶斯咏。」鄭玄注：「咏，謳也。」唐許堯佐柳氏傳：「喜談謔，善謳咏。」頻頻，叫聲連續不斷。水滸傳第三六回：「情願叫小可明吃了官司，急斷配出來，又頻頻囑咐。」清錢泳履園叢話臆論告借：「蓋借則甚易，還則甚難，取索頻頻，怨由是起。」

③秋心……處　秋天悲愁的情緒，另有不容易轉達的地方。秋心，參卷一八、三〇〇、注③。別有，參卷一、五、注③。難傳處，不容易轉達的地方。傳，轉達。唐岑參玉門關逢入

京使詩：「馬上相逢無紙筆，憑君傳語報平安。」

④似解……人　好像知道人們的憂思；卻惹人生厭。似解，好像知道。解，悟。曉悟。三國志 魏書 賈詡傳：「太祖與韓遂、馬超戰渭南，問計於詡，對曰：『離之而已。』太祖曰：『解！』」清 高東井（一七三八—一七七六）贈方子雲詩：「從來貧士貪留客，未有庸人解好名。」人愁，人們的憂思。又，並。表進層連接。水滸傳第二七回：「武松道：『我是個囚徒，……又不曾有半點好處到管營相公處，他如何送東西與我喫？』……」惱人，惹人生厭。南宋 陸游春日雜賦詩之三：「未遂初心惟一事，乞鄰賒米惱吾鄰。」

蟋蟀，別稱蛩。

四四五、鱟

鄭鵬雲

雌雄相負儼如帆①，作醢居然慰老饞②。取伴醑乾同一醉③，官樓酒量滿青衫④。

【析韻】

帆、饞、衫，下平、十五咸。

【釋題】

鱟，ㄏㄡˋ。學名 **Tachypleus tridentatus**。亦稱東方鱟、中國鱟。肢口綱，劍尾目，鱟科。體分頭胸、腹及尾三部。頭胸甲寬廣，作半月形。腹面有六對附肢。腹部較小，略呈六角形，兩側有銳棘，下有六對片狀游泳肢，後五對各有一對鰓。尾呈劍狀。分布於太平洋，我國浙江以南淺海常見之。可食用，亦供藥用。閩南、臺澎稱舀水之物，曰「鱟殼」，為就地取材之一例也。

【注解】

①雌雄……帆　母的、公的，彼此背靠背，好像一扇張掛開來的船蓬。雌雄，雌性與雄性。詩 小雅 正月：「具曰予聖，誰知烏之雌雄。」晉書 五行志中：「惠帝 元康中，吳郡 婁縣人聞地中有犬子聲，掘之，得雌雄各一。」清 沈起鳳 諧鐸 鷄談：「有祝翁者，豢雌雄兩頭。」相負，彼此背靠背。相，ㄒㄧㄤ。彼此。詩 小雅 斯干：「兄及弟矣，式相好矣。」呂氏春秋 慎行：「為義者，始而相與，久而相信，卒而相親。」史記 淮南衡山列傳：「孝文十二年，民有作歌，……曰：『一尺布，尚可縫；一斗粟，尚可舂。兄弟二人，不能相容。』」背倚曰負。禮記 明堂位：「天子負斧依南鄉而立。」儼如，宛如。好像。明 方孝孺 先府君行狀：「民有積粟，野無餓殍，雞犬牛羊散被草野，富庶充實，儼如承平之

世。」清李天馥（一六三七—一六九九）濉堂詩集序：「鬚眉畢白，儼如商洛之就聘者。」帆，蓬。張掛船桅上受風之布幔。西晉木華（？—？，泰始、光熙間人。）海賦：「維長綃，挂帆席。」老殘遊記第一回：「又有兩枝新桅，掛著一扇簇新的帆，一扇半新不舊的帆。」

②作醢……饞　調製成肉醬，的確滿足了貪食者的口腹之慾。作醢，調製成醬。醢，ㄏㄞˇ。肉醬。詩大雅行葦：「醓醢以薦，或燔或炙。」高亨注：「醢，肉醬。」居然，參卷一、五、注①。慰，安。謂安適。在此，引申作「滿足」解。元袁桷（一二六六—一三二七）重午日宿南口小店詩：「猶持一巵酒，慰彼湘纍愁。」老饞，極貪食的人。南宋陸游戲詠鄉里食物示鄰曲：「老饞自覺筆力短，得一忘十真堪咍。」

③取伴……醉　情邀好友，飲盡美酒，大伙兒一道酩酊、忘我。取伴，情邀好友。取，選擇。左傳隱公五年：「取材以章物采，謂之物。」孟子離婁下：「夫尹公之他，端人也，其取友必端矣。」侶曰伴。酭，ㄧㄡˇ。酒名。（玉篇酉部）。乾，飲盡。同，參卷一六、二七五、注③。一醉，猶甚醉。一，很。甚。莊子大宗師：「顏回問仲尼曰：『孟孫才，其母死，哭泣无涕，中心不戚，居喪不哀。无是三者，以善處喪蓋魯國。固有无其實而得其名者乎？回一怪之。』」晏子春秋諫上九：「寡人一樂之，是欲祿之以萬鍾，其足乎？」飲酒過量，（伐德喪儀），曰醉。孟子離婁上：「今惡死亡而樂不仁，是猶惡醉而強酒。」五代（前）蜀韋莊（八三六？—九一〇年）離筵訴酒詩：「不是不能判酩酊，卻憂前路醉

醒時。」

④官樓……衫　販售官酒的酒樓裏，各個渾身酒氣薰天。官樓，販售官酒的酒樓。南宋 陸游 樓上醉書詩：「益州官樓酒如海，我來解旗論日買。」官釀官賣的酒，稱官酒。唐 白居易 府酒五絕 變法：「唯是改張官酒法，漸從濁水作醍醐。」北宋 黃庭堅 自咸平至太康鞍馬間得十小詩此他日醉時與叔原所詠因以為韻：「春色挾曙來，惱人似官酒。酬春無好語，懷我文章友。」明 張羽（一三三三—一三八五）送金秀才歸侍詩：「金陵官酒如乳香，酌君送君朱雀坊。」酒量，ㄐㄧㄡˇ ㄌㄧㄤˋ。北宋 張耒 明道雜志：「晁無咎與余酒量正敵，每相遇，兩人對飲，輒盡一斗，纔微醺耳。」兒女英雄傳第一三回：「原來安老爺酒量頗豪。」滿，盈。餘參卷九、一七一、注④。青衫，青色交領的長衫，原稱「青衿」。為古學子、明 清兩朝秀才之常服。詩 鄭風 子衿：「青青子衿，悠悠我心。」毛傳：「青衿，青領也。學子之所服。」南朝梁 江淹 麗色賦：「楚臣既放，魂往江南。弟子曰：玉釋佩，馬解驂。濛濛綠水，裹裹青衫。乃召巫史：茲憂何止？」儒林外史第四四回：「蒙前任大宗師考補博士弟子員。這領青衿不為希罕，卻喜小姪的文章前三天滿城都傳遍了。」

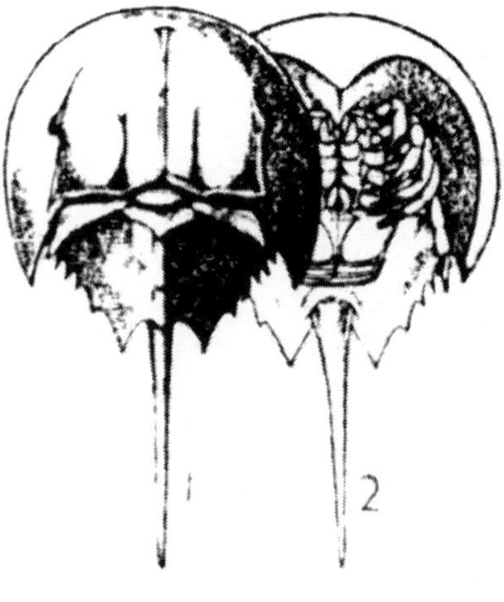

鱟（1、正面）（2、背面）

四四六、鯽　魚

鄭鵬雲

霜天波落洞庭寒①，玉鯽初肥上食單②。多少過江名下士③，有人白眼等閒看④。

【析韻】

寒、單、看，上平、十四寒。

【釋題】

鯽，ㄐㄧˋ。學名 Carassius auratus。古稱「鰿」，亦稱「鮒」。硬骨魚綱，鯉科。體側扁，稍高，長可達二十餘公分。背面青褐色、腹面銀灰色。口端位，無鬚。背鰭、臀鰭有硬刺，最後一刺，其後緣具鋸齒。雜食性，生長較慢。分部廣，我國各地淡水皆產，日、韓、越等國亦產。肉細嫩、味鮮美，屬主要食用魚類。變種金魚，經長期選種，已形成許多品種，供觀賞。

【注解】

①霜天……寒　深秋，水流起伏，湖塘一片冷冽。霜天，指深秋。餘參卷三、三五四、注①。波落，描述水流或起或伏，變動不定。波，水面因風力或他物振動而產生的起伏現象。物體下墜曰落。洞庭，湖名。一、即洞庭湖，在今湖南省境內。二、太湖別名洞庭。在此，係用以代稱湖塘之屬。寒，參本卷四三三、注④。

②玉鯽……單　鱗鰭雪白如玉、肉腴多脂的鯽魚剛長成，已經出現在菜單裡。玉鯽，鱗、鰭雪白、潔靜如玉的鯽魚。初肥，肉腴多脂，剛剛長成。初，表時間。猶始。詩 小雅 巧言：「亂之初生，僭始既涵。」肌肉豐滿且富脂肪曰肥。漢書 陳平傳：「人或謂平何食而肥若是。」東晉 何法盛（？—？，世次不詳。）晉中興書：「陳留 史疇，以大肥為笨伯。」肥魚曰肥。南宋 陸游 成都書事詩：「芼羹筍似稽山美，殘膾魚如笠澤肥。」上，參卷二、二六、注④。食單，猶言菜單。鄭清之（一一七六—一二五一）膳夫錄 食單：「韋僕射巨源有燒尾宴食單。」明 王志堅 表異錄 飲食：「（西）晉 何曾有安平公食單。」清 黃景仁 午窗偶成詩：「只餘僮僕勸加餐，那望園官進食單。」

③多少……士　幾位流寓臺疆的名流？多少，猶若干。不定之數。餘參卷一、一三、注②。過江，過長江。本特用以指西晉、北宋王室東渡事而言。晉書 王導傳：「過江人士每至暇日，相要出新亭飲宴。」在此，係指買舟東渡，流寓臺疆之清季諸人。名下士，猶云名流，謂享有盛名之士子。唐 韓翃送鄭員外詩：「孺子亦知名下士，樂人爭唱卷中詩。」明史 隱逸傳 陳繼儒：「王世貞亦雅重繼儒，三吳名下士爭欲得為師

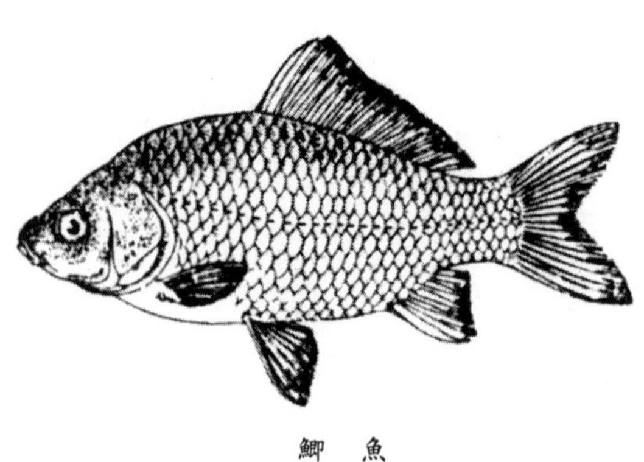

鯽　魚

友。」清 沈起鳳 諧鐸 窮士扶乩：「君等皆名下士，乃窘於七步。」

④有人……看 有的人卻用鄙薄的眼光注視；似乎認為沒什麼了不起。有人，泛指名士中有某些人。孟子 盡心下：「有人曰：『我善為陣，我善為戰，大罪也。』」金 董解元 西廂記 諸宮調卷一：「櫻桃小口嬌聲顫，不妨花下，有人斷腸。」白眼，露出眼白。表示鄙薄或厭惡。晉書 阮籍傳：「籍又能青白眼，見禮俗之士，以白眼對之。」唐 王維 與盧員外象過崔處士興宗林亭詩：「科頭箕踞長松下，白眼看他世上人。」明 許自昌（一五七八—一六二三）水滸記 論心：「論交豈為黃金變，閱世惟將白眼懸。」聊齋志異 阿纖：「我以人不齒數故，遂與母偕隱；今又返而依人，誰不加白眼。」等閒，參卷五、九八、注②。看，參卷一、一六、注②。

四四七、烏魚

鄭鵬雲

游泳滄溟渺水雲①，陽生前後瘦肥分②。無邊苦海誰能覺③？解得回頭獨有君④。

【析韻】

雲、分、君，上平、十二文。

【釋題】

烏魚，Mugil cephalus 屬硬骨魚綱鯔科。沿海產中型食用魚類，有時溯游至河川上游。

頭略平扁，體圓柱狀，向後輕微側扁。被大形圓鱗或櫛鱗。無側線，相當於側線部位之鱗片有細條紋或小孔。眼大或中型，生於頭側，脂性眼瞼發達或不發達。吻短，口小，上下唇薄或厚，或有諸多小突起，分布於全球溫帶與熱帶海域。每年冬季在臺灣海峽產卵迴游，為臺灣盛產魚類之一。肉味鮮美。雌烏魚卵經洗淨、抹鹽、曬乾而成烏魚子（カラスミ），主要外銷日本。

【注解】

①游泳……雲　在茫茫大海中，或浮或潛、不斷地游動。在水和雲交界的地方，漂流自在。游泳，人或動物在水中游行。晏子春秋 問下十五：「臣聞君子如美淵澤，容之，眾人歸之，如魚有依，極其游泳之樂。」北史 隋紀下煬帝：「見二大鳥，高丈餘，皜身朱足，游泳自若。」滄溟。參卷一九、三三九、注①。渺，ㄇㄧㄠˇ。飄流。北宋 蘇軾 前赤壁賦：「寄蜉蝣於天地，渺滄海之一粟。」水雲，恆指水、雲相接之景。唐 戎昱 湘南曲：「虞帝南游不復還，翠娥幽怨水雲間。」楊漢公（？—八六二？）明月樓詩：「吳興城闕水雲中，畫舫青簾處處通。」南唐 李煜 玉樓春詞：「笙簫吹斷水雲開，重按霓裳歌遍徹。」清 邵錦潮（？—？）蒹葭詩：「伊人不可即，悵望水雲邊。」

②陽生……分　冬至前後，才辨別得出瘦小還是肥腴。陽生，冬至。唐 韓愈 李正封 晚秋郾城夜會聯句：「雪下收新息，陽生過京索。」錢仲聯集釋引孫汝聽曰：「陽生謂冬至。」前後，表時間的先後。從開始到結束的整段時間。韓愈 論佛骨表：「惟梁武帝在位四十

八年，前後三度施佛。」明 李贄 覆士龍悲二母吟：「計二老母前後同居已四十餘年。」瘦肥，或瘦或肥。肌肉不豐滿、脂肪不多曰瘦。南朝 陳 徐陵 長相思詩：「愁來瘦轉劇，衣帶自然寬。」肥，參本卷、四四六、注②。分，辨別。禮記 曲禮上：「教訓正俗，非禮不備；分爭辯訟，非禮不決。」呂氏春秋 察傳：「是非之經，不可不分。」

③無邊……覺　那個人可以了悟塵世間無涯無際的煩惱、苦難？無邊苦海，即苦海無邊。屬佛教語。謂塵世間的煩惱、苦難無涯無際。朱子語類卷五九：「知得心放，此心便在這裏，更何用求？適見道人題壁云：『苦海無邊，回頭是岸。』說得極好。」誰，那個人。何人。能，可以。了悟曰覺。白虎通：「學之言覺也，悟所不知也。」孟子 萬章上：「予將以斯道覺斯民也；非予覺之而誰也？」注：「覺，悟也。」

④解得……君　曉得轉過頭來就是海岸的，唯有你啊！解得，猶曉得。解，曉悟。餘參本卷四四四、注④。回頭，參前注「無邊苦海」，及卷八、一四九、注④。獨有君，猶僅有君。唯有君。作者將烏魚擬人化，故以「君」稱之。

烏　魚

四四八、盆　魚

鄭以庠

瓦全畜汝向墻陰①，便抵桃花百尺潯②。怎奈翻盆春夜雨③，化龍無分祗雄心④。

【析韻】

陰、潯、心，下平、十二侵。

【釋題】

飼魚於容器，曰盆魚。盆，ㄆㄣˊ。口大底小之盛器，多為圓形，以陶土或瓷土燒製之。今人養魚，已多採玻璃器皿盛之，或正方體或長方體或圓柱形不一。

【注解】

①瓦全……陰　在牆根的陰暗處飼養你，使你苟且偷生。瓦全，喻苟且偷生。北齊書 元景安傳：「大丈夫寧可玉碎，不能瓦全。」明 朱有燉 香囊怨第二折：「暫時依彼，將就瓦全；終日違他，恐防瓦全。」清 吳偉業 王烟客招往西田賞菊詩：「坐來艷質同杯泛，老去孤根幸瓦全。」畜汝，飼養你。畜，ㄒㄩ。養。飼養。易 離：「柔麗乎中正故亨。是以畜牝牛吉也。」禮記 大學：「伐冰之家，不畜牛羊。」論語 鄉黨：「君賜生，必畜之。」汝，指稱魚。向，猶「在」。表示動作─「畜」的地點。唐 崔曙（？─七三九）登水門樓見亡友題黃河詩因以感興詩：「人隨川上逝，書向壁中留。」南宋 陸游 風雲晝晦夜遂大

雪詩：「已矣可奈何？凍死向孤村。」西遊記第五三回：「這鉢盂飯是孫大聖向好處化來的。」墻陰，牆（根）的陰暗處。墻，本作「牆」。隋　盧思道　孤鴻賦　序：「鎩翮牆陰，偶影獨立。」唐　岑參　題山寺僧房詩：「窗影搖羣木，牆陰載一峯。」陸游　枕上偶賦：「孤螢入窗罅，斜月下牆陰。」清　和邦額　夜譚隨錄　張五：「甫至宅後，見一男一女，作淫戲於牆陰，略不羞避。」

②便抵……潯　就相當是個理想的境地了。便，就。史記　東越列傳：「楊樸使使上書，願便引兵擊東越。」南唐　馮延巳　歸國謠：「蘆花千里霜月白，明朝便是關山隔。」抵，相當。唐　杜甫　春望詩：「烽火連三月，家書抵萬金。」北宋　王安石　寄致政吳虞部詩：「年抵馮唐初未半，方才疏廣豈能多。」桃花百尺潯，即桃花潯。喻理想的境地。十丈曰百尺，狀其寬廣。桃花潯，猶桃花源。明　何景明　彭中丞四民圖歌：「漁舟暝入桃花潯，春山如聞樵採音。」

③怎奈……雨　無奈春夜一場傾盆大雨。怎奈，無奈。奈何。水滸傳第五一回：「怎奈白玉喬那廝催併疊成文案，要知縣斷教雷橫償命。」警世通言　鈍秀才一朝交泰：「欲要渡江，怎奈連日大西風，上水船寸步難行。」儒林外史第三回：「他才學是有的，怎奈時運不濟！」翻盆，猶傾盆。形容雨雪極大。唐　杜甫　白帝詩：「白帝城中雲出門，白帝城下雨翻盆。」北宋　蘇軾　和子瞻雪浪齋：「激泉飛水行亦凍，窮邊臘雪如翻盆。」聊齋志異　青梅：「次日，方晡，暴雨翻盆。」春夜，春之夜。猶春夕。東晉　陶潛　雜詩：「愁人難為辭，遙遙

春夜長。」唐王建贈陳評事詩：「春夜酒醒初起坐，燈前一紙洞庭山。」雨，從雲層中降向地面的水。雲裏的細小水滴體積增大到無法懸浮在空中時，就下降成雨。易說卦：「雷以動之，風以散之，雨以潤之，日以烜之。」唐韓愈獨釣詩之二：「雨多添柳耳，水長減蒲芽。」北宋蘇軾戲贈萬州太守高公宿約遊岑公洞而夜雨連明戲贈二小詩之二：「蓬窗高枕雨如繩，恰似糟床壓酒聲。」

④化龍……心　沒有機緣變成蛟龍；僅僅有個碩大的抱負。化龍，變成龍。龍，傳說中的鱗蟲之長。管子水地：「龍生於水，被五色而游，故神；欲小，則化為蠶蠋。欲大，則藏於天下。欲上，則凌於雲氣。欲下，則入於深泉。變化無日，上下無時，謂之神。」無分，ㄨˊ ㄈㄣˋ。沒有機緣。唐杜甫九日詩之一：「竹葉於人既無分，菊花從此不須開。」北宋黃庭堅江城子憶別詞：「有分看伊，無分共伊宿。」近人陳去病（一八七四—一九三三）丁未八月海上藏書樓夜坐雜感詩：「百年無分翦天驕，賸有愁心答漢朝。」祇，ㄓˇ。同「衹」。榮按：古人，衹、祇恒混用。僅。只。東漢張衡東京賦：「宜無嫌於往初，故蔽善而揚惡，祇吾子之不知言也。」唐韓愈感春詩之四：「音容不接祇隔夜，凶訃詎可相尋來。」南

昔時魚養於盆內，今人則多飼於缸，且添置馬達使缸內清水增加空氣，魚較容易存活。

宋張元幹石州慢詞：「兩宮何處？塞垣祇隔長江。」雄心，碩大的理想、抱負。東漢阮瑀為曹公作書與孫權：「示之以禍難，激之以恥辱，大丈夫雄心，能無憤發。」北宋蘇軾白帝廟詩：「遠略初吞漢，雄心豈在夔。」兒女英雄傳第八回：「如今看了你這番雄心俠氣，竟激動我的性兒了。」

四四九、盆　魚

鄭秋涵

休嫌尺鯉困蹄涔①，樂趣濠梁脫釜鬵②。一勺盎然生意滿③，波瀾不管任浮沈④。

【析韻】

涔、鬵、沈，下平、十二侵。

【釋題】

同前首。

【注解】

①休嫌……涔　不要不滿尺多長的鯉魚侷促在偪窄的盆鉢。休嫌，不要不滿。休，同「勿」，表否定。不要。莫去。唐孟浩然歸終南山詩：「北闕休上書，南山歸故廬。」嫌，埋怨。不滿。世說新語捷悟：「王正嫌門大也。」北宋王安石贈蔡肇祕校詩：「身着青衫騎惡馬，日馳三百尚嫌遲。」二刻拍案驚奇卷三八：「我那知這事，卻來嫌我。」紅樓夢第

八四回：「鳳姐見他母子便嫌。」尺鯉，尺長的鯉魚。猶言大鯉。淮南子俶真訓：「牛蹄之涔無尺之鯉，塊阜之山無文之材。」困，猶云侷促於。餘參卷三、四七、注①。蹄涔，亦作「蹏涔」、「蹄𨃝」。ㄊㄧˊ ㄘㄣˊ。語出淮南子氾論訓：「夫牛蹏之涔，不能生鱣鮪。」高誘注：「涔，雨水也，滿牛蹏迹中，言其小也。」後恒用以指容量、體積等微小。唐蔣貽恭（？—？，晚唐人。）詠蝦蟆：「欲知自己形骸小，試就蹄涔照影看。」北宋范仲淹閱古堂詩：「相彼形勝地，指掌而蹄𨃝。」清焦袁熹（一六六〇—一七三五）經生歌：「蹄涔之水，不生淪漣；覆簣之山，那有雲煙？」曾國藩書歸震川文集後：「浮芥舟於蹏涔之水，不復憶天下有四海濤者也。」

②樂趣……鬵　在這兒自得其樂，並免除烹煮之厄。樂趣，使人（或動物）感到快樂的情趣。北宋梅堯臣依韻和通判太博雪後招飲之一：「雪晴何所樂，樂趣在杯中。」元潘音龐德公詩：「久知軒冕浮榮薄，已卜耕鋤樂趣深。」濠梁，猶濠上。語本莊子秋水：「莊子與惠子遊於濠（濠）梁之上。莊子曰：『儵魚出游從容，是魚樂也。』惠子曰：『子非魚，安之魚之樂？』莊子曰：『子非我，安知我不知魚之樂？』」後恆用以喻別有會心、自得其樂之地。明劉基題仲山和尚羣魚圖詩：「濠梁之樂誰能寫？袁蟻死後無畫者。」清毛序始（？—一七〇〇後）偕同人散步詩：「物我兩俱忘，不滅濠梁興。」脫，參卷二、三六三、注①。釜鬵，ㄈㄨˇ ㄒㄧㄣˊ。釜和鬵。前者斂口、圜底，或有二耳。其用途如鬲，置於竈口，上置甑以蒸煮，有鐵製、銅製與陶製者，尤盛行于兩漢。鬵贊，亦作「鬵」，亦讀

ㄑㄧㄣˊ。釜類烹器。詩檜風匪風：「誰能亨魚，溉之釜鬵。」脫釜鬵，謂免除烹煮之厄。

③一勺……滿　有那少許的水，已夠溫馨；此種境遇，也已令人豐盈充足了。一勺，一ㄕㄠˊ。少。少許。禮記中庸：「今夫水一勺之多，及其不測，黿鼉龍魚鼈生焉，貨財殖焉。」盎然，盈溢的樣子。北宋蘇軾答李邦直詩：「詩詞如醇酒，盎然薰四支。」在此，引申作「溫馨狀」解。生意，參卷二五、四二三、注④。滿，足。豐盈充足。戰國策秦策一：「羽毛不豐滿者，不可以高飛。」漢古詩十九首之十五：「人生不滿百，常懷千歲憂。」

④波瀾……沈　無關波浪翻騰。我：或浮？或沉？一切聽憑它吧！波瀾，亦作「波濫」。波浪翻騰。南朝宋謝靈運石門新營所住詩：「洞庭空波瀾，桂枝徒攀翻。」五代齊己題鶴鳴泉八韻：「瀟湘在何處，終日有波瀾。」北宋曾鞏訪石仙巖杜法師詩：「石巖天開立精廬，四山波瀾勢爭趨。」不管，參卷三、五六、注④。任，參卷一、一、注①。浮沈，ㄈㄨˊ ㄔㄣˊ。亦作「浮沉」。在水中忽上（浮），忽下（沉）。唐李紳溯西江詩：「孤棹自遲從蹭蹬，亂帆爭疾競浮沈。」

拾參、詠 物

卷二七

四五〇、釣 竿 限書琚驢韻並禁用西湖騎驢

陳濬芝

生涯何必托詩書①，一着羊裘傲【珮】琚②。我亦功名竿外寄③，南山休問倒騎驢④。

【析韻】

書、琚、驢，上平、六魚。

【釋題】

釣竿，亦作「釣杆」。釣魚用竿。釣，ㄉㄧㄠˋ。以釣具獲取水生動物。詩衛風竹竿：「籊籊竹竿，以釣于淇。」三國魏曹丕釣竿行：「釣竿何珊珊，魚尾何簁簁。」唐張祜京

城寓懷詩：「三十年持一釣竿，偶隨書薦到長安。」

【注解】

①生涯……書　一生的前程，為什麼一定要憑藉經史？生涯，指一生的前程。另參卷一三、二二九、注②。何必，為什麼一定要。餘參卷七、一三二、注④。托，參卷九、一七四、注①。詩書，詩與書。用以概稱經史。榮按：前清科舉以四書朱注本為命題範圍，並旁及十三經、諸史。

②一着……琚　隱士往往輕慢（或輕視）官場中人。一着，ㄧˋ ㄓㄨㄛˊ。一經接觸。晉書 賈充傳：「時西域有貢奇香，一着人則經月不歇。」惟此處，宜採引申義。一著羊裘，猶一領羊裘。參卷三、五六、釋題及注①。傲，ㄠˋ。輕慢。輕視。左傳 文公九年：「傲其先君，神弗福也。」晏子春秋 諫下二三：「傲細民之憂，而崇左右之笑。」三國 魏 曹植 責躬詩：「傲我皇使，犯我朝儀。國有典型，我削我黜。」北宋 蘇軾 十二月二日將至渦口五里所遇風留宿詩：「平生傲憂患，久已恬百怪。」珮琚，ㄆㄟˋ ㄐㄩ。原刊「佩琚」，茲訂正之。玉佩。明 湯式 一枝花 夢游江山為友人賦套曲：「濕淋浸滿身，香露侵毛骨；吉玎璫過耳，清飀響珮琚。」按：古官服恆帶有珮飾，在此，珮琚乃借指官場中人。

③我亦……寄　我也把應科考、求干祿，付託在持竿垂釣之餘。我、亦，分別參考卷一、二〇、注③，卷一、七、注①。功名，指應科考、求干祿。昔，科舉稱號、官職名位統稱功名。金 董解元 西廂記 諸宮調卷二：「不以功名為念，五經三史何曾想。」清 紀昀 閱

微草堂筆記 灤陽續錄三：「樸者株守課冊，以求功名，至讀書之人十無二三能解事。」竿外，釣竿之外。謂持竿垂釣之餘。寄，託。付託。論語 泰伯：「可以託六尺之孤，可以寄百里之命，……君子人也。」東晉 陶潛 歸去來兮辭：「倚南窗以寄傲，審容膝之易安。」

④南山……驢 靖節先生，您可不要責備我轉過身來駕驢而行啊！南山，作者以南山借稱隱士陶淵明。東晉 陶潛 歸園田居詩之三：「種豆南山下，草盛豆苗稀。」又，飲酒詩之二：「採菊東籬下，悠然見南山。」休問，莫責。不要責怪。問，責。責備。左傳 僖公四年：「昭王南征而不復，寡人是問。」又，襄公二五年：「子產獻捷於晉，戎服將事。晉人問陳之罪。」倒騎驢，轉過身來駕驢而行。謂逆乘驢也。騎驢，另參卷七、一二七、釋題。

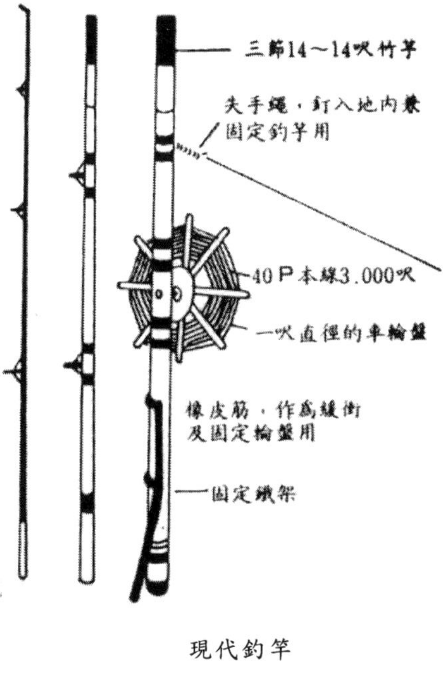

三節14～14呎竹竿
失手繩，釘入地內兼固定釣竿用
40 P 本線3.000呎
一呎直徑的車輪盤
橡皮筋，作爲緩衝及固定輪盤用
固定鐵架

現代釣竿

今人垂釣(一)

今人垂釣(二)

四五一、魚　梭

李碩卿

穿波織浪戲游酣①，活潑如梭伴兩三②。他日化龍滄海去③，經綸雷雨出寒潭④。

【析韻】

酣、三、潭，下平、十三覃。

【釋題】

魚梭，釣竿上用以牽動魚線之零件。（參附圖）梭，ㄙㄨㄛ。

【注解】

①穿波……酣　在波浪中鑽通、編綴，玩個不停。穿波織浪，穿織於波浪之中。穿，ㄔㄨㄢ。鑽通。西京雜記卷二：「匡衡字稚圭，勤學而無燭，鄰人有燭而不與，衡乃穿壁引其光，以書映光而讀之。」織，編綴。文中子 上德：「臨河欲魚，不若歸而織網。」齊書 沈驎士傳：「有高世之心，居貧，織簾誦書，號織簾先生。」波浪，江、河、湖、海上起伏不定的水面。大波曰浪。唐 杜甫 秋興詩：「江間波浪兼天湧，塞上風雲接地陰。」北宋 蘇軾 前赤壁賦：「清風徐來，水波不興。」西晉 木華 海賦：「於是鼓怒，溢浪揚浮。」唐 李白 橫江詞：「海神來過惡風迴，浪打天門石壁開。」戲遊，亦作「戲游」。游戲。游玩。東漢 王逸 九思 逢尤：「嚴載駕兮出戲遊，周八極兮歷九州。」漢書 貢禹傳：「諸

宮奴婢十萬餘人，戲遊亡事。」明宋濂題大慧禪師遺墨後：「縱有知其忠義者，而又不知其戲游翰墨，循蹈矩矱，亦自可傳不朽。」酣，歷久不衰不輟。北齊書邢卲傳：「終日酣賞，盡山泉之致。」舊唐書蘇定方傳：「率師討百濟，賊傾國來，酣戰破之。」

②活潑……三　像梭一般、有生氣、富活力；三兩好友，同時作樂。活潑，參卷一六、二六九、注③。如梭，像梭一樣。梭，ㄙㄨㄛ。織布時，牽引橫線（即緯）的器具。在此，指釣竿上牽引釣線之零件，詳附圖。伴，侶。唐杜牧旅宿詩：「旅館無良伴，凝情自悄然。」兩三，參卷六、四四二、注⑥。

③他日……去　改天變成蛟龍，在大海裏漫行。他日，參卷一、一三、注③。化龍，參卷二六、四四八、注④。滄海，大海。西漢董仲舒春秋繁露觀德：「故受命而海內順之，猶眾星之共北辰，流之宗滄海也。」北宋蘇軾清都謝道士真贊：「一江春水東流，滔滔直入滄海。」明林鴻（？—？；洪武前後人。閩中十子之首。）金鷄巖僧室詩：「夜來滄海寒，夢遶波上月。」近人瞿秋白赤都心史九：「皓月落滄海，碎影搖萬里。」去，與「來」相對。來之反。行。史記汲黯列傳：「招之不來，麾之不去。」

④經綸……潭　籌劃打雷、安排下雨，並脫離冰涼的深潭。經綸，整理絲縷、理出絲緒並編織成線。引申作籌劃治理解。易屯：「雲雷屯，君子以經綸。」孔穎達疏：「經謂經緯，綸謂綱綸，言君子法此屯象有為之時，以經綸天下，約束於物。」禮記中庸：「唯天下至誠，為能經綸天下之大經，立天下之大本，知天下之化育。」雷雨，夏季午後，大氣層

累積雨雲的一種現象，降水時（即下雨）伴隨閃電與雷聲。易解：「天地解而雷雨作。」史記 五帝本紀：「堯使舜入山林川澤，暴風雷雨，舜行不迷。」前蜀 韋莊 暴雨詩：「江村入夏多雷雨，曉作狂霖晚又晴。」出，脫離。晉書 佛圖澄傳：「百姓因澄故多奉佛，相競出家。」寒潭，冰涼的深潭。南朝 宋 謝靈運 九日從宋公戲馬臺集送孔令詩：「凄凄陽卉腓，皎皎寒潭絜。」唐 王勃 秋日登洪府滕王閣餞別序：「潦水盡而寒潭清，煙光凝而暮山紫。」榮按：昔恆略稱滕王閣序。深水池曰潭。楚辭 九章 抽思：「長瀨湍流，泝江潭兮。」姜亮夫校注：「潭，深淵也，楚人名淵曰潭。」

魚梭（一）

魚梭（二）

四五二、漁　舟

戴　珠　光

一聲【欸】乃認浮家①，月落歸來淺水涯②。不是片帆濟窮士，湘江無計出蘆花③。

【析韻】

家、涯、花，下平、六麻。

【釋題】

漁舟，漁船。捕魚用船隻也。南朝 梁 劉孝威 登覆舟山望湖北詩：「荇蒲浮新葉，漁舟繞落花。」唐 杜甫 初冬詩：「漁舟上急水，獵火著高林。」清 錢載（一七〇九—一七九三）飲望湖亭詩：「估客帆檣去，漁舟浦溆還。」近人劉半農 游香山紀事詩之九：「漁舟橫小塘，漁父賣魚去。」

【注解】

①一聲……家　才聽到櫓聲，就辨識出那是船家正在做活。一聲，在此，指搖（或操作）櫓的聲音。本義原謂一個聲音。南朝 梁 簡文帝 倡樓怨節詩：「片光片影皆麗，一聲一轉煎心。」唐 顧況 李供奉彈箜篌歌：「珊瑚席一聲，一聲嗚錫錫。」柳宗元 漁翁詩：「煙銷日出不見人，欸乃一聲山水綠。」欸乃，ㄞˇ ㄋㄞˇ。原刊訛作「欵乃」，茲訂正之。象聲詞。搖櫓聲。唐 元結 欸乃曲：「誰能聽欸乃，欸乃感人情。」題注：「棹舡之聲。」清

黃遵憲 夜宿潮州城下詩：「艣聲催欸乃，既有曉行船。」認，參卷一七、二七九、注④。浮家，以船為家者。猶船家。新唐書 隱逸傳 張志和：「顏真卿為湖州刺史，志和來謁，真卿以舟敝漏，請更之。志和曰：『願為浮家泛宅，往來苕、霅間。』」南宋 胡舜陟（一〇八三—一一四三）漁家傲詞：「今我綠簑青箬笠，浮家泛宅烟波逸。」李光 題亞子分湖歸隱圖詩：「浮家泛宅梨川夢，尋壑經邱栗里情。」清 蔣士銓（一七二五—一七八五；一說卒於一七八三年）第二碑 尋詩：「老夫野鶴閒雲，浮家泛宅，未足繫人齒頰。」

②月落……涯 天將拂曉，徐徐回到清淺的水邊。月落，天色將明。五代 前蜀 韋莊 酒泉子詞：「月落星沉，樓上美人春睡。」落，墜。墜落。泛指物體下墜。唐 孟浩然 夏日南亭懷辛大詩：「山月忽西落，池月漸東上。」張祜 何滿子詩：「一聲何滿子，雙淚落君前。」歸來，參卷五、八二、注②。水不深曰淺。水涯，水邊。易 漸：「初六，鴻漸于干，小子厲，有言无咎。」孔穎達疏：「干，水涯也。」唐 宋之問 太平公主山池賦：「煙岑水涯，繚繞逶迤。」北宋 梅堯臣 西湖閒望詩：「雨氣收林表，城陰接水涯。」清 孫枝蔚 雨中聞水漲遣悶有作詩：「五月寒如此，風聲怒水涯。」

③不是……花 並非孤舟能單獨載渡那貧困蹭蹬之士；而是湘江兩岸沒法子生長成叢的蘆葦啊！以上二句，不逕言伍員（子胥），而隱稱窮士；不直說楚事，而代之以湘江。洵屬意在弦外也。不是，參卷五、九四、注④。片帆，孤舟。一艘帆船。唐 李頎 李兵曹壁畫山水各賦得桂水帆：「片帆在桂水，落日天涯時。」南宋 陸游 秋思絕句之五：「片帆忽逐

秋風起，聊試人間萬里途。」明 梁辰魚 浣紗記 放歸：『「錢塘雲水連，見片帆東渡，順流如箭。」濟，ㄐㄧˋ。渡。書 說命：「若濟巨川，用汝作舟楫。」左傳 僖公二二年：「宋公及楚人戰於泓，宋人既成列，楚人未既濟。司馬曰：『彼眾我寡及其未濟也，請擊之！』」禮記 樂記：「庶民弛政，庶士倍祿。濟河而西。馬散之華山之陽，而弗復乘。」窮士，寒士。貧困蹭蹬的士人。逸周書 允文：「公貨少多，振賜窮士，救瘠補病，賦均田布。」南齊書 豫章文獻王嶷傳：「吾西土窮士，一介寂寥。」清 劉大櫆 翰林院侍講張君墓誌銘：「君生累世膴仕之家，而趨操被服，無異單門窮士。」湘江，源出廣西省，流入湖南省，為湖南省最大的河流。今湘、鄂二省等地，先秦時屬楚。無計，沒有對策。猶云沒法子。出，生。易 說卦傳：「萬物出乎震。震，東方也。」蘆花，蘆絮。蘆葦花軸上密生的白毛。蘆即蘆葦。此處，用「窮士蘆」、「蘆中人」二典。東漢 趙曄 吳越春秋 王僚使公子

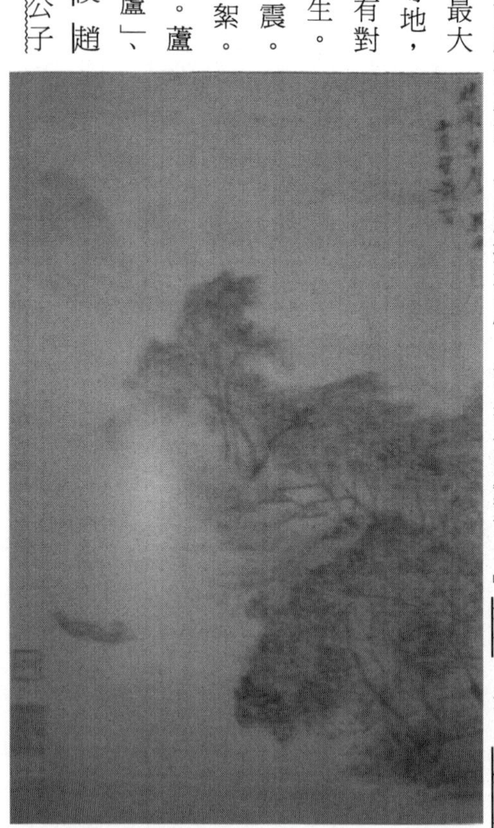

魚舟夕暉圖（局部）清吳歷（1632-1718）

光傳：「子胥（按：伍員字子胥）既渡，漁夫乃視之，有其飢色，乃謂曰：『子俟我此樹下，為子取餉。』漁父去後，子胥疑之，乃潛身於深葦之中。有頃，父來，持麥飯鮑魚羹盎漿。求之樹下，不見，因歌而呼之曰：『蘆中人，蘆中人，豈非窮士乎？』如是至再，子胥乃出蘆中而應。」另據武昌縣志載：子胥逃至江邊，向漁夫求渡，漁夫歌曰：「灼灼兮侵已私，與子期兮蘆之漪。」子胥既渡，解百金之劍與之，漁父不受，曰：「楚購子，粟五萬、爵執圭，豈百金之劍乎？」子胥行未數步，回顧，漁夫覆舟而亡。

四五三、漁　舟

林　資　修

寒雨江上漸堪【叉】①，不繫何須問有涯②。明日釣鰲滄海去③，人間重看客星槎④。

【析韻】

叉、涯、槎，下平、六麻。

【釋題】

同前首。

【注解】

①寒雨……叉　天涼地凍、飄著濛濛細雨，水面已慢慢能夠持槍刺魚了。寒雨，天涼地凍之中飄雨。冷雨。素問　六元正紀大論：「初之氣地氣遷，陰始凝、氣始肅，水廼冰、寒雨

化。」三國魏阮籍東平賦：「元雲興而四周兮，寒雨淪而下降。」（北）魏書元熙傳：「其日大風寒雨，凍死者二十餘人。」唐許渾洛陽城詩：「鴉噪暮雲歸故堞，雁迷寒雨下空濛。」王昌齡芙蓉樓送辛漸詩：「寒雨連江夜入吳，平明送客楚山孤。」韋應物登樓寄王卿詩：「數家砧杵秋山下，一郡荊榛寒雨中。」張南史（？—？，開元、貞元間人）陸勝宅秋雨中探韻同前詩：「已被秋風教憶膾，更聞寒雨勸飛觴。」江上，江面上。水面。史記伍子胥列傳：「伍胥遂與勝獨身步走，幾不得脫。追者在後。至江，江上有一漁父乘船，知伍胥之急，乃渡伍胥。」唐崔顥黃鶴樓詩：「日暮鄉關何處是？煙波江上使人愁。」北宋蘇軾江神子江景詞：「忽聞江上弄哀箏，苦含情，遣誰聽？」清黃景仁太白墓詩：「清風江上灑然來，我欲因之寄微慕。」漸，慢慢。徐緩。書堯典疏：「夏須漸熱，冬當漸寒。」後漢書李固傳：「此雖小失，而漸壞舊章。」晉書顧愷之傳：「愷之每食甘蔗，恆自尾至本，人或奇怪之，云：『漸入佳境。』」堪叉，能夠使用魚槍刺魚。堪，能。能夠。三國志魏書蔣濟傳：「燕王實自知不堪大位故耳！」叉，ㄔㄚ。刺。扎取。後漢書楊政傳：「旄頭又以戟叉政，傷胷，政猶不退。」唐李羣玉仙明州口號：「半浦夜歌聞盪槳，一星幽火照叉魚。」明高啟江村樂詩之一：「荷浦張弓射鴨，柳塘持燭叉魚。」「叉」原刊訛作「乂」，茲訂正之。

②不繫……涯　既沒有拴縛住船身；又何必請教有邊際嗎？不繫，沒有拴縛住船身。繫，ㄒㄧˋ。拴縛。禮記禮器：「三月繫，七日戒，三日宿，慎之至也。」鄭玄注：「繫，繫牲於牢也。」

莊子 列禦寇：「无能者无所求，飽食而遨游，汎若不繫之舟。」唐 韓愈 獨釣詩之一：「聊取誇兒女，榆條繫從鞍。」南宋 楊萬里 紅錦帶花詩：「何曾繫住春歸腳，只解長縈客恨眉。」何須，參卷一六、二六七、注①。問，參卷五、八九、注②。有涯，有限。有邊際。莊子 養生主：「吾生也有涯，而知也無涯。」文心雕龍 序志：「贊曰：『生也有涯，無涯惟智。』」五代 前蜀 韋莊 關山詩：「危時祇合身無著，白日那堪事有涯。」近人周實（一八八七—一九一一）中秋偕棠隱對月詩：「我生原有涯，竟住窮愁窟。」

③明日……去　明天，漫行大海垂釣大龜。明日，明天。即今天的下一天。左傳 文公一二年：「兩君之士皆未憖也，明日請相見也。」唐 李復言 續玄怪錄 麒麟客：「明日望之，蓮花峰上果有綵雲去。」說岳全傳第九回：「我們不如回寓，明日再來罷！」投鈎取魚曰釣。ㄉㄧㄠˋ。論語 述而：「子釣而不綱，弋而不射宿。」戰國策 魏策：「魏王與龍陽君共船而釣，龍陽君得十餘魚。」後漢書 逸民傳 嚴光：「嚴光……乃變姓名，隱身不見，披羊裘，釣澤中。」鰲，ㄠˊ。正體字作「鼇」。傳說海中大龜也。楚辭 屈原 天問：「鼇戴山抃，何以安之？」唐 李白 猛虎行詩：「巨鰲未斬海水動，魚龍奔走安得寧！」劉禹錫 白舍人自杭州寄新詩而戲酬：「鰲驚震海風雷起，蜃鬥噓天樓閣成。」滄海、去，均參本卷、四五一、注③。

④人間……槎　棲寄舟船的當兒，何妨再度一覽塵世的種種。人間，亦作「人閒」。塵世，世俗社會。史記 留侯世家：「願弃人閒事，欲從赤松子游耳。」東晉 陶潛 庚子歲五月

中從都還阻風于規林詩之二：「靜念園林好，人間良可辭。」南宋趙令時侯鯖錄卷五：「麗質仙娥生月殿。謫向人間，未免凡情亂。」清潘榮陛帝京歲時紀勝稽善惡：「廿三日送竈上天，奏人間一年之善惡。」紅樓夢第五回：「司人間之風情月債，掌塵世之女怨男癡。」重看，再看。謂再度一覽。客，棲寄。史記淮陰侯列傳：「漢兵二千里客居，齊城皆反之。」唐韓愈祭十二郎文：「吾念汝從於東，東亦客也，不可以久。」星槎，泛指舟船。明李東陽與衍聖公夜話詩：「漫以平安慰別離，星槎動是隔年期。」唐順之送高行人使琉球詩：「天王玉策頒三殿，漢使星槎下百蠻。」槎，ㄔㄚˊ。

四五四、紙帳

蔡振豐

梅花香護一床低①，摺紙攜來倩小奚②。即此能扶清夢足③，不須刀尺動金閨④。

【析韻】

低、奚、閨，上平、八齊。

【釋題】

紙帳，使用藤皮、繭紙縫製而成之牀帳或帷幕。明高濂（？—？，萬曆、天啟間人。）遵生八箋卷八謂其製法為「用藤皮繭紙纏於木上，以索纏緊，勒作皺紋，不用糊，以線折縫縫之。頂不用紙，以稀布為頂，取其透氣。」北宋蘇軾自金山放船至焦山詩：「困眠得就紙帳暖，飽食未厭山蔬甘。」清 黃景仁 十二夜詩：「破窗蕉雨夜還驚，紙帳風來自作聲。」

【注解】

①梅花……低　梅花散發的芬芳，蓋過一榻矮牀。梅花，參卷六、一〇三、注④。香，指花香。芬芳。三國 魏 嵇康 茼香賦：「仰眺崇岡，俯察幽坂，乃見茼香生蒙 楚之間。」唐 韓愈 春雪間早梅詩：「誰令香滿座，獨使淨無塵。」護，掩蔽。猶今語蓋過。三國 魏 曹丕 與吳質書：「觀古今文人，類不護細行，鮮能以名節自立。」唐 韓愈 紀夢詩：「乃知仙人未聖賢，護短憑愚邀我敬。」一床低，一榻矮牀。不高曰低。

②摺紙……奚　帶給我年幼男僕代做的摺紙藝品。摺紙，手工摺疊的紙類工藝品。攜來，猶云帶給我。倩，ㄑㄧㄥˋ。請。懇求。暫雇使令。西漢 王褒 僮約：「蜀郡王子淵以事到煎上寡婦楊惠舍，有一奴名便了，倩行酤酒。」唐 杜甫 九日藍田崔氏莊詩：「羞將短髮還吹帽，笑倩傍人為正冠。」南宋 姜夔 月下笛詞：「多情須倩梁間燕，問吟袖、弓腰在否？」清 沈復 浮生六記 坎坷記愁：「啟堂弟曾向鄰婦借貸。倩芸作保，現追索甚急。」小奚，又作「小傒」、「奚奴」；「小奚奴」的省詞。謂小男僕。唐 李商隱 李賀小傳（榮按：亦作李長吉小傳）：「（賀）恆從小奚奴，騎距驢，背一古破錦囊，遇有所得，即書投囊中。」明 湯式 脫布衫帶小梁州 四景為儲公子賦 春曲：「問春何處忘機，小奚奴相趁相隨。」醒世恆言 盧太學詩酒傲王侯：「又選小奚秀美者十人，教成吹彈歌曲，日以自娛。」清 張岱（一五九七—一六八九）陶庵夢憶 冰山記：「是夜席散，余填詞督小傒強記之。」

陳康祺 郎潛紀聞卷三：「每出遊，必使小奚負鐵鐺瓦缶纍纍，戞觸有聲。」近人郁達夫 題寫真答荃君詩之二：「亂世何人識典謨，遺民終老作奚奴。」

③即此……足　就是這小玩意兒，可以帶來美夢多多。即，參卷一、一〇、注③。此，指稱摺紙。能，參卷三、四三、注③。扶，帶。唐 劉禹錫 送裴處士應制舉詩：「老大希逢舊鄰里，為君扶疾到芳山。」元 李士瞻（一三一三—一三六七）牙笏詩：「扶病朝明主，臨軒問老臣。」清夢，猶美夢。南宋 陸游 枕上述夢詩：「江湖送老一漁舟，清夢猶成塞上游。」文天祥 覽鏡見鬚髯消落為之流涕詩：「青山是我安魂處，清夢時時賦大刀。」聊齋志異 梅女：「妾少解按摩之術，願盡技能，以侑清夢。」足，多。北周 庾信 周大將軍司馬神道碑銘：「谷寒無日，山空足雲。」唐 李白 荊州歌：「白帝城邊足風波，瞿塘五月誰放過。」明 袁宏道 邢州道上大風詩：「吹面如有痕，欲拔髭鬚去。此地足黃沙，易作風神怒。」

④不須……閨　沒必要在豪華的內室裏操作金剪與鈔尺。不須，沒必要。餘參卷三、四八、注⑤。刀尺，剪刀與尺。二者均為裁剪工具。玉臺新詠古詩為焦仲卿妻作：「左手持刀尺，右手執綾羅。」唐 張籍 白紵歌：「裁縫長短不能定，自持刀尺向姑前。」聊齋志異 俠女：「是對戶女郎，就吾乞刀尺。」榮按：古裁衣用尺恆稱鈔尺。（續文獻通考 樂考 度量衡。）動，操作。孟子 滕文公上：「凶年糞其田而不足，則必取盈焉。為民父母，使民盻（ㄒㄧ）盻然，將終歲勤動，不得以養其父母；……。」金閨，富麗豪華的婦人專用內

室。唐 趙嘏（八〇六？—八五二）長垂雙玉蹄詩：「向燈垂玉枕，對月灑金閨。」盧綸 七夕詩：「何事金閨子，空傳得網絲。」

四五五、紙 帳

蔡 汝 修

分明翦帋不嫌低①，帳裏春溫夢未迷②。我愛梅花圍四面③，一牀移近綺牕西④。

【析韻】

低、迷、西，上平、八齊。

【釋題】

同前首。

【注解】

①分明……低　我並不厭惡綵紙所剪製的圖形向下垂。分明，表示篤定。餘參卷一、三、注①。翦帋，用綵紙剪製的各種圖形。翦，ㄐㄧㄢˇ。同「剪」。帋，同「紙」。太平御覽卷六〇五引（東）晉 王隱（？—？，大興初猶在世。）晉書：「魏 太和六年，博士河間 張揖上古今字詁。其巾部『紙』，今也其字从巾。」新唐書 柳公權傳：「書帋三番，作真、行、草三體。」不嫌，不厭惡。嫌，惡。厭惡。後漢書 崔駰傳 孫寔：「寔從兄烈，……歷位郡守、九卿。靈帝時，開鴻都門榜賣官爵，……。烈時因傅母入錢五百萬，得為司徒。……

烈於是聲譽衰減。久之不自安，從容問於子鈞曰：『吾居三公，於議者何如？』……鈞曰：『論者嫌其銅臭。』烈怒，舉杖擊之。」低，向下垂。向下。南朝齊謝朓詠風：「垂楊低復舉，新萍合且離。」唐李端代棄婦答賈客詩：「鳴環動珮恩無盡，掩袖低巾淚不流。」

②帳裏……迷　牀帷內，春暖時的酣夢，意識竟相當清晰。帳裏，牀帷內。春溫，春暖之時。宋史李若谷傳：「卒挽舟過境，寒瘠甚者，留養視之，須春溫遣去。」夢，謂酣夢。餘參卷一、二、注①。未迷，沒有分辨不清。無名氏迷樓記：「煬帝幸之，大喜。顧左右曰：『使真仙遊此，亦當自迷，可目之曰迷樓。』」

③我愛……面　我喜歡四周環繞著梅花。愛，喜歡。梅花，參卷六、一〇三、注④。圍，繞。環繞。易繫辭上：「範圍天地之化而不過，曲成萬物而不遺。」莊子秋水：「至精無形，至大不可圍。」四面，東、南、西、北四個方位之合稱。在此，係指四周圍。唐柳宗元至小丘西小石潭記：「坐潭上，四面竹樹環合，寂寥無人，淒神寒骨，悄愴幽邃。」

④一牀……西　這座牀，最好換個方位，把它搬到緊臨花窗的西端。一牀，這一座牀。移，徙。遷徙。猶今語「搬」。孟子梁惠王上：「河內凶，則移其民於河東，移其粟於河內……。」玉臺新詠古詩為焦仲卿妻作：「移我瑠璃榻，出置前窗下。」近，密。貼近。猶緊臨。綺牕，參卷一四、二三八、注②。牕，同「窗」。西，方位名。猶云西端。

四五六、筆 牀

鄭 以 庠

文房韻事久心驚①，五色迷離夢不成②。未忍交情輕割席③，相逢一笑楮先生④。

【析韻】

驚、成、生，下平、八庚。

【釋題】

筆牀，亦作「筆床」。臥置毛筆之器具。南朝陳徐陵玉臺新詠序：「翡翠筆牀，無時離手。」唐岑參山房春事詩之一：「數枝門柳低衣桁，一片山花落筆牀。」清王韜淞濱瑣話李延庚：「亭中棐几湘簾，筆床硯匣，位置楚楚。」

【注解】

①文房……驚　文房四寶的風雅故實，不勝盡舉。長期來，令我內心不頂安穩。文房，文房四寶的省稱。南宋吳自牧夢粱錄士人赴殿試唱名：「其士人止許帶文房及卷子。」清孔尚任桃花扇題畫：「不免將文房畫具整理起來。」柳子戲孫安動本第一〇場：「校尉：是！【跪捧文房。】」筆、墨、紙、硯合稱文房四寶，又稱「文房四士」、「文房四物」、「文房四侯」。北宋梅堯臣九月六日登舟再和潘歙州紙硯：「文房四寶出二郡，邇來賞愛君與予。」陳師道寇參軍集序：「張、李氏之墨，吳、唐、蜀、閩、兩越之紙，端溪、

歙穴之硯，鼠鬚栗尾貍毫兔穎之筆，所謂文房四物，山藏海蓄，極天下之選。」南宋陸游閑居無客所與度日筆硯紙墨而已戲作長句詩：「水複山重客到稀，文房四士獨相依。」北宋蘇易簡（九五八—九九六）文房四譜引文嵩四侯傳，戲稱筆為管城侯毛元銳、硯為即墨侯石虛中，紙為好畤侯楮知白，墨為松滋侯易玄光，故有四侯之名。韻事，參卷三、四八、注②。久，參卷六、一二二、注③。心驚，內心忐忑不安穩。北周庾信哀江南賦：「聞鶴唳而心驚，聽胡笳而淚下。」

②五色……成　各種不同的顏色，濛濛朧朧、難以分辨；竟連夢都做不起來。古以青、赤、白、黑、黃等五種顏色為正色。書益稷：「以五采彰施於五色，作服，汝明。」孫星衍疏：「五色，東方謂之青，南方謂之赤，西方謂之白，北方謂之黑，天謂之玄，地謂之黃，玄出於黑，故六者有黃無玄為五也。」惟在此，係用以泛指各種顏色。老子：「五色令人目盲，五音令人耳聾，五味令人口爽。」三國魏曹丕芙蓉池詩：「上天垂光采，五色一何鮮。」唐韓愈謝自然詩：「簷楹暫明滅，五色光屬聯。」老殘遊記續集遺稿第一回：「有人說你有個眼睛可以辨五色，耳朵可以辨五聲。」迷離，參卷一八、二九九、注①。夢，參卷一、二、注①。不成，猶不生。餘參卷一九、三一二、注①。

③未忍……席　不願任意地中止彼此的情誼。未忍，猶不忍。謂不願（意）。不能忍受。孟子離婁下：「我不忍以夫子之道，反害夫子。」史記廉頗藺相如列傳：「相如素賤人，吾羞，不忍為之下。」三國志平話卷上：「（妻子）到於庵門，見學究疾病，不忍見之，

用手掩口鼻，斜身與學究飯吃。」交情，人與人相互交往所建立的感情。史記 汲鄭列傳：「一死一生，乃知交情。一貧一富，乃知交態。一貴一賤，交情乃見。」唐 皎然 春夜與諸同宴呈陸郎中詩：「南國宴嘉賓，交情老倍親。」金 元好問 寄答劉生詩：「省郎共結交情厚，野老還欣禮數寬。」輕，參卷二二、三五八、注③。世說新語 德行：「管寧、華歆……又嘗同席讀書，有乘軒冕過門者，寧讀為故，歆廢書出看。寧割席分坐曰：『子非吾友也。』」後人因以割席謂朋友絕交。南宋 楊萬里 齋房戲題詩：「欲從舉者便彈冠，回顧石交難割席。」清 陳夢雷 絕交書：「不孝雖已割席，敢不拜在下風。」

④相逢……生　見到了紙頭，不盡一展笑容。相逢，參卷一〇、一九〇、注②。一笑，猶一展笑容（顏）。餘參卷一、三、注①，同卷、四、注④ 等。楮先生，對紙的暱稱。唐 韓愈 毛穎傳：「穎與絳人陳玄、弘農 陶泓及會稽 楮先生友善，相推致，其出處必偕。」引文將筆、墨、硯、紙擬人化，稱紙為楮先生。南宋 楊萬里 海鰌賦：「賊眾指而笑曰：『此南人之喜幻，不木不竹，其誑我以楮先生之儔乎？』」陸游 村居日飲酒

刻有「吉祥」字樣者，稱筆牀。

對梅花醉則擁紙衾熟睡詩：「孤寂惟尋麯道士，一寒仍賴楮先生。」楮先生又省作「楮生」。南宋莊綽（字季裕，?—?；紹興初，官建昌軍。）雞肋編卷三：「三友不居毛穎後，五軍仍在楮生前。」元許有壬李惟中學士自西臺侍御召入以未央宮瓦硯為貺詩：「楮生毛穎賀得友，坐令几案增光輝。」餘參本首注①。又，紙俗稱紙頭。西遊補第九回：「行者道：『只是你沒個上天法兒，上天也不是難事。』把紙片頭變作祥雲，將書付與牛頭。」官場現形記第五二回：「（張國柱）一面說，一面把那張紙頭，先遞到劉存恕手中。」

四五七、筆　陣

鄭　兆　璜

百戰詞場老此身①，一枝精銳更無倫②。可憐紙上談兵者③，博得封侯有幾人④？

【析韻】

身、倫、人，上平、十一真。

【釋題】

筆陣，喻寫作文章也。謂詩文謀篇、布局，擘畫有如兵陣也。南朝梁蕭統正月啟：「談叢發流水之源，筆陣引崩雲之勢。」宋蔡絛（?—?，崇寧、紹興間人。）鐵圍山叢談卷二：「以是學士大夫，自非性天明洽，筆陣豪異，則不能為之也。」清唐孫華送王誦侯之官成都詩：「請築詩壇整筆陣，共執桴鼓張旌旗。」又，筆陣亦用以喻書法，茲從略。

【注解】

①百戰……身　歷經文壇好多回合的較量，幾乎耗盡這副臭皮囊。百戰，多次作戰。吳子 料敵：「三軍匈匈，欲前不能，欲去不敢，以半擊倍，百戰不殆。」晉書 索綝傳：「大小百戰，綝手擒賊帥李羌。」唐 羅虬 比紅兒詩之六九：「幾拋雲髻恨金墉，淚洗花顏百戰中。」北宋 王安石 烏江亭詩：「百戰疲勞壯士哀，中原一敗勢難迴。」清 昭槤 嘯亭續錄 超勇親王：「王陣擒賊首二，皆百戰渠魁，賊帥小策零墮騎，裸身跨白駝遁。」本句此處，引申作「多次較量」解。詞場，猶文壇。南朝 梁 蕭統 十二月啟 姑洗三月：「持郭璞之毫鸞，詞場月白；吞羅含之彩鳳，辯囿日新。」唐 李白 上安州李長史書：「伏惟君侯，明奪秋月，和均韶風，掃塵詞壇，振發文雅。」亦專指詞人薈萃之地。清 朱彝尊 還陂塘 題其年填詞圖詞：「擅詞場，飛揚跋扈，前身可是青兕？」陳廷焯 白雨齋詞話卷一：「後主詞，思路悽惋，詞場本色。」老，耗。唐 杜甫 送嚴公入朝詩：「此生那老蜀？不死會歸秦。」南宋 陸游 簡章德茂詩：「造物無情吾輩老，古人不死此心傳。」身，軀殼。此身，猶云這副臭皮囊。太上純陽真君 了三得一經：「竟將五官六腑敗壞於臭皮囊之中也。」臭皮囊，亦作「臭皮袋」。喻指人之軀殼。釋、道以人體內多污穢不潔之物，如痰、涕、屎、尿等，故有是稱。南宋 劉克莊 寓言詩：「赤肉團終當敗壞，臭皮袋死尚貪癡。」明 無名氏 女姑姑第四折：「終朝填滿臭皮囊，何日超凡登彼岸。」明 李贄 覆馬歷山書：「甚快活，甚自在，但形神離矣，雖有快活自在不顧矣。此自是戀臭皮囊者宜為之，非達

人事也。」西遊記第二三回：「勝似在家貪血食，老來墜落臭皮囊。」紅樓夢第八回：「女媧煉石已荒唐，又向荒唐演大荒。失去本來真面目，幻來新就臭皮囊。」

②一枝……倫　一枝犀利的健筆，尤其沒有人可以匹比。一枝，表數量。餘參卷三、四八、注⑧。精銳本指精良銳利的武器。管子七法：「故聚天下之精財，論百工之銳器，春秋角試，以練精銳為右。」此處，係用以描述筆鋒犀利。更，參卷一、一七、注②。無倫。無與匹比。西漢揚雄法言五百：「貴無敵，富無倫。」李軌注：「倫，匹。」北宋歐陽修答許發運見寄詩：「瓊花芍藥兩無倫，偶不題詩便怨人。」聊齋志異水莽草：「生受盞神馳，嗅其茶，芳烈無倫。」

③可憐……者　值得同情啊！夸夸其談、不務實際的人。可憐，參卷一、九、注④。紙上談兵，亦作紙上譚兵。意謂空談理論，不切實際，往往經不起考驗。典出史記廉頗藺相如列傳：「……趙王（榮按：指孝成王）因以（趙）括為將，代廉頗。藺相如曰：『王以名使括，若膠柱而鼓瑟耳。括徒能讀其父書傳，不知合變也。』趙王不聽，遂將之。趙括自少時學兵法、言兵事，以天下莫能當。嘗與其父奢言兵事，奢不能難；然不謂善。括母問奢其故。奢曰：『兵，死地也；而括易言之。使趙不將括即已。若必將之；破趙軍者必括也。』」

④博得……人　有多少人因此而榮膺天子誥賜爵位呢？博得，參卷七、一二五、注③。封侯，參卷三、五八、注③。有，參卷一、二〇、注③。幾人，參卷七、一四一、注②。

四五八、筆　塚

鄭邦鑪

霜毫退去劇甚哀①，收拾藏鋒土一堆②。我有封侯投筆感③，不甘老死沒篙萊④。

【析韻】

哀、堆、萊，上平、十灰。

【釋題】

筆塚，本作「筆冢」。書法家埋藏廢筆之處所。唐李肇唐國史補卷中：「長沙僧懷素好草書，自言得草聖三昧，棄筆堆積，埋於山下，號曰筆塚。」裴說（？—？；天祐三年狀元及第。）懷素臺歌：「永州東郭有奇怪，筆冢墨池遺跡在。」清吳偉業過中峰禮倉公塔詩：「淒涼看筆冢，遺墨滿江湖。」

【注解】

①霜毫……哀　筆毫磨損、脫落，這齣戲令人十分悲痛、非常傷心。霜毫，毛筆。元王實甫麗春堂第二折：「大人呵！尚兀自高擎着玉液來酬我，你待濃蘸着霜毫敢抹誰？」清龔自珍己亥雜詩之四四：「霜毫擲罷倚天寒，任作淋漓淡墨看。」退去，去除。三國蜀諸葛亮便宜十六策考黜：「進用賢良，退去貪懦。」此處，引申作「磨損、脫落」解。劇，戲。唐姚合送狄兼暮歸故山詩：「映竹窺猿劇，尋雲探鶴情。」甚哀，十分悲傷、非常

傷心。餘參卷二、二九、注④，卷七、一二九、注①。

②收拾……堆　收斂、整頓，隱藏妥當，外覆成堆的黃土。收拾，收斂。收藏。北宋王安石東陽道中詩：「強將詩詠物，收拾濟時心。」二刻拍案驚奇卷三九：「（嬾龍）恐怕終久有人算他，此後收拾起手段，再不試用。」又，整理。整頓。後漢書徐防傳：「收拾缺遺，建立明經。」北史高車傳：「蠕蠕、社崙破敗之後，收拾部落，轉徙廣漠之北。」藏鋒，書法用語，謂筆鋒隱而不露。太平御覽卷七四八引唐徐浩（七〇三—七八二）論書：「用筆之勢，特須藏鋒，鋒若不藏，字則有病。」南宋姜夔續書譜用筆：「筆正則藏鋒，筆偃則鋒出。」此處，作「隱藏」解。土一堆，參卷二四、四〇九、注①。

③我有……感　我有暫拋筆管、從軍立功、追求名位的念頭。我，參卷一、二〇、注③。無之反曰有。書盤庚：「若網在綱，有條而不紊，若農服田力穡，乃亦有秋。」論語述而：「三人行，必有我師焉。」封侯，參卷三、五八、注③。投筆，參卷三、五七、注②。感，念頭。情意。西晉陸機愍思賦序：「銜恤哀傷……故作此賦，以紓慘惻之感。」南朝梁江淹別賦：「行子腸斷，百感悽惻。」

④不甘……萊　不願意年耄就木，埋葬野草叢下，藉藉無聞。不甘，不甘心。甘心，願意。詩衛風伯兮：「願言思伯，甘心首疾。」唐張鷟遊仙窟：「千看千意密，一見一憐深。但當把手子，寸斬亦甘心。」老死，年老而死。老子：「鄰國相望，雞犬之聲相聞，民至老死，不相往來。」唐韓愈復志賦：「甘潛伏以老死兮，不顯著其名譽。」明王守仁傳

習錄卷上：「終年碌碌，至於老死，竟不知成就了個甚麼，可哀也已！」沒，ㄇㄛˋ。埋。南朝梁江淹恨賦：「賫志沒地，長懷無已。」唐李華弔古戰場文：「積雪沒脛，堅冰在鬚。」蒿萊，ㄍㄠ ㄌㄞˊ。野草。雜草。韓詩外傳卷一：「原憲居魯，環堵之室，茨以蒿萊。」後漢書獨行傳向栩：「（向栩）及到官，略不視文書，舍中生蒿萊。」唐杜甫夏日歎詩：「萬人尚流冗，舉目惟蒿萊。」

四五九、鐵 硯

鄭兆璜

一方鸜眼自窮經①，十載勞勞筆不靈②。我亦此心如鐵鑄③，消磨風雨一燈青④。

【析韻】

經、靈、青，下平、九青。

【釋題】

鐵硯，鐵鑄硯臺也。謝氏詩源云：「有青州鐵硯甚發墨。」東晉王嘉拾遺記晉時事：「（晉武帝）即於御前賜青鐵硯。此鐵是于闐國所出，獻而鑄為硯也。」元王實甫西廂記第一本第一折：「將棘圍守暖，把鐵硯磨穿。」近人胡懷琛寶劍篇：「曷去化鐵硯，靜默而甯康。」昔恆以「鐵硯穿」、「鐵硯磨穿」形容立志不移，持久不懈也。

【注解】

①一方……經　依仗一方鐵硯，自個兒埋首鑽研經籍。一方，量詞。適用於方形物。唐曹松碧角簟詩：「八尺碧天無點翳，一方青玉絕纖塵。」元吳昌齡東坡夢第一折：「你下山去俗人家沽一壺酒，買一方肉。」曾瑞（生卒年待考。）留鞋記第四折：「將繡花鞋一隻、香羅帕一方，揣在小生懷內。」榮按：硯類多呈方型，古人恆以「方」為量詞，計之。鸜眼，ㄑㄩˊ ㄧㄢˇ。借指硯臺。清紀昀閱微草堂筆記如是我聞二：「借筆鴉塗，暫磨鸜眼。」惜秋旅生維新夢寫本：「筠管斜欹，鼠鬚垂露，松煤半禿，鸜眼生霜。」鸜，本作「鴝」，亦作「鴝」。自，參卷二三、三六九、注②。窮經，（埋首）鑽研經籍。經，謂四書、五經等儒家著述。北宋蘇轍范鎮侍讀太乙宮詔：「白首窮經之樂，尚可推以與人。」

②十載……靈　十年來的辛苦、忙碌，手上的筆管並未起多大的作用。十載，參卷一九、三一三、注①。勞勞，辛苦。忙碌。唐元稹送東川馬逢侍御使回詩：「流年等閑過，人世各勞勞。」北宋梅堯臣曉詩：「人世紛紛事，勞勞只自為。」近人魯迅書信集致臺靜農：「因年來精神體力，大不如前，且終日勞勞，亦無整理付印之望，所以擬姑置之。」筆，指毛筆。猶筆管。古今注云：「世稱蒙恬造筆，即秦筆耳！古以枯木為管，鹿毛為柱，羊毛為被，所謂蒼毫，非兔毫竹管也。」作字畫之竹管毛錐曰筆。不靈，不起作用，不成功。官場現形記第三回：「論起來呢，同鄉是同鄉，不過沒有什麼大交情，怎麼好寫信；就是寫了去，只怕也不靈。」榮按：筆不靈為作者謙詞。蓋自忖才思不敏，乏善可陳也。

③我亦……鑄　我的這顆心，也像鐵砂所冶煉成的一般。我亦，參卷一五、二五七、注③。此心，這顆心。指己心。如，參卷三、五三、注③。鐵鑄，使用鐵砂冶練、澆模、打造而成。

④消磨……青　打發那議論紛紜、言三道四的日子，就靠一盞光泛青熒的油燈了。消磨，打發時光。唐鄭谷梓潼歲暮詩：「酒美消磨日，梅香著莫人。」元耶律楚材寄景賢詩之七：「琴書吾子盡幽歡，隨分消磨日月閑。」清程簡（？—？）冬夜讀書詩：「今古英雄當末路，消磨歲月短檠中。」風雨，猶風風雨雨。謂議論紛紛、言三道四。一燈，一盞油燈。唐劉長卿遠公龕詩：「入夜翠微裏，千峯明一燈。」戎昱題招提寺詩：「一燈傳歲月，深院長莓苔。」青，形容光色青熒。古人恆以青燈借指孤寂、清苦的生活。天雨花第二回：「不念我，少年春，空房獨守；不念我，紅顏女，一世青燈。」冷眼觀第一回：「張令半世青燈，一行作吏，到任後吏治過於勤勞，偶染痰疾，刻已稍愈。」又，以青燈黃卷借指清苦的攻讀生活。元葉顒（一三〇〇—？）書舍寒燈詩：「青燈黃卷伴更長，花落銀釭午夜香。」金瓶梅詞話第三六回：「十載青燈黃卷，螢窗苦勉旃。」

四六〇、書　味

劉　廷　璧

青燈坐擁幾星霜①，書味醰醰溢古香②。莫羨饋貧糧已備③，十年甘苦一身嘗④。

【析韻】

霜、香、嘗，下平、七陽。

【釋題】

書本所散發出的氣味；或謂讀書過程中，鼻所聞、目所見等嗅覺、視覺均泛稱曰書味也。南宋陸游晚興詩：「客散茶甘留舌本，睡餘書味在胸中。」

【注解】

①青燈……霜　安然過著清苦、孤寂的生活，有多少歲月了。青燈，參前首注④。坐擁，安坐擁有。晉書范弘之傳：「坐擁大眾，侵食百姓，大東流於遠近，怨毒結於眾心，不可謂愛人。」近人李大釗（一八八九—一九二七）大哀篇：「此輩蠅營狗苟，坐擁千金，以供其賄買選票者，又果誰之血髓耶？」本句此處，引申作「安然過著」解。幾，參卷一〇一八八、注②。星霜，星辰一年一周轉，霜每年遇寒而降，因以之指稱年歲。唐白居易歲晚旅望詩：「朝來暮去星霜換，陰慘陽舒氣序牽。」北宋梅堯臣雷逸老以效石鼓文見遺因呈祭酒吳公詩：「聚完辨舛經星霜，四百六十飛鳳皇。」清魏源送陳太初出都詩之一：「星霜倏幾周，五載五合離。」

②書味……書　書本流布著一陣陣又醇又濃的香氣。書味，詳本首釋題。醰醰，ㄊㄢˊ ㄊㄢˊ。醇濃。醇厚。文選王褒洞簫賦：「哀悁悁之可懷兮，良醰醰而有味。」劉良注：「醰醰，醇濃也。」清龔自珍己亥雜詩之三一：「本朝閩學自有派，文字醰醰多古情。」溢，流

布。孟子 離婁上：「為政不難，不得罪於巨室。巨室之所慕，一國慕之；一國之所慕，天下慕之。故沛然德教溢乎四海。」西漢 王褒 聖主得賢臣頌：「化溢四表，橫被無窮。」唐 韓愈 賀赦表：「恩浹幽明，慶溢寰海。」古香，指圖書、藏畫、法帖等所散發的氣味。南宋 陸游 小室詩：「窗几窮幽致，圖書發古香。」清 金農（一六八七—一七六四）懷人絕句之二七：「收藏三百十種帖，一一舊搨浮古香。」

③莫羨……備 不必愛慕「看得遠、見得多」的條件，已經齊全。莫羨，不必愛慕。毋須愛慕。羨，愛慕。唐 錢起 題崔逸人山亭詩：「羨君花下醉，蝴蝶夢中飛。」饋貧糧，典出文心雕龍 神思：「是以臨篇綴慮，必有二患。理鬱者苦貧，辭溺者傷亂；然則博見（棨按「見」一作「聞」）為饋貧之糧，……博而能一，亦有助乎心力矣。」已備，已經齊全。備，齊全。易 繫辭下：「易之為書也，廣大悉備。」

④十年……嘗 獨自一人，經歷十年的艱難困苦。十年，參卷一六、二六七、注④。甘苦，艱難困苦。唐 溫大雅（？—？，開皇 、貞觀間人。）大唐創業起居注卷一：「大郎、二郎在路一同義士，等其甘苦，齊其休息。」清 李漁 慎鸞交 悲控：「試問是孰貽安樂？孰分甘苦？誰與悽惶？」一身，獨自一人。戰國策 趙策三：「世以鮑焦無從容而死者，皆非也。今眾人不知，則為一身。」唐 王維 老將行：「一身轉戰三千里，一劍曾當百萬師。」西遊記第八五回：「樵夫呵，你死只是一身，無甚掛礙，我卻死得不甚乾淨。」兒女英雄傳緣起首回：「縱橫九萬里，上下五千年，求其兒女英雄，英雄兒女，一身兼備的，也只

見得兩個。」嘗，ㄔㄤˊ。經歷。歷。左傳 僖公二八年：「晉侯在外十九年矣；而果得晉國，險阻艱難備嘗之矣。」

四六一、書　味

鄭　兆　璜

架書讀遍話連牀①，有味還尋味外長②。記否寒窗時領略③，十年風雨一燈嘗④。

【析韻】

牀、長、嘗，下平、七陽。

【釋題】

同前首。

【注解】

①架書……牀　閱盡架上的書本；還有一籮筐問難的話，說個不停。作者將「書」擬人化，謂讀畢書籍，復就內容鑽研思索，猶如與書對話也。架書，架上的書。讀遍，猶閱盡。遍，盡。唐 王維 和錢起秋夜宿靈臺詩：「蒼苔古道行應遍，落木寒泉聽不窮。」前蜀 韋莊 謁金門詞：「樓外翠簾高軸，倚遍闌干幾曲。」北宋 蘇軾 立秋日禱雨宿靈隱寺詩：「崎嶇世味嘗應遍，寂寞山棲老漸便。」言語曰話。西晉 張協 七命：「雖在不敏，敬聽嘉話。」東晉 陶潛 歸去來兮辭：「悅親戚之情話，樂琴書以消憂。」過庭錄：「張康節居江南有

詞云：『多少六朝興廢事，盡入漁樵閒話。』」連牀，亦作「連床」。本謂並榻或同床而臥。多用以形容情誼篤厚。唐 白居易 奉送三兄詩：「杭州暮醉連牀臥，吳郎春遊並馬行。」明 劉基 寄贈懷渭上人詩：「連床咲語到晨雞，走筆贈言何款悃。」儒林外史第三五回：「今夜就在這店裏權住一宵，和你連牀談談。」

②有味……長　興頭正濃時，更覓求文字言辭外的許多意境和情味。有味，有興頭。有興致。東漢 趙曄 吳越春秋 夫差內傳：「夫黃雀但知伺螳蜋之有味，不知臣挾彈危擲蹭蹬飛丸而集其背。」二刻拍案驚奇卷一七：「美人謙謝，兩個談話有味，不覺夜已二鼓。」還，ㄏㄞˊ。更。表性態。東晉 陶潛 雜詩：「親戚共一處，子孫還相保。」老殘遊記第五回：「若不是個女人，他雖 死了，我還要打他二千板子，出出氣呢！」尋，覓求。味外長，文字言辭外許許多多的意境、情味。長，多。

③記否……略　記不記得，在冰冷的窗口下，我常常接受您的教誨？記否，參卷一一、二一○、注④。寒窗，亦作「寒牕」、「寒窓」。寒冷的窗口。恆用以形容寂寞艱辛的讀書生活。唐 元稹 聞樂天授江州司馬詩：「垂死病中驚坐起，暗風吹雨入寒窗。」元 張宇（？—？，世次不詳。）送田茂卿赴都詩：「從來俊傑知時務，莫為寒牕故絕迷。」清 李漁 比目魚 入班：「從師入戲堂，做官極快，不用守寒窓。」時，常常。論語 學而：「學而時習之，不亦說乎？」領略，領受。接受。南宋 王明清 揮麈後錄卷四：「宣和初，徽宗有意征遼，蔡元長、鄭達夫不以為然，童貫初亦不敢領略，惟王黼、蔡攸將順贊成之。」

洪邁夷堅三志辛曾照明顛：「（客）亟下拜，相隨入寺，願奉謝禮。（明顛）顧之茫然，無領略意。」元高明琵琶記乞丐尋夫：「我承委託，當領略，這孤墳我自看守，決不爽約。」

③十年……嘗　十年來的風風雨雨，只有一盞青燈陪著我親自體會。風雨、一燈，均參本卷四五九、注④。嘗，引申作「親自體會」解，餘參前首注④。

四六二、書聲

陳朝龍

琅琅聲徹讀書家①，半夜西窗月欲斜②。絕好美人喉宛轉③，隔簾相和咏梅花④。

【析韻】

家、斜、花，下平、六麻。

【釋題】

用口朗讀，吟誦文章、詩詞所發出之聲音，謂書聲。

【注解】

①琅琅……家　好（ㄏㄠˋ）書人家，洋溢著一片清朗、響亮的誦讀聲。琅琅，ㄌㄤˊ ㄌㄤˊ。象聲詞。形容聲音清朗、響亮。西漢司馬相如子虛賦：「礧石相擊，琅琅礚礚。」唐韓愈祭柳子厚文：「嗟嗟子厚，今也則亡。臨絕之音，一何琅琅。」北宋蘇舜欽秀州通越門外

詩：「密樹重蘿覆水光，珍禽無數語琅琅。」明 高啟 送高二文學游錢塘詩：「讀書閉閣人罕識，明月夜照聲琅琅。」聲徹，猶有聲徹天。狀聲音響亮達於天際。北宋 陳師道 妾薄命詩：「主家十二樓，一身當三千。古來妾薄命，事主不盡年。起舞為主壽，相送南陽阡。忍著主衣裳，為人作春妍。有聲當徹天，有淚當徹泉。死者恐無知，妾心長自憐。」讀書家，好書之家。好書人家。好，ㄏㄠˋ。愛。

②半夜……斜　深夜，西窗這一頭的月，即將傾側地滑落。半夜，夜晚子時許（十二點前後）。泛指深夜。唐 王維 扶南曲歌詞之四：「入春輕衣好，半夜扶桑開。」皎然 宿山寺寄李中丞洪詩：「從他半夜愁猿驚，不廢此心長杳冥。」西窗，參卷一九、三二、注③。月，參卷五、九二、注③。欲斜，猶將斜。欲，將要。後漢書 趙孝王良傳：「汝與伯升志操不同，今家欲危亡，而反共謀如是！」唐 許渾 咸陽城東樓詩：「溪雲初起日沉閣，山雨欲來風滿樓。」傾側滑落曰斜。白居易 步東坡詩：「綠陰斜景轉，芳氣微風度。」

③絕好……轉　無比美好的佳麗，妳的嗓子，是那麼地含蓄曲折、抑揚動聽。絕好，無比美好。極其美麗。史記 呂不韋列傳：「呂不韋取邯鄲諸姬絕好善舞者與居。」司馬貞索隱：「言其姿容絕美，而又善舞也。」美人，參卷一、四、注②。咽曰喉。指歌喉，猶今語嗓子。唐 盧仝 新茶歌：「一碗喉吻潤，兩碗破孤悶。」宛轉，含蓄曲折、抑揚動聽。南宋 陳恕可（一二五八—一三三九）齊天樂 蟬詞：「琴絲宛轉，弄幾曲新聲，幾番淒惋。」清 劉易（？—？）吳姬年十五詩：「當筵歌宛轉，閒坐弄參差。」霓裳續譜 黃昏後倚闌

干：「把玉笛梅花悠揚宛轉，一聲聲吹斷深更。」

④隔簾……花　珠簾的兩頭，彼唱此和，一起吟哦梅花。隔簾，參卷二〇、三三七、注④。相和（ㄏㄜˋ），彼唱此和。南朝宋鮑照代堂上歌行：「箏笛更彈吹，高唱好相和。」比宋蘇軾和黃魯直燒香之一：「且復歌呼相和，隔牆知是曹參。」近人魯迅書信集致曹聚仁：「周作人自壽詩，誠有諷世之意……羣公相和。則多近于肉麻。」咏，參卷二六、四四四、注②。梅花，詩題。

四六三、書　聲

鄭兆璜

寒夜燈光靜不譁①，琅琅讀到月西斜②。比鄰我憶冬餘課③，雛鳳聲清出絳紗④。

【析韻】

譁、斜、紗，下平、六麻。

【釋題】

同前首。

【注解】

①寒夜……譁　冷颼颼的晚上，昏闇的油燈，周遭一片闃然。寒夜，寒冷的夜晚。藝文類聚卷四二引南朝宋孝武帝（劉駿，四三〇—四六四）夜聽妓詩：「寒夜起聲管，促席引靈寄。」

南朝 梁武帝 織婦詩：「調梭輟寒夜，鳴機罷秋日。」唐 劉禹錫 酬樂天小亭寒夜有懷詩：「寒夜陰雲起，疎林宿鳥驚。」北宋 文瑩 湘山野錄卷下：「一夕，公攜一巨榼入宿，方與陳寒夜閑飲，遽中人持鑰開宮扉，獨召公。」燈光，燈的亮光。唐 杜甫 送嚴侍郎到錦州同登杜使君江樓詩：「燈光散遠近，月彩靜高深。」金瓶梅詞話第二四回：「花炮轟雷，燈光雜彩，簫鼓聲喧，十分熱鬧。」靜不譁，猶一片闃然。諠鬧曰譁。ㄏㄨㄚˊ。書 費誓：「嗟！人無譁，聽命！」淮南子 精神訓：「五聲譁耳，使耳不聰。」

②琅琅……斜 朗誦的聲音，清晰、響亮，持續到深夜。琅琅，參本卷前首注①。讀到，表時間。誦讀至。月，參卷五、九二、注③。西斜，向西邊傾側、滑落。餘參前首注②。

③比鄰……課 讓我回想起鄰舍的冬學。比鄰，亦作「比隣」。鄉鄰。鄰居。漢書 孫寶傳：「後署寶主簿，寶徒入舍，祭竈請比鄰。」東晉 陶潛 雜詩：「得歡當作樂，斗酒聚比鄰。」唐 杜甫 兵車行：「生女猶得嫁比鄰，生男埋沒隨百草。」清 陳康祺 郎潛紀聞卷三：「翁文端公（榮按：即翁心存，？—一八六二。渠長子同龢，一八三〇—一九〇四，為同 光二朝帝師。）年二十四時，猶一貧諸生也。其祀竈詩有云：『微祿但能邀主簿，濁醪何惜請比鄰。』」我憶，我回想起。冬餘課，即冬學。昔時，農村於冬閑時期所開辦的季節性學塾。南宋 陸游 冬日郊居詩：「兒童冬學鬧比鄰，據案愚儒卻自珍。」自注：「農家十月，乃遣子弟入學，謂之冬學。」有一定進度之學業曰課。陸游 悶極有作詩：「老人無日課，有興即題詩。」元 劉詵（一二六八—一三五〇）送趙光遠道州寧遠稅使詩：「詩

課書程應不減，東風高送錦衣還。」

④雛鳳……紗　才華畢現的子弟，聲音清楚明晰，都是得力於師門的調教。雛鳳，幼鳳。喻有才華的子弟。唐 李商隱 韓冬郎即席為詩相送一座盡驚因成二絕寄酬兼呈畏之員外之一：「桐花萬里丹山路，雛鳳清於老鳳聲。」馮浩箋注：「晉書：陸雲幼時，閔鴻奇之，曰：『此兒若非龍駒，當是鳳雛。』」元 王逢 書無題後偶感燕太子丹事詩：「九苞雛鳳沖霄翼，三匝慈烏落月時。」聲清，誦讀的聲音清楚明晰。出，生。產生。易 說卦傳：「萬物出乎震。震，東方也。」此處，引申作「得力於……指導（教誨）」解。絳紗，猶絳帳。對師門、講席之敬稱。唐 劉禹錫 送趙中丞自司金外郎轉官參山南令狐僕射幕府詩：「相府開油幕，門生逐絳紗。」北宋 蘇軾 仙遊潭馬融石室詩：「未應將軍聘，初從季直遊。絳紗生不識，蒼石尚能留。」清 袁枚 隨園詩話卷一〇：「豫庭 贈婦翁云：『喜我絳紗深有托，半為嬌客半門生。』」

四六四、書　聲

陳濬芝

人影燈光透碧紗①，琅琅隨口韻無差②。弄機更喜山妻課③，軋軋聲喧到紡車④。

【析韻】

紗、差、車，下平、六麻。

【釋題】

詳本卷、四六二、釋題。

【注解】

①人影……紗　穿過翠綠紗罩的燈光，何其柔和。老婆的身影多麼清秀。人影，人的影子。身影。唐張謂送裴侍御歸上都詩：「江月隨人影，山花趁馬蹄。」北宋蘇軾後赤壁賦：「人影在地，仰見明月。」燈光，參卷二七、四六三、注①。透，參卷三、五二、注④。碧紗籠，省詞作「碧紗」。翠綠細紗製的燈罩。典源參考卷一九、三一四、注③。

②琅琅……差　脫口吟哦、聲調清朗鏗鏘、平仄韻腳、毫無瑕疵。琅琅，參本卷、四六二、注①。隨口，不假思索、任意說出。紅樓夢第九六回：「黛玉也只模糊聽見，隨口應道：『我問問寶玉去。』」近人鄒韜奮（一八九五—一九四四）萍踪寄語五九：「我原是隨口發問，無所存心。」和諧之音響曰韻。收本於喉之音亦謂之韻。在此，係指詩句中平仄與韻腳。缺失曰差。無差，謂絲毫沒有瑕疵。列子湯問：「心閑體正，六轡不亂，而二十四蹄所投無差。」晉書石垣傳：「能闇中取物，如晝無差。」隋書高祖紀：「詔曰：『運序則寒暑無差，宣氣則雷雨有作。』」

③弄機……課　尤其愛看她紡紗織布時的模樣。弄機，弄機杼。即織布。南朝陳徐陵詠織婦：「弄機行掩淚，彌令織素遲。」更喜，益加愛好。尤其愛。山妻，參卷二三、三八七、注③。課，指紡織作業。餘參本卷前首注③。

④軋軋……車　紡車的周遭，ㄧㄚˋ ㄧㄚˋ！ㄧㄚˋ ㄧㄚˋ！……響個不停，嘈雜、吵鬧。軋軋，ㄧㄚˋ ㄧㄚˋ。象聲詞。唐 許渾 旅懷詩：「征車何軋軋，南北極天涯。」北宋 柳永 采蓮令詞：「翠娥執手送臨岐，軋軋開朱戶。」儒林外史第五一回：「（那婦人）耳朵裏卻聽得軋軋的櫓聲。」聲喧，參卷一九、三二一、注②。到，作介詞用。猶「在」。近人 沈從文（一九〇二—一九八八）從文自傳 我所生長的地方：「那我就生長到這樣一個小城裡。」紡車，手工紡紗、紡線的機具。用手搖或腳踩使輪子轉動，以傳動紡錠。元 劉詵 野人家詩：「月色夜夜照紡車，木棉紡盡白雪紗。」清 蔣士銓 鳴機夜課圖記：「堂中列一機，畫吾母坐而織之，婦執紡車坐母側。」

四六五、破　書

黃如許

遺編叢卷有塵埋①，破到難堪手細揩②。借此守殘兼抱缺③，不妨淨几巧安排④。

【析韻】

埋、揩、排，上平、九佳。

【釋題】

書本已老舊，呈現部分紙面受損、裝訂線脫落等狀況，概稱破書。

【注解】

①遺編……埋　前人留下來的著作、彙集而成的書冊，隱藏著許許多多的塵埃。遺編，參卷二、三一、注①。叢卷，彙集而成的書冊。叢，彙集的。唐　陸龜蒙　笠澤叢書　序：「叢書者，叢脞之書也。叢脞猶細碎也。」書冊曰卷。ㄐㄩㄢˋ。書在唐以前為卷軸，至晚唐　宋初，因抄錄一變而為書冊，故卷即書冊。（參少室山房筆叢。）宋史　太宗紀：「上曰：『開卷有益，不為勞也。』」有塵埋，隱藏著許多塵埃。塵，ㄔㄣˊ。本義作「鹿行揚土」解。（說文）。即塵埃之稱。細小、飛揚的灰土。詩　小雅　無將大車：「無將大車，祇自塵兮。」唐　杜甫　兵車行：「爺娘妻子走相送，塵埃不見咸陽橋。」埋，藏。隱。左傳　昭公一三年：「既乃與巴姬密埋璧於太室之庭。」漢書　翟方進傳：「死國埋名，猶可以不慙於先帝。」

②破到……揩　壞爛到不易忍受的程度，只能用手輕輕地擦拭。破到，壞爛到。破，壞。詩　幽風　破斧：「既破我斧，又缺我斨。」到，表程度。難堪，不易忍受。承受不了。北宋　王安石　送黃吉父入京題清涼寺壁詩：「投老難堪與公別，倚崗從此望回轅。」明　郎瑛　七修類稿　詩文四化綿衣疏：「雖字頗能識而書頗能讀，然寒不能衣而饑不能食。灞橋踏雪，難堪手足之凌兢。」細揩，輕輕地擦拭。細，猶細細。謂用力輕微。揩，ㄎㄞ。拭。擦拭。北宋　蘇軾　寓居定惠院之東雜花滿山有海棠一株土人不知貴也詩：「忽逢絕豔照衰朽，歎息無言揩病目。」明　施紹莘（一五八一－一六四〇？）仙呂甘州歌：「醒來帶睡揩雙眼，竹外高樓自看山。」

③借此……缺　運用這樣的處理，既保住了不全，也避免繼續破損。借，憑借。利用。運用。楚辭 九章 悲回風：「借光景以往來兮，施黃棘之枉策。」西晉 陸機 演連珠：「臣聞良宰謀朝，不必借威；貞臣衛主，脩身則足。」此，這樣的（處理）。指「手細揩」。守殘兼抱缺，猶抱殘守缺。守住殘缺的東西不放。本用以形容思想保守，不接受新事物。清 江藩 漢學師承記 顧炎武：「二君以瓌異之質，負經世之才……豈若抱殘守闕之俗儒，尋章摘句之世士也哉？」本句意謂書冊雖已破損不全，惟盡力珍惜維護，不輕易丟棄。抱殘守缺，原作「抱殘守闕」。

④不妨……排　可以清理几案，好好地張羅備置一番。不妨，參卷五、九九、注④。淨几，清理几案。唐 杜甫 洗兵馬詩：「安得壯士挽天河，淨洗甲兵常不用。」几長五尺、高尺二寸、廣二尺。（三禮圖）。又，長三尺、高尺二寸、廣二尺。（禮書通故）。几，今謂長方形矮桌。巧，猶好好地。安排，參卷九、一七八、注①。

殘編破書

四六六、破　畫

蔡　振　豐

四壁塵生半幅紗①，未曾補綴累詩家②。丹青也有興衰感③，剩水殘山幾點鴉④。

【析韻】

紗、家、鴉，下平、六麻。

【釋題】

畫軸或畫冊，日久受損，或褪色或畫面受塵、蟲蛀，亟待清洗、修補、重裱者，稱破畫。

【注解】

①四壁……紗　房內周遭附著塵埃；牆角張掛著半方許紗帳。四壁，參卷二六、四四四、注②。塵生，附着塵埃。塵，參前首注①。生，出。長出。老子：「師之所出，荊棘生焉。」唐王烈塞上曲：「明鏡不須生白髮；風霜自解老紅顏。」此處，引申作「附着」（ㄓㄨㄛˊ）解為宜。古制：布帛寬二尺二寸曰幅。左傳襄公二八年：「且夫富如布帛之有幅焉，為之制度，使無遷也。」禮記王制注：「布帛精麤不中數，幅廣狹不中量，不粥（按即今字鬻）於市。」惟此處，作量詞用。猶「方」。平面物一方曰一幅。半幅猶半方也。舊唐書裴度傳：「欲收天下英雄之心，惟有詔書紙半幅。」北宋蘇軾贈月長老詩：「功名半幅紙，兒女浪辛苦。」南宋王庭珪（一〇七九—一一七二）題惠崇畫秋江鳧雁詩：「定自維摩三

味裏，半幅生綃開萬里。」紗，指紗製帳幔。輕細且薄之絲織品曰紗；惟麻、棉等所紡細縷或繒亦曰紗。

②未曾……家　詩人不曾為修葺、整理等雜務而操勞。未曾，參卷一八、三〇六、注④。補綴，參卷一九、三一一、注②。累，ㄌㄟˋ。操勞。管子 形勢：「起居不時，飲食不節，寒暑不適，則形體累而壽命損。」清平山堂話本 快嘴李翠蓮記：「推得磨，搗得碓，受得辛苦吃得累。」詩家，猶詩人。唐 杜甫 哭李尚書詩：「史閣行人在，詩家秀句傳。」元 吳萊（一二九七—一三四〇）浦陽十景 南江夕照詩：「偶出官橋倚落曛，詩家觸景謾紛紛。」

③丹青……感　設色畫作，一樣引人產生昌隆繁盛、頹敗式微、交互消長的意念。丹青，指傳統設色水墨畫。餘參卷二三、三八九、注②。也有，參卷三、四四、注③。興衰，興與衰。前者指昌隆繁盛。後者謂頹敗式微。史記 太史公自序：「獵儒墨之遺文，明禮義之統記，絕惠王利端，列往世興衰。」北史 崔浩傳：「自古以來，載籍所記，興衰存亡，尠不由此。」明 梁辰魚 浣紗記 養馬：「過去的雌雄休競，未來的興衰無定。」紅樓夢第一回：「其間離合悲歡，興衰際遇，俱是按迹循蹤，不敢稍加穿鑿，至失其真　。」感，參本卷、四五八、注③。

④剩水……鴉　在這不盡完整的山河之間，多少有一些敗筆。剩水殘山，同「殘山剩水」。餘詳參卷七、一三〇、注①。幾，參卷一〇、一八八、注②。點鴉，猶塗鴉。謂拙劣的筆劃。亦即敗筆。筆蘸墨而施曰點。吳祚國統：「孫權夢人以筆點額，覺，以問術士熊循，

循曰：『大王必為吳王。』」東晉王嘉拾遺記：「烈裔，騫宵國人，善畫，畫為龍鳳，騫翥若飛，皆不可點睛，或點之，必飛走也。」喻書寫拙劣之字、畫，曰鴉。唐盧仝添丁詩：「忽來寄上飛墨汁，塗抹詩書如老鴉。」北宋蘇軾和董傳留別詩：「得意猶堪誇世俗，詔黃新濕字如鴉。」

四六七、佛　燈

張　貞

佛座分明一點高①，寶旛影畔夜焚膏②。供他山寺沙彌小③，閒借餘光補衲袍④。

【析韻】

高、膏、袍，下平、四豪。

【釋題】

佛燈，供於佛前之燈火。北宋蘇軾是日宿水陸寺寄北山清順僧詩之一：「農事未休侵小雪，佛燈初上報黃昏。」西遊記第十七回：「萬籟聲寧，千山鳥絕。溪邊漁火息，塔上佛燈昏。」清龔自珍一痕沙錄言詞：「高閣佛燈青，替鈔經。」

【注解】

①佛座……高　佛像的臺座，顯然高了一些。佛座，安置佛祖塑像的臺座。唐白居易香山寺經藏記：「堂中間置高廣佛座一座，上列金色像五百。」分明，參卷一、三、注①。分

明，又作「清清楚楚」、「確確實實」等解，亦通。另參卷一、二、注③等。一點，表甚少或不定的數量。南朝梁江淹惜晚春詩：「如獲瓊歌贈，一點重如金。」景德傳燈錄潭州神山僧密禪師：「我今日一點氣力也無。」紅樓夢第一一回：「好好的（榮按：今用「地」）替咱們服侍老太太西去，也少（今用「稍」）盡一點子心哪。」高，表垂直距離；逾某一定尺度，恆用「高」形容之。

②寶旛……膏　晚間，殿內旗旛的影像旁，還在繼續坐佛課。寶旛，本作寶幡，佛寺中懸掛的旗旛。觀佛三昧海經觀四威儀品：「於階道側豎諸寶幢，無量寶幡懸其幢頭。」唐綦毋潛（？—？，神龍、至德間人。）題鶴林寺詩：「冊冊寶幡挂，焰焰明燈燒。」清孔尚任桃花扇棲真：「這中元節，村中男女，許到白雲庵與皇后周娘娘懸掛寶旛。」旛、幡，均讀ㄈㄢ。影畔，影像的旁邊。夜，晚間。太陽西下至翌日拂曉間。焚膏，夜間繼續工作或學習。唐韓愈進學解：「焚膏油以繼晷，恆兀兀以窮年。」明朱鼎（？—？，世次不詳。）玉鏡臺記議婚：「燃青藜以照夜，明燭奎文；繼日晷而焚膏，光傳太乙。」清鈕琇觚賸自怡編序：「焚膏檢較涑水、通鑑。」膏，油脂之屬，指燈燭。晷，日光。

③供他……小　山中禪寺，年幼的和尚，正在虔誠祭祀、全心禮佛。供，ㄍㄨㄥ。祭祀。奉祀。後漢書禮儀志上：「正月上丁，祠南郊，禮畢。次北郊、明堂、高廟、世祖廟，謂之五供。」隋書音樂志：「祭本用初，祀由功舉。駿奔咸會，供神有序。」紅樓夢第五三回：「咱們哪怕用一萬銀子供祖宗，到底不如這個有體面，又是沾恩錫福。」他，指神佛。山寺，山

中寺院。北周庾信陪駕幸終南山和宇文內史：「戍樓鳴夕鼓，山寺響晨鐘。」唐韋應物遊靈巖寺詩：「始入松路永，獨忻山寺幽。」元何中南居寺詩：「峰峰看不足，山寺已鳴鐘。」沙彌，音譯自梵語śrāmaṇera，並略稱之。初出家的男性佛教徒。東晉法顯佛國記：「道人即捨大戒，還作沙彌……自爾相承至今，恆以沙彌為寺主。」魏書釋老志：「俗人之信憑道法者，男曰優婆塞，女曰優婆夷。其為沙門者，初修十誡，曰沙彌，而終於二百五十，則具足成大僧。」唐李益贈宣大師詩：「一國沙彌獨解詩，人人道勝惠林詩。」小，年幼。南宋范公偁過庭錄：「吉氏有幼女，視永錫頗小，吉氏堅復歸之。」

佛燈（上圖祖先神位兩旁）

④閒借……袍　空暇，他還運用那多出來的光線，縫緝著零頭碎布綴成的長衣。閒，空暇。通「閑」。南宋劉克莊水調歌頭詞：「向來幻境安在，回首總成閒。」財物非己固有，向人暫假使用曰借。此處引申作「運用」解。餘光，多餘之光。史記樗里子甘茂列傳：「臣聞貧人女與富人女會績，貧人女曰：『我無以買燭，而子之燭光幸有餘，子可分我餘光，

無損子明而得一斯便焉。』今臣困而君方使秦而當路矣。茂之妻在焉，願君以餘光振之。」補，縫緝。治綻裂使完好。新序刺奢：「衣弊不補，履決不苴。」古樂府豔歌行：「故衣誰當補，新衣誰當綻。」衲袍，用碎布料縫綴的長衣。南宋洪邁夷堅乙志俠婦人：「吾手製衲袍以贈君，君謹服之，惟吾兄長馬首所向。」

四六八、寒燈

蔡振豐

寒迫重衾夢乍回①，一燈寫影共徘徊②。可憐詠雪偎爐夜③，照盡詩人慘淡來④。

【析韻】

回、徊、來，上平、十灰。

【釋題】

寒夜孤燈，謂之寒燈。多用以形容孤寂、悽涼等境遇也。南朝齊謝朓冬緒羈懷示蕭諮議虞田曹劉江二常侍詩：「寒燈耿宵夢，清鏡悲曉髮。」北宋柳永浪淘沙詞：「夢覺、透窗風一線，寒燈吹息。」清昭槤嘯亭雜錄洪文襄款客：「士人返舍，依然寒燈如豆，破壁頹垣猶如故也。」

【注解】

①寒迫……回　天寒地凍，逼人覆蓋兩層厚厚的大被；我忽然從睡夢中清醒過來。寒，謂天

氣極冷。猶云天寒地凍。餘參卷一九、三二七、注④。迫，參卷二三、三七二、注④。重衾，ㄔㄨㄥˊ ㄑㄧㄣ。又讀ㄔㄨㄥˊ ㄑㄧㄣ。兩層大被。西晉 張華 雜詩：「重衾無暖氣，挾纊如懷冰。」北宋 周邦彥 尉遲杯 離恨詞：「等行人醉擁重衾，載將離恨歸去。」夢乍回，參卷一九、三二一、注②。

②一燈……徊 孤燈反映出兩「人」一道隨興來來回回。一燈，猶孤燈。餘參本卷、四五九、注④。寫影，猶反映。共，參卷二、二七、注②。徘徊，參卷七、一二七、注①。

③可憐……夜 唉！緊挨著火爐的那個晚上，大家爭相談論謝道韞詠絮的故事。可憐，表感歎。餘參卷一、九、注④。詠雪，指謝道韞詠絮，詳參卷四、七九。夜，參前首注②。

④照盡……來 看得出詩人各個都在搜索枯腸、仔細推敲、用心思索。照，看。紅樓夢第五三回：「賈母歪在榻上，和眾人說笑一回，又取眼鏡向戲臺上照一回。」盡，參卷七、一三八、注②。詩人，參卷六、一一四、注④。慘淡，參卷六、一〇一、注②。來，表動作—

油燈（一燈如豆）

慘淡的趨向。北宋梅堯臣絕句之二：「上去下來船不定，自飛自語燕爭忙。」

四六九、讀書燈

莊龍

十年辛苦一燈知①，剔盡寒光獨睡遲②。夜半梅花香雪裏，小牕寒影伴吟詩③。

【析韻】

知、遲、詩，上平、四支。

【釋題】

讀書燈，閱讀（誦讀）書籍時，用以照明之具，猶言（書）桌燈也。

【注解】

①十年……知　我多年的辛勤、勞苦，這盞孤燈清楚、明白。十年，參卷一六、二六七、注④。辛苦，辛勤勞苦。左傳昭公三〇年：「吳光新得國，而親其民，視民如子，辛苦同之，將用之也。」南朝梁何遜宿南洲浦詩：「幽棲多暇豫，從役知辛苦。」金李汾（一一九〇？—一二三〇？）再過長安詩：「自憐季子貂裘敝，辛苦燈前讀揣摩。」近人劉大白田主來詩：「辛苦種得一年田，田主偏來當債討。」一燈，猶孤燈。餘參本卷、四五九、注④。知，識。省識。書皋陶謨：「知人則哲，能官人。」禮記樂記：「知聲而不知音者，禽獸是也。知音而不知樂者，眾庶是也。唯君子為能知樂。……知樂則幾於禮矣。」

論語憲問：「知我者，其天乎！」在此，引申作「清楚、明白」解。

②剔盡……遲 油盡燈枯，耽擱了一個人草草就寢的時辰。剔盡寒光，猶云油盡燈枯。剔，指剔燈的動作。挑動燈心，俾其燃燒發光，曰剔燈。北宋晏幾道南鄉子詞：「細剔銀燈怨漏長。」南宋范成大雜詩：「剔燈寒作伴，添被厚如埋。」盡，參本卷前首注④。寒光，令人有寒冷感覺的光（線）。多用以狀午夜或隆冬時的光線。南朝宋鮑照擬行路難詩之一：「紅顏零落歲將暮，寒光宛轉時欲沉。」唐白居易在家出家詩：「清唳數聲松下鶴，寒光一點竹間燈。」元謝宗可螢燈詩：「秋空雨歇寒光墮，晚徑風閑冷燼多。」獨睡，孑然一人入睡，無同寢之人。遲，謂耽擱時間。餘參卷五、八一、注③。

③夜半……詩 午夜，素梅綻放、潔白芬芳之中，那既小又冷的窗影，依然陪著我推敲詩句。夜半，參卷一二、二一九、注④。梅花，參卷六、一〇三、注④。香雪，色白芬芳的（梅）花。清余懷板橋雜記麗品：「軒左種老梅一樹，花時香雪霏拂几榻。」厲荃事物異名錄花卉梅：「湖壖雜記：湖墅有三勝地，西溪之梅名曰香雪。」又，江蘇吳縣鄧尉山多梅，花時，滿山盈谷，香氣四溢，勢若雪海。康熙間蘇撫宋犖題「香雪海」三字摩崖，遂為鄧尉別稱，名著吳下。中曰裏。水滸傳楔子：「太尉……口裏不說，肚裡躊躇。」小牕，小窗。牕，窗俗字。餘參卷一八、三〇三、注④。寒影，冰冷（清冷）的物影。唐蘇味道（六四八—七〇五）詠霜：「帶日浮寒影，乘風進晚威。」北宋余靖西山詩：「魚戲竹溪寒影碎，路穿松塢翠陰斜。」元程鉅夫（一二四九—一三一八）送尹生歸江西詩：

「野岸曉光千棹急，平湖寒影數峯欹。」清張鑒（一七六八－一八五〇）夕陽詩：「記得紅杉高骨馬，九嵕寒影繞潼關。」伴，侶。引申作「陪」解。吟詩，猶作詩。北宋孔平仲孔氏談苑蘇軾以吟詩下吏：「蘇軾以吟詩有譏訕，言事官章疏狎上，朝庭下御史臺差官追取。」清杜濬（一六一一－一六八七）一杯嘆詩：「坐使吟詩作賦興索然，眼見斯文從此廢。」

四七〇、走馬燈

蔡振豐

紙背光搖夜已深①，一燈閃閃漏沉沉②。我曾走馬天涯遍③，泡影如斯觸上心④。

【析韻】

深、沉、心，下平、十二侵。

【釋題】

一種供玩賞用花燈，中置一輪，輪周圍置紙人、紙馬等像。輪下燃燭，熱氣上騰，引起空氣對流，使輪轉動，紙像隨之旋轉。又稱馬騎燈。南宋吳自牧夢粱錄夜市：「春冬扑賣玉柵小球燈、奇巧玉柵屏風、捧燈球、快行胡女兒沙戲、走馬燈……等物。」清富察敦崇燕京歲時記走馬燈：「走馬燈者，剪紙為輪，以燭噓之，則車馳馬驟，團團不休，燭滅則頓止矣。」

【注解】

①紙背……深　夜半，糊紙的那一面，燈光依然不停地晃動。紙背，（糊）紙的那（或另）一面。背，ㄅㄟˋ。光搖，燈光晃動。夜已深，已經夜深了。已，表時間。夜深。猶夜午。參卷一二、二一九、注④。

②一燈……沉　一盞燈火，光線四射、明滅不定，玉漏已經沉寂。一燈，參卷二七、四五九、注④。閃閃。光線四射、明滅不定。世說新語 容止：「雙目閃閃若巖下電。」元 張可久 折桂令 江上次劉時中韻曲：「隱隱鳴鼉，嗷嗷旅雁，閃閃飛螢。」漏，指玉漏或沙漏。古計時器。明代鐘表輸入，其用遂稀，至清幾已廢置不用。沉沉，ㄔㄣˊ ㄔㄣˊ。本作「沈沈」。形容寂靜無聲或聲音悠遠隱約。唐 柳宗元 遊黃溪記：「（溪水）黛蓄膏渟，來若白虹，沈沈無聲，有魚數百尾，方來會石下。」李商隱 河內詩：「鼉鼓沉沉虬水咽，秦絲不上蠻絲絕。」北宋 蘇舜欽 演化琴德素高因為作歌以寫其意：「風吹仙籟下虛空，滿座沈沈竦毛骨。」明 陳鐸（一四八八？—一五二一？）醉羅歌 閨怨曲之四：「漏點沉沉響銅壺，好難把長更度。」清 龔自珍 冬日小病寄家書作詩：「餳簫咽窮巷，沈沈止復吹。」

③我曾……遍　海角天邊，我曾經走透透。我曾，我曾經。曾，ㄘㄥˊ。已經。副詞，表時間。走馬。驅馬。引申作「行」解。餘參卷三、四八、注①。天涯，參卷六、一〇四、注④。遍，參卷九、一六一、注②。

④泡影……心　如此虛幻不實、生滅無常；不禁心有戚戚焉。泡影，佛家用以比喻事物虛幻

不實、生滅無常。金剛經 應化非真分：「一切有為法，如夢幻泡影。」北宋 蘇軾 六關堂老人草書詩：「方其夢時了非無，泡影一失俯仰殊。」清 俞樾 春在堂隨筆卷一：「夢幻泡影，大率類此。」如斯，如此。論語 子罕：「子在川上，曰：『逝者如斯夫！不舍晝夜。』」明 郎瑛 七修類稿 奇謔三代死失火：「苟謂事事如斯，吾未之信矣。」近人郭沫若 黃山之歌：「峨嵋號稱天下秀，不知是否信如斯。」觸上心，猶云心有戚戚焉。觸，動。感動。易 繫辭上：「引而伸之，觸類而長之，天下之能事畢矣。」上，到。就。西晉 李密 陳情表：「郡縣逼迫，催臣上道。」心，指內心。孟子 梁惠王上：「王說，曰：『詩云：『他人有心，予忖度之。』……夫子言之，於我心有戚戚焉。……』」

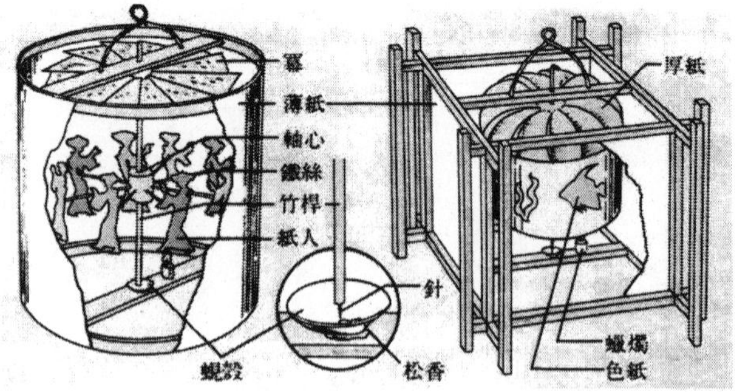

走馬燈

四七一、走馬燈

陳朝龍

不夜城開漏已深①，【飈】輪擁騎影難尋②。封侯未得停鞍日③，一樣催鞭火激心④。

【析韻】

深、尋、心，下平、十二侵。

【釋題】

作者將走馬燈比擬為不夜城。餘參本卷、四七〇釋題。

【注解】

①不夜……深　燈火通明、有如白晝，熙熙攘攘、來去無阻；但時刻已經不早了。不夜城，形容城市燈火通明、雖已夜幕低垂，卻有如白晝。唐蘇頲（六七〇—七二七）廣大樓下夜侍酺宴應制詩：「樓臺絕勝宜春苑，燈火還同不夜城。」明楊基元夕觀燈詩：「綺羅香繞長春苑，珠翠又遊不夜城。」清吳偉業朝日壇次韻：「不夜城傳宣夜漏，王宮朝奉竹宮符。」開，放。老子：「善閉無關楗而不可開。」三國志吳書孫權傳：「開門而揖盜，未可以為仁也。」在此，猶謂來去無阻。漏，古計時器；此處，用以指時間、時刻。後漢書董賢傳：「二歲餘，賢傳漏在殿下。」顏師古注：「傳漏，奏時刻。」唐黃滔貽張蠙同年詩：「驅車先五漏，把菊後重陽。」清沈復浮生六記閨房記樂：「正話間，漏已三滴。」已深，猶不早。

②飈輪……尋　神車跟隨著駿馬奔馳，那影像並不容易掌握。飈輪，亦作「飆輪」；本作「飆輪」。御風而行的神車。唐陸龜蒙和江南道中懷茅山廣文南陽博士之一：「莫言洞府能招隱，會輾飆輪見玉皇。」明湯式一枝花送車文卿歸隱套曲：「比鶴上人不馭飆輪，

比山中相不登仕版，比壺內翁不煉金丹。」劉基釣天樂詩：「風師咆哮虎豹怒，銀漢洶湧天雞啼。飆輪撇捩三島過，海水盡是青玻璃。」飇，原訛刊「飈」，茲訂正之。讀作ㄅㄧㄠ。擁，從。跟隨。舊唐書竇威傳：「……身擁數百騎毆。」騎，ㄐㄧˋ。馬。唐李白擣衣篇：「君邊雪擁青絲騎，妾處苔生紅粉樓。」杜甫陪李梓州泛江有女樂在舫戲為豔曲贈李詩：「上客迴空騎，佳人滿近船。」北宋張先一叢花詞：「歸騎漸遙，征塵不斷，何處認郎蹤？」影，參卷二一、三四九、注①。難尋，不易掌握。

③封侯……日　追逐名位，汲汲營營，無從稍歇。封侯，參卷三、五八、注③。未得，參卷四、六四、注③。停鞍日，猶云歇息的日子。

④一樣……心　依然急促地揮動馬箠，怒氣衝上心頭。一樣，參卷二、二九、注④。催，促。（正字通）。南朝梁簡文帝從軍行：「將軍號令密，天子璽書催。」馬箠曰鞭。禮記曲禮上：「乘路馬，必朝服，載鞭策。」左傳宣公一五年：「雖鞭之長，不及馬腹。」晉書苻堅載記：「堅曰：『以吾之眾旅，投鞭於江，可以斷流。』」怒曰火。指其如火之炎，故名。五代後梁杜荀鶴下第東歸道中詩：「心火不銷雙鬢雪，眼泉難濯滿衣塵。」激，衝。衝撞。南朝宋謝靈運道路憶山中詩：「濯流激浮湍，息陰倚密竿。」西晉潘岳河陽縣作詩：「川氣冒山嶺，驚湍激巖阿」。心，心頭。

四七二、燭 淚

黃如許

秋風簾內啟蕪函①，蠟炬當風映酒衫②。試問成灰乾也否③？英雄有淚卻仍銜④。

【析韻】

函、衫、銜，下平、十五咸。

【釋題】

燭淚，亦作「燭泪」。蠟燭燃燒過程中，所淌下之液態蠟。唐 白居易 房家宴喜雪戲贈主人詩：「酒鉤送盞推蓮子，燭淚黏盤壘蒲萄。」北宋 歐陽修 歸田錄卷一：「每罷官去後，人至官舍。見廁溷間燭淚在地，往往成堆。」明 王文祿（？—？，世次不詳。）機警卷一：「羣盜皆衣白，妾秉燭時，盡以燭淚污其背。」

【注解】

①秋風……函 西風蕭索，我在竹簾裏打開自己的舊信。秋風，參卷二一、三八、注③等。簾內，竹簾裏。或珠簾裏。簾，參卷一三、二二六、注②。啟，開。書 太甲上：「旁求俊彥，啟迪後人。」禮記 月令：「是月也，日夜分，……蟄蟲咸動，啟戶始出。」論語 述而：「不憤不啟，不悱不發；舉一隅不以三隅反，則不復也。」蕪函，謙稱自己撰作的書信。榮按：古人友朋間書信往返，為珍視計，恆有將他人來信搜集後交還於彼，以便妥存。

②蠟炬……衫　正對著風的蠟燭，剛好映照在充滿酒味的衣衫。蠟炬，即蠟燭。唐杜甫宿府詩：「清秋幕府井梧寒，獨宿江城蠟炬殘。」北宋劉敞（一〇一九－一〇六八）踏莎行詞：「蠟炬高高，龍烟細細，玉樓十二門初閉。」清仲振奎（一七四九－一八一一）紅樓夢補裘：「費針工，聽銅龍玉漏沈花底，徙倚空房蠟炬紅。」近人高天梅（？－？，世次不詳。）只憐詩：「蠟炬成堆把淚澆，何堪落木聽蕭蕭。」當風，正對著風。東晉葛洪抱朴子道意：「當風臥濕，而謝罪於靈祇；飲食失節，而委禍於鬼魅。」唐陸龜蒙春思詩之二：「江南酒熟清明天，高高綠旆當風懸。」映，參卷一四、二三七、注①。酒衫，帶有酒味的長衣。

③試問……否　請問：既已燃燒完了。現在，究竟是乾還是溼？試問，質問對方的一種用詞。猶請問。北宋蘇軾又和劉景文韻：「試問壁間題字客，幾人不為看花來？」清李漁閒情偶寄詞曲上結構：「試問當年作者，有一不肖之人、輕薄之子廁於其間乎？」近人許地山危巢墜簡：「試問亘古以來這第一流人物究竟有多少？」（邇來，臺北有「上流美者，喧騰諸大小媒體；茲引地山佳句一則，博眾一粲。）物質燃燒後所留屑末曰灰。燃燭無從成「灰」。成灰，在此作「燒盡」、「燃竭」等解。乾也否，乾還是溼？

④英雄……銜　才智絕倫的人，即使有淚，倒依然含在眼裏。猶謂英雄有淚不輕彈。英雄，參卷二、二九、注③。有淚，眼眶存著淚水。卻，倒。唐張祜集靈臺詩：「卻嫌脂粉污顏色，淡掃蛾眉朝至尊。」仍，依然。銜，含。原多用以狀口中噙物。唐李商隱春日詩：

「蝶銜花蕊蜂銜粉，共助青樓一日忙。」

四七三、聞 鐘

蔡振豐

鐘聲入耳破愁懷①，斷續風吹響更佳②。我憶景陽【樓】外聽③，忙隨天仗拜金階。

【析韻】

懷、佳、階，上平、九佳。

【釋題】

聞，ㄨㄣˊ。聽見。聽到。書 君奭：「我則鳴鳥不聞，矧曰其有能格。」唐 杜甫 贈花卿詩：「此曲祗應天上有，人間能得幾回聞？」鐘，本古代樂器。青銅製，懸於架上，以槌叩擊使發音。用於祭祀、宴享、戰陣。西周中期始有成組編鐘。此處係指佛寺用以報時等用之懸鐘，依梵語 Ghantā 意譯之。北周 庾信 陪駕幸終南山和宇文內史詩：「戍樓鳴夕鼓，山寺響晨鐘。」唐 王勃 淨慧寺碑：「九乳先鐘，獨鳴霜雪。」清 方文 接待亭訪潘江如詩：「笑話淹長晝，歸時寺已鐘。」又秋夜懷湯仍三詩：「寺從鐘後寂，月向樹梢明。」

【注解】

①鐘聲……懷　悅耳的鐘聲，抒解了我憂傷的心緒。鐘聲，撞（或扣）鐘所發出的聲音。禮記 樂記：「君子聽鐘聲，則思武臣。」左傳 襄公二九年：「自衛如晉，將宿於戚，聞鐘

聲焉。」唐元稹春曉詩：「狂兒撼起鐘聲動，二十年前曉寺情。」杜牧宣州開元寺贈惟真上人詩：「夜深月色當禪處，齋後鐘聲到講時。」張繼楓橋夜泊詩：「姑蘇城外寒山寺，夜半鐘聲到客船。」鐘，古樂器名。鑄銅、鐵為之；造鐘之制，詳周禮冬官考工記。宋書樂志：「鐘者，世本云：『黃帝工人垂所造；……』」古今樂錄：「凡金為樂器者有六，皆鐘之類也，曰鐘，曰鎛、曰錞、曰鐲、曰鐃、曰鐸。」入耳，悅耳。中聽。東晉葛洪抱朴子辭義：「夫文章之體，尤難詳賞；苟以入耳為佳，適心為快，尟知忘味之九成，雅頌之風流也。」南朝梁蕭統文選序：「譬陶匏異器，並為入耳之娛。」紅樓夢第一一八回：「王夫人聽了，雖然入耳，只是不信。」破，引申為「紓解」。餘參卷二三、三八〇、注②。愁懷，憂傷的心緒。南宋張輯（？—？，紹熙、端平間人。）謁金門花自落詞：「睡起愁懷何處著？無風花自落。」元關漢卿玉鏡臺第一折：「怎能殼可情人消受錦幄鳳凰衾，把愁懷都打撇在玉枕鴛鴦帳。」

②斷續……佳　經風斷斷續續地飄送，那聲音格外地美好。斷續，參卷二六、四三三、注④。風吹，藉由風的飄送。淮南子說山訓：「聖人不先風吹，不先雷毀，不得已而動，故無累。」唐鄭愔（？—七一〇）春怨詩：「風吹數蝶亂，露洗百花鮮。」吳少微（？—七〇六）隴頭水詩：「露卷白山出，風吹黃葉翻。」聲曰響。今語音響。西漢揚雄劇秦美新：「炎光飛響，盈塞天淵之間。」三國魏嵇康琴賦：「激清響以赴會，何絃歌之綢繆。」南朝齊丘巨源（？—四八五？）聽鄰妓詩：「雲間嬌響徹，風末豔聲來。」更佳，

格外地美好。

③我憶……階 讓我回想起景陽的故事：大伙一聞角樓鐘聲，匆匆妝飾，趕緊跟著鹵簿，朝帝殿的臺階行禮。我憶，我回想起……。景陽，南朝齊宮殿名。樓外，角樓外。聽，猶聞。忙隨，趕緊跟著。天仗，天子的儀仗，昔稱鹵簿。唐李白大獵賦：「乃使神兵出于九闕，天仗羅于四野。」行禮曰拜。金階，亦作「金堦」。帝王宮殿的臺階。唐王涯（七六三？—八三五）宮詞之二：「欲得君王一回顧，爭扶玉輦下金堦。」宣和遺事前集：「（殿頭官）踏著金階，口傳聖旨。」醒世恆言陳孝基陳留認舅：「讀書箇箇望公卿，幾人能像金堦走？」榮按：南朝齊武帝蕭賾（四四〇—四九三）以宮深不聞端門鼓漏，遂置鐘于景陽宮角樓。宮人聞鐘聲，早起裝飾。事詳南齊書皇后傳武穆裴皇后一節。後人因用以為典。唐許渾金陵懷古詩：「玉樹歌殘王氣終，景陽兵合戍樓空。」溫庭筠照影曲詩：「景陽粧罷瓊窗暖，欲照澄明香步懶。」李賀畫江潭苑詩之四：「今朝畫眉早，不待景陽鐘。」北宋賀鑄更漏子詞：「池邐黃昏，景陽鐘動，臨風隱隱猶聞。」清趙翼西巖齊頭自鳴鐘分體得七古詩：「何須景陽催曉妝，豈但楓橋驚夜泊。」

四七四、聞 鐘

鄭兆璜

山寺鐘敲到小齋①，聞時惹我感幽懷②。上方夜靜聲初動③，萬籟沉沉月滿階④。

【析韻】

齋、懷、階，上平、九佳。

【釋題】

同前首。

【注解】

①山寺……齋　山中的寺院，叩鐘聲傳到了小築。山寺，參卷二七、四六七、注③。鐘，參前首注①。敲到，指鐘聲傳送至……。叩曰敲。北宋蘇軾寓居定惠院之東雜花滿山有海棠一株土人不知貴也詩：「不問人家與僧舍，柱杖敲門看修竹。」到，參卷八、一五九、注①。小齋，參卷一七、二七九、注④。

②聞時……懷　聽到的時候，引起我意識到隱藏內心深處的情思。聞，聽。聽得。左傳僖公一〇年：「欲加之罪，其無辭乎？臣聞命矣。」論語陽貨：「子之武城，聞弦歌之聲。」孟子公孫丑上：「聞其樂而知其德。」時，表時間。猶「…的時候」。惹，參卷二三、三八三、注②。感，參卷一九、三二二、注④。幽懷，隱藏內心深處的情思。水經注廬江水引西晉吳猛（？—？世次不詳。）詩：「曠載暢幽懷，傾蓋付三益。」唐皇甫枚三水小牘步飛烟：「兼題短葉，用寄幽懷。」清袁枚隨園詩話卷九：「（尹似村詩）清談相訂菊花期，正慰幽懷入夢時。」

③上方……動　夜空闃寂，寺鐘方才響起。上方，參卷一一、二一一、注③。夜靜，夜寂。

夜謐。北周庾信思舊賦：「孀機嫠緯，獨鶴孤鸞，閨深夜靜，風高月寒。」唐戴叔倫贈月溪羽士詩：「夜靜金波冷，風微玉練平。」姚合武功縣中詩：「秋涼送客遠，夜靜詠詩多。」冷齋夜話：「華亭船子和尚詩，夜靜水寒魚不餌，滿船空載明月歸。」聲，指寺鐘的聲音。初，甫。猶方才。動，起。發。

④萬籟……階　大地一片靜謐，月光遍布臺階。萬籟，參卷一八、二九七、住①。沉沉，參卷二七、四七〇、注②。月，指月光。滿階，遍布臺階。陛曰階。逐級而升之土級、石級、磚級並稱之。書大禹謨：「帝乃誕敷文德，舞干羽于兩階。」唐岑參和賈至早朝大明宮詩：「金闕曉鐘開萬戶，玉階千仗擁千官。」

四七五、聞　鐘

蔡　汝　修

何來細響破愁懷①？山寺沉沉聽轉佳②。清夜我曾聞最切③，十年春夢醒秦淮④。

【析韻】

懷、佳、淮，上平、九佳。

【釋題】

詳本卷、四七三。此處從略。

【注解】

①何來……懷　何處傳來微弱的鐘聲？它，抒解了我憂傷的心緒。何來，從何處而來。來，至。細響，微弱的音響。文心雕龍 宗經：「譬萬鈞之洪鍾（鐘），無錚錚之細響矣。」唐 賈島 送韓湘詩：「細響吟乾葦，餘馨動遠蘋。」細，形容音量微弱、不大。響，聲；指鐘聲。破，參卷二三、三八〇、注②。愁懷，參本卷四七三、注①。

②山寺……佳　山中的寺院，靜謐無聲；聽起來，反而美好。山寺，參卷二七、四六七、注③。沉沉，參本卷二七、四七〇、注②。聽，參卷一九、三二三、注④。轉佳，反而美好。轉，表性態。猶反（而）。倒過來。清 吳藻（一七九九—一八六二；陳文述女弟子）虞美人詞：「池塘春早總模糊，轉覺今宵有夢不如無。」

③清夜……切　清靜的夜裡，我曾經聆聽得格外親近、深入。清夜，清靜的夜晚。西漢 司馬相如 長門賦：「懸明月以自照兮，徂清夜於洞房。」唐 李端 宿瓜州寄柳中庸詩：「懷人同不寐，清夜起論文。」花月痕第四六回：「而內閣大臣，尤循常襲故，旅進旅退於唯唯諾諾之間，清夜捫心，其能自慰乎？」我曾，參本卷、四七〇、注③。聞，聽而得其聲。南朝 陳 江總 遊虎丘山精舍詩：「縱棹憐迴曲，尋山靜見聞。」唐 杜甫 喜雨詩：「晚來聲不絕，應得夜深聞。」最切，格外親近、深入。比較級之至者，曰最。切，親近、深入。論語 子張：「博學而篤志，切問而近思，仁在其中矣！」

④十年……淮　長年的榮華消長、世事無常，都在尋芳冶遊之中，了悟過來。十年，參卷一

六、二六七、注④。春夢，喻榮華消長、世事無常。元 朱凱（？—？字士凱。）昊天塔第一折：「想老夫幼年時，南征北討，東蕩西除，到今日都做了一場春夢也。」近人胡懷琛（一八八六—一九三八）中央公園詩：「金瓦瓊樓舊帝都，當年春夢付殘陽。」醒，覺。夢覺。猶了悟。唐 章孝標 雲際寺詩：「雲領浮名去，鐘撞大夢醒。」南宋 朱熹 悟竹詩：「此君同一笑，午夢頓能醒。」秦淮，河名。流經南京，為南京名勝之一。相傳秦始皇南巡至龍藏浦，發現王氣，於是鑿方山，斷長壟為瀆入於江，以泄之，故名秦淮。唐 杜牧 泊秦淮詩：「烟籠寒水夜籠沙，夜泊秦淮近酒家。」南唐 李煜 浪淘沙詞：「想得玉樓瑤殿影，空照秦淮。」元 傅若金 金陵晚眺詩：「城下秦淮水，年年自落潮。」清 孔尚任 桃花扇 聽稗：「既是這等，且到秦淮水榭，一訪佳麗，倒也有趣！」作者借秦淮隱指風花雪月、尋芳冶遊，謂醒秦淮，未必至秦淮，乃於楚館秦樓中也。

四七六、飯後鐘

陳　朝　龍

英雄未遇髮衝冠①，聽到鐘聲飯已殘②。太息碧紗籠句後③，廿年冷暖此中看④。

【析韻】

冠、殘、看，上平、十四寒。

【釋題】

佛寺午膳畢，撞鐘報時，曰飯後鐘。

【注解】

①英雄……冠　才具傑出的俊秀，還沒有發跡，難免憤憤不平。英雄，參卷二、二九、注③。未遇，參卷一四、二四〇、注④。髮衝冠，頭髮上挺，直上元服（即帽子）。喻盛怒。憤憤不平。典出史記廉頗藺相如列傳：「相如因持璧卻立，倚柱，怒髮上衝冠。」南朝梁徐悱（四九四？—五二四）古意酬到長史溉登琅玡城詩：「年少負壯氣，耿介立衝冠。懷紀燕山石，思開九谷丸。」隋楊廣白馬篇：「衝冠入死地，攘臂越金湯。」北宋王禹偁擬李靖破頡利可汗露布：「謀臣為之切齒，壯士為之衝冠。」近人黃節（一八七三—一九三五）宴集桃李花下詩：「丈夫捽髀驚，衝冠裂目眥。」

②聽到……殘　一聞寺鐘響起，知道午間齋飯已經即將結束了。聽到，猶聞。聽見。鐘聲，參考本卷四七三、注①。飯，指佛寺午齋。已，表時間。殘，將盡。唐元稹聞白樂天授江州司馬詩：「殘燈無焰影幢幢，此夕聞君謫九江。」韓愈左遷示姪孫湘詩：「本為聖朝除弊政，敢將衰朽惜殘年。」明鎦泰（？—？）新秋示盛伯宣詩：「酒醒小立殘陽裡，閒數籬邊紫荳花。」

③太息……後　唉！何其現實。詩文終歸以人為重啊！太息，參卷一、八、注③。碧紗籠，參卷一九、三一四、注③。句後，謂題寫詩句以後。

④廿年……看　二十年來，人世間冷淡苛酷、溫和寬厚，在這等過程裏審察出來。廿，ㄋㄧㄢˋ。二十的合體。冷暖，參卷二三、三七七、注④。此中，指午齋、題詩等過程。餘參卷一〇、一九四、注⑧。審察曰看。呻吟語：「難事看擔當；逆境順境看襟度；臨喜臨怒看涵養；羣行羣止看識見。」

四七七、古　鏡

劉　廷　璧

古鏡時時寶匣開①，曉粧親手拭塵埃②。此中莫怪分明甚③，閱盡人情世態來④。

【析韻】

開、埃、來，上平、十灰。

【釋題】

古時所製銅鏡，稱古鏡。唐 王度（？—？，開皇、貞觀間人。）古鏡記：「隋 汾陰 侯生，天下奇士也。王度常以師禮事之。臨終，贈度以古鏡。」司空圖 二十四詩品 洗煉：「空潭瀉春，古鏡照神。」北宋 趙希鵠（？—？；宋太祖九世孫。）洞天清錄 古鏡鼎彝器辨：「范文正公家有古鏡，背具十二時，如博棊子。每至此時，則博棊中明如月，循環不休。」

【注解】

①古鏡……開　經常掀啟寶匣、取出這面古鏡。古鏡，詳參本首釋題。時時，參卷一四、二

三八、注②。寶匣，外飾寶玉的精緻儲物用盒。猶寶函。匣，ㄒㄧㄚˊ。藏物器之小者。史記刺客列傳：「而秦舞陽奉地圖匣，以次進。」南北朝 後魏 李遐（？—？）東飛伯勞歌：「秦王龍劍燕后琴，珊瑚寶匣鏤雙心。」隋 盧思道 大慈照寺詩：「大川開寶匣，福地下金繩。」唐 孟浩然 寒夜詩：「理琴開寶匣，就枕臥重幃。」開，掀啟。老子：「善閉無關楗而不可開。」禮記 月令：「開府庫，出幣帛。」三國志 吳書 孫權傳：「開門而揖盜，未可以為仁也。」

②曉粧……埃　清晨梳粧前，自己動手擦淨灰塵、細土。曉粧，參卷一五、三四八、釋題。親手，親自用手。謂自己動手。唐 章孝標 鷹詩：「會使老拳供口腹，莫辭親手啖腥臊。」明 張居正 女誡直解：「所作之事，必期于成，不始勤而終怠，不有頭而無尾，必須親手處理。」拭，ㄕˋ。擦。揩。塵埃，細小的灰土。禮記 曲禮上：「前有水，則載青旌；前有塵埃，則載鳴鳶。」莊子 逍遙遊：「野馬也，塵埃也，生物之以息相吹也。」唐 杜甫 兵車行：「爺娘妻子走相送，塵埃不見咸陽橋。」

③此中……甚　這可不要責怪它，明亮鑑人、影像非常清楚。此中，指古鏡。餘參卷一〇、一九四、注⑧。莫怪，參卷一、一五、注③。分明，參卷一、二、注③。甚，非常。極。很。表性態。

④閱盡……來　它：看透了人世間冷暖、厚薄……的情愁啊！閱盡，猶看透。人世情愁，人世間的情態。多指人與人之間交往的情分。南宋 曹勛（一〇九八—一一七四；榮按一作

「勳」。）訴衷情詞之一：「人世情態飽經過，眼也見來多。」明　陳所聞　新水令　填歸去來詞套曲：「俺與那人情世態既相違，披襟散髮最相直。」清　袁枚　新齋諧　鬼寶塔：「美則過於美，惡則過於惡，情形反覆，極似目下人情世態。」來，句末語氣助詞。猶哉。咧。啊。孟子　離婁上：「盍歸乎來！吾聞西伯善養老者。」莊子　人間世：「為人臣者不足以任之，子其有以語我來！」

月宮嫦娥鏡

獸鈕人物畫像鏡

細地文夔龍文鏡

卷二八

四七八、寒　砧

蹈　刃

一杵秋江擁月頻①，清流泚泚石磷磷②。誰將良藥不龜手，售與寒閨【洴】澼人③。

【析韻】

頻、磷、人，上平、十一真。

【釋題】

寒砧，亦作「寒碪」。寒秋時，搗衣聲也。砧，ㄓㄣ。擣衣石。昔文人每用「寒砧」以描寫秋景冷落蕭條。唐沈佺期古意呈補闕喬知之詩：「九月寒砧催木葉，十年征戍憶遼陽。」李賀龍夜吟詩：「寒砧能擣百尺練，粉淚凝珠滴紅線。」南唐李煜搗練子令詞：「深院靜，小庭空。斷續寒碪斷續風。」水滸傳第二一回：「譙樓禁鼓，一更未盡一更催；別院寒碪，千搗將殘千搗起。」

【注解】

①一杵……頻　深秋的江水，緊緊抱住月影。她使著棒槌一再地搗衣作活。一杵，一隻棒槌。杵，ㄔㄨˇ。舂搗穀物、藥物及築土、搗衣等用的棒槌。易繫辭下：「斷木為杵，掘地為臼。」藝文類聚卷八五引西漢班倢伃擣素賦：「於是投香杵，扣玟砧。」唐張籍築城詞：「築城處，千人萬人齊把杵。」南宋陸游病中偶書詩：「竹杖影瘦橫殘月，藥杵聲寒續暮砧。」秋江，（深）秋的江水。唐王昌齡重別李評事詩：「莫道秋江離別難，舟船明日是長安。」劉長卿七里灘送嚴維詩：「秋江渺渺水空波，越客孤舟欲榜歌。」杜甫雨晴詩：「天路看殊俗，秋江思殺人。」杜牧獨釣詩：「何如釣船雨，蓬底睡秋江。」擁，抱。禮記玉藻：「肆束及帶，勤者有事則收之，走則擁之。」孔穎達疏：「擁，謂抱之於懷也。」西漢劉向列女傳齊東郭姜：「閉門，聚眾鳴鼓。公恐，擁柱而歌。」南朝宋謝靈運發歸瀨三瀑布望兩溪詩：「風雨非攸悋，擁志誰與宣。」月，指月影。月照映在水面的影像。頻，屢。連。唐吳融富春詩：「雲低遠波帆來重，潮落寒沙鳥下頻。」

②清流……磷　流水清澈無比，河石五色繽紛。清流，清澈的流水。漢書禮樂志：「鄭衛之聲興則淫辟之化流，而欲黎庶敦樸家給，猶濁其源而求其清流，豈不難哉！」西晉左思吳都賦：「樹以青槐，亙以綠水，玄蔭耽耽，清流亹亹。」北宋蘇軾和子由聞子瞻將如終南太平宮溪堂書：「譬如倦行客，中路逢清流。」清王士禛池北偶談談異四內江石壁魚：「後破之，乃有一魚躍出，其中泓然清流也。」泚泚，ㄗˇㄗˇ。清澈貌。北宋梅堯臣

清池詩：「泚泚何足道，任彼黿鼉為。」石，指稱河床上的石頭。磷磷，ㄌㄧㄣˊ ㄌㄧㄣˊ。形容玉石色彩鮮明。漢書 司馬相如傳上：「明月珠子，的皪江靡。蜀石黃碝，水玉磊砢。磷磷爛爛，采色澔汗，叢積乎其中。」唐 羅鄴 吳王古宮井詩之二：「含青薜荔隨金甃，碧砌磷磷生綠苔。」五代 後梁 齊己 道林寺居寄岳麓禪師詩之二：「兩處煙霞門寂寂。一般苔蘚石磷磷。」

③誰將……人　誰能攜帶防治手部凍裂的好藥，來賣給這清貧的漂婦？誰，何人。將，ㄐㄧㄤ。攜帶。左傳 桓公九年：「楚子使道朔將巴客以聘於鄧。」唐 元結 將牛何處去詩之一：「將牛何處去，耕彼故城東。」良藥，療效高的藥。猶今語好藥。楚辭 天問：「安得夫良藥，不能固臧。」東漢 王充 論衡 道虛：「服食良藥，身氣復故，非本氣少身重，得藥而氣長身輕也。」不龜手，不使手部皮膚凍裂。謂防治凍裂也。龜手，ㄐㄩㄣ ㄕㄡˇ。凍裂手部皮膚。龜，通「皸」。莊子 逍遙遊：「宋人有善為不龜手之藥者，世世以洴澼絖為事。」郭慶藩集釋引李楨曰：「龜手，釋文云：『徐舉倫反』，蓋以龜為皸之叚借。」明 袁宏道 潞河舟中和小修別詩之二：「龜手衣猶在，齊眉案尚溫。」近人景耀月 讀史感言詩：「吳越不習師，空善不龜手。」售與，賣給。寒閨，清寒貧窮的內室。南朝 梁武帝 冬歌詩之一：「寒閨動黻帳，密筵重錦席。」元 馮子振 十八公賦：「征夫遠而疲藾糗糒，寒閨孏而凋殘脯盎。」洴澼，ㄆㄥ ㄆㄧˋ。漂洗（棉絮）。洴澼人，猶漂婦。唐 陸希聲（？—八九五？）寄譽光上人詩：「寄言昔日不龜手，應念江頭洴澼人。」北宋 王禹偁 謝除右拾遺

直史館啟：「亦猶洴澼為事，遽邀列地之封。」清 紀昀 閱微草堂筆記 如是我聞三：「云何強遣充硯材，如以嬙 施司洴澼。」榮按：「洴澼」原刊訛作「絣澼」，茲訂正之。

四七九、寒　砧

林　朝　崧

力盡閨中翠黛顰①，寒衣欲寄塞垣人②。熱腸自作封侯夢③，那識苔磯冷迫身④。

【析韻】

顰、人、身，上平、十一真。

【釋題】

同前首。

【注解】

①力盡……顰　內室裏，她、秀眉微皺，用全副精神打理著。力盡，力氣用竭。猶云用全副精神。左傳 昭公二一年：「力盡而敝之，是以無拯，不可沒振。」唐 元稹 有鳥詩之五：「主人頻問遣妖術，力盡氣窮音響悽。」閨中，參卷一五、二六五、注③。眉，別稱翠黛。古，女子用螺黛（青黑色礦物顏料）畫眉，故名。唐 杜甫 陪諸公子丈八溝攜妓納涼詩之二：「越女紅裙溼，燕姬翠黛愁。」北宋 秦觀 南鄉子詞：「往事已酸辛，誰記當年翠黛顰。」明 葉憲祖（一五六六—一六四一）鸞鎞記 閨詠：「幾番盼殺張京兆，翠黛留將懶

自描。」顰，ㄆㄧㄣˊ。攢皺。唐 李白 怨情詩：「美人捲朱簾，深坐顰蛾眉。」（榮按：蛾眉。一作「娥眉」。）杜甫 江亭詩：「江東猶苦戰，回首一顰眉。」南唐 李煜 長相思詞：「澹澹衫兒薄薄羅，輕顰雙黛螺。」

②寒衣……人　禦寒的衣服，想投寄給戍守邊關的老公。寒衣，禦寒的衣服。東晉 陶潛 擬古詩之九：「春蠶既無食，寒衣欲誰待？」唐 梁洽（？—七三四）金剪刀賦：「及其春服既成，寒衣欲替。」金 元好問 望歸吟：「北風吹沙雜飛雪，弓弦有聲凍欲折。寒衣昨夜洛陽來，腸斷空閨擣秋月。」欲寄，參卷一五、二六五、注②。塞垣人，指稱閨婦的配偶。塞垣，ㄙㄞˋ ㄩㄢˊ。本稱東漢時抵禦東胡、鮮卑所設邊塞。後亦用以指長城；邊關城牆。東漢 蔡邕 難夏育上言鮮卑仍犯諸郡：「秦築長城，漢起塞垣，所以別外內異殊俗也。」南朝 宋 鮑照 東武吟：「始隨張校尉，占募到河源，後逐李輕車，追虜窮塞垣。」張銑注：「塞垣，長城也。」金 元好問 發南樓度雁門關詩之二：「總為古來征戍苦，宿雲常傍塞垣低。」明 何景明 隴右行送徐少參：「隴右地，長安西行一千里，秦日長城號塞垣，漢時故郡稱天水。」又，亦泛指北方邊境。前蜀 韋莊 送人遊并汾詩：「風雨蕭蕭欲暮秋，獨攜孤劍塞垣遊。」南宋 張元幹 石州慢 己酉秋吳興舟中作詞：「兩宮何處？塞垣祇隔長江，唾壺空擊悲歌缺。」

③熱腸……夢　滿腔熾烈的心情，獨個兒編織著：立功邊陲、榮膺爵位的綺想。熱腸，熱烈的心腸。恆用以描述樂於助人的一顆心。明 周順昌（一五八四—一六二六）與朱德升書

之二：「弟具申文，明知非自全之道，但壯心易激，熱腸難換。」清 李漁 閒情偶寄 詞曲上結構：「將一片熱腸，付之冷水乎！」自作，自己主張且行動。元經：「作互市，傳曰：『作者言惠帝自作之爾。』」在此，猶言獨個兒編織。封侯夢，立功邊陲、榮膺爵位的綺想。餘參卷一、二、注①與卷三、五八、注③。「忽見陌頭楊柳色，悔叫夫壻覓封侯。」（唐 王昌齡 閨怨詩）正與此句呈不同心境，附誌之。

④那識……身 又怎麼曉得：長滿苔蘚的石塊，竟溼涼不堪，直通身子骨呢！那，ㄋㄨㄛˇ。如何，怎麼。三國志 魏書 田豫傳 注引 魏略：「會病亡，戒其妻子曰：『葬我必於西門豹（祠）邊。』妻子難之，言：『西門豹，古之神人，那可葬於其邊？』」玉臺新詠 古詩為焦仲卿妻作：「處分適兄意，那得自任專？」識，參卷六、一二三、注③。苔磯，遍生苔蘚（榮按：亦作蘚苔）的臨水小岩塊。唐 趙嘏 長安月下與友生話故山詩：「宅邊秋水浸苔磯，日日持竿去不歸。」鄭谷 擢第後入蜀經羅村路見海棠盛開偶有題詠詩：「上國休誇紅杏絕，深溪自照綠苔磯。」冷，溼涼。餘參卷五、九〇、注③。迫，參卷二三、三七二、注④。人之全體曰身，ㄕㄣ。猶驅體。身子骨。易 繫辭下：「近取諸身，遠取諸物，於是始作八卦，以通神明之德，以類萬物之情。」禮記 祭義：「身也者，父母之遺體也。」穀梁傳 文公一一年：「傳曰：『長狄也，弟兄三人，佚宕中國，瓦石不能害；叔孫得臣，最善射者也，射其目，身橫九畝。』」

四八〇、寒砧

補　牢

長安一片月如銀①，萬戶砧聲起水濱②。知有玉人和淚浣③，天寒衣未寄征人④。

【析韻】

銀、濱、人，上平、十一真。

【釋題】

詳本卷、四七八釋題，茲從略。

【注解】

①長安……銀　帝京的夜月，皎潔無比，散發出像銀盤般的光芒。長安，地名。西漢、隋唐等曾都此；在此隱指帝京、國都。唐李白金陵詩之一：「晉家南渡日，此地舊長安。」一片，描述瀰漫散佈的景色、氣象。北周庾信遊山詩：「澗底百重花，山根一片雨。」唐李白子夜吳歌之三：「長安一片月，萬戶擣衣聲。」南宋方岳山居詩：「我愛山居好，林梢一片晴。」月如銀，月色皎潔，散發出像銀盤般的光芒。銀，色澤近白有光澤的金屬。拉丁文 Argentum 英文 silver，化學元素符號，作 Ag，原子序列四七，比重一〇・五，熔點攝氏九六〇・八度、沸點二、二一二度。富延性及展性、略次於金。質柔軟，在金銅之間。於熱、電之傳導性，則居金屬之冠。如銀，像銀盤般……。

②萬戶……濱　家家戶戶搗衣的聲音，來自水邊。萬戶，萬家。萬，極言其多，唐 李德裕 長安秋夜詩：「萬戶千門皆寂寂，月中清露點朝衣。」，另參前注「一片」引李詩。砧聲，亦作「碪聲」。搗衣聲。唐 李頎 送魏萬之京詩：「關城曙色催寒近，御苑砧聲向晚多。」金 元好問 短日詩：「短日碪聲急，重雲雁影深。」明 劉基 秋日即事詩之一三：「雁行卻向城頭過，何處砧聲隱隱聞。」徐復祚 投梭記 賽魔：「碪聲續斷來，孤舟冷落無聊瀨，人在天涯音信乖。」起，源自。肇因于。韓非子 喻老：「有形之類，大必起於小；行久之物，族必起於少。」東漢 王充 論衡 對作：「是故論衡之造也，起眾書并失實，虛妄之言勝真美也……其本皆起人間有非，故盡思極心，以譏世俗。」唐 柳伯存（？—？，世次不詳）意林 序：「子書起於鬻熊 六韜，盛於春秋六國。」水濱，水邊。左傳 僖公四年：「昭王之不復，君其問諸水濱。」東晉 王嘉 拾遺記 周：「水濱所以招問，春秋以為深貶。」清 朱彝尊 為喬侍讀題畫詩之二：「三百臨安樹，移來種水濱。」

③知有……浣　察覺其中有容貌秀麗的人，竟一面珠淚暗彈、一面辛勤洗濯。知有，察覺有。知，察覺。公羊傳 宣公六年：「趙盾起，將進劍，祁彌明自下呼之曰：『盾，食飽則出，何故拔劍於君所？』趙盾知之。」孟子 公孫丑下：「王之為都者，臣知五人焉，知其罪者，惟孔距心。」呂氏春秋 情欲：「又損其生以資天下之人，而終不自知；……」事實之存在曰有。玉人，容貌秀麗的女子。唐 元稹 鶯鶯傳：「隔牆花影動，疑是玉人來。」前蜀 韋莊 秋霽晚景詩：「玉人襟袖薄，斜凭翠欄干。」北宋 謝逸 南歌子詞：「畫樓朱

戶玉人家，簾外一眉新月、浸梨花。」和淚浣，邊流淚、邊洗濯。和，與。跟。唐 呂巖（?—?；字洞賓，號純陽子。）豆葉黃詞：「風和雨，玉龍生甲歸天去。」元曲無名氏陳州糶米：「喒和你且歸私宅中去來。」淚，參卷二、三二、注④。浣，ㄨㄢˇ。洗滌。史記 扁鵲倉公列傳 扁鵲：「湔浣腸胃，漱滌五藏（臟），練精易形，先生之方能若是，則太子可生也。」唐 王維 洛陽女兒行：「誰憐越女顏如玉，貧賤江頭自浣紗。」

④天寒……人 天氣轉冷了，冬衣還沒有送到正在戍守邊塞的愛人呢！天寒，天氣轉冷了。莊子 讓王：「天寒既至，霜雪既降，吾是以知松柏之茂也。」史記 高祖本紀：「立故趙將趙利為王，以反。高祖自往擊之。會天寒，士卒墮指者什二三，遂至平城。」唐 杜甫 歲晏行：「漁父天寒網罟凍，莫徭射雁鳴桑弓。」衣服，謂冬衣。未寄，還沒有送到。征人，參卷二一、三五四、注③。

四八一、寒砧　　大樽

一天涼月浣紗津①，玉杵聲聲起隔鄰②。萬里寒衣猶待寄③，停敲苦憶未歸人④。

【析韻】

津、鄰、人，上平、十一真。

【釋題】

同前首。

【注解】

①一天……津　七月的某一天，若耶溪邊。一天，謂某一天。兒女英雄傳第三六回：「一天，老夫妻兩個同着媳婦正計議家事。只見舅太太合張太太過來。」涼月，七月的異名。事物異名錄 歲時 七月引南朝 梁元帝 纂要：「七月曰首秋、初秋、上秋、肇秋、蘭秋、涼月。」浣紗津，浣紗溪，即若耶溪。唐 樓穎 西施石詩：「西施昔日浣紗津，石上青苔思殺人。」若耶溪在今浙江 紹興南若耶山下，溪旁有浣紗石，相傳為西施浣紗處。

②玉杵……鄰　反覆不停的杵聲，就來自鄰居人家。玉杵，舂杵的美稱。南宋 陸游 玉京行：「爐開沐浴時日良，清夜玉杵聞琳房。」元 耶律楚材 西域從王君玉乞茶因其韻之四：「酒仙飄逸不知茶，可笑流涎見麴車。玉杵和雲舂素月，金刀帶雨剪黃芽。」聲聲，參卷一、八、注②。起，參前首注②。隔鄰，（隔壁）鄰居。二刻拍案驚奇卷三九：「誰知隔鄰人家，有人在樓上做房。」

③萬里……寄　禦寒的衣物，還等著送達遙遠的邊塞。萬里，指稱遙遠的邊塞。餘參卷三、五七、注①。寒衣，參本卷、四七九、注②。猶待寄，還等著送到。猶，尚。同「還」（ㄏㄞˊ）。孟子 公孫丑上：「且以文王之德，百年而後崩，猶未洽於天下。」史記 孟嘗君列傳：「馮先生甚貧，猶有一劍耳。」唐 駱賓王 為徐敬業討武曌檄：「言猶在耳，忠豈忘心。」寄，

參卷一五、二六五、注②。

④停敲……人　不再搗衣，太想念那尚未返鄉的愛人啊！停敲，不再擊杵搗衣。苦憶，極想念。苦，極。戰國策 韓策一：「此安危之要，國家之大事也，臣請深惟而苦思之。」北史 薛聰傳：「帝欲進以名位，輒苦讓不受。」憶，想念。前蜀 韋莊 謁金門詞：「空相憶，無計得傳消息。」唐 曹鄴（？—？，世次不詳。）塞上秋思詩：「遠水猶歸壑，征人合憶鄉。」南宋 趙長卿（？—？，嘉定前後在世。）簇水詞：「長憶當初，是他見我心先有。」未歸人，尚未返鄉的愛人。

四八二、月下看劍

鄭燦南

霜峰閃處露珠飄①，助我豪情付酒瓢②。振觸年來亡故劍③，空幃淒絕月明宵④。

【析韻】

飄、瓢、宵，下平、二蕭。

【釋題】

月影前，仔細審視劍，曰月下看劍。月下，月影呈現處；猶云月光所及之範圍。唐 李白 清平調：「若非羣玉山頭見，會向瑤臺月下逢。」賈島 題李凝山居詩：「鳥宿池邊樹，僧敲月下門。」韋莊 擣練篇：「臨風縹緲疊秋雪，月下丁冬搏寒玉。」北宋 文同 蓮賦：

「張翠帷於月下兮，列綵仗於煙際。」又，月行至離地平面較近處，亦稱月下。唐王勃九成宮東臺山池賦：「景沈西蕚，月下東濱。」看，視。觀察。劍，古兵器，短柄。兩面有刃，中間有脊。自脊至刃稱臘（或稱鍔）；刃以下與柄分隔者稱首，首以下持劍處稱莖，莖端設環處稱鐔。周禮考工記：「（桃氏）為劍，臘廣二寸有半寸，兩從半之。以其臘廣為之莖，圍長倍之，中其莖，設其後。參分其臘廣，去一以為首廣而圍之。」

【注解】

①霜鋒……飄　銳利的劍刃，光亮四射、忽明忽隱，珠狀的露水飛揚。霜鋒，明亮銳利的劍（刀）刃。宋書鄧琬傳：「白羽咽川，霜鋒照野。」南朝宋何承天雍離篇：「霜鋒未及染，鄢郢忽已清。」唐裴夷直觀淬龍泉劍詩：「蓮花生寶鍔，秋日厲霜鋒。」前蜀杜光庭賀獲神劍進詩表：「故得山川林谷，吐金焰於層崖；風雨雷霆，見霜鋒於萬里。」閃處，光亮四射、忽明忽暗的部位。閃，ㄕㄢˇ。謂閃爍。閃耀。處，指部位。露珠，參卷一四、二四三、注④。飄，飛揚。唐沈佺期紅樓院制詩：「經聲夜息聞天語，罏氣晨飄接御香。」北宋邢世材（？—？，世次不詳。）楊花詩：「細照輕團轉復飄，隋家堤岸灞陵橋。」

②助我……瓢　幫著我壯膽，把高亢不拘的情操，交給了酒具。助我，猶云幫著我壯膽。豪情，參卷二、二二、注④。付，參卷一、三、注④。酒瓢，盛酒的瓢。泛指酒具。唐姚合酬田卿書齋即事見寄詩：「不是相尋懶，煩君舉酒瓢。」北宋王禹偁題張處士溪居詩：

「病來芳草生漁艇，睡起殘花落酒瓢。」近人景耀月 對酒歌：「況復詩興時猶豪，中間能不置酒瓢。」瓢，ㄆㄧㄠˊ。

③振觸……劍　近年以來，遭逢愛妻病逝。振觸，引申作「遭逢」解。餘參卷一〇、一八六、注③。年來，參卷一四、二四四、注②。亡，ㄨㄤˊ。失。失去。左傳 僖公二年：「虢必亡矣，亡下陽不懼，而又有功，是天奪之鑒，而益其疾也。」史記 淮陰侯列傳：「楚已亡龍且，項王恐。」本句此處係指作者德配病逝。漢書 外戚傳 孝宣 許皇后：「時許廣漢有女平君，年十四五，當為內者歐侯氏子婦。臨當入，歐侯氏子死。其母將行卜相，言當大貴，母獨喜。……（張賀）為言「曾孫（榮按：時宣帝養於掖庭，號皇曾孫。）體近下人，乃關內侯，可妻也。」廣漢許諾。明日，嫗聞之，怒。廣漢重令為介，遂與曾孫，一歲生元帝。數月，曾孫之為帝，平君為倢伃。是時，霍將軍有小女，與皇太后有親。公卿議更立皇后，皆心儀霍將軍女，亦未有言。上乃詔求微時故劍，大臣知指，白立許倢伃為皇后。」後因以「故劍」指元配。南朝 齊 謝朓 齊敬皇后哀策文：「空悲故劍，徒嗟金穴。」唐 長孫佐輔相和歌辭宮怨：「莫道新縑長絕比，猶逢故劍會相追。」清 嚴有禧 漱華隨筆 長平公主：「詔求元配，命周君故劍是合。」

④空幃……宵　金輪光滿的夜晚，空蕩孤寂的內室，無限悲涼。帳幔曰幃，ㄨㄟˊ。同「帷」。空幃，即空帷。猶空閨。西晉 張華 情詩：「幽人守靜夜，廻身入空帷。」南朝 梁 江淹雜體 雜情詩：「佳人撫鳴琴，清夜守空帷。」淒絕，謂極其悲涼。北宋 秦觀 長相思詞：

「念淒絕秦絃，感深荊賦，相望幾許凝愁。」明 馮鼎位（？—？，世次不詳。）減字木蘭花詞：「長亭淒絕，去歲傷秋曾送別。」

四八三、月下看劍

鄭如蘭

空庭如水露團團①，斫地高歌把盞看②。觸我雄心齊起舞③，霜華氣迫月華寒④。

【析韻】

團、看、寒，上平、十四寒。

【釋題】

同本卷、四八二釋題。

【注解】

①空庭……團　庭院幽寂蒼蒼、露珠顆顆渾圓。空庭，幽寂的庭院。南朝 宋 謝靈運 齋中讀書詩：「虛館絕諍訟，空庭來鳥雀。」齊 鮑照 秋夜詩之二：「荒徑馳野鼠，空庭聚山雀。」唐 劉長卿 客舍喜鄭三見寄詩：「窮巷無人鳥雀閒，空庭新雨莓苔綠。」二十年目睹之怪現狀第四〇回：「良夜迢迢甚伴？對空庭寂寞，花光清絕。」如水，形容深青色。猶蒼蒼。唐 溫庭筠 瑤琴怨：「冰簟銀牀夢不成，碧天如水夜雲輕。」露，露珠。空氣中水蒸氣，當氣溫降至攝氏零度以下時，即形成過飽和狀態，其中一部分接觸夜間因熱輻射

而急速冷卻之草木土石等，凝成水滴而附著於該物體上，此水滴謂之露。詩 小雅 蓼蕭：「蓼彼蕭斯，零露湑兮。……蓼彼蕭斯，零露瀼瀼。……蓼彼蕭斯，零露泥泥。……蓼彼蕭斯，零露濃濃。……。」箋：「露者、天所以潤萬物。」戰國 楚 屈原 離騷：「朝飲木蘭之墜露兮，夕飡秋菊之落英。」團團，圓貌。西漢 班倢伃 怨歌行：「裁為合歡扇，團團似明月。」南朝 宋 謝惠連 七月七日夜詠牛女：「團團滿夜露，析析振條風。」比宋 王安石 黃菊有至性詩：「團團城上日，秋至少光輝。」

②斫地……看　凝視他憤激引吭、大聲吟唱，舉盃勸飲。斫地，砍地。表憤激的情緒。唐 杜甫 短歌行贈王郎司直：「王郎酒酣拔劍斫地歌莫哀，我能拔爾抑塞磊落之奇才。」清 褚人穫 堅瓠補集 西涯待友：「斫地哀歌興未闌，歸來長鋏尚須彈。」近人陳去病 自廈門泛海登鼓浪嶼有感詩：「憑高獨攬滄溟遠，斫地誰為楚 漢爭。」斫，ㄓㄨㄛˊ。高歌，高聲吟唱。西漢 枚乘 七發：「高歌陳唱，萬歲無斁。」唐 許渾 秋思詩：「高歌一曲掩明鏡，昨日少年今白頭。」明 劉基 過秦樓詞：「且高歌對酒，趁取韶華未晚。」把盞，亦作「把醆」、「把醆」。端著酒杯。恆描述舉杯斟酒敬客。唐 韓愈 祭河南張員外文：「君止於縣，我又南踰。把醆相飲，後期有無？」羅隱 雪中懷友人詩：「所思誰把醆，端坐恨無航。」南宋 盧炳（？—？，紹興，開禧間人。）訴衷情詞：「同把盞，且伸眉，對殘暉。」警世通言 杜十娘怒沉百寶箱：「凡十娘相厚者，無不畢集，都與他夫婦把盞稱喜，吹彈歌舞，各逞其強，務要盡歡。」看，參卷一、一六、注②。

③觸我……舞　引發我無比的抱負，共同起身耍劍。觸，動。感動。引起。易　繫辭上：「引而伸之，觸類而長之，天下之能事畢矣。」文心雕龍　章句：「妙才激揚，雖觸思利貞，曷若折之中和，庶保無咎。」雄心，參卷二六、四四八、注④。齊，共同。韓非子　內儲說：「齊王使人吹竽，必三百人齊吹。」起舞，起身耍劍。本謂起身舞蹈。亦作「起儛」。國語　晉語二：「驪姬許諾，乃具，使優施飲里克酒。中飲，優施起舞。」隋書　五行志上：「武帝講於重雲殿，沙門誌公忽然起舞歌樂，須臾悲泣。」北宋　王安石　後元豐行：「吳兒踏歌女起舞，但道快樂無所苦。」舞，在此，猶云耍動。起舞，乃指舞劍。漢書　高帝紀：「汝（項莊）入以劍舞，因擊沛公殺之。」

④霜華……寒　閃著寒光的鋒刃，那股剛正威肅之氣，直逼冷峭的清月。霜華，本作「霜花」。閃著寒光的鋒刃。明　夏完淳　錢漱廣為余內兄弟死絕句之五：「看君壁上龍鳴劍，依舊霜花夜夜深。」清　陸楣（一六四九—？）滿江紅　松源署中除草得斷鏃詞：「斸蒼苔，磨洗認霜華，悲陳蹟。」氣，指鋒刃呈現剛正威肅之氣。迫，逼。月華，參卷二〇、三四二、注①。寒，猶云冷峭。餘參卷一九、三二七、注④。

四八四、古　刀

林朝崧

當軒拔鞘土花寒①，一片霜威敢迫看②。我是關西將家子③，善藏他日待登壇④。

【析韻】

寒、看、壇，上平、十四寒。

【釋題】

古刀，古人所鑄，年代久遠之刀。刀，兵器名；亦作禮器使用。禮記 禮器：「鸞刀之貴。」孔疏：「割刀，今之刀也。鸞刀，古刀也。」刀環有鈴者，稱鸞刀。古祭祀時，用以割牲。詩 小雅 信南山：「執其鸞刀，以啟其毛，取其血膋。」毛傳：「鸞刀，刀有鸞者，言割中節也。」孔穎達疏：「鸞即鈴也。謂刀環有鈴，其聲中節。」

【注解】

①當軒……寒　對著窗牖，抽刀出鞘，塵封泥土剝蝕的痕迹，令人心寒。當，對。向。介方所。左傳 哀公元年：「逢滑當公而進。曰：『臣聞國之興也以福，其亡也以禍。……』」注：「當公，不左不右。」漢書 韓延壽傳：「遷至府門，門卒當車願有所言，延壽止車問之。」窗曰軒。ㄒㄩㄢ。西晉 張協 七命：「望玉繩而結極，承倒景而開軒。」南朝 齊 謝朓 奉和隋王殿下詩：「清房洞已靜，閑風伊夜來；雲生樹陰遠，軒廣目容開。」拔鞘，「拔刀出鞘」的省詞。拔，抽。抽出。孟子 盡心上：「楊子取為我，拔一毛而利天下，不為也。」鞘，ㄑㄧㄠˋ。刀室。劍室。唐 盧照鄰 劉生詩：「翠羽裝刀鞘，黃金飾馬鈴。」西京雜記卷一：「漢帝相傳，……高祖斫白蛇劍。……十二年一加磨瑩，刃上常若霜雪，開匣拔鞘，輒有風氣，光采射人。」土花，金屬製器物，其表面長期受泥土剝蝕而留下的痕迹。北宋 梅

堯臣古鑑詩：「古鑑得荒塚，土花全未磨。背菱尖尚在，鼻獸角微訛。」元楊載（一二七一—一三二三）東陽十題臥鐘詩：「漢殿經焚後，喎然臥草中。雖幾牙板廢，鏽澀土花蒙。」寒，害怕。謂驚懼乃至戰慄也。史記刺客列傳：「以秦王之暴，而積怒於燕，足為寒心。」

②一片……看　彌漫著寒霜肅殺的威力，可逼著你注視。一片，參本卷、四八〇、注①。霜威，寒霜肅殺的威力，南朝齊謝朓高松賦：「豈彫貞於歲暮，不受令於霜威。」唐王勃九日懷封元寂詩：「九日郊原望，平野偏霜威。」北宋曾鞏賞南枝詞：「霜威莫苦凌持，此花根性，想羣卉爭知。」明何景明答盧侍御樊氏洞中觀梅見懷之作次韻：「未假霜威同索笑，卻因麗藻獨傷春。」敢，助動詞。謂「可」。唐元稹寄劉頗詩：「惟愛劉君一片膽，近來還敢似人無？」迫看，逼（人）注視。迫，逼。西漢嚴忌（一作莊忌）哀時命：「眾比周以肩迫兮，賢者遠而隱藏。」三國志魏書袁紹傳：「紹……急迫珪等，珪等悉赴河死。」東晉陶潛雜詩：「日月不肯遲，四時相催迫。」看，參卷一、一六、注②。

③我是……子　我是隴西將軍的子孫。關西，在此，指隴西一帶。古諺語有「關西出將，關東出相」之說。後漢書虞詡傳：「諺曰：『關西出將，關東出相。』」李賢注：「前書曰：『秦漢以來，山東出相，山西出將。』秦時郿白起、頻陽王翦；漢興，義渠公孫賀、傅介子，成紀李廣、李蔡，上邽趙充國，狄道辛武賢，皆名將也。丞相，則蕭、曹、

魏、丙、韋、平、孔、翟之類也。」又，亦作「關東出相，關西出將。」晉書姚興載記：「古人有言，關東出相，關西出將。」將家，ㄐㄧㄤˋㄐㄧㄚ。將軍之家。史記項羽本紀：「項氏世世將家，有名於楚。」新唐書李安遠傳：「世為將家，以財雄。」子孫曰子。漢書李廣傳：「李廣，隴西成紀人也。……孝文十四年，匈奴大入蕭關，而廣以良家子從軍擊胡，用善射，……。」

④善藏……壇　好好保存，等候改天步上壇場，接受任命。善藏，好好保存，不使遺失。他日，參卷一、一三、注③。待，參卷一〇、一八一、注②。登壇，步上壇場。古時會盟、祭祀、帝王即位、拜將，恆設壇場，卜吉行禮。在此，指拜將。史記淮陰侯列傳司馬貞索隱述贊：「君臣一體，自古所難。相國深薦，策拜登壇。」唐皇甫曾送徐大夫赴南海詩：「位重登壇後，恩深弄印時。」清孔尚任桃花扇撫兵：「建牙吹角不聞喧，三十登壇眾所尊。」

四八五、古　刀

林資修

之一

曾隨壯士出樓蘭①，戰血腥餘鬼膽寒②。芒刃至今原不頓③，途窮猶覺賣刀難④。

之二（榮按：本首與卷二四、四〇一內容相同；惟詩題不同。）

鷞膏淬處寶光寒，措大休將佩犢看。曾向吳門斬龍子，莫言斷水古來難⑤。

【析韻】

蘭、寒、難，上平、十四寒。（之一）

寒、看、難，上平、十四寒。（之二）

【釋題】

同前首。

【注解】

①曾隨……蘭　曾經跟從勇士遠赴西域樓蘭。曾，時間副詞。表示過去。ㄘㄥˊ。隨，從。跟從。老子：「音聲相和，前後相隨。」三國志　蜀書　魏延傳：「（魏延）以部曲隨先主入蜀，數有戰功。」北宋　蘇軾　南鄉子　雙荔枝詞：「自小便相隨，綺席歌筵暫不離。」紅樓夢第五九回：「鴛鴦和玉釧兒皆不隨去，只看屋子。」壯士，勇士。謂意氣豪爽且勇敢的人。戰國策　燕策三：「風蕭蕭兮易水寒，壯士一去兮不復還。」孔子家語　致思：「子路治蒲，請見於孔子曰：『由願受教於夫子。』子曰：『蒲其何如？』對曰：『邑多壯士，又難治也。』」史記　貨殖列傳：「富者，人之情性，所不學而俱欲者也。故壯士在軍，陷陣卻敵，斬將搴旗，前蒙矢石，不避湯火之難者，為重賞使也。」出，引申作「（遠）赴」

解。餘參卷一五、二五五、注④。樓蘭，古西域國名。西漢元封三年（公元前一〇八年）內附。王居扜泥城，遺址在今新疆若羌縣境、羅布泊西，處漢代通西域之南道。因居漢與匈奴之間，常持兩端，或殺漢使、阻通道。元鳳四年（公元前七七年）漢遣傅介子斬其王安歸，另立尉屠耆為王，更名鄯善。

②戰血……寒　殺伐激烈、死纏活鬥，血流成渠、腥臭噁心，連鬼都怕得戰慄起來。戰血，交戰殺伐，死傷流血。唐杜甫舟中伏枕書懷詩：「戰血流依舊，軍書動至今。」盧綸送顏推官詩：「獵聲雲外響，戰血雨中腥。」薛逢涼州詞：「黃河九里今歸漢，塞外縱橫戰血流。」腥餘，死屍、血液等之遺跡、味道。腥，血污之遺跡餘味。曇花記曲開讌：「金刀腥在，征袍血濺。」餘，遺留的。書畢命：「餘風未殄，公其念哉！」易坤：「積善之家，必有餘慶；積不善之家，必有餘殃。」西漢司馬相如封禪文：「獲周餘珍，放龜於岐，招翠黃乘龍於沼，……賓於閒館。」鬼，人死後之稱。列子天瑞：「精神離形，各歸其真，故謂之鬼；鬼，歸也，歸其真宅。」禮記祭義：「眾生必死，死必歸土，此之謂鬼。」論語為政：「子曰：『非其鬼而祭之，諂也。』」膽寒，惶恐。害怕（之甚）。南宋楊萬里過黃巢磯詩：「黃巢磯與白沙灘，只是聞名已膽寒。」朱熹名臣言行錄：「軍中有一韓，西賊聞之心膽寒。軍中有一范，西賊聞之驚破膽。」警世通言趙太祖千里送京娘：「周進膽寒起來，鎗法亂了，被公子一棒打倒。」

③芒刃……頓　刀口到現在，依然銳利。芒刃，刀劍銳利處。指稱刀口、刀尖。西漢賈誼治

安策：「屠牛坦一朝解十二牛，而芒刃不頓者，所排擊剝割，皆眾理解也。」唐 劉禹錫 山陽城賦：「有利器而倒持兮，曾何芒刃之足舒！」至今，參卷八、一五四、注②。原，引申作「依然」解。餘參卷九、一六九、注②。不頓，銳利。參前引治安策。頓，通「鈍」。

④途窮……難　處境困窘，還感到要將這把古刀價售求現，也不容易啊！途窮，處境困窘。南朝 宋 顏延之 五君咏阮步兵：「物故不可論，途窮能無慟。」唐 劉肅 大唐新語 持法：「此途窮者，不輯之，當為患。」清 唐孫華 文信國祠詩：「戰苦身攢鏃，途窮血裹斑。」猶覺，還感到。猶，副詞。還，尚且。賣刀，價售刀。昔有「賣劍買牛、賣刀買犢」之故實。詳漢書 循吏傳 龔遂。難，謂不容易。餘參卷四、六四、注④。

⑤「鵜膏淬處寶光寒，……莫言斷水古來難。」一首，原以合歡花為題，已列於卷二四、四〇一；茲不重複注解。

四八六、洗　硯

林 朝 崧

歲久微凹聚墨痕①，池邊洗處看魚吞②。臨流忽觸興亡感③，銅雀臺傾片瓦存④。

【析韻】

痕、吞、存，上平、十三元。

【釋題】

洗硯，清理、滌淨硯臺。紙、筆、墨、硯，合稱文房四寶。硯，ㄧㄢˋ。通稱硯臺。磨墨之具也。西晉陸雲與平原書：「筆亦為吳筆，硯亦爾。」文心雕龍養氣：「至如仲任置硯以綜述，叔通懷筆以專業，既暄之以歲序，又煎之以日時。」唐韓愈瘞硯銘：「隴西李觀元賓始從進士貢在京師。或貽之硯，既四年，悲歡窮泰，未嘗廢其用。」北宋米芾硯史用品：「石理發墨為上，色次之；形製工拙，又其次；文藻緣飾，雖天然，失硯之用。」

【注解】

①歲久……痕　使用的年月相當長，它稍許下陷，並堆積一層層的墨漬。歲久，年月不短。晉書律歷志：「古曆分率，歲久輒差。」唐白居易隋堤柳詩：「隋堤柳，歲久年深盡衰朽。」微凹，稍稍陷下去。凹，ㄠ。周圍高、中間低。猶下陷。秇林伐山卷一八引南朝宋盛宏之（？—？，世次不詳。）荊州記：「山脅漫衍無垤凹，湖面平滿無高低。」元武漢臣（？—？，世次不詳。）生金閣第三折：「似這等人心無饜足，則怕天也填不的許多凹。」清袁于令（一五九二—一六七四）西樓記私契：「兩片嘴唇闊又趫，眼大眉粗面又凹，只落得彎話騷。」聚，積。堆積。後漢書馬援傳：「又於帝前，聚米為山谷，指畫形勢。」法華經方便品：「乃至童子戲，聚沙為佛塔。」墨痕，墨的痕跡。即墨漬。元湯垕（？—？；世次不詳。）古今畫鑒：「中心畫一龍頭、一左臂，雲氣騰湧，墨痕如臂大。」聊齋志異瑞雲：「額上有指印，黑如墨，濯之益真。過數日，墨痕漸闊。」

②池邊……吞　水池旁，滌垢去污的地方，我注視魚羣紛紛嚥下一口口的烏水。池邊，水池旁。掘以潴水之坑曰池。邊，旁。唐 劉廷芝（？—？，世次不詳。）公子行：「花際徘徊雙蛺蝶，池邊顧步兩鴛鴦。」賈島 題李凝幽居詩：「鳥宿池邊樹，僧敲月下門。」杜甫 羌邨詩：「憶昔好追涼，故繞池邊樹。」盧綸 慈恩寺石盤歌：「古廊燈下見行道，疎林池邊聞誦經。」王建 宮中三臺詞：「魚藻池邊射鴨，芙蓉園裏看花。」白居易 秋池詩：「暑退早涼歸，池邊好時節。」洗處，滌垢去污的地方。看，參卷一、一六、注②。魚，謂魚羣。吞，下嚥。不加咀嚼，即經食道入肚。戰國策 趙策一：「吞炭為啞，變其音。」西晉 左思 吳都賦：「長鯨吞航，修鯢吐浪。」

③臨流……感　面對潺潺活水，不經意地動了昌盛、覆滅交相消長的念頭。臨流，參卷二、三七、注③。忽觸，突然動了。興亡感，昌盛與覆滅等的思緒。興亡，另詳參卷二、三五、注②。感，參卷二七、四五八、注③。

④銅雀……存　銅雀臺早已坍塌，只留下極少的單薄瓦塊。銅雀臺，亦作銅爵臺。東漢 建安十五年（公元二一〇年）冬，曹操營構之。周圍殿屋一二〇間，連接榱棟，侵徹雲漢。鑄大孔雀于樓頂，舒翼奮尾，勢若飛動，故名。遺址在今河南 臨漳縣西南古鄴城西北隅，與金虎、冰井合稱三臺。三國志 魏書 武帝紀：「（建安十五年）冬，作銅雀臺。」東晉 陸翽（？—？，世次不詳。）鄴中記：「銅爵臺高十一丈，有屋一百二十間。」水經注 濁漳水：「鄴西三臺……中曰銅雀臺，高十丈，有屋百一間。」清 趙翼 鄴城懷古詩：「霸

圖開國古漳濱，銅雀臺高迥入雲。」傾，坍塌。倒下。東漢 桓譚 新論：「千秋萬歲之後，宗廟必不血食，高臺既已傾，曲池又已平，墳墓生荊棘，狐狸穴其中。」北宋 范仲淹 岳陽樓記：「商旅不行，牆傾楫摧。」片瓦，猶言殘瓦。片，原係作量詞用。此處，引申作殘缺不全且稀少解。存，在。留。孟子 告子上：「孔子曰：『操則存，捨則亡。出入無時，莫知其鄉。』惟心之謂與？」舊唐書 陳子昂傳：「……學堂至今猶存。」

四八七、機　聲

蔡振豐

弄機軋軋耐宵寒①，蟋蟀西風入聽酸②。我自課兒妻伴讀③，一聲聲和到更闌④。

【析韻】

寒、酸、闌，上平、十四寒。

【釋題】

機，織機。史記 循吏列傳：「（公儀休）見其家織布好，而疾出其家婦，燔其機。」唐 韓愈 贈張徐州莫辭酒詩：「請看工女機上帛，半作軍人旗上紅。」清 曹寅 北行雜詩之十一：「送爾天西岸，支機織女邊。」機聲，操作織布機時，機具所發出之音聲也。

【注解】

①弄機……寒　一丫！一丫！一丫！……織布機響個不停；忍受那夜裏的冰冷。弄機，參卷

二七、四六四、注③。軋軋，參卷二七、四六四、注④。耐，參卷二三、三七五、注③。宵寒，參卷一九、三一九、注①。

②蟋蟀……酸　促織鳴噪、秋風狂吹，交織入耳，引人悲愴。蟋蟀，ㄒㄧ ㄕㄨㄛˋ。秋蟲名。又稱促織。一名螅蟀。黑褐色，觸角甚長、後腿粗大，善於跳躍。雄者善鳴，好鬭。詩 豳風 七月：「十月蟋蟀，入我牀下。」逸周書 時訓：「蟋蟀居辟。」朱右曾校釋：「蟋蟀生土中，有翼而未能飛，但居壁上。辟、壁同。」五代 後唐 馬縞（八五四－九三六；一作八五七－九三六）中華古今注 蟋蟀：「（蟋蟀）一名秋吟蛬，秋初生。得寒則鳴噪。濟南人謂之嬾婦。一名青蛩，今之促織也。」螅，ㄒㄧ。蟀，又讀ㄕㄨㄞˋ。西風，參卷九、一七五、注③。入聽，參卷一、二注④。酸，悲愴，唐 韓愈 八月十五日贈張功

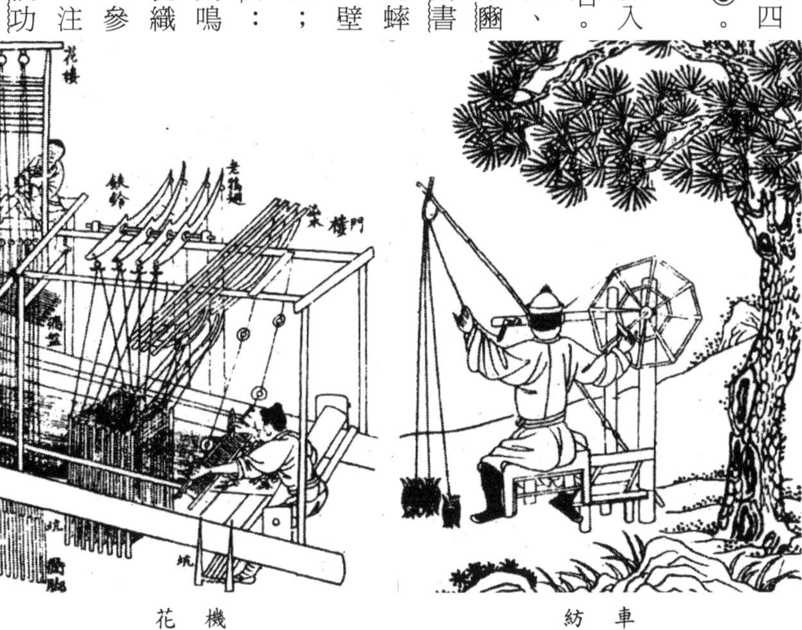

花機　　紡車

曹詩：「一盃相屬君當歌，君歌聲酸辭且苦。」

③我自……讀　我一個人督促小兒作業，拙荊在旁作陪。我，第一人稱。指作者本身。自，謂一個人。課兒，教導、督促子女讀書習作。明 張雲錦（？—？世次不詳。）齊天樂 絡緯詞：「客窗驚省，憶午夜機聲，課兒燈暈。」清 袁枚 隨園詩話卷一〇引錢大昕詩：「小樓一燈青不搖，課兒夜誦聲咿咬。」妻，男子之正式配偶。對人恆謙稱「拙荊」、「家內」等。詩 邶風 匏有苦葉：「士如歸妻，迨冰未泮。」禮記 曲禮上：「取妻不取同姓。故買妾不知其姓，則卜之。」伴讀，陪著讀書。紅樓夢第二回：「這女學生年紀幼小，身體又弱，工課不限多寡，其餘不過兩箇伴讀丫鬟，故雨村十分省力。」又，第八回：「寶玉便回明賈母要約秦鍾上家塾之事，自己也有箇伴讀的朋友。」

腰機（以上三圖影印自明 宋應星天工開物卷上乃服）

④一聲……闌　妻兒吟誦之聲，此起彼落、諧調無間，直至更深夜殘。一聲聲，一聲一聲。謂妻子、小兒吟誦實況。和，描述渠等諧調無間、起落有序。到，至。餘參卷二、三一、

注②。更闌，更深夜殘。唐 方干 元日詩：「晨雞兩遍報更闌，刁斗無聲曉露乾。」南宋 劉克莊 軍中樂詩：「更闌酒醒山月落，綵縑百段支女樂。」初刻拍案驚奇卷二三：「如今已是更闌時候，妾身出來了，不可復進。」

四八八、織蓆 是日為蔡啓運詞宗公弔

戴 珠 光

求食人來受一【廛】，鐮聲響處草連天①。別憐組織吟壇去②，痛哭中郎易簀年③。

【析韻】

廛、天、年，下平、一先。

【釋題】

織蓆，又作「織席」。編席也。孟子 滕文公上：「其徒數十人，皆衣褐、捆屨、織席，以為食。」後漢書 李恂傳：「獨與諸生織席自給。」織，ㄓ。編織。韓詩外傳卷九：「夫子以織屨為食。」席，古「蓆」字。坐臥鋪墊之具。以竹篾、葦篾或草編織成平片狀物。詩 邶風 柏舟：「我心匪席，不可卷也。」史記 孫子吳起列傳：「臥不設席，行不騎乘，親裹贏糧，與士卒分勞苦。」唐 韓愈 送僧澄觀詩：「清淮無波平如席，欄柱傾扶半天赤。」按：臺灣西海岸大甲、後龍一帶，盛產藺（ㄌㄧㄣˋ），即燈心草，其莖適合編席；大甲席聞名中外。

【注解】

①求食……天　需索糧食的人到了，就付與一份容身安居的場所。傳出鐮刀聲的地方，雜草幾乎瀰漫天際。典出孟子 滕文公上：「有為神農之言者許行，自楚之滕，踵門而告文公曰：『遠方之人，聞君行仁政，願受一廛而為氓。』文公與之處。……。」求食，需索糧食。求，索。易 乾：「子曰：『同聲相應，同氣相求。』」左傳 昭公一二年：「昔我皇祖伯父昆吾，舊許是宅，今鄭人貪賴其田，而不我與，我若求之，其與我乎？」戰國策 楚策四：「齊王遣使求臣女弟與其使者飲，……。」飽腹養生之物，泛稱食。謂糧食之屬。周禮 天官：「掌王之食飲；……。」注：「食，飯也。」又地官：「治其糧與其食，……。」注：「食，米也。」戰國策 西周策：「因令韓慶入秦，而使三國無攻秦，而使不籍兵乞食於西周。」注：「食，糧也。」西漢 司馬遷 報任少卿書：「猛虎在深山，百獸震恐；及在檻穽之中，搖尾而求食，積威約之漸也。」來，參卷一、二、注④。受，付與。給。後作「授」。卜辭通纂二六六片：「代舌方，帝受我又？」唐 李亢獨異志卷中引西京雜記：「弘成子少時好學，嘗有人過門，受一文石，大如燕卵，吞之，遂明悟而更聰敏。」一本作「授」。東晉 葛洪 神仙傳 沈羲：「有三仙人，羽衣持節，以白玉簡青玉介丹玉字受羲，羲不能識。」一廛，亦作「一壥」。一夫所居之地。周禮 地官 遂人：「上地，夫一廛，田百晦，萊百晦。」孫詒讓正義：「古制田百晦而中有廛，固謂百晦之地為一廛。」餘參本則注解前段。一廛亦泛指一塊土地，一處居宅。漢書 揚雄傳：「有田一壥，有宅一區。」唐 柳

宗元 柳長侍行狀：「無一廛之土，以處其子孫，無一畝之室，以聚其族屬。」南宋 范成大 南徐道中詩：「若有一廛供閉戶，肯將篾舫換柴扉？」廛、壥，皆讀作ㄔㄢˊ。鐮聲，用鐮刀割草所發出的聲音。鐮，ㄌㄧㄢˊ。刈禾麥野草、形半曲之鐵器名。韓詩外傳：「子路與巫馬期薪於韞邱之下，巫馬期闟然投鐮於地。」魏略：「孟康為弘農太守，時出案行，常豫勒吏卒各持鐮，所在自刈馬草。」南朝 宋 鮑照 東武吟詩：「腰鐮刈葵藿，倚杖牧雞豚。」響處，發出聲音的地方。草，草本植物之統稱；本作「艸」，世相沿作「草」。詩 小雅 湛露：「湛湛露斯，在彼豐草。」書 禹貢：「厥草惟繇，厥木惟條。」此句，指野草。連天，與天際相連接。唐 李白 夢遊天姥吟留別：「天姥連天向天横，勢拔五嶽掩赤城。」胡權（？—？，寶曆、大中間人。）濟川用舟楫詩：「渺渺水連天，歸程想幾千。」南宋 方岳 湖上詩：「連天芳草晚萋萋，蹀躞花邊馬不嘶。」

②別憐……去　不要哀憫您為安排整頓詩社積勞而逝。別，不要。莫，表禁止、勸阻等義。紅樓夢第九四回：「這是那裏的話，玩是玩，笑是笑，這個事非同兒戲，你可別混說。」憐，哀憫。吳越春秋 闔閭內傳：「子胥曰：『子不聞河上歌乎？同病相憐，同憂相救。』」唐 杜牧 阿房宮賦：「楚人一炬，可憐焦土。」韓愈 寄三學士詩：「上憐民無食，征賦半已休。」組織，安排、整頓。元 姜个翁（？—？，世次不詳。）霓裳中序第一 春晚旅寓詞：「園林罷組織，樹樹東風翠雲低。」清 龔自珍 懷我生之先箴：「今大夫天干瑯瑯，地支氣昌，帝組織我陰陽，庸詎知我非符。」近人 丘逢甲 夢中詩：「奔馳日月無停軌，組

織河山未就功。」吟壇，參卷一〇、一九三、注③。去，參卷二五、四二〇、注③。此處，引申作「辭世」解。榮按：蔡振豐（啟運）先生晚年曾奔走籌劃，終將竹、梅二詩社合組為竹梅吟社。餘參本集原序及蔡傳。

③痛哭……年　但，您病重彌留的那一天，我還是不禁大聲哭泣。痛哭，參卷四、六八、注②。中郎，官名。東漢蔡邕曾任中郎將，後世恆以「蔡中郎」稱之。振豐先生姓蔡，作者借以代稱之也。易簀，更換（華美的）寢席。禮記檀弓上：「曾子寢疾，病，樂正子春坐於牀下，曾元、曾申坐於足，童子隅坐而執燭。童子曰：『華而睆，大夫之簀與？』……曾子曰：『然，斯季孫之賜也，我未之能易也。元，起易簀！』」按先秦禮制，簀僅用於大夫，曾參未曾為大夫，不當用，故臨終時令曾元為之更換。後因此稱人病重彌留之時為「易簀」。周書宇文廣傳：「可斟酌前典，率由舊章。使易簀之言，得申遺志；黜殯之請，無虧令終。」北宋文瑩玉壺清話卷三：「公生於洛中祖第正寢，至易簀，亦在其寢。」清周亮工向遠林詩序：「會聽叟出一編授余，則遠林易簀時授之者。」年，日期。指某一確定（切）時間。北宋王安石省兵詩：「擇將付以職，省兵果有年。」

四八九、織　席

鄭鵬雲

十年職業守青氈①，食力偏資內助賢②。詩界年來虛一席③，可能組織慰黃泉④。

【析韻】

氈、賢、泉，下平、一先。

【釋題】

同本卷、四八八、茲從略。

【注解】

①十年……氈　漫長的歲月，傾力經營職分內的事業。始終過著清寒貧困的日子。十年，十個年頭。謂漫長的歲月。餘參卷一六、二六七、注④。職業，職分應作之事。國語 魯語下：「昔武王克商，通道於九夷百蠻，使各以其方賄來貢，使無忘職業。」北宋 王禹偁 和楊遂賀雨：「為霖非我事，職業唯詞臣。」清 梁章鉅 退庵隨筆 官常一：「士君子到一處，便思盡一處職業，方為素位而行。」守，保。保持。南宋 朱熹 中庸章句 序：「一則守其本心之正而不離也。」清氈，本作「青氈」。指清寒貧困的生活。南宋 李光 集詩述感詩：「門巷蕭條酬應懶，英雄末路一青氈。」明 徐復祚 投梭記 閨敘：「卑人綠螘一生，青氈半世。志存丘壑，夢斷巖廊。」清 曹寅 西軒賦送南村還京兼懷安侯姊文沖谷四兄詩之一：「朱紱聊通隱，青氊盡絜家。」

②食力……賢　生活的重擔，一半依仗才德雙全的妻子盡心打理、支撐。食力，糧食與人力。謂生活的重擔。南朝 陳 徐陵 司空章昭達墓志銘：「周迪資其食力，更事窺窬。」唐 司空圖 復安南碑：「撲魅驅貍，潛消沴氣，農商并勸，食力兼儲。」清 昭槤 嘯亭雜錄 平

定回部本末：「今霍集占困守危城，食力已盡。」偏，半。左傳閔公二年：「先友曰：『衣身之偏，握兵之要，在此行也，子其勉之。……』」杜預注：「偏，半也。」資，藉。憑藉之稱。史記留侯世家：「夫為天下除殘賊，宜縞素為資。」南朝宋沈約奏彈王源文：「且買妾納媵，因聘為資。」昔時稱妻子對丈夫之協助曰內助。分詳三國志魏書文德郭皇后傳、舊唐書后妃傳上太宗文德皇后長孫氏。後，亦稱妻子為內助。宋史后妃傳下哲宗昭慈孟皇后：「得賢內助，非細事也。」明徐霖繡襦記聶宦重媒：「他感卿卿深愛護，為此特使我來，行聘求婚為內助。」賢，參卷二、二四、注①。

③詩界……席　最近一年，推展作詩的領域裏，空下了一個位置。詩界，寫作詩歌的領域。近人梁啟超讀陸放翁集詩：「詩界千年靡靡風，兵魂銷盡國魂空。」年來，參卷一四、二四四、注②。虛，空。淮南子說林訓：「川竭而谷虛，丘夷而淵塞，脣竭而齒寒。」史記信陵君列傳：「乃置酒，大會賓客，坐定，公子從車騎，虛左、自迎夷門侯生。」一席，本謂一張坐臥之席，亦謂一桌飯菜或酒席。在此，指一個職位（位置）。

④可能……泉　能否覓句構辭，以安撫泉壤中的死者呢？可能，能否。五代後梁齊已聞沈彬赴吳都請辟詩：「可能更憶相尋夜，雪滿諸峯火一爐？」清顧炎武不其山詩：「為問黃巾滿天下，可能容得鄭康成？」組織，指詩文的造句構辭。文心雕龍原道：「雕琢情性，組織辭令。」唐孟郊出東門詩：「一生自組織，千首大雅言。」南宋陸游答邢司戶書：「退而組織古語，剽裂奇字，大書深刻，以眩世俗。」清黃遵憲陳葵獻偶刻詩

文序：「周元公曰：『文所以載道也。』今人無道可載，徒欲激昂於篇章字句之間，組織紉綴以求勝，是空無一物而飾其舟車也。」慰，安撫。詩邶風凱風：「有子七人，莫慰母心。」黃泉，人死後埋葬的地方。陰間。管子小匡：「應公之賜，殺之黃泉，死且不朽。」唐王建寒食行：「三日無火燒紙錢，紙錢那得到黃泉。」近人蘇曼殊斷鴻零雁記第三章：「否即碧落黃泉，無相見之日。」

四九〇、織　席

王國材

小草生涯未許傳①，全憑指下判【媸】妍②。樓桑具有興王業③，衽席斯民任一肩④。

【析韻】

傳、妍、肩，下平、一先。

【釋題】

同本卷、四八八、茲從略。

【注解】

①小草……傳　平庸的生命，並不想讓人知曉。中藥－遠志的苗，稱小草。廣雅釋草：「葽苑，遠志也。其上謂之小草。」又，廣雅疏證卷一〇上引博物志：「苗曰小草，根曰遠志。」世說新語排調：「謝公（按指謝安）始有東山之志，後嚴命屢臻，勢不獲已，始就桓公

（按指桓玄。）司馬。于時人有餉桓公藥草，中有遠志。公取以問謝：『此藥又名小草，何一物而有二稱？』謝未及答。時郝隆在坐，應聲答曰：『此甚易解，處則為遠志，出則為小草。』謝甚有愧色。桓公目謝而笑曰：『郝參軍此過乃不惡，亦極有會。』」後因以小草喻平庸。亦含雖懷遠志而遭際不遇之慨，乃自謙之詞。南宋 陸游 澗松詩：「藥出山來為小草，揪成樹後困長藤。」金 元好問 春日半山亭游眺詩：「小草不妨懷遠志，芳蘭誰為發幽妍。」又，洞仙歌詞：「似山中遠志，謾出山來，成個甚，只是人間小草。」明 吳承恩 賞花釣魚謝表：「臣等小草，愧乎出山涸轍。」生涯，參卷一三、二二九、注②。未許，引申作「不想」或「沒有想」等解；餘參卷九、一六八、注①。傳，達。使知曉。唐 楊炯 夜送趙蹤詩：「趙氏連城璧，由來天下傳。」

②全憑……妍　都仰仗指端，明辨高下。全憑，參卷九、一六九、注①。指下，猶指端。判，辨。明辨。世說新語 德行：「今荊州奔亡。存亡未判。」媸妍，ㄔ ㄧㄢˊ。猶高下。原刊誤植作「媸」，茲訂正之。北宋 蘇軾 贈潘谷詩：「世人重耳輕目前，區區張 李爭媸妍。」

③樓桑……業　樓桑村有成就帝王的功業。樓桑，指樓桑里。一作樓桑村。東漢末劉備的故里名。在今河北 涿縣境。三國志 蜀書 先主傳：「舍東南角籬上有桑樹生高五丈餘，遙望見童童如小車蓋，往來者皆怪此樹非凡，或謂當出貴人。先主少時，與宗中諸小兒於樹下戲，言：『吾必當乘此羽葆蓋車。』叔父子敬謂曰：『汝勿妄語，滅吾門也！』」後稱此地為樓桑里。北魏 酈道元 水經注 巨馬水：「巨馬水……又東逕涿縣 酈亭 樓桑里南，

即劉備之舊里也。」省稱樓桑。清黃景仁張桓侯故里詩：「小店猶名義，居民半姓張。時時有雲氣，往往接樓桑。」具有，有。存有。興王業，成就帝王的大業。興，成功。成就。國語楚語上：「教備而不從者，非人也，其可興乎！」韋昭注：「興，猶成也。」南宋葉適題椿桂堂詩：「辭華標角人力能，科名均齊天所興。」王業，帝王大業。謂統一天下，建立王朝。荀子王霸：「舜禹還至，王業還起。」西漢桓寬鹽鐵論復古：「（武王）破商擒紂，遂成王業。」葉適經總制錢一：「一舉而天下定，王業之所由始也。」明張煌言答趙安撫書：「暴隋既成王業，亦遂失於再傳。」易繫辭上：「富有之謂大業。」

④衽席……肩　挑起眾庶安和樂利的全部責任。衽席，本作「袵席」。ㄖㄣˋ ㄒㄧˊ。借指風調雨順、四季如意，安和樂利的生活。大戴禮記主言：「是故明主之守也，必折衝于千里之外；其征也，衽席之上還師。」唐陳子昂為河內王等論軍功表：「臣等不能折衝虜廷，還師衽席。」近人秋瑾失題：「中流砥柱，力挽狂瀾，具大才，立大業，拯斯民於衽席，奠國運如磐石，非大英雄無以任之。」斯民，眾庶。孟子萬章上：「予將以斯道覺斯民也。」管子侈靡：「天之所覆，地之所載，斯民之良也。」西晉陸機答賈長淵詩：「乃眷三哲，俾乂斯民。」近人魯迅悼楊銓詩：「何期淚灑江南雨，又為斯民哭健兒。」任，參卷五、九七、注①。一肩，一副擔子。恆用以形容全部的責任。說岳全傳第一三回：「早有張邦昌奏道：『今科武場，被宗澤門生岳飛挑死了梁王，以致武生俱各散去。』一肩兒

都卸在宗澤身上。」兒女英雄傳第五回：「自己便輕輕兒把這樁不相干沒頭沒腦的事兒一肩兒擔了起來。」

四九一、織　席

陳　瑚

千縷柔絲玉手牽①，加紋一幅織牕前②。合歡牀愛新花樣③，吩咐編成並蒂蓮④。

【析韻】

牽、前、蓮，下平、一先。

【釋題】

詳本卷、四八八、釋題，茲從略。

【注解】

①千縷……牽　潔白如玉的巧手，拉動著一條條數不清的輕軟堅韌的絲縷。千縷，「千絲萬縷」、「千條萬縷」之省詞。謂一條條數不清的纖細長線。凡纖細而長者曰縷。ㄌㄩˇ。元張翥（一二八七—一三六八）無題詩：「得巧蜘蛛絲縷細，傳聲鸚鵡舌關嬌。」清納蘭性德卜算子詞：「（新柳）多事年年二月風，剪出鵝黃縷。」柔絲，質地輕軟堅韌的絲線。玉手，潔白如玉的手。戰國楚宋玉笛賦：「延長頸，奮玉手，摛朱唇，曜皓齒。」三國魏曹植妾薄命行詩：「攜玉手，喜同車。」牽，拉動。漢古詩東門行：「拔劍出門去，兒女

牽衣啼。」

②加紋……前　增多文綵的那一幅，正在窗前用心地製作。加紋，增多文綵。紋，布帛上的文綵。幅，量詞。平面物一方曰一幅。兒女英雄傳第二九回：「看西牆掛的那幅堂軸，見畫的是仿元人三多圖。」織，製作布帛。詩 大雅 瞻卬：「婦無公事，休其蠶織。」漢古詩焦仲卿妻詩：「十三教汝織，十四能裁衣。」樂府詩集橫吹曲辭五木蘭詩一：「唧唧復唧唧，木蘭當戶織。」東晉 陶潛 和劉柴桑詩：「耕織稱其用，遇此奚所須。」唐 韓愈 平淮西碑：「夫耕不食，婦織不裳。」窗，俗字作「牕」。牕前，參卷一九、三一七、注①。

③合歡……樣　雙人牀榻上的墊具、頭枕，渴望有時髦的式樣。合歡牀，猶言雙人牀。合歡，參卷一、一〇、注④。牀，臥具。愛，引申作渴望解。餘參卷一一、二〇五、注③。新花樣，時髦的式樣。新，與「舊」相對。猶言時髦、流行。花樣，花紋式樣。在此，指墊具、頭枕等的式樣。唐 李肇 唐國史補卷下：「初越人不工機杼，薛兼訓為江東節制，乃募軍中未有室者，厚給貨幣，密令北地娶織婦以歸，歲得數百人，由是越俗大化，競添花樣，綾紗妙稱江左矣。」元 杜仁傑（？—？，金末元初人。）蝶戀花曲：「世俗，看取，花樣巧翻機杼。」清 錢泳 履園叢話 藝能 硾紙：「書箋花樣多端，大約起于唐 宋，所謂衍波牋、浣花牋，今皆不傳。」

④吩咐……蓮　口頭交代，設法文織出一個花蒂長出兩朵蓮的圖案。吩咐，口頭交代。囑咐。醒世恆言 張淑兒巧智脫楊生：「（和尚）走出來吩咐道人擺茶果點心。」紅樓夢第二三

回：「不過怕我進園淘氣，吩咐吩咐。」編成，文織出（來）。一切經音義卷八：「編，文織也。」並蒂蓮，並頭蓮。恆用以形容男女好合或夫妻恩愛。元喬吉金錢記第二折：「我本是個花一攢錦一簇芙蓉亭，有情有意雙飛燕，卻做了山一帶水一派竹林寺無影無形的並蒂蓮。」近人洪棟園後南柯招駙：「庶幾我與你二人並蒂蓮開並蒂花。」

四九二、葉聲　　蔡振豐

碧梧池館蓼蘋洲①，雨歇風停夜色幽②。四壁無聲蟲語靜③，一聲聲打五更秋④。

【析韻】

洲、幽、秋，下平、十一尤。

【釋題】

時序入秋，落葉喬木紛紛葉枯墜地，葉片落下，與空氣撞及，與地面觸碰……所發出之音聲，稱葉聲。唐盧綸山店詩：「風動葉聲山犬吠，一家松火隔秋雲。」

【注解】

①碧梧……洲　青桐、池苑、館舍，澤蓼、芣菜叢生的沙洲。碧梧，參卷一八、二九八、注③。池館，一作「池舘」。池苑、館舍。南朝齊謝朓遊後園賦：「惠氣湛兮帷殿肅，清陰起兮池館涼。」北宋韓維登湖光亭詩：「雪盡塵消徑露沙，公家池館似山家。」清

姚椿（一七七六——一八五三）樗處士遺集序：「侍御有池館在柘溪，去城絕遠。」蓼，ㄌㄧㄠˇ。一名澤蓼。又名薔。一年生草本，生河濱等水濕處，莖高尺餘，色略紅，葉披針形，全邊，有短柄，葉托鞘狀，緣邊生毛；夏秋間開白色帶紅五瓣小花，成穗狀，葉味辛辣。蘋，ㄆㄧㄣˊ。學名 Marsilia quadrifolia，即芣菜；一名四葉菜、田字草。蘋科，多年生草本，生淺水中；色碧綠，莖柔軟細長，橫生泥中，上方生長葉柄，下生變形之根狀體，葉柄頂端，輪生小葉四片，略如田字形，夏秋葉柄下部歧出小枝，生囊狀體二、三枚，胞子即生於其中。明 李時珍謂：「蘋……夏秋開小華、白色，又稱白蘋。」洲，指沙洲。水中可居處之稱。清 盛昱（一八五〇——一八九九）焦山賦：「萑葦被渚，蓼蘋拂涯。」蓼蘋洲，省作「蓼洲」。唐 杜牧 曉望詩：「獨起望山色，水雞鳴蓼洲。」詩 周南 關雎：「關關雎鳩，在河之洲。」南朝 齊 張融（四四四——四九七）海賦：「沙嶼相接，洲島相連。」

②雨歇……幽　雨水停飄了，風也不吹了，夜裏的景色如此暗淡。歇，止。停下來。南宋 岳飛 滿江紅詞：「怒髮衝冠憑欄處，瀟瀟雨歇。」停，息。中止。五代 後蜀 歐陽炯（炯，一作「迥」。八九六——九七一）南鄉子詞：「畫舸停橈，槿花籬外竹橫橋。」夜色幽，參卷一〇、一八九、注①。

③四壁……靜　屋子周遭，不再有蟲聲，一片死寂。四壁，參卷二六、四四四、注②。無聲，參卷二一、三五五、注①。蟲語，猶蟲聲。靜，參卷二一、三四八、注③。

④一聲……秋　秋日，天將拂曉，傳來節奏有序的梆子聲。一聲聲，描述梆子的聲響節奏有

序。餘參卷二八、四八六、注④。打，擊。南宋陸游十月苦蠅詩：「村北村南打稻忙，浮雲吹盡見朝陽。」五更，在此，特指第五更。天將明的時段。舊時自黃昏至拂曉一夜間，分甲、乙、丙、丁、戊五時段，謂之五更。又稱五鼓、五夜。更，歷也，經也。每到一更，巡夜者擊梆子或敲銅鑼報時，並提醒家戶注意火燭，謂之打更（ㄧㄍㄥ）南朝陳伏知道（？—？，世次不詳。）從軍五更轉詩之五：「五更催送籌，曉色映山頭。」秋，指秋日。

四九三、葉　聲

陳濬芝

之一

西風蕭瑟報新秋①，驀地聲來萬點愁②。不盡飄零身世感③，丹楓如醉下江洲④。

之二

不堪憑眺獨登樓⑤，落葉蕭蕭易惹愁⑥。好是經霜微脫後⑦，西風報到洞庭秋⑧。

【析韻】

秋、愁、洲，下平、十一尤。（之一）

樓、愁、秋，下平、十一尤。（之二）

【釋題】

同前首。

【注解】

①西風……秋 淒涼的西風，告訴我們、初秋到了。西風，參卷九、一七五、注③。蕭瑟，淒涼。明 楊珽 龍膏記 傳情：「你秋色將臨，能無蕭瑟之感。」報，告。白。戰國策 秦策五：「甘羅謂文信侯曰：『借臣車五乘，請為張唐先報趙。』……」孫子 用間：「生間者，反報也。」新秋，初秋。初學記卷三引南朝 張正見（五二八？—五七六？）和衡陽王秋夜詩：「高軒揚麗藻，即是賦新秋。」唐 錢起 和萬年成少府寓直：「赤城新秋近，文人藻思催。」清 陳夢雷 月夜感懷詩：「新秋澄爽氣，何事障微陰。」

②驀地……愁 突如其來的風聲，令人頓發數不清的憂思。驀地，參卷六、一〇六、注③。聲來，秋風的聲響傳到耳際。萬點，描述多至數不清。餘參卷二六、四四三、注①。愁，參卷五、八三、注③。

③不盡……感 一生刻骨身受，東奔西走、窮困失意。不盡，參卷二、二六、注③。飄零，參卷二四、四〇八、注②。身世，一生。終身。唐 韓偓 小隱詩：「借得茅齋嶽麓西，擬將身世老鋤犂。」北宋 王安石 相送行：「一車南，一車北，身世匆匆俱有役。」明 劉基 摸魚兒 金陵秋夜詞：「虛名枉誤身世，流年袞袞長江逝，回首碧雲無際。」身有所受曰感。謂刻骨身受也。呂氏春秋 圜道：「人之有形體四肢，其能使之也，為其感而必知

也。」

④丹楓……洲　泛紅的楓葉，像酒酣般地飄落在江流上的沙洲。丹楓，經霜泛紅的楓葉。唐李商隱　訪秋詩：「慇勤報秋意，只是有丹楓。」南宋　陸游　秋晚雜興詩：「漠漠漁村煙雨中，參差蒼檜映丹楓。」清　吳偉業　九峰詩　横雲山：「赤壁豈經新戰伐，丹楓須記舊游蹤。」如醉，像是醉了。酒酣曰醉。下，引申作「飄落」解。餘參卷二五、四二〇、注②。江洲，江中泥沙淤積而成的陸地。西漢　劉向　九歎　憂苦：「獨憤積而哀娛兮，翔江洲而安歌。」唐　陳標（？—？，貞元、大中間人。）江南行：「不怕江洲芳草暮，待將秋興折湖蓮。」清　顧炎武　榜人曲詩之一：「儂家住在江洲，兩槳如飛自繇。」

⑤不堪……樓　忍受不了自個兒拾級上樓，據高遙望。不堪，參卷一〇、一九一、注①。憑眺，據高遙望。唐　張九齡　登樂遊原春望書懷詩：「憑眺茲為美，離居方獨愁。」清　唐孫華　題宋大中丞漫堂先生西陂魚麥圖詩：「默然若有思，流目恣憑眺。」獨，參卷二、四一、注②。登樓，參卷一七、二九二、注②。

⑥落葉……愁　枯葉ㄒㄧㄡ！ㄒㄧㄡ！地掉下來，容易引發內心的憂思。落葉，參卷一五、二六一、注①。蕭蕭，象聲詞。恆用以形容馬鳴、風雨聲、流水聲、草木搖落聲、樂器聲等。詩　小雅　車攻：「蕭蕭馬鳴，悠悠旆旌。」東晉　陶潛　詠荊軻：「蕭蕭哀風逝，淡淡寒波生。」唐　劉長卿　王昭君歌：「琵琶弦中苦調多，蕭蕭羌笛聲相和。」北宋　王安石　試院中五絕句之五：「蕭蕭疏雨吹檐角，噎噎暝蛩啼草根。」元　耶律楚材　和南質張學士敏之

見贈之五：「雲飄飄，水蕭蕭，一燈香火過閑霄。」聊齋志異 連瑣：「楊于畏，移居泗水之濱。齋臨曠野，牆外多古墓，夜聞白楊蕭蕭，聲如濤湧。」易，容易。禮記 表記：「事君者難進而易退，則位有序；易進而難退則亂。」史記 燕召公世家：「劇辛故居趙，與龐煖善。……辛曰：『龐煖易與耳。』燕使劇辛將擊趙，趙使龐煖擊之，取燕軍二萬、殺劇辛。」十八史略 西漢：「諸將易得耳；（韓）信國士無雙。」惹，ㄖㄜˇ。引，引起。唐 賈至 春思詩：「東風不為吹愁去，春日偏能惹恨長。」紅樓夢第五回：「春恨秋悲皆自惹，花容月貌為誰妍。」兒女英雄傳第三回：「路上管著他些兒，別惹大爺生氣。」愁，參卷五、八三、注③。

⑦好是……後　正是輕輕地免去了秋霜之苦。好是，參卷一一、二〇二、注③。經霜，經歷秋霜。唐 杜甫 懷錦水居止詩之二：「層軒皆面水，老樹飽經霜。」明 倪長玗（？—？，世次不詳。）秋日過張子讀易居喜遇顧徐二子詩：「江上蒹葭方浥露，洲前鴻雁正經霜。」微脫，輕輕地免去。後，與「先」相對。表時間。

⑧西風……秋　西風告知我們：太湖已進入秋季。西風，參卷九、一七五、注③。報到，參卷一八、二九七、注④。洞庭秋，猶謂太湖已進入秋季。洞庭，參卷二六、四四六、注①。

四九四、葉　聲

鄭兆璜

之一

打稻連番響乍收①，新涼又報蓼花洲②。豆棚風信瓜棚雨③，倂作鄉村十里秋④。

之二

黃葉飛時響未休⑤，飄零轉觸旅人愁⑥。西風一帶江南路⑦，無限蕭蕭下晚秋⑧。

【析韻】

收、洲、秋，下平、十一尤。（之一）

休、愁、秋，下平、十一尤。（之二）

【釋題】

詳本卷四九二、釋題，茲從略。

【注解】

①打稻……收　接二連三地發出去藁取穀的聲音，恰正是農家收成的時候。打稻，去藁取穀。明宋應星天工開物粹精：「凡稻刈穫之後，離藁取粒，束藁于手而擊者，受擊之物，

或用木桶，（榮按：閩南、臺澎謂之削桶。）或用石板。……以木桶就田擊取，……。」南宋 陸游 村田樂詩：「打稻天如二月天，滿村和氣樂豐年。」又：「打稻家家趁晚晴。」連番，參卷二三、三七五、注①。嚮，ㄒㄧㄤˋ。應聲。通「響」。易 繫辭上：「其受命也如嚮，无有遠近幽深，遂知來物。」乍收，恰正是收成的時候。乍，ㄓㄚˋ。正。恰好。北宋 歐陽修 玉樓春詞：「腰柔乍怯人相近，眉小未知春有恨。」登穫曰收。謂穫得成熟的農作物。後漢書 明帝紀：「（永平十年）夏四月戊子，詔曰：『昔歲五穀登衍，今茲蠶麥善收，其大赦天下。……無令愆墮。』」千字文：「寒來暑往，秋收冬藏。」南宋 俞琰（？—？，世次不詳。）詠米詩：「后稷遺嘉種，收來寶並珠。」

②新涼……洲　涼爽的初秋，再度告知蓼花盛綻的沙洲。新涼，初秋涼爽的天氣。唐 韓愈 符讀書城南詩：「時秋積雨霽，新涼入郊墟。」南宋 徐璣（一一六二—一二一四）新涼詩：「黃鶯也愛新涼好，飛過青山影裏啼。」元 薩都刺 溪行中秋翫月詩：「微波漾漾風徐徐，新涼拂拂飄裙裾。」又報，再度告知。餘參卷五、九八、注④，本卷四九三、注①。蓼花，澤蓼白裏帶紅的五瓣小花。餘參本卷、四九二、注①。唐 柳宗元 田家詩：「蓼花被隄岸，陂水寒更深。」溫庭筠 東歸有懷詩：「鷺民茭葉折，魚靜蓼花垂。」方干 陸處士別業詩：「蟬噪蓼花發，禽來山果香。」元 黃庚 江郵詩：「十分秋色無人管，半屬蘆花半蓼花。」洲，參本卷四九二、注①。

③豆棚……雨　豆架這邊正刮著應時的季風；瓜棚那頭卻飄著濛濛細雨。豆棚，用竹木搭成

的架子，供蔓生豆藤攀附生長。昔屋前屋後所架豆棚，往往為夏日納涼佳處。豆棚閒話朝奉郎揮金倡霸：「天色乍晴，就有人在豆棚下等說古話哩，我們就去。」風信，隨季節變化應時而吹的風。唐張繼江上送客遊廬山詩：「晚來風信好，併發上江船。」南宋陸游遊前山詩：「屐聲驚雉起，風信報梅開。」清王士禛香祖筆記卷二：「臺灣風信與他海殊異……正、二、三、四月發者為颶，五、六、七、八月發者為颱。」瓜棚，即瓜架。清朱隗（明末、清初人，生卒年待考。順治間仍健在）絡緯詩：「疎火瓜棚夜，涼河鴈影天。」徐仲選（？—？，世次不詳。）水村詩：「沙頭白鴨黃鵝睡，籬畔瓜棚豆架低。」雨，參卷二三、三八三、注③。

④併作……秋　都算是這村莊方圓十里的秋景。併作，都算是。併，都。皆。北周庾信春賦：「河陽一縣併是花，金谷從來滿園樹。」唐李益同崔邠登鸛雀樓詩：「風煙併是思歸望，遠目非春亦自傷。」清紀昀閱微草堂筆記姑妄聽之四：「如其言，果併就擒。」作，算是。南宋羅公升溪上詩：「門前溪一髮，我作五湖看。」清李漁奈何天計左：「就作才思極高，不過像鄒小姐罷了；就作容貌極美，不過像何小姐罷了。」鄉村，亦作「鄉邨」。村莊。南朝宋謝靈運石室山詩：「鄉村絕聞見，樵蘇限風霄。」唐韓愈論變鹽法事宜狀：「平叔又請鄉村去州縣遠處，令所由將鹽就村糶易。」儒林外史第三六回：「應天蘇州府常熟縣有個鄉村，叫做麟紱鎮。」十里，表範圍。猶謂方圓十里。秋，秋景。秋色。

⑤黃葉……休　枯葉飄落的聲音，始終不斷。黃葉，枯黃的樹葉。即枯葉。南朝 梁 丘遲 贈何郎詩：「檐際落黃葉，堦前網綠苔。」唐 李白 秋思詩：「燕支黃葉落，妾望白登臺。」元 范梈（一二七二—一三三〇）題李白郎官湖詩：「黃葉當頭亂打人，門前繫著青驄馬。」清 王士禛 池北偶談 談藝二崔孝廉：「丹楓江冷人初去，黃葉聲多酒不辭。」飛時，自上至下飄落的時候。響，聲音。餘參卷二七、四七三、注②。未休，未息。未止。謂始終不斷。

⑥飄零……愁　行蹤捉摸不定，反而引起旅人的憂思。飄零，參卷二四、四〇八、注②。轉觸，反而引起。轉，反。倒過來。表性態。唐 張藴古（？—六三一）大寶箴：「是故兢懼之心日弛，邪辟之情轉放，豈知事起乎所忽，禍生乎無妄。」清 吳藻 虞美人詞：「池塘春早總模糊，轉覺今宵有夢不如無。」觸，參本卷四八三、注③。旅人，客居外鄉的人。國語 晉語八：「孫林甫曰：『旅人所以事子也，唯事是待。』」韋昭注：「旅，客也。言寄客之人不敢違命。」南朝 宋 謝靈運 登上戍石鼓山詩：「旅人心長久，憂憂自相接。故鄉路遙遠，川陸不可涉。」唐 杜甫 與嚴二郎奉禮別詩：「山東羣盜散，闕下受降頻。諸將歸應盡，題書報旅人。」愁，參卷五、八三、注③。

⑦西風……路　秋風吹拂著江南路旁的附近。西風，參卷九、一七五、注③。一帶，參卷一三、二三一、注③。江南：參卷八、一四八、注④。路，參卷一六、二七七、注③。

⑧無限……秋　風聲ㄒㄧㄡˋ！ㄒㄧㄡˋ！多得數不清，時序已是（農曆）九月。無限，參卷四、

七二、注③。蕭蕭，參卷二八、四九三、注⑥。下，引申作「已（經）是」解。餘參卷二五、四二〇、注②。晚秋，秋末。指農曆九月。南史 劉之遴傳：「兼晚秋晷促，機事罕暇，夜分求衣，未遑披括。」北宋 秦觀 宿金山詩：「我來仍值風日好，十月未寒如晚秋。」

四九五、葉　聲

鄭如蘭

萬籟蕭然景已秋①，繁音飛遞上高樓②。庭柯也解傷遲暮③，併作西風一夜愁④。

【析韻】

秋、樓、愁，下平、十一尤。

【釋題】

同前首。

【注解】

①萬籟……秋　聲響空寂，已是秋的形象。萬籟，參卷一八、二九七、注①。蕭然，空寂。謂蕭條的樣子。東晉 陶潛 五柳先生傳：「環堵蕭然，不蔽風日。」新唐書 宦者傳上 程元振：「虜扣便橋，帝倉黃出居陝，京師陷。賊剽府庫，焚閭衖，蕭然為空。」按：「倉黃」，本作「倉皇」。北宋 范仲淹 岳陽樓記：「滿目蕭然，感極而悲者矣。」象曰景。又，可供欣賞之形色亦曰景。漢書 梅福傳：「陰盛陽微，金鐵為非，此何景也！」唐 李

白 春夜宴桃李園序：「況陽春召我以煙景，大塊假我以文章。」明 一統志：「西湖有十景。曰：平湖秋月、蘇堤春曉、……兩峯插雲。」南宋 王十朋 雙瀑圖詩：「我來遊勝景，洗耳聽清音。」已，既。表過去時間。今語恆作「已經」。史記 高祖本紀：「老父已去，高祖適從旁舍來。」秋，一年的第三季，自立秋至立冬間。詩 衛風 氓：「將子無怒，秋以為期。」左傳 僖公一五年：「歲云秋矣，我落其實，而取其材，所以克也。」

②繁音……樓　不少密集的音調，迅速地傳送到了高樓。繁音，多且密集的音調。南朝 宋 謝靈運 會吟行：「六引緩清唱，三調佇繁音。」明 唐順之 送陸訓導序：「豈所謂詩之遺耶，抑亦浮豔要眇，繁音促節，其來于于，其去徐徐。」清 昭槤 嘯亭雜錄 魏長生：「辭雖鄙猥，然其繁音促節，嗚嗚動人。」飛遞，迅速傳送，清 黃六鴻（？—？，世次不詳。）福惠全書 郵政 總論：「奉命星馳，急檄飛遞。」上，登。唐 趙嘏 江樓書懷詩：「獨上江樓思悄照，月光如水水如天。」杜甫 飲中八仙歌：「天子呼來不上船，自云臣是酒中仙。」高樓，建物其自地面至屋頂之距離可觀，恆隔成若干層。古詩十九首之五：「西北有高樓，上與浮雲齊。」後漢書 劉表傳：「後乃共升高樓，因令去梯。」三國志 蜀書 諸葛亮傳：「遊觀後園，共上高樓，飲食之閒，令人去梯。」唐 杜甫 登樓詩：「苑近高樓傷客心，萬方多難此登臨，錦江春色來天地，玉壘浮雲變古今。」日人伊藤春畝（一八二三—？）偶成詩：「豪氣堂堂橫大空，日東誰使帝威隆。高樓傾盡三杯酒，天下英雄在眼中。」

③庭柯……暮　庭院的樹木，同樣懂得擔憂韶華不再、歲月催老。庭柯，庭院的樹木。東晉陶潛停雲詩：「翩翩飛鳥，息我庭柯。」南宋范成大簽廳夜歸用前韻呈子文：「爐篆無風香霧直，庭柯有月露光寒。」也解，同樣懂得。也，通「亦」，同樣。表性態。南宋陸游史院晚出詩：「心知伏櫪無千里，縱有王良也合休。」解，悟。曉悟。三國志魏書賈詡傳：「太祖與韓遂、馬超戰渭南，問計於詡。對曰：『離之而已。』太祖曰：『解！』」注：「解，謂曉悟也。」清高文照（一七三八－一七七六）贈方子雲詩：「從來貧士貪留客，未有庸人解好名。」傷，擔憂。詩周南卷耳：「我姑酌彼兕觥，維以不永傷。」東漢張衡南都賦：「結九秋之增傷，怨西荊之折盤。」南宋陸游新涼詩：「老民無復憂時意，齒豁頭童只自傷。」遲暮，亦作「遲莫」、「遟暮」、「遲暮」。喻晚年。楚辭離騷：「惟草木之零落兮，恐美人之遲暮。」北齊書李元忠傳：「年漸遲暮，志力已衰，久忝名官，以妨賢路。」南宋葉適虞夫人墓志銘：「後乃連外補，眾又歎其遲莫落拓，夫人亦無慍容。」明徐渭鞠賦：「彼蒼厚爾以遲莫，又何辭於末年。」

④併作……愁　也算是西風整夜的憂慮。併作，參卷二八、四九四、注④。西風，參卷九、一七五、注③。一夜，參卷二五、四一四、注④。愁，參卷五、八三、注③。

四九六、拇　戰

鄭　兆　璜

酒酣鬪戰共忘形①，拳指偏勞轉幾經②。一樣手談分勝負③，機心莫測費調停④。

【析韻】

形、經、停，下平、九青。

【釋題】

拇戰，謂猜拳或划拳。一種酒令。又稱拇陣。其法略以：兩人同時出一手，各猜彼此所伸手指和，以決勝負。文字記載，明謝肇淛所撰五雜組，其中人部二，有關於漢代手勢酒令之資料。袁宗道夏日黃平倩邀飲崇國寺葡萄林詩：「拇陣分兩曹，奮抓如相搏。」清孔尚任桃花扇賺將：「任譁拳叫彩，三家拇陣排。」江藩漢學師承記朱笥河先生：「拇戰分曹，雜以諧笑。」趙翼新春昭程湯二丈暨莊學晦家緘齋小集詩：「老拳轟拇陣，謎語鬭鬮戲。」黃遵憲番客篇：「呼幺又喝六，拇戰聲琅琅。」

【注解】

①酒酣……形　盡興暢飲、互別高下，大伙兒超然物外，竟都脫略形骸。酒酣，酒喝得盡興、暢快。呂氏春秋長攻：「代君至，酒酣，反斗而擊之，一成腦塗地。」史記高祖本紀：「酒酣，高祖擊筑，自為歌詩。」裴駰集解引應劭曰：「不醒不醉曰酣。一曰酣，洽也。」

酣，ㄏㄢ。西晉左思詠史之六：「荊軻飲燕市，酒酣氣益振。」清陳夢雷西郊雜詠之六：「微雨喜初霽，酒酣江復清。」鬪戰。一作「鬥戰」。戰鬪。後漢書烏桓傳：「計謀從用婦人，唯鬪戰之事乃自決之。」北宋歐陽修時論原弊：「夫就使兵耐辛苦而能鬪戰，惟耗農民為之可也。」清屈大均廣東新語女語五女將：「其後吳赤烏間，有軍安縣趙嫗，常著金箱齒屐，居象頭鬪戰。」共，參卷二、二七、注②。忘形，參卷一六、二七六、注②。

②拳指……經　拳頭、指頭，特別辛苦，交替變換，不知多少回合。屈指緊握成團曰拳。ㄑㄩㄢˊ。後漢書皇甫嵩傳：「飲馬孟津，……雖僮兒可使奮拳以致力，女子可使褰裳以用命，……。」南史魚復侯子響傳：「每入朝，輒奮拳打車壁。」東漢王延壽夢賦：「揮手振拳，電發雷舒。」手指曰指。ㄓˇ。大為姆指、二為食指、三為中指、四為無名指、五為小指。今語通呼指頭。偏勞，謂負擔特別重。唐岑參陝州月城樓送辛判官入秦詩：「相思灞陵月，祇有夢偏勞。」清黃六鴻福惠全書錢穀戶頭總催說：「如此戶頭亦不致偏勞重困，而甲戶之正供可清矣。」轉，易。變換。史記蘇秦列傳：「古之善制事者，轉禍為福，因敗為功。」宗鏡錄：「還丹一粒，轉鐵為金；至理一言，轉凡為聖。」幾經，猶多少回合。幾，ㄐㄧˇ。多少。盛酒瓦器曰經。侯鯖錄：「陶人為器有酒經，小頸圜口修腹，可以盛酒，受一斗。」幾經，多少盃。多少盅。引申作多少回合解。

③一樣……負　同樣用手比劃，彼此區別輸贏。一樣，參卷二、二九、注④。手談，本指下

圍棋。世說新語 巧藝：「王中郎以圍棊是坐穩，支公以圍棊為手談。」南史 齊武陵昭王曄傳：「汝與司徒手談，故當小相推讓。」唐 薛戎 遊爛柯山詩：「不語寄手談，無心引樵子。」在此，引申作用手比劃解。分，參卷二六、四四七、注③。勝負，即輸贏。亦猶高下。孫子 計：「多算勝，少算不勝，而況於無算乎！吾以此觀之，勝負見矣。」後漢書 劉盆子傳：「朕今遣卿歸營勒兵，鳴鼓相攻，決其勝負。」南宋 陳從古（一一二二—一一八二）蝶戀花 芍藥詞：「不共鉛華爭勝負，殿後開時，故欲尋春去。」

④機心……停 巧詐之心，不可揣測。只有煩勞居間仲裁。機心，參卷一、一、注①。莫測，不可揣測。無法揣測。易 蒙：「利貞。」孔穎達疏：「言人雖懷聖德，若隱默不言，人則莫測其淺深，不知其大小。」費，煩勞。北宋 賀鑄 減字浣溪沙詞：「易失舊歡勞蝶夢，難禁新恨費鸞腸。」明 湯顯祖 牡丹亭 訣謁：「俺喫盡了黃淡酸甜，費你老人家澆培接植。」調停，亦作「調亭」。謂居間調解，平息爭訟。北宋 蘇轍 潁濱遺老傳下：「呂微仲與中書侍郎劉莘老二人尤畏之，皆持兩端為自全計。遂建言欲引用其黨，以平舊怨，謂之調亭。」

四九七、賣 冰

戴 珠 光

瓊漿擎出認雲英①，一片珠簾笑語聲②。莫把生涯嫌太冷③，阿誰心比玉露清④？

【析韻】

英、聲、清，下平、八庚。

【釋題】

賣冰，販售冰品也。恆用以喻把握時機。五代南漢王定保唐摭言自負：「昔蒯人為商而賣冰于市，客有苦熱者，將買之。蒯人自以得時，欲邀客以數倍之利。客於是怒而去，俄而其冰亦散……今君坐青雲之中。平衡天下，天下之士皆欲附矣。此亦君賣冰之秋，而士買冰之際，有利則合，豈宜失時？」

【注解】

①瓊漿……英　端出仙人的飲料，可辨別得出那必是甘露。瓊漿，亦作「璚漿」。仙人的飲料。楚辭招魂：「華酌既陳，有瓊漿些。」南宋楊萬里謝陳希顏惠兔羓詩：「偷將缺吻吸瓊漿，蜕盡骨毛作仙子。」元白樸陽春曲題情曲：「慵拈粉扇閑金縷，懶酌瓊漿冷玉壺。」明史謹（？—？，洪武、永樂間人。）雪酒為金粟公賦詩：「碧落無聲散玉塵，片時盈尺擁籬根。掃歸銀甕渾同色，釀出璚漿不見痕。」擎出，猶端出。擎，ㄑㄧㄥˊ。持。取。唐杜甫正月三日歸溪上有作簡院內諸公詩：「藥許鄰人劚，書從稚子擎。」裴鉶傳奇裴航：「雲英！擎一甌漿來，郎君要飲。」明湯顯祖牡丹亭如杭：「偶和你後花園曾夢來，擎一朵柳絲兒要俺把詩篇賽。」認，辨別。唐杜牧赤壁詩：「折戟沉沙鐵未銷，自將磨洗認前朝。」五代後梁齊已亂後經西山寺詩：「雲裏乍逢新住主，石邊重認舊

題名。」雲英，雲氣的精華，甘露。三國　魏　曹植　承露盤銘：「下潛醴泉，上受雲英。」趙幼文校注：「雲英謂甘露。」

②一片……聲　那幅珠簾裏，談笑聲聚集不斷。一片，屬量詞。兼用以描述「簾」的數量與集聚在一起的聲音。南宋　朱淑真　元夜詩之一：「一片笑聲連鼓吹，六街燈火麗昇平。」珠簾，參卷一五、二五六、注④。笑語聲，談笑的聲音。餘參卷六、一一二、注②。

③莫把……冷　不要厭惡這種非常不熱絡的生計。莫把，參卷二一、三五七、注③。生涯，生計。謂賴以維生的產（職）業。唐　沈佺期　餞高唐州詢詩：「生涯在王事，客鬢各蹉跎。」元　高文秀　襄陽會第一折：「疊蓋層層徹碧霞，織席編履作生涯。」嫌，惡。厭惡。後漢書　崔駰傳：「（崔）寔（榮按：駰孫。）從兄烈，有重名於北州，歷位郡守、九卿。靈帝時，開鴻都門榜賣官爵，……烈時因傅母入錢五百萬，得為司徒。……烈於是聲譽衰減。久之不自安，從容問其子鈞……鈞曰：『論者嫌其銅臭。』」兒女英雄傳第一七回：「姑娘正嫌鄧九公，何必合他絮煩這些話。」太冷，非常不熱絡。

④阿誰……清　那個人的本性比秋露來得潔淨、明澈？阿誰，ㄚ　ㄕㄨㄟˊ。疑問代名詞。猶言誰。何人。樂府詩集橫吹曲辭五紫騮馬歌辭：「十五從軍征，八十始得歸。道逢鄉里人：『家中有阿誰？』」三國志　蜀書　龐統傳：「先主謂曰：『向者之論，阿誰為失？』」元李好古（？—？，至正前後人。）張生煮海第二折：「撥轉頂門關棙子，阿誰不是大羅仙。」近人尹達（一九〇六—一九八三）九月上越王臺詩：「空教陸　賈降雄策，此日佗城屬阿誰？」

心，指本性。易 復：「利有攸往，剛長也。復其見天地之心乎？」比，二者相較。玉露，秋露。南朝 齊 謝朓 泛水曲：「玉露沾翠葉，金風鳴素枝。」唐 杜甫 秋興詩之一：「玉露凋傷楓樹林，巫山 巫峽氣蕭森。」水滸傳第三〇回：「炎威漸退，玉露生涼；金風去暑，已及深秋。」清，潔淨、明澈。書 堯典下：「夙夜惟寅，直哉惟清。」詩 鄭風 溱洧：「溱與洧，瀏其清矣。」

四九八、甕天 限歌禾磨韻

蔡振豐

甕頭春好喚鸚歌①，美酒原來釀瑞禾②。惟有無盧劉醉客，箇中日月任消磨③。

【析韻】

歌、禾、磨，下平、五歌。

【釋題】

甕天，瓮中所觀之天。謂識見短淺，局促於極狹隘之空間也。北宋 黃庭堅 再次韻奉答子由詩：「似逢海若談秋天，始覺醯鷄守甕天。」南宋 陸游 偶觀舊詩書嘆詩：「醯鷄舞甕天，乃復自拘窘。」明 陸采 懷香記 定策征吳：「下官襪線之才，甕天之見，何能之有？」胡應麟 少室山房筆談 丹鉛新錄引：「輒於佔僤之暇，稍為是正，甕天蠡海，亡當大方。」

甕，ㄨㄥˋ。亦作「瓮」。

【注解】

①甕頭……歌　剛成熟的酒，召來了學語的鸜鵒。甕頭春，亦作「瓮頭春」。初熟的酒。唐　岑參　喜韓樽相過詩：「甕頭春酒黃花脂，祿米只充沽酒資。」北宋　黃庭堅　明遠庵詩：「多方挈取甕頭春，大白梨花十分注。」亦作「酒名」解。元　高文秀　遇上皇第三折：「送了我也竹葉甕頭春。」聊齋志異　狐妾：「劉視之，果得酒，真家中甕頭春也。」呂湛恩注：「謂初熟酒。」何垠注：「甕頭春，酒名。」又，亦泛指好酒。近人胡韞玉（生卒年待考）周六介招飲即席有作詩：「爛泥新擘甕頭春，越醴濃斟醉殺人。」好，完成。謂釀製成功。北魏　賈思勰　齊民要術　笨麴并酒：「食經作白醪酒法……蓋滿五日乃好，酒甘如乳。」唐　韓偓　無題詩：「粧好方長歎，歡餘卻淺嚬。」喚，參卷三、四六、注①。鸜鵒俗稱鸜歌。頭圓，上嘴大，呈鉤狀，下嘴短小，舌大而軟，羽毛色彩美麗，有白、赤、黃、綠等色，能效人語，主食果實。禮記　曲禮上：「鸚鵡能言，不離飛鳥。」元　聶鏞（？—？，世次不詳。）宮詞：「聞到南閩新人貢，雕籠進上白鸜歌。」古今小說　臨安里錢婆留發跡：「眾人道：『這小鳥兒，又非鸜歌，又非鸚鵡，卻會說話。』」紅樓夢第四八回：「探春、黛玉忙問道：『這是真話麼？』寶玉笑道：『說謊的是那架上鸜歌。』」

②美酒……禾　質佳味醇的好酒，當初是精選嘉禾為材料，用心炊熟、發酵、蒸餾淬取而成。美酒，美味的酒。戰國策　燕策一：「為子之遠行來之故，為美酒，今妾奉而仆之。」東

晉葛洪神仙傳王遠：「吾欲賜汝輩美酒，此酒乃出天廚，奇味醇醲。」北宋黃庭堅登快閣詩：「朱絃已為佳人絕，青眼聊因美酒橫。」原來，當初。製酒曰釀。精米炊熟、施麴蘗發酵，俟生出酒汁後，加溫蒸餾淬取等過程。魏氏春秋：「阮籍聞步兵廚多美酒，營人善釀，求為校尉。」白帖：「崔實無資產，以酤釀為業。」瑞禾，嘉禾。一株多穗或異株同穗的連稈稻（或麥）穀。古人恆視為祥兆。宋史五行志二下：「（元豐）二年，簡州、安德軍麥秀兩歧。曹州生瑞禾。」

③惟有……磨　只有無殼「蝸牛」、唯酒是務的劉伯倫，光陰聽憑他無拘無束地打發。惟有，參卷一〇、一九二、注③。無廬，沒有房舍。猶今語無殼蝸牛。廬，ㄌㄨˊ。房舍。詩小雅信南山：「中田有廬，疆場有瓜。」醉客，喝醉的人。在此，指稱好飲酒的人。三國志魏書徐邈傳：「平日醉客謂酒清者為聖人，濁者為賢人。」唐岑參送襄州任別駕詩：「高陽諸醉客，唯見古時丘。」南宋陸游醉落魄詞：「江湖醉客，投杯起舞遺烏幘。」箇中，此中。這當中。指稱日月。唐寒山詩之二五五：「若得箇中意，縱橫處處通。」南宋陸游春殘詩：「箇中有佳處，袖手看人忙。」金董解元西廂記諸宮調卷四：「今夜裏彈他幾操，博箇相逢。若見花容，平生的學識，今夜箇中用。」清曹寅題堂前竹詩：「箇中吟嘯亦難事，眼外陰晴皆好秋。」日月，時光。詩小雅小明：「昔我往矣，日月方奧。」唐韓愈與崔羣書：「僕自少至今，從事於往還朋友間，一十七年矣，日月不為不久。」南宋岳飛贈方逢辰詩：「日月從閒裏過，功名不向懶中求。」兒女英雄傳第一回：「日

月迅速，轉眼就是四月。」任，參卷一、一、注①。消磨，參卷二七、四五九、注④。「惟有……消磨」二句，典出晉書劉伶傳：「劉伶（榮按：渠生卒年均不詳，約與阮籍、二一〇—二六三年，嵇康、二二三—二六二年，同時在世。）字伯倫，……澹默少言，不妄交遊。……初不以家產有無介意。……嘗渴甚，求酒於其妻。妻捐酒毀器，涕泣曰：『君酒太過，非攝生之道，必宜斷之。』伶曰：『善！吾不能自禁，惟當祝鬼神自誓耳。便可具酒肉。』妻從之。伶跪祝曰：『天生劉伶，以酒為名，一飲一斛，五斗解酲。婦兒之言，慎不可聽。』」遺作酒德頌自云：「以天地為一朝，萬期為須臾，日月為扃牖，八荒為庭衢，行無轍跡，居無室廬，幕天席地，縱意所如……惟酒是務，焉知其餘。」其豁達、放縱如此。

四九九、不倒翁

蔡振豐

錦袍紗帽總堪觀①，偃蹇何如一倒難②。世有暮年傷屈節③，願將此老借人看④。

【析韻】

觀、難、看。上平、十四寒。

【釋題】

不倒翁，狀似老翁，上輕下重，按倒後能自動直立。玩具名也。清趙翼陔餘叢考不倒翁：「兒童嬉戲有不倒翁，糊紙作醉漢狀，虛其中而實其底，雖按捺耐旋轉不倒也。」多用以諷刺巧于保持自己地位者。近人柳亞子詠史之三：「三十四年不倒翁，朝秦暮楚一時雄。」倒，讀作ㄉㄠˇ。

【注解】

①錦袍……觀　錦緞的長衫、紗織的元服，畢竟能看得清清楚楚。錦袍，錦緞裁製成的長衫。有文采之絲織物曰錦。新唐書文藝傳中李白：「白自知不為親近所容，益驁放不自脩，與（賀）知章、李適之、汝陽王璡、崔宗之、蘇晉、張旭、焦遂為酒『八仙人』。懇求還山，帝賜金放還。白浮游四方，嘗乘月……着宮錦袍坐舟中，旁若無人。」北宋王益（九九三―一〇三八）賀新郎詞：「采石書生勳業在，吊錦袍，公子魂何處？」紗帽，紗織官帽或紗織夏帽。帽雅稱元服。北齊書歸彥傳：「齊制，宮內唯天子紗帽，臣下皆戎帽，特賜歸彥紗帽以寵之。」唐白居易夏日作詩：「葛衣疎且單，紗帽輕復寬。」北宋朱敦儒鷓鴣天詞：「竹粉吹香杏子丹，試新紗帽紵衣寬。」總堪觀，畢竟能看得清清楚楚。總堪，參卷一二、二一四、注②。觀，諦視。書益稷：「汝為！予欲觀古人之象，日、月、星辰，……」易繫辭下：「仰則觀象於天，俯則觀法於地，觀鳥獸之文與地之宜，……於是始作八卦，……。」左傳昭公二年：「觀書於大史氏，見易象與魯春秋。」

②偃蹇……難　昂然、突起的姿態，顛仆個一次半回，怎麼這樣地不容易？偃蹇，ㄧㄢˇ ㄐㄧㄢˇ。高聳貌。謂昂昂然突起也。楚辭離騷：「望瑤臺之偃蹇兮，見有娀之佚女。」王逸注：「偃蹇，高貌。」唐楊炯青苔賦：「借如靈山偃蹇，巨壁崔巍；晝千峰而錦照，圖萬壑而霞

開。」清 戴名世 遊天臺山記：「大石偃蹇負土出，長廣數十丈。」何如，參卷二、三六、注③。卷三、五七、注②。一倒，顛仆一次半回。一，表數量。顛仆曰倒。ㄉㄠˇ。難，參卷四、六四、注④。

③世有……節 人間存在著耆齡仍須紆尊降貴、勉強相從的事例。世有，人間存在著……。世，人（世）間。論語 微子：「曰：『滔滔者天下皆是也；而誰以易之？……豈若從辟世之士哉？』」存在曰有。詩 小雅 大東：「東有啟明，西有長庚。」孟子 梁惠王上：「庖有肥肉，廄有肥馬，民有饑色，野有餓莩。」唐 韓愈 竹洞詩：「竹洞何年有？公初斫竹開。」暮年，晚年。老年。謂老耄。東漢 曹操 步出夏門行之四：「烈士暮年，壯心不已。」唐 杜甫 詠懷古跡之一：「庾信生平最蕭瑟，暮年詩賦動江關。」警世通言 老門生三世報恩：「下官暮年淹蹇，為世所棄。」傷，參卷四、六九、注③。屈節，降低身分相從。西漢 劉向 九歎 怨思：「顧屈節以從流兮，心鞏鞏而不夷。」世說新語 賢媛：「絡秀語伯仁等：『我所以屈節為汝家作妾，門戶計耳。』」清 李漁 比目魚 決計：「祇為美人甘屈節，藉口賢人賦簡兮。」

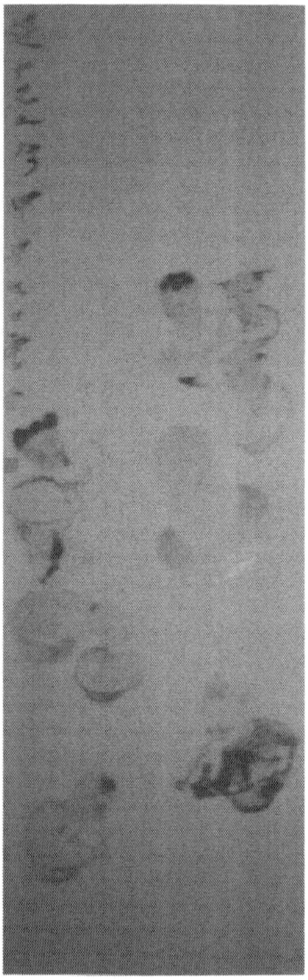

不倒翁圖近人唐云（1910-1993）作。
紙本、設色 84.9×26.4cm

④願將……看　樂意把這老翁，讓大家瞧瞧。願，猶樂意。左傳 昭公二八年：「願以小人之腹，為君子之心。」孟子 梁惠王上：「願夫子輔吾志，明以教我。」將，把。此老，這位老翁。指不倒翁。借，將人、財、物等皆暫供他人支遣、使用。人，猶大家。看，瞧瞧。餘參卷一、一六、注②。

五〇〇、陞官圖

陳朝龍

消閒餘事別翻新①，一局圖開品級陳②。唾手功名如此博③，不須更問宦遊人④。

【析韻】

新、陳、人。上平、十一真。

【釋題】

陞官圖，博戲之具。其法：列大小官位於紙上，另擲骰子，計點數彩色以定陞降。唐人稱彩選，宋人謂選官圖、選仙圖，明人名百官鐸……皆同類博戲也。彩選，「彩選格」之省詞，相傳起源於唐 李郃。北宋 趙明遠、尹洙等酌加修正，依當時官制為升降等級。劉攽取西漢官秩升黜次第為之，又取本傳有關升黜等語注其下。局終，可以類次其語為一傳。南宋 侯寘（？—？紹興間猶在世）孏窟詞 鵲橋仙 和蔡子周：「不須惆悵夢中身，這彩選輸贏誰省？」

【注解】

①消閒……新 打發無聊、可有可無的活動，（就）不要玩新花樣了。消閒，參卷一六、二七二、注①。餘事，不重要的事。在此，猶謂可有可無的活動。唐 牟融 理惑論：「夫履道者，當虛無澹泊，歸志質朴，何為乃道生死以亂志，說鬼神之餘事？」北宋 蘇軾 與吳秀才書之二：「以長生不死為餘事，而以練氣服藥為土苴也。」別，莫。不要。紅樓夢第三回：「姑娘！快別這麼著。」翻新，參卷一、八、注①。

②一局……陳 攤好了的陞官圖，官銜、等級全都是舊的。一局，全盤。局，指博戲的盤面。魏書 尒朱世隆傳：「世隆曾與吏部尚書元世儁握槊，忽聞局上欻然有聲，一局之子盡皆倒立，世隆甚惡之。」圖，指陞官圖。開，謂攤在桌面。品級，我國帝制時代官職的等級。周有命數，自一命至九命；漢有祿秩，自二千石至百石，凡十六等（東漢調整為十三等），曹魏立九品之制，為品級之始；後魏複分正從九品，凡十八等。歷代因之。其不入九品者，唐稱流外，明 清稱未入流。南宋 陳亮 甲辰秋答朱元晦秘書書：「以品級論輩行，則塗窮之笑，豈可復為世人道哉！」醒世恆言 李汧公窮邸遇俠客：「這織尉品級雖卑，卻是個刑名官兒。」清 昭槤 嘯亭續錄 朝服團龍：「近日南中所繡朝服衣料，無論品級，皆用龍團各四。」陳，（老）舊的器物。詩 小雅 甫田：「倬彼甫田，歲取十千。我取其陳，食我農人。」史記平準書：「太倉之粟，陳陳相因。」

③唾手……博 官位、干祿就這樣輕易地「弄」到手。唾手，喻極易。南宋 吳曾 能改齋漫

錄 地理：「（蕭）勃之別將歐陽頠軍苦竹灘，陳武帝遣周文育總師，唾手而禽頠。」三國演義第六三回：「只因一將傾心後，致使連城唾手降。」功名，參卷二七、四五〇、注③。如此，參卷七、一三二、注③。博，參卷一、八、注②。

④不須……人　沒必要另向服官外地的人請教了。不須，參卷三、四八、注⑤。更問，再請教。更，ㄍㄥ。另外。楚辭 九辯：「國有驥而不知棄兮，焉皇皇而更索？」後漢書 班超傳：「更如班超，何故不遣而更選乎？」清 獨逸窩退士 笑笑錄 逆風不張帆：「杭州參軍獨孤守恩，領租船赴都，夜半急追集船人，更無他語，乃曰：『逆風不得張帆。』眾大哂焉。」問，參卷五、八九、注②。宦遊，亦作「宦游」。昔謂外出服官或求官。史記 司馬相如列傳：「（相如）素與臨邛令王吉相善，吉曰：『長卿久宦游不遂，而來過我。』」漢書 司馬相如傳上：「長卿久宦游，不遂而困，來過我。」唐 韓愈此日足可惜贈張籍詩：「我友二三子，宦遊在西京。」南宋 孟元老 東京夢華錄 序：「僕

高蹈丘園科許于本貫投狀乞應與唐正同名實相悖真可一噱也
古彩選始唐李郃宋尹師魯踵而為之元豐官制行宋保國者又更定之劉貢父則取西漢官秩陞黜次第為之又取本傳所以陞黜之語注其下其兄原父見之喜因序之而以為己作明倪文正公鴻寶亦以明官制為圖予少時偶病臥旬日無所用心戲作三國志圖以季漢為主而魏吳分兩路遞還中頗參用陳壽書頗謂馴雅有義例也
馮祭酒具區 禎夢 跋孫觀尚書尺牘云陽羨孫老得

香祖筆記（清 王世禎）書影

從先人宦遊南北，崇寧癸未到京師，卜居於州西金梁橋西夾道之南。」明 唐順之 有司查腳色詩之二：「逃名最喜稱無姓，抱病還應厭有身。說著宦游如一夢，不知猶是籍中人。」清 馮桂芬（一八〇九—一八七四）鴻雪因緣序：「自來英碩瞻聞之士，類能以宦游轍迹所至，見之箸錄，垂示方來。」

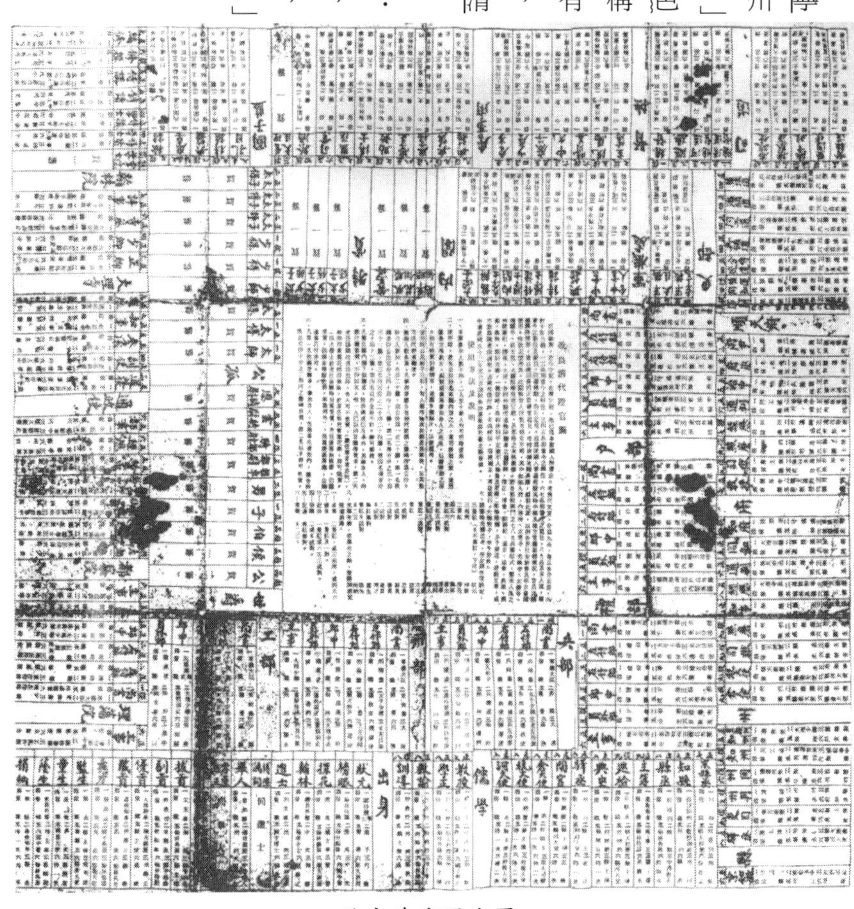

改良清代陞官圖

五〇一、打鞦韆 限桑剛羊韻

蔡振豐

不拈針線不親桑①，戲打鞦韆八月剛②。彩索飄揚人影亂③，綠楊村外下牛羊④。

【析韻】

桑、剛、羊，下平、七陽。

【釋題】

打鞦韆，今人多作「盪鞦韆」。鞦韆，我國民間傳統體能運動。在竹（木）架或鐵架上，懸兩繩，下端拴橫板。人於板上或立或坐，雙手緊握左右繩索，運用蹬板之力，身軀隨而前後向空中擺動。相傳：春秋時代齊桓公自北方山戎引入。一說本作千秋，為漢武帝宮中祝壽之詞，取千秋萬歲之義，後倒讀為秋千，又轉為鞦韆。（事詳荊楚歲時記、事物紀原等二書）唐杜甫清明詩之二：「廿年蹴踘將雛遠，萬里鞦韆習俗同。」北宋蘇軾寒食夜詩：「漏聲透入碧窗紗，人靜鞦韆影半斜。」清陳維崧減字木蘭花過惠山九華庵詞：「些事消魂，剩有鞦韆斷板存。」

【注解】

①不拈……桑　不做刺繡縫衣的細活，無心植桑養蠶的粗工。拈，ㄋㄧㄢ。以指取物。說文：

「拈，掫也。」段注：「篇韻皆云：『指取也。』」謂用兩三個手指夾、捏取物。唐杜甫絕句漫興：「舍西柔桑葉五拈，江畔細麥復纖纖。」又，題壁上韋偃畫馬歌：「戲拈禿筆掃驊騮，欻見麒麟出東壁。」南宋劉過賀新郎春思詞：「佳人無意拈針線，遶朱閣，六曲徘徊，為他留戀。」元貫雲石憑欄人題情曲：「紅葉傳情着意拈，書遍相思若未忺。」針線，亦作「鍼線」、「針綖」、「針綫」、「鍼綫」。指縫紉刺繡的工作。唐白居易秋霽詩：「獨對多病妻，不能理針線。」南宋姚述堯（？—？，紹興、紹熙間人。）青玉案詞：「春衫猶是，小蠻鍼線，曾溼西湖雨。」清鄭燮范縣署中寄舍弟墨第四書：「主中饋，習鍼綫，猶不失為勤謹。」親，近。接近。易乾：「本乎天者親上，本乎地者親下。」戰國策齊策一：「楚將伐齊，魯親之，齊王患之。」清袁樹（？—？，乾隆、嘉慶間人。）效疑雨集體詩：「形跡怕叫同伴妬，囑郎見面不相親。」植桑養蠶之事曰桑。漢書揚雄傳上：「漢元鼎間（揚氏）避仇復遡江上，處崏山之陽曰郫。……世世以農桑為業。」後漢書明帝記：「詔百姓，務勉桑稼。」

②戲打……剛　八月初，大伙兒爭著盪鞦韆。戲打，爭著盪……。角鬥曰戲。在此，引申作「爭」解。打，玩。謂盪（鞦韆）。鞦韆，以竹、木或鐵立架，上懸兩繩、下拴橫板。人在板上或立或坐，雙手緊握繩索，用力蹬板，身軀隨之前後向空中擺動。南朝梁宗懍荊楚歲時記：「鞦韆，本北方山戎之戲，以習輕趫，後中國女子學之。楚俗謂之施鈎、涅盤經謂之罥所。」北宋高承事物紀原歲時風俗部秋千：「古今藝術圖曰：『北方戎狄愛

習輕趫之態。每至寒食為之。後中國女子學之，乃以綵繩懸樹立架，謂之秋千。』或曰：『本山戎之戲也。自齊桓公北伐山戎，此戲始傳中國。一云正作千秋字，為秋遷非也；本出自漢宮祝壽詞也，後世語倒為千秋耳。』」五代 前蜀 韋莊 長安清明詩：「紫陌亂嘶紅叱撥，綠楊低映畫鞦韆。」北宋 蘇軾 寒食夜詩：「漏聲透入碧窗紗，人靜鞦韆影半斜。」清 陳維崧 減字木蘭花 過惠山九華庵詞：「些事消魂，剩有鞦韆斷板存。」八月剛，方才農曆八月。謂八月初（旬）。

③彩索……亂　五色繽紛、光耀奪目的大繩，隨風擺動、向上飛揚。橫板上、人的蹤跡，任意地搖盪。彩索，多種顏色的大繩。彩，多種顏色的。元 黃庚 暮虹詩：「一曲彩虹橫界嶺，南山雷雨北山晴。」大繩曰索。小爾雅 廣器：「大者謂之索，小者謂之繩。」書 五子之歌：「予臨兆民，懍乎若朽索之馭六馬。」唐 李商隱 令狐舍人說昨夜西掖翫月因戲贈詩：「露索秦宮井，風弦漢殿箏。」飄揚，隨風擺動、飛揚。素問 氣交變大論：「歲土不急，風廼大行，化氣不令，草木茂榮，飄揚而甚，秀而不實。」北宋 司馬光 又和二月五日夜風雪：「春

盪鞦韆　清焦秉貞作

風正豪怒，夜雪復飄揚。」人影，人的蹤迹。二刻拍案驚奇卷一八：「此道人未必是好人了。喫酒喫肉，又在此荒山居住，沒個人影的所在。」亂，任意。西晉 潘岳 西征賦：「渾雞犬而亂放，各識家而競入。」唐 杜荀鶴 旅泊遇郡中叛亂示同志詩：「偏搜寶貨無藏處，亂殺平人不怕天。」

④綠楊……羊　綠楊村的郊野，牛羊成羣。綠楊，參卷一六、二七七、注③。村外，猶村莊的郊野。下，養。生。牛羊，牛和羊。詩 小雅 楚漢：「濟濟蹌蹌，絜爾牛羊。」周禮 夏官 職方氏：「其畜宜牛羊，其穀宜黍稷。」禮記 大學：「伐冰之家，不畜牛羊。」

五〇二、無絃琴

蔡振豐

知音莫覯嘆平生①，琴製無絃別樣成②。得意何須求甚解③，摩挲聊以寄閒情④。

【析韻】

生、成、情，下平、八庚。

【釋題】

琴未拴弦，稱無絃琴。絃，ㄒㄩㄢˊ。琴瑟類樂器上撥動使發音之生絲線。今多用銅絲或鋼絲。本作「弦」。禮記 樂記：「昔者舜作五弦之琴以歌南風。」南朝 梁 蕭統 陶靖節傳：「淵明不解音律，而蓄無絃琴一張，每酒適，輒撫弄以寄其意。」後人用以為典，含閑適歸隱之意也。唐白居易夜涼詩：「舞腰歌袖抛何處？唯對無絃琴一張。」清曹寅宋牧仲中丞見招奉和二韻之一：「中丞獨儒雅，示撫無絃琴。」

【注解】

①知音……生　一生未遇知己，令人感慨。知音，猶知己。謂彼此相知、情誼至篤的人。餘參卷二三、三七四、注②。莫覯，未遇。莫，作副詞用。表否定。不。不能。詩邶風終風：「莫往莫來，悠悠我思。」荀子解蔽：「桀死於鬲山，紂縣於赤旆，身不知先，人又莫之諫，此蔽塞之禍也。」覯，ㄍㄡˋ。遇。通「遘」。詩召南草蟲：「亦即見止，亦即覯止，我心則降。」又，「……，亦即覯止，我心則說。」「……，亦覯即止，我心則夷。」嘆，太息。同「歎」。詩王風中谷有蓷：「有女仳離，嘅其嘆矣！」平生，參卷四、六五、注③。

②琴製……成　造出一張不安絃的琴，可真是不尋常的品式。琴，屬絃樂器。廣雅：「琴長三尺六寸六分，廣六寸；……。」今制之琴，前廣後狹，上圓而斂，下方而平，以金玉圓點，飾為徽識，全絃凡十三徽。按徽彈之，每徽各為一音，仍以七絃如舊。製，造。潛確類書：「宋顏方叔創製諸色箋，……士大夫珍之。」宋史兵志：「水軍長唐福……製火箭、火毬、火蒺藜。」金陵瑣事：「李昭、李贊、蔣誠三人製扇骨最精。」無絃，參本首釋題。別樣，不同尋常。特別。南宋楊萬里立秋後一日雨天欲暮小立問月亭詩：「雨後林中別樣涼，意行幽徑不知長。」元王實甫西廂記卷三（榮按亦稱第三本）第二折：「他

人行別樣的親。俺跟前取次看。」清 納蘭性德 眼兒媚 詠梅詞：「誰似白霓裳，別樣清幽，自然標格。」品式曰成。周禮 地官：「八灋（古文『法』字）……五曰官成。」

③得意……解 既已稱心，又何必期待透徹明白。得意，參卷二六、四四一、注②。何須，何必。何用。三國 魏 曹植 野田黃雀行：「利劍不在掌，結友何須多？」唐 封演 封氏聞見記 敏速：「宰相曰：『七千可為多矣，何須萬？』」北宋 賀鑄 臨江仙詞：「何須繡被，來伴擁篝眠？」求，期待。希望。左傳 僖公二二年：「明恥教戰，求殺敵也。」論語 述而：「求仁而得仁，又何怨。」三國 蜀 諸葛亮 出師表：「苟全性命於亂世，不求聞達於諸侯。」甚解，極理解。謂透徹明白。東晉 陶潛 五柳先生傳：「好讀書不求甚解，每有意會，便欣然忘食。」

④摩挲……情 藉觸撫面板，一抒悠然自在的情思。摩挲，ㄇㄛˊ ㄙㄨㄛ。亦作「摩莎」、「摩娑」。撫摸。釋名 釋姿容：「摩挲，猶末殺也，手上下之言也。」後漢書 方術傳下 薊子訓：「後人復於長安東霸城見之，與一老公共摩挲銅人。唐 韓愈 石

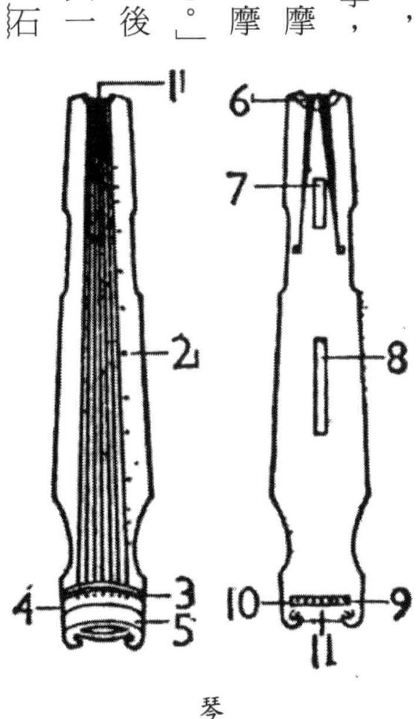

琴

1.龍齦　7.風沼
2.徽　8.龍池
3.岳山　9.弦眼
4.承露　10.軫池
5.額　11.嗉
6.齦托

鼓歌：「牧童敲火牛礪角，誰復著手與摩挲？」清 昭槤 嘯亭續錄 吳六奇：「其署中有峻石高數丈，査愛之，摩挲撫惜，因醉題『縐石』。」聊以，參卷五、九七、注②。寄，參卷二七、四五〇、注③。閒情，亦作「閑情」。悠然自在的情思。唐 皎然 酬烏程楊明府華雨後小亭對月見呈詩：「夜涼喜無訟，霽色搖閒情。」北宋 梅堯臣 和公儀龍圖憶小鶴：「閑情且與稻粱飽，寄語休將雞鶩驅。」清 侯方域（一六一八—一六五四）管夫人畫竹記：「抑文敏夫婦借以寫其『彼黍離離』之感耶？何其有閒情而為此也。」

五〇三、飛行機

林朝崧

蜻蜓四翼乍凌空①，列子【泠】然善御風②。巨礮可從天外落③，宋城何待木鳶攻④。

【析韻】

空、風、攻，上平、一東。

【釋題】

airplane（英 aeroplane, aircraft），日譯飛行機（ヒコウキ），我國譯作飛機。飛機係藉固定機翼與空氣作用產生昇力以克服重力，並以發動機產生推力以加速前進之飛行工具。主要由機翼、尾翼、機身、起落裝置、動力裝置等組成之。公元一九〇三年（民前九年、光緒廿九年）美國 萊特兄弟【Wilbur Wright（1867-1912），Orville Wright（1871-1948）】製成人類有史以來第一架飛機。當時造價美金三〇、〇〇〇元，預定時速四二・五英里，實際飛行約僅三〇哩。首航紀錄一小時十二分四十秒。（資料來源：The World Book Encyclopedia Vol.21, 1972）。榮按：民三（日 大正三年），日本於臺灣地區表演飛行，為臺人首度見識飛機之模樣。民九（日 大正九年），謝文達（一九〇一—一九八三，臺中 豐原人）自日返臺。九月，為答謝鄉親，於北臺上空進行訪問飛行三場。渠畢業於千葉縣 津田沼 伊藤飛行學校，一九二〇年參加東京飛行賽，榮獲三等獎。

【注解】

①蜻蜓……空　和蜻蜓沒兩樣，它也擁有四片翅膀。突然間、它高升到了天空。蜻蜓，昆蟲綱，蜻蜓目（**Odonata**），差翅亞目昆蟲的通稱。體型一般較大，休息時翅展開、平放兩側；前後翅不相似，後翅恆大於前翅。差翅亞目又分蜻、蜓二總科。蜻總科，其前後翅的三角室不相似；蜓總科，其前後翅的三角室相似。我國最常見的為黃綠棘臀蜓（**polycanthagyna melanictera**），體長約五〇公釐。若蟲（水蠆）與成蟲均捕食其他昆蟲與小動物，有益於人類。翼，ㄧˋ。鳥類或昆蟲的翅膀。易 明夷：「明夷于飛，垂其翼。」東漢 王粲 登樓賦：「獸狂顧以求羣兮，鳥相鳴而舉翼。」前蜀 牛嶠 女冠子詞：「明翠搖蟬翼，纖珪理宿粧。」乍，參卷一五、二四八、注②。凌空，高升至天空或聳立空中。北魏 酈道元 水經注 濟水二：「水上有連理樹，其樹柞櫟也，南北對生，凌空交合。」唐 駱賓王 秋雁詩：「帶月凌空易，迷烟逗浦難。」南宋 陸游 初發夷陵詩：「俊鶻橫飛遙掠岸，大魚騰出欲凌空。」

②列子……風　像傳說中的列禦寇，輕妙、熟練地乘風飛行。列子，列禦寇。戰國鄭人，一作列圄寇、列圉寇。西漢劉向七錄認為與鄭穆公（公元前四四七—前四二六年在位）同時，漢書藝文志說先於莊子（約公元前三六九—前二八六年）莊子成疏、柳宗元辯列子均謂與鄭繻公（公元前四二二—前三九六年）同時。泠然，ㄌㄧㄥˊ ㄖㄢˊ。「泠」原刊誤植為「冷」；茲訂正之。莊子逍遙遊：「夫列子禦風而行，泠然善也。」郭象注：「泠然，輕妙貌。」北宋陳師道和和叟第課還自都下：「青雲直上馬如龍，來往泠然若御風。」清趙執信彭蠡湖詩：「泠然乘風遊，託身任毫毛。」善，能。引申作「熟練」解。禮記少儀：「子習于某乎？子善于某乎？」御風，乘風飛行。餘詳參「泠然」。

③巨礮……落　大砲能從又高又遠的地方發射，彈藥急速飛奔、毫無預警地往下掉。巨礮，指安裝在飛機上的砲。日竹添光鴻雙殉行詩：「旅順巨礮千雷轟，骨碎肉飛血雨腥。」可從，能從……。天外，天之外，極言高遠。唐岑參送崔子還京詩：「匹馬西從天外歸，揚鞭只共鳥爭飛。」落，墜。泛指物體下墜。唐孟浩然夏口南亭懷辛大詩：「山月忽西落，池月漸東上。」張祜（一作祐）何滿子詩：「一聲何滿子，雙淚落君前。」

④宋城……攻　宋城不必憑藉玩具——木鳶來進擊啊！宋城，縣名，隋始置之。讀史方輿紀要河南歸德府：「商邱縣附郭。古商邱為閼伯之墟，春秋宋國都也云云。隋改縣曰宋城，後因之。」何待，不必憑藉。何，表否定。猶不必。待，憑藉。依靠。商君書農戰：「國待農戰而安，主待農戰而尊。」文心雕龍風骨：「故辭之待骨，如體之樹骸，情之

含風，猶形之包氣。」木鳶，木製鳶形的飛行器。韓非子外儲說左上：「墨子為木鳶，三年而成，蜚（飛）一日而敗。」攻，擊。進擊。書仲虺之誥：「兼弱攻昧，取亂侮亡。」左傳桓公八年：「且攻其右，右無良焉。」三國志蜀書馬謖傳注：「夫用兵之道，攻心為上，攻城為下。」

飛機之父-萊特兄弟。
左:Orville Wright　　右:Wilbur Wright

公元一九○三年十二月，試飛時攝影。
以上圖片採自 The World Book Encyclopedia Vol.21（1972 年版）

五〇四、破　屋

陳　朝　龍

苔痕班駁黯生煙①，雨滴春深訝漏天②。我愛南陽人未出③，茅茨不剪穩龍眠④。

【析韻】

煙、天、眠，下平、一先。

【釋題】

屋宇破舊簡陋，謂之破屋。唐 孟郊 秋懷詩之四：「秋至老更貧，破屋無門扉。一片月落牀，四壁風入衣。」北宋 蘇軾 紙帳詩：「錦衾速卷持還客，破屋那愁仰見天。」宋史 隱逸傳下劉愚：「愚妻徐氏不願為富人妻，遂歸于愚，居破屋中，一事機杼。」

【注解】

①苔痕……煙　地衣色彩錯雜的跡象，昏黑中、散發著白茫茫的水氣。苔痕，苔蘚滋生之迹。謂地衣遍生的跡象。唐 劉禹錫 陋室銘：「苔痕上階綠，草色入簾青。」北宋 張耒 無題詩之一：「出門蹄道苔痕滿，隱几書塵鼠跡多。」清 龔自珍 鵲樓仙詞：「安排疏密，商量肥瘦，自劚苔痕辛苦。」近人郁達夫 偶過西臺有感詩：「偶向西臺臺畔過，苔痕猶似淚淋痕。」班駁，ㄅㄢ ㄅㄛˊ。本作「班駮」（ㄅㄛˊ）。色彩錯雜。楚辭 西漢 劉向 九歎 憂苦：「同駑贏與椉駔兮，雜班駮與闒茸。」王逸注：「班駮，雜色也。」魏書 天象志一：「十

四年二月己巳朔未時，雲氣班駁，日十五分蝕一。」黯，ㄢˋ。昏黑。南朝梁江淹齊太祖高皇帝誄：「日月鬱華，風雲黯色。」生，長。引申作「散發」解。山、水、雲、霧等氣並曰煙。西晉陸機演連珠：「尋煙染芬，薰息猶芳。」唐張旭（？—？，貞觀、天寶間人。）桃花谿詩：「隱隱飛橋隔野煙，石磯西畔問漁船。」五代後唐莊宗如夢令詞：「如夢，如夢，殘月落花，煙重。」

②雨滴……天　細雨紛飛，春的氣息濃鬱，引人驚疑將久雨不歇。雨滴，雨水點點落下。猶云細雨紛飛。唐岑參尋楊七郎中宅即事詩：「雨滴芭蕉赤，霜催橘子黃。」唐杜牧題新定八松院小石詩：「雨滴珠璣碎，苔生紫翠重。」春深，參卷一七、二九一、注①。訝，驚疑。唐高適使青夷軍入居庸詩：「不知邊地寒，祇訝客衣單。」五代後唐徐寅（榮按：一作「夤」。？—？，乾寧、清泰間人。）和某尚書詠泉山瀑布詩：「乍疑玉繭纏蒼壁，忽訝銀河落絳霄。」清葉燮（一六二七—一七〇三）客發苕溪詩：「忽訝船窗送吳語，故山月已挂船頭。」漏天，謂如天瀉漏。喻多雨、久雨或飛泉盛大。北宋蘇軾廣州蒲澗寺詩：「千章古木臨無地，百尺飛濤瀉漏天。」

六十餘年前（光復初期）臺北市大稻埕九號水門附近陋巷破屋一景。

③我愛……出　我欣賞堅持澹泊的高士，深居僻野，婉辭入世。我愛，參卷二三、三八一、注③。南陽人，猶南陽子。三國志 蜀書 諸葛亮傳：「臣本布衣，躬耕於南陽，苟全性命於亂世，不求聞達於諸侯。」在此，係用於指稱澹泊名利，不求聞達的高士。未出，猶不出。謂婉辭入世。

④茅茨……眠　崇尚儉樸、不重修飾，氣定神閒地歸隱林下。茅茨不剪，本作茅茨不「翦」。剪、翦，屬同字異體。謂崇尚儉樸，不重修飾。韓非子 五蠹：「堯之王天下也，茅茨不翦，采椽不斲。」史記 李斯列傳：「堯之有天下也，堂高三尺，采椽不斲，茅茨不翦。」西漢 桓寬 鹽鐵論 通有：「文學曰：『古者采椽不斲，茅茨不翦。』」穩，定。北宋 陳師道 示三子詩：「了不知是夢，忽忽心未穩。」清 吳藻 訴衷情詞：「晴未穩，雨新過，落花多。」龍眠，指歸隱林下。清 平步青（一八三二—一八九五）霞外攟屑詩話下張文和公風鳶詩：「文端則賜金歸

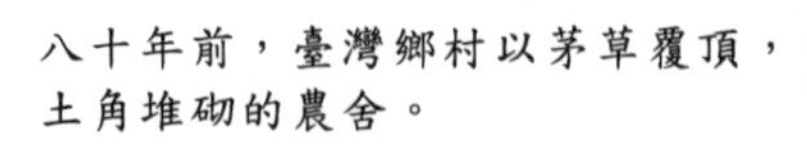

八十年前，臺灣鄉村以茅草覆頂，土角堆砌的農舍。

老，頤志龍眠，安慮野飆排撼乎。」

五○五、破　屋

鄭以庠

疏離槿補砌苔鋪①，小小茅廬入畫圖②。太息牽蘿杜陵老③，秋風秋雨一燈孤④。

【析韻】

鋪、圖、孤，上平、七虞。

【釋題】

同前首。

【注解】

①疏離……鋪　庭院前的圍籬，零零落落、不很整齊；乾脆種上木槿，加以填充。臺階週遭，覆蓋著濃密的地衣。疏離，參卷二三、三八五、注③。槿，ㄐㄧㄣˇ。學名 Hibiscus syriacus。即木槿，錦葵科、落葉灌木，高可達七八尺；葉互生、卵形，恆分三裂片，有三大脈。夏秋開花，花單生葉腋，花冠紫紅或白色，有重瓣品種。產於我國與印度。栽培供觀賞，兼作綠籬。樹皮（稱木槿皮）入藥，殺蟲療癬，外用治疥瘡、頑癬。花（稱木槿花）主治痢疾。補，泛指器物等的修舊彌縫闕損。呂氏春秋孟秋：「修宮室，坿牆垣，補城郭。」史記六國年表：「補龐，城籍姑。」司馬貞索隱：「龐及籍姑皆城邑之名。補者，脩也，謂

脩龐而城籍姑也。」唐韓愈劉公墓誌銘：「過其地，防穿不補，沒邑屋，流殺居人。」砌，ㄑㄧˋ。臺階。東漢班固西都賦：「於是玄墀釦砌，玉階彤庭。」苔，地衣。鋪，ㄆㄨ。覆蓋。韓愈詠雪贈張籍：「度前鋪瓦隴，發本積墻隈。」

②小小……圖　面積偪窄的草舍，切合美麗而自然的景緻。小小，很小。指稱偪窄。南宋陸游老學庵筆記卷七：「自昔大臣以私意害人，此其小小者耳。」清李漁巧團圓掠嫗：「我乃闖將過天星標下，一個小小頭目是也。」近人劉半農稻棚詩：「涼爽的席，鬆軟的草，鋪成張小小的床。」茅廬，亦作「茆廬」。草屋。唐張籍送韓侍御歸山詩：「新結茆廬招隱逸，獨騎驄馬入深山。」北宋梅堯臣對雪憶往歲錢唐西湖訪林逋詩之一：「折竹壓籬曾礙過，卻穿松下到茅廬。」明劉基崇福寺儔上人看山樓詩：「為愛山中世事疎，看山終日坐茅廬。」聊齋志異花姑子：「此非安樂鄉。幸老夫來，可從去，茅廬可以下榻。」近人蘇曼殊遁迹記：「嗣余忽醒，身臥茅廬。」入，切合。唐朱慶餘（榮按：朱本名可久，以字行）上張水部詩：「粧罷低聲問夫壻，畫眉深淺入時無？」畫圖，參卷二〇、三三四、注④。

③太息……老　唉！詩聖杜公，窮困潦倒、屋漏逢雨、牽蘿修葺。太息，參卷一、八、注③。牽蘿，指牽蘿補屋的故實。牽拉蘿藤，修補房舍的漏洞。唐杜甫佳人詩：「侍婢賣珠迴，牽蘿補茅屋。」杜陵老，杜甫。北宋黃庭堅過洞庭青草湖詩：「我雖貧至骨，猶勝杜陵老。」南宋戴復古論詩七絕：「飄零憂國杜陵老，感寓傷時陳子昂。」

④秋風……孤　西風蕭瑟，淫雨霖霖。黑夜裏、只有一盞如豆的油燈、單獨伴著他。秋風，參卷三、五〇、注④。秋雨，秋季的雨。唐 王維 黎拾遺昕裴秀才迪見過詩：「寒煙坐高館，秋雨聞疏鐘。」韋應物 聞雁詩：「淮南秋雨夜，高齋聞雁來。」杜牧 懷吳中馮秀才詩：「唯有別時今不忘，暮烟秋雨過楓橋。」一燈，參卷二七、四五九、注④。孤，單獨。北宋 王安石 送王詹叔利州路運判詩：「人才自古常難得，時論如君豈久孤。」

五〇六、破　傘

蔡振豐

傘破難堪手自操①，幾曾相伴訪花曹②。可憐一樣殘荷蓋③，擎向秋風受剪刀④。

【析韻】

操、曹、刀，下平、四豪。

【釋題】

傘蓋裂損、傘骨折斷……，勉堪蔽雨者，稱破傘。傘，ㄙㄢˇ。由柄、骨、蓋三部分組成。可張合，用以擋雨、遮陽之用具。南宋 楊萬里 脫歸遇雨詩：「略略煙痕草許低，初初雨影傘先知。」

【注解】

①傘破……操　傘面損裂，隻手獨力支撐不住。傘，詳參釋題。破，損壞。詩 豳風 破斧：

「既破我斧，又缺我斨。周公東征，四國是皇。」唐韓愈潭州泊船呈諸公詩：「闇浪春樓堞，驚風破竹篙。」清黃鷟來雨中懷曹午瞻詩：「何當邀珠履，一破綠苔跡。」傘破，謂傘面破裂、損壞而有縫隙。難堪，參卷二七、四六五、注②。手自操，隻手獨力支撐。自，指本身，引申作「獨力」解。操，握。把持。猶謂支撐。

②幾曾……曹　並未一道拜望百花官廨。幾曾，何曾。何嘗。以反問語氣表示否定，謂並未。南唐李煜破陣子詞：「鳳閣龍樓連霄漢，玉樹瓊枝作煙蘿。幾曾識干戈？」南宋史達祖臨江仙詞：「倦客如今老矣，舊游可奈春何！幾曾湖上不經過。」儒林外史第一一回：「自古及今，幾曾看見不曾中進士的人可以叫做個名士的？」相伴，彼此陪同。猶云一道。北宋錢愐（？—？，建隆、乾興間人。）錢氏私志：「上出簾觀看，令梁守道相伴，賜酒果。」紅樓夢第七八回：「（寶玉）因轉念一想：『不如還是和襲人廝混，再與黛玉相伴。』」訪，參卷一九、三二八、注②。花曹，掌理百花的衙署。官署曰曹。謂治公之所。漢書薛宣傳：「及日至休吏，……坐曹治事。」

③可憐……蓋　唉！這把傘和枯萎的團團荷葉有甚麼不同？著實令人同情。可憐，參卷一、九、注④。一樣，參卷二、二九、注④。殘荷，參卷一八、二九八、注③。蓋，遮陽禦雨之具。古稱傘為蓋。孔子家語敘思：「孔子將行，雨而無蓋。」史記商君傳：「勞不坐乘，暑不張蓋。」傳芳略記：「韓愈刺潮州，當暑，出張蓋。喜曰：『此物能與日輪爭功，豈細事耶！』」

④擎向……刀　朝著蕭瑟的西風苦撐，有如遭利剪無情地折磨。擎向，朝著……苦撐。擎，ㄑㄧㄥˊ。支撐。承受。北宋 王禹偁 立春前二日雪詩：「飄泊殘梅妬，龍鍾老檜擎。」蘇軾 贈劉景文詩：「荷盡已無擎雨蓋，菊殘猶有傲霜枝。」向，對。朝著。莊子 秋水：「於是焉，河伯始旋其面目望洋向若而嘆……。」秋風，參卷三、五〇、注④。受，遭遇。詩 邶風 柏舟：「覯閔既多，受侮不少。」南宋 沈作喆（？—？，大觀、淳熙間人。）寓簡卷八：「此雖似迂鈍，而他日學成。八面受敵，與涉獵者不可同日而語也。」剪刀，兩刃交錯，可以開合，用之鉸斷紙、布、繩等的金屬冶製而成的工具。唐 杜甫 戲題王宰畫山水圖歌：「焉得并州快剪刀，翦取吳松半江水。」

破　傘

五〇七、泥美人

蔡　振　豐

摶泥塑就態溫柔①，似是含情似解愁②。莫笑新粧盡塗抹③，幾人本色擅風流④。

【析韻】

柔、愁、流，下平、十一尤。

【釋題】

以泥捏成容貌姣好的女人，稱泥美人。

【注解】

①摶泥……柔　用泥團捏成的人偶，她散發出一股溫和柔順的神情。摶泥，ㄊㄨㄢˊ ㄋㄧˊ。捏弄泥團，以為人偶、器皿。論衡 累害：「以塗摶泥，以黑點繒。」明 李東陽 再次陶鼎韻答用濟諸君：「卻有好詩如拱璧，摶泥何意敢爭光。」塑就，捏製完成。塑，ㄙㄨˋ。捏（揑）；用泥土捏造人物的形狀。兒女英雄傳第四回：「把個公子就同泥塑一般，塑在那裏。」就，成。論語 顏淵：「季康子問政於孔子曰：『殺無道以就有道，何如？』孔子對曰：『子為政焉用殺。』」「人」之神情曰態。明 張居正 答賀澹庵書：「其所拔識，或望其丰神意態，……皆虛心獨鑑，匪借人言。」溫柔，溫和柔順。管子 弟子職：「見善從之，聞義則服，溫柔孝悌，毋驕恃力。」北宋 柳永 少年遊詞之四：「心性溫柔，品流詳雅，不稱在風塵。」水滸傳第二回：「你不合是個男子漢，只得裝些溫柔，說些風話兒耍。」

②似是……愁　好像懷著深情，也像曉悟鬱悶。似，表性態。像，好像。史記 陸賈列傳：「尉佗因問陸生曰：『我孰與蕭何、曾參、韓信賢？』陸生曰：『王似賢。』」似是，猶似真。解愁，有多義；在此作「曉悟憂慮、鬱悶」解。

③莫笑……抹　不能笑她那前衛入時的裝扮，全都是用顏料繪製出來的。莫笑，參卷一七、二八五、注③。新粧，參卷八、一五四、注④。盡，參卷五、九二、注②。塗抹，用顏料等附着在物體上。宋史　蔡攸傳：「或侍曲宴，則短衫窄袴，塗抹青紅，雜倡優侏儒，多道市井淫媟謔浪語，以蠱帝心。」

④幾人……流　有多少人，天生灑脫放逸、毫無做作？幾人，參卷七、一四一、注②。本色，本來的面目。二刻拍案驚奇卷一四：「丁惜惜又只顧把說話盤問，見說道，身畔所有，剩得不多，衏衏家本色，就不十分親熱得緊了。」本句此處，引申作「天生」解。清　黃宗羲（一六一〇—一六九五）胡子藏院本序：「詩降而為詞，詞降而為曲，非曲易於詞，詞易於詩也，期間各有本色，假借不得。」擅，精。南宋　陸游　世事詩：「何人令擅丹青藝，為畫蘇門長嘯圖。」風流，灑脫放逸。謂風雅瀟灑。後漢書　方術傳　論：「漢世之所謂名士者，其風流可知矣。」唐　牟融　送友人詩：「衣冠重文物，詩酒足風流。」聊齋志異　林四娘：「（林四娘）又每與公

泥美人

評騭詩詞，瑕則疵之；至好句，則曼聲嬌吟。意緒風流，使人忘倦。」

五〇八、木雕美人

陳濬芝

何必丹青寫貌妍①，旃檀面目儼天然②。懨懨觸我扶新病③，瘦到如柴更可憐④。

【析韻】

妍、然、憐，下平、一先。

【釋題】

使用木頭雕製而成容貌姣好的女偶，稱木雕美人。

【注解】

①何必……妍　毋須徒耗顏料、刻意描繪；它的姿體，原已美好動人。何必，參卷七、一三二、注④。丹青，參卷二三、三八九、注②。寫，參卷三、四八、注②。貌妍，姿體美好動人。貌，姿體。穀梁傳 桓公一四年：「望遠者。察其貌而不察其形。」范甯注：「貌，姿體。形，容色。」荀子 禮論：「故壙壟，其須象室屋也。」漢書 刑法志：「夫人宵天地之須，懷五常之性。」顏師古注：「須，古貌字。」文心雕龍 物色：「故灼灼狀桃花之鮮，依依盡楊柳之貌。」妍，ㄧㄢˊ。美好。世說新語 巧藝：「四體妍蚩，本無關於妙處。」

②旃檀……然　面目神色，宛如自然生成，毫無雕鑿的痕迹。旃檀，即檀香。香木名。材質

恆香，可製器物，亦可入藥。寺廟中恆研磨成粉末狀，用以燃燒祀佛。明李時珍本草綱目木一檀香集解引南宋葉廷珪（？—？，建中靖國、紹興間人。）香譜：「皮實而色黃者為黃檀，皮潔而色白者為白檀，皮腐而色紫者為紫檀。其木并堅重、清香，而白檀尤良。宜以紙封收，則不洩氣。」旃，ㄓㄢ。面目，面貌。詩小雅何人斯：「有靦面目，視人罔極。」旃檀面目，謂以檀木為材料，所製成之人偶，其面目神色也。儼，宛如。十分像。唐鮑溶雲溪竹園翁詩：「蒼松含古貌，秋桂儼白英。」明陳所聞念奴嬌序雲住閣為歐陽平林等題曲：「登樓四望，儼鵬摶九萬，倏然腋生風。」天然，參卷二〇、三四六、注②。

③懨懨……病　精神雖然委靡，仍引發她撐著這最近才得病的身子。懨懨，ㄧㄢ ㄧㄢ。精神萎靡貌。用以形容病態。唐劉兼春晝醉眠詩：「處處落花春寂寂，時時中酒病懨懨。」元王實甫西廂記第二本第一折：「懨懨瘦損，早是傷神，那值殘春。」清沈復浮生六記浪遊記快：「吾婦芸娘亦大病，懨懨在床。」扶，支撐。論語季氏：「危而不持，顛而不扶，則將焉用彼相矣？」南宋禪僧志高（一二八二—一三六四）絕句：「古木陰中繫短蓬，杖藜扶我過橋東。」新病，最近不久才得病的身子。

④瘦到……憐　形消骨立、脂肉頓減，像既細又小的木頭，益發令人同情啊！瘦到，參卷二三、三八〇、注③。如柴，像既細又小的木頭。禮記月令：「乃命四監，收秩薪柴，以共郊廟。及百祀之薪燎。」注：「大者可折謂之薪，小者合束謂之柴。」更，參卷一、一

七、注②。可憐，參卷一、九、注④。

五〇九、木雕美人

蔡振豐

雕成別樣美人妍①，用盡機關豈枉然②。癡立我曾同木偶③，與卿相對日生憐④。

【析韻】

妍、然、憐，下平、一先。

【釋題】

同前首。

【注解】

①雕成……妍　鏤刻好一尊儀態栩栩如生、氣質高雅脫俗的佳人。雕，鏤刻。論語公冶長：「宰予晝寢，子曰：『朽木不可雕也。糞土之牆不可杇也。於予與何誅？』」杜陽雜編：「（韓）志和更雕踏床，高數尺，其上飾之以金銀彩繪，謂之見龍床。」畢其事、完其功曰成。猶就。詩周南樛木：「樂只君子，福履成之。」易繫辭上：「此所以成變化而行鬼神也。」漢古詩為焦仲卿妻詩：「今已二十七，卿可去成婚。」別樣，參卷二八、五〇二、注②。美人，參卷一、四、釋題與注②。妍，參本卷、五〇八、注①。

②用盡……然　使遍渾身解數，難道白費工夫？用盡，用竭。謂使遍。機關，心機。醒世恆

言 喬太守亂點鴛鴦譜：「那知孫寡婦已先參透機關，將個假貨送來。」豈，參卷七、一三二、注①。枉然，徒然。白費。元 高明 琵琶記 南浦囑別：「有孩兒也枉然，你爹娘到教別人來看管。」清 李漁 慎鸞交 席捲：「財物既然失去，煩惱也是枉然。」近人魯迅 書信集 致章延謙：「他用這樣的方法嚇我是枉然的。」

③癡立……偶 我曾經傻呼呼地站著，活像一個木偶。癡立，ㄔ ㄌㄧˋ。又作「痴立」。凝神站立。呆立。近人應修人（一九〇〇—一九三三）落花詩之二：「石畔水涯是我家，柳蔭癡立愛春華。」何其芳（一九一二—一九七七）夢中道路：「我痴立了一會兒。」我曾，參卷二七、四七〇、注③。同，一樣。禮記 中庸：「今天下車同軌、書同文、行同倫。」木偶，即木偶人（木禺人）。木刻的人像。

④與卿……憐 和妳，臉朝著臉，一天天地、竟萌發出幾許的愛意。與卿，和妳。卿，夫妻或情人間的暱稱。漢古詩為焦仲卿妻作：「我自不驅卿，逼迫有阿母。卿但暫還家，吾今且報府。」西晉 束晳 近遊賦：「婦皆卿夫，子呼父字。」清 沈復 浮生六記 閨房記樂：「唐以詩取士，而詩之宗匠必推李 杜，卿愛宗何人？」近人郁達夫 贈隆兒詩之一：「人事蕭條春夢後，梅花五月又逢卿。」相對，參卷一一、二〇九、注②。日，一天一天地。禮記 大學：「苟日新，日日新，又日新。」生，長出。猶謂萌發。易 繫辭下：「天地之大德曰生。」禮記 月令孟夏之月：「王瓜生，苦菜秀。」憐，ㄌㄧㄢˊ，愛慕。喜愛。莊子 秋水：「夔憐蚿，蚿憐蛇。」西晉 歐陽建 臨終詩：「下顧所憐女，惻惻心中酸。」

五一〇、縉紳全書

蔡振豐

職官大小盡包羅①，一部傳觀喜若何②。好借餘閒供老眼③，滿朝新貴故人多④。

【析韻】

羅、何、多，下平、五歌。

【釋題】

縉紳全書即縉紳錄，亦省作「縉紳」。舊時，書坊所刊刻之全國職官錄。儒林外史第廿二回：「櫃上有人家寄的一部新縉紳賣。牛浦揭開一看，看見淮安府安東縣新補的知縣董瑛，字彥芳，浙江仁和人。」清李漁玉騷頭箴閧：「從不曾聽見這個官銜！我且問你：出在哪一本縉紳上？」

【注解】

①職官……羅　各級官員的姓名、字號、籍里、出身、經歷、現職……全都刊刻在這冊子上。職官，各級官員的統稱。左傳定公四年：「分唐叔以大路、密須之鼓、闕鞏、沽洗，懷姓九宗，職官五正。」新唐書陸贄傳：「財賦不足以供賜，而職官之賞興焉。」二刻拍案驚奇卷二一：「小人雖卑微，也是個職官，豈不曉得法度，幹這樣犯死的事？」二十年目睹之怪現狀第七回：「上海道批了出來，大致說控告職官，本道沒有權力去移提到案。」

大小，大與小。指官員品秩的高低。盡，參卷五、九二、注②。卷七、一三八、注②。包羅，容納。東漢趙岐孟子題辭：「著書七篇……包羅天地，揆敘萬類，仁義道德，性命禍福，粲然靡所不載。」南宋陳亮題喻季直文編：「其文蔚茂馳騁，蓋將包羅眾體，而一字不苟，讀之亹亹然而無厭也。」警世通言王安石三難蘇學士：「老太師學問淵博，有包羅天地之抱負。」此處，猶言刊刻、記載。

②一部……何　這套縉紳錄，輾轉遞送、專心細看，愛不釋手、十分興奮。一部，猶這套。指縉紳全書（縉紳錄）。書一組，稱一部。晉書李充傳：「點籍混亂，充以類相從，分為四部。」傳觀，傳遞著觀看。左傳定公八年：「顏高之弓六鈞。皆取而傳觀之。」新唐書劉黑闥傳：「突厥得箭，傳觀，以為神。」喜，愛。愛好。史記田完世家：「孔子晚而喜易。」易林：「旅身多罷，畏晝喜夜。」若何，引申作「多麼」解，猶十分也。餘參卷三、四八、注①。

③好借……眼　好好打發空檔，並伺候老夫的眼力。好借，參卷一一、二〇九、注③。餘閒，「餘閑」。餘暇，猶今語「空檔時間」。西漢司馬相如上林賦：「朕以覽聽餘閒，無事棄日。」李善注：「言聽政既有餘暇，無事而虛棄時日也。」三國志吳書駱統傳：「願殿下少以萬機餘閒，留神思省。」北宋歐陽修惜蒼蠅賦：「聊娛一日之餘閑，奈爾眾多之莫敵。」供，ㄍㄨㄥ。伺候（奉）。逸周書謚法：「敬事供上曰恭。」孔晁注：「供，奉也。」唐閻選（？—？，晚唐、五代間人。）再生記顏畿：「得病……不能言語十餘年，家人

疲于供護。」老眼，老年人的眼力。唐 杜甫 聞惠二過東溪特一送詩：「皇天無老眼，空谷滯斯人。」兒女英雄傳第三五回：「這所謂文有定評了，可見我這雙老眼還不盲。」

④滿朝……多 整個官場，增加新任官員；舊面孔依然不少。滿朝，整個朝廷。謂整個官場。新貴，最近才作（高）官的人。新的權貴。東晉 袁宏 後漢紀 光武帝紀一：「李軼初與世祖善，後諂新貴而疏世祖，世祖誡伯昇曰：『此人不可親也。』」唐 司空圖 亂後詩之二：「行在多新貴，幽樓獨長年。」明 高啟 書博雞者事：「元 至正間，袁有守多惠政，民甚愛之。部使者臧，新貴，將按郡至袁。」本句「新貴」，採廣義解，謂甫上任（包括初任、升遷、黜降）者。故人，參卷一八、三〇一、注①。多，參卷一、一五、注④。

五一一、吟 鞭

鄭 秋 涵

微吟閒度夕陽天①，的的揮來獨聳肩②。記得華陰驢背去③，一絲搖曳醉吟仙④。

【析韻】

天、肩、仙，下平、一先。

【釋題】

吟鞭，詩人所用馬鞭。大多用以形容行吟詩人。南宋 陳亮 七娘子三衢道中作詞：「賣花聲斷藍橋暮，記吟鞭醉帽曾經處。」元 薩都剌 九日登石頭城詩：「九日吟鞭住石頭，翠微高處倚晴秋。」清 龔自珍 己亥雜詩之五：「浩蕩離愁白日斜，吟鞭東指即天涯。」近人蘇曼殊 淀江道中口占：「羸馬未須愁遠道，桃花紅欲上吟鞭。」行吟，亦作「行唫」。邊走邊吟詠。楚辭 漁父：「屈原既放，游於江潭，行吟潭畔。」清 納蘭性德 滿庭芳 題元人蘆洲聚雁圖詞：「我欲行吟去也，應難問、騷客遺蹤。」

【注解】

①微吟……天 輕聲唱詩，平靜地打發黃昏時段。微吟，小聲吟詠。漢書 中山靖王劉勝傳：「雍門子壹微吟，孟嘗君為之於邑。」南宋 陸游 一笑詩：「半醉微吟不怕寒，江邊一笑覺天寬。」清 龔自珍 自春徂秋得十五首之三：「所以志為道，淡宕生微吟。」近人郁達天 贈福州報界同人詩之一：「大醉三千日，微吟又十年。」閒度，安逸地過著。閒，ㄒㄧㄢˊ。通「閑」。靜。史記 信陵君列傳：「公子再拜，因問。侯生乃屏人閒語。」注：「閒音閑，謂靜語也。」度，過。通過，漢書 西域傳：「谿谷不通，以繩相引而度。」唐 王之渙 出塞絕句：「羌笛何須怨楊柳，春風不度玉門關。」夕陽天，黃昏時段。傍晚時段。夕陽，參卷七、一二九、注④。天，指一日中某一段時間。二刻拍案驚奇卷一八：「約莫一更多天，然後睡了。」

②的的……肩 ㄉㄧˋ！ㄉㄧˋ！清唱，我、舞著策錣、高挺雙肩，駕馭座騎到定點。的的，ㄉㄧˋ ㄉㄧˋ。象聲詞。唐 韓偓 夜坐詩：「格是厭厭饒酒病，終須的的學漁歌。」清 陳鼎（一六五〇—？）邵飛飛傳：「其燕台詞曰：『……俗子不知人意嬾，挨肩的的唱秧歌。』」揮來，舞動策

錣，駕馭座騎前進至定點。揮，舞。搖動。淮南子覽冥訓：「魯陽公與韓搆難，戰酣日暮，援戈而揮之，日為之反三舍。」唐李白送友人詩：「揮手自茲去。蕭蕭班馬鳴。」至曰來。與「去」相對。列子仲尼：「修一身之窮達，知去來之非我。」史記孔子世家：「衛靈公聞孔子來，喜，郊迎。」西晉潘岳射雉賦：「來若處子，去如激電。」獨，參卷一五、二六四、注①。聳肩，參卷一五、二五七、注④。

③記得……去　想起陳摶墜驢。記得，參卷一九、三二〇、注③。去，離。離開。孟子離婁下：「地之相去也，千有餘里。」華陰驢背，詳參卷六、一〇九、釋題。

④一絲……仙　聞訊雀躍，大笑不已。沉迷於喜悅中的他，身子稍一晃動，撲的摔落在沙塵飛揚的路面。一絲，一根蠶絲。恒喻微少或極細。南宋葉適贈勝上人詩：「遣臘冰千筋，勾春柳一絲。」明劉基擬連珠之二七：「蓋聞拂雲之松，生於一豆之實；聳壑之魚，穿於一絲之溜，是以忍細事者禍必盈，輕小敵者亡必驟。」又，亦作「一點」解。老殘遊記第一六回：「這些情節，子謹卻一絲也不知道。」搖曳，亦作「搖拽」。晃蕩。飄蕩。搖動。南朝宋鮑照代櫂歌行：「颼戾長風振，搖曳高帆舉。」唐溫庭筠夢江南詞：「山月不知心裏事，水風空落眼前花。搖曳碧雲斜。」金董解元西廂記諸宮調卷四：「畫櫓聲搖拽，水聲嗚咽，蟬聲助悽切。」近人朱自清槳聲燈影裏的秦淮河：「岸上原有三株兩株的垂楊樹，淡淡的影子，在水裏搖曳着。」醉，沉迷。陶醉。莊子應帝王：「列子見之而心醉。」北宋錢愐錢氏私志：「與其醉聲色，何如與學士論文。」近人郁達夫

游白岳齊雲之記：「人為花氣所醉，渾渾然似在做夢。」吟仙，指陳摶。宋史隱逸上、陳摶：「及長，讀經史百家之言，一見成誦，悉無遺忘，頗以詩名。後唐長興中，舉進士不第，遂不求祿仕，以山水為樂。」按：摶遺有詩約六百餘首。另參卷六、一〇九、釋題。

五一二、護花鈴　　應　奎

金鈴十二繫何因①，未許遊蜂浪蝶親②。闌外彩旛旛外索③，此中大有惜花人④。

【析韻】

因、親、人，上平、十一真。

【釋題】

為保護花朵、拉動發聲以嚇阻鵲鳥而設之金鈴，稱護花鈴。五代後周王仁裕開元天寶遺事卷上花上金鈴：「天寶初，寧王日侍，好聲樂，風流蘊藉，諸王弗如也。至春時，於後園中紉紅絲為繩，密綴金鈴，繫於花梢之上，每有烏鵲翔集，則令園吏掣鈴索以驚之，蓋惜花之故也。諸宮皆效之。」近人楊錫章（？—？）澆花罐詩：「抱此冰心何所往？來生化作護花鈴。」亦省作「護鈴」。梁啟超蝶戀花感春詞：「早識護鈴成漫約，餘英悔不春前落。」

【注解】

①金鈴……因　庭院周遭，甚麼緣故懸掛那麼多枚金鈴？金鈴，金屬鑄成的鈴。西京雜記卷一：「（璧帶）上設九金龍，皆銜九子金鈴，五色流蘇。」前蜀韋莊貴公子詩：「金鈴犬吠梧桐院，朱鬣馬嘶楊柳風。」紅樓夢第五三回：「金鈴玉珮微微搖曳之聲。」十二，形容數量多。南朝齊王融望成行：「金城十二重，雲氣出表裏。」繫，ㄒㄧˋ。懸掛。論語陽貨：「吾豈匏瓜也哉，焉能繫而不食！」史記屈原列傳：「屈平……繫心懷王，不忘欲反。」晉書周顗傳：「取金印如斗大繫肘後。」何因，甚麼緣故。為甚麼。周書薛善傳：「時晉公護執政，儀同齊軌語善云：『兵馬萬機，須歸天子，何因猶在權門？』」唐韋應物淮上喜會梁川故人詩：「何因北歸去，淮上對秋山。」南宋葉適寄呂巽伯換酒亭詩：「自可全將醒前了，何因偏向醉中逃！」

②未許……親　不應允到處飛舞的蜜蜂、蝴蝶，任意接近花朵。未許，參卷九、一六八、注①。遊蜂浪蝶，本作「浪蝶遊蜂」。猶言浪蝶狂蜂。謂縱橫飛舞的蜜蜂蝴蝶。明梁辰魚浣紗記效顰：「風景晴和，翩翩浪蝶狂蜂，陣陣遊絲飛絮。」「遊蜂浪蝶」、「浪蝶狂蜂」，亦用以比喻尋花問柳的浪蕩子，茲從略。親，近。接近。易乾：「本乎天者親上，本乎地者親下。」戰國策齊策一：「楚將伐齊，魯親之，齊王患之。」清袁樹效疑雨集體詩：「形跡怕叫同伴妒，囑郎見面不相親。」

③闌外……索　闌干外邊，樹著五顏六色的長幅旗幟；彩旗外圍更栓上大繩。闌外，參卷二

二、三六七、注②。彩旛，各種顏色的長幅下垂的旗幟。旛，ㄈㄢ。大繩曰索。小爾雅 廣器：「大者謂之索，小者謂之繩。」

④此中……人 這當中，多的是愛花憐草的人啊！此中，參卷一〇、一九四注⑧。大有，易卦名。乾下離上，作「䷍」，象徵大；多。易 序卦：「與人同者，物必歸焉，故受之以大有。」高亨注：「大有，所有者大，所有者多也。」惜花人，愛花憐草的人。唐 常兗（一作「袞」，七二九—七八三）登棲霞寺詩：「待月水流急，惜花風起頻。」白居易日長詩：「愛水多棹舟，惜花不掃地。」

五一三、燈 花

蔡 振 豐

春風有信報銀缸①，結蕊搖搖映紙窗②。五色昨宵開到筆③，與君佳兆話雙雙④。

【析韻】

缸、窗、雙，上平、三江。

【釋題】

燈心尚存餘燼，爆成花形，謂之燈花。北周 庾信 對燭賦：「刺取燈花持桂燭，還卻燈檠下燭盤。」古人以燈花為吉兆。西京雜記卷三：「夫目瞤得酒食，燈火華得錢財。」唐 杜甫 獨酌成詩：「燈花何太喜，酒綠正相親。」

【注解】

①春風……缸　東風帶來的信息，告知銀色的燭臺。春風，參卷一四、二三五、注④。有信，有信息。兒女英雄傳第四〇回：「安太太聽了這話，明白是何小姐有了喜了，自己有信兒抱孫子了，才覺有些歡喜。」報，告。白。戰國策 秦策五：「甘羅謂文信侯曰：『借臣車五乘，請為張唐先報趙。』」孫子 用間：「生間者，反報也。」銀缸，參卷一四、二三八、注①。

②結蕊……窗　凝成的燈花，晃來晃去，一一投射在糊紙的窗戶上。結蕊，凝成燈花。結，凝合形成。漢古詩為焦仲卿妻作詩：「寒風摧樹木，嚴霜結庭蘭。」唐 許景先（？—？，光宅、開元間人。）廣寒殿白玉樓上梁文：「待兒報到水晶寒，曉色已結鴛鴦瓦。」蕊，特指燈花。燈蕊燃燒中結成的花狀物。迷信恆視為吉祥的徵兆。明 王錂 尋親記 完聚：「昨夜燈花結蕊，今朝喜鵲聲喧，不知喜從何來。」搖搖，參卷六、一一七、注②。映，參卷一四、二三七、注①。紙窗，亦作「紙牕」。糊紙的窗戶。唐 白居易 曉寢詩：「紙窗明覺曉，布被暖知春。」清 唐孫華 和友人郊字雪詩三十韻：「斜穿珠箔入，密聽紙牕敲。」

③五色……筆　昨夜，五彩繽紛曼衍案頭的筆鋒。五色，參卷二七、四五六、注②。昨宵，參卷一一、二一〇、注④。開到，猶云曼衍至。參卷二四、三九五、注①。筆，指毛筆的筆鋒。

④與君……雙　似訴說：我倆並對成雙的美好徵兆。與君，與你（妳）。謂我倆。佳兆，美好的徵兆。即吉兆。唐李商隱赴職梓潼留別畏之員外同年詩：「佳兆聯翩遇鳳凰，雕文羽帳紫金牀。」明劉若愚酌中志內臣職掌紀略：「撫今思昔，亦莫之為而為，良非佳兆云。」話，善言。言語。詩大雅生民之什：「出話不然，為猶不遠。」又，抑：「慎爾出話，敬爾威儀。」西晉張協七命：「雖在不敏，敬聽嘉話。」東晉陶潛歸去來辭：「悅親戚之情話，樂琴書以消憂。」雙雙，並對成雙。公羊傳宣公五年：「『冬，齊高固及子叔姬來。』何言乎高固之來？言叔姬之來，而不言高固之來，則不可。子公羊子曰：『其諸為其雙雙而俱至者與？』」何休注：「言其雙行匹至，似於鳥獸。」唐權德輿秋閨月詩：「稍映妝臺臨綺窗，遙知不語淚雙雙。」

拾肆、雜　詠

卷二九

五一四、臺灣雜詠　　珍　五

蕉果黃梨賽海南①，炎天飽嚼不厭貪②。更思留看霜天熟③，親試西螺十月柑④。

【析韻】

南、貪、柑，下平、十三覃。

【釋題】

興致不一、不拘流例，遇物即言之吟詠，稱雜詠。作者所言均為與臺灣攸關之土產，故稱臺灣雜詠。

【注解】

①蕉果……南　香蕉、鳳梨，都勝過海南所產。蕉果，指香蕉。即蕉實。花疏　芭蕉：「蕉

之老者，輒生在泉漳之間，則為蕉實。」芭蕉（Musa basjoo），略稱「蕉」、亦稱「甘蕉」，臺地訛稱「根蕉」。芭蕉科。多年生草本。具匍匐莖。假莖綠或黃綠色。高可達六公尺，略披白粉。葉片呈長圓，長約三公尺，頂端鈍圓、基部圓形，不對稱；中脈粗大、側脈多數且平行；葉柄長、葉翼開張。穗狀花序下垂，苞片色紅褐或紫。果肉黃色，有諸多種子，不堪食用。原產我國臺灣與琉球群島。秦嶺、淮河以南常露地栽培供觀賞。葉纖維可織布（即蕉葛），假莖、葉、花蕾、匍匐莖，均入藥，功能清熱解毒、利尿消腫、涼血、止痛。植物所結之實曰果。周禮卷四冢宰治官之職甸師：「掌帥其屬……共野果蓏之薦。」注：「有核曰果，無核曰蓏。」西晉左思魏都賦：「碩果灌叢，園木竦尋。」素問藏氣法時論：「五果為助，……。」注：「五果，桃、李、杏、栗、棗也。」黃梨，即鳳梨。亦稱「波羅」。清褚華閩雜記黃梨：「黃梨出泉、漳、臺灣等處，形如芋頭，大或及斗，其皮如松顆，周圍有鱗，食之必去鱗，云有毒也，鱗內有根如針，著肉甚堅，須以快刀周剜方出，味極鮮爽，勝于楊桃、芭蕉果之類。來子庚觀察云：『波羅蜜，天波羅也；黃梨，地波羅也。波羅蜜大於黃梨，形色相似，惟皮光無鱗耳。』」賽，ㄙㄞˋ。超勝過。癸辛雜識續集宋江三十六人贊：「賽關索楊雄：關索之雄，超之亦賢；能恃義勇，自命何全。」海南，舊指今海南島地區。亦泛指我國南部濱海地區。南宋沈作喆寓簡：「草木之最香者如沈水……雞舌之屬，皆產於嶺表、海南。」說郛卷三二引范正敏遯齋閒覽海南人情不惡：「東坡自海南還，過潤州，州牧故人也，出郊迓之，因問海南風土人情如何。」明 皇甫涍（？—？，嘉靖、萬曆間人。）雪山歌奉寄彭太保：「龍舉空悲劍鳥藏，海南漠北俱蕭瑟。」

②炎天……貪　襖熱難耐的夏天，充分地咀嚼，不嫌多多益善。炎天，炎熱的天氣。南朝 宋 顏延之 夏夜呈從兄散騎車長沙詩：「炎天方埃鬱，暑晏闋塵紛。」北宋 王讜 唐語林 補遺四：「方屬炎天，手汗模糊。」明 高啟 答宗人廉夜飲王氏池亭見懷詩：「遙聞池上酌，涼夜失炎天。」飽嚼，充分地細嚼。飽，多。極多。表性態。引申作「充分地」解。南宋 真山民 山間秋夜詩：「夜色秋光共一闌，飽收風露入脾肝。」元 耶律楚材 再用閑閑老人韻詩：「掀髯坐語閒臨水，仰面徐行飽看山。」嚼，ㄐㄩㄝˊ。ㄐㄧㄠˊ。咀嚼。謂以齒咬細食物使碎爛也。花史：「鐵腳道人，常嚼梅花滿口，和雪嚥之曰：『吾欲寒香沁入肺腑。』」不厭，不嫌。不排斥。論語 鄉黨：「食不厭精，膾不厭細。」韓非子 難一：「戰陣之間，不厭詐偽。」清 李漁 閒情偶寄 詞曲上音律：「凡此皆係有倫有脊之言，雖巧而不厭其巧。」多慾曰貪。詩 大雅 桑柔：「民之貪亂，甯為荼毒。」禮記 禮運：「故用人之知去其詐，用人之勇去其怒，用人之仁去其貪。」史記 管晏列傳：「吾（榮按：管仲自稱。）始困時，嘗與鮑叔賈，分財利，多自與，鮑叔不以我為貪，知我貧也。」

③更思……熟　益發想注意觀察深秋百果長成的情況。更思，益發想……。留看，注意觀察。唐 白居易 別春爐詩：「晚風猶冷在，夜火且留看。」霜天，參卷二六、四四六、注①。熟，成。長成。在此，謂各種水果長成的情況。禮記 王制：「五穀不時，果實未熟，不

粥於市。」孟子 告子上：「五穀者，種之美者也。苟為不熟，不如荑稗。夫仁亦在乎熟之而已矣。」晉書 桑虞傳：「有園在宅北數里，瓜果初熟，有人踰園盜之。」

④親試……柑　親口一嚐西螺十月盛產的甜柑。親，親自。謂本身直接從事。表性態。禮記 郊特牲：「王立于澤，親聽誓命。」左傳 襄公一〇年：「旬偃、士匄帥卒攻偪陽，親受矢石。」公羊傳 莊公二一年：「親納幣，非禮也。」試，嘗。（嚐）。易 无妄：「无妄之藥，不可試也。」唐 孟浩然 九日詩：「落帽恣歡飲，授衣同試新。」西螺，地名。今屬雲林縣轄。日領期間歸臺南州。十月，一年中的第十個月（指農曆）。詩 豳風 七月：「八月其穫，十月隕蘀。」柑（Citrus nobilis）芸香科（亦稱柑橘科）。常綠灌木，高丈餘，葉長卵型，互生；葉柄左右有小翅，柄上端有小節；初夏開白花，五瓣；果實圓形，皮色黃赤，皮緊不易剝，種類頗多，大都甘美。五代 後蜀 花蕊夫人 宮詞：「種得海柑纔結子。乞求自送與君王。」明 劉基 賣柑者言：「杭有賣果者，善藏柑。」

嘉義街頭水果攤。攤前著木屐者為日本人，攤內穿唐裝者為本島人，明顯呈現強烈對比。

五一五、息力雜詠

陳寶琛

百萬賓朋保惠難①，隻身跨海捍狂瀾②。卅年不是孫銘仲③，羣島誰知有漢官④？

【析韻】

難、瀾、官，上平、十四寒。

【釋題】

息力雜詠者，稍息之際，隨事吟詠也。南宋陳亮酌古論李靖：「節制之兵……前者鬬，後者息力；後者進，前者更休。」雜詠，亦作「雜咏」。

【注解】

①百萬……難　面對那麼多的生靈，想善加保護、普遍施惠，是不容易的。百萬，形容數目極大。參卷四、七一、注②。賓朋，賓客朋友。南朝宋鮑照代堂上歌行：「車馬相馳逐，賓朋好容華。」西遊記第六九回：「我又不曾與他拿茶會酒，又不是賓朋鄰里，我怎麼認得他！」百萬賓朋，謂百萬生靈也。近人連橫（一八七八—一九三六）臺灣通史過渡記（原稱獨立記，梓行時易之。）：「如各國仗義公斷，能以臺灣歸還中國，臺民亦願以臺灣所有利益報之。臺民皆籍閩粵，凡閩粵人在外洋者，均望垂念鄉誼，富者挾資渡臺，臺能庇之，絕不欺凌。貧者歇業渡臺，既可謀生，兼同洩憤；此非臺民無理倔強，實因未

戰而割全省，為中外千古未有之奇變。臺民欲盡棄其田里，則內渡後無家可依。欲隱忍偷生，實無顏以對天下。因此，搥胸泣血，萬眾一心，誓同死守。倘中國豪傑及海外各國能哀憐之，慨然相助，此則全臺百萬生靈所痛哭待命者也，特此布告中外知之。」據統計：光緒十九年（一八九三，割讓前二年）臺澎人口總數已達二百五十四萬餘人。保惠，保護並施以恩惠。書無逸：「作其即位，爰知小人之依，能保惠于庶民，不敢侮鰥寡。」難，ㄋㄢˊ。參卷四、六四、注④。

②隻身……瀾　自個兒橫渡大海，去抵制大動亂。隻身，獨自一人。南宋真山民渡江之越宿蕭山縣詩：「隻身千里客，孤枕一燈秋。」儒林外史第三六回：「隻身一人，又無弟兄。」近人瞿秋白（一八九九—一九三五）赤都心史二八：「半載不得家書，隻身孤影，心靈中無窮奇感。」跨海，跨越大海。文心雕龍諸子：「列子有移山跨海之談，淮南有傾天折地之說。」今人錢杏村（一九〇〇—一九七七）關于鄭成功的二三事：「克服了一切困難，跨海收復了當時為荷蘭人侵占中國土地—臺灣。」捍，ㄏㄢˋ。抵制。唐李濬（？—？，開成、文德間人。）松窗雜錄：「上嘗欲命李白官，卒為宮中所捍而止。」狂瀾，喻激烈的社會變動或大的動亂。清方文蕪湖訪宋玉叔計部感舊詩之三：「一自狂瀾翻大陸，遂令郎署屬危途。」近人梁啟超（一八七三—一九二九）近世第一女傑羅蘭夫人傳：「時千七百九十三年之秋，革命之狂瀾，轟天撼地。」在此，狂瀾係指清廷割臺，引發臺民抗日護土之義行。清史稿唐景崧傳：「割臺議起，主事丘逢甲（邱逢甲）建議自主，臺民爭贊之。……

和議成，抗疏援贖遼先例，請免割，不報，命內渡。臺民憤，迺決自主，製藍旗，上印綬於景崧，……電告中外，有『遙奉正朔，永作屏藩』語，……」

③卅年……仲　三十（多）年來，朝廷漠視列強覬覦臺疆；一再失誤。銘仲啊！你乏力回天！卅年，三十年。應屬概數，猶謂三十多年。三十餘年。卅，ㄙㄚˋ。小篆作：「卅」。說文：「卅，三十并也，古文省。」廣韻：「卅，說文云：卅，三十也。今作『卅』，直為三十字。」不是，錯誤。過失。百喻經　人效王眼瞤喻：「見有字句不正，便生譏毀，效其不是。」清平山堂話本　快嘴李翠蓮記：「適間婆婆說你許多不是。」紅樓夢第三〇回：「你倒來替人派我的不是！」詳參十八、十九世紀列強覬覦臺疆年表。孫銘仲，閩人，與作者具鄉誼。生卒年待考。本名道義，少壯入行伍，以軍功薦升文職，中東事起，渡臺，割臺前後署基隆（原雞籠，光緒元年設基隆廳，十一年改設基隆縣，歸臺北府轄。）通判。臺灣通史　過渡紀：「基隆為山海險要，礮臺在焉。提督張兆連率四營，通判孫道義領二營輔之。日軍以度嶺之艱，持糧步行，（五月）初九夜（時清　光緒二十一年，公曆一八九五年六月一日）至基隆，兩軍互戰，各死傷。」

④羣島……官　而今，臺　澎諸島，有那個人記得曾經存在著華夏禮儀制度？羣島，海洋中簇聚成羣的島嶼。在此，指臺灣、澎湖各島。誰知，何人記得。知，記。記識。論語　里仁：「父母之年，不可不知；一則以善，一則以懼。」注：「知，記識也。」有，參卷一、二〇、注③。漢官，「漢官威儀」、「漢官儀」等的省詞。泛指華夏禮儀制度。後漢書　光

武帝紀上：「及見司隸僚屬，皆歡喜不自勝。老吏或垂涕曰：『不圖今日復見漢官威儀！』」唐 楊巨源（七五五—？）春日奉獻聖壽無疆詩：「願同東觀士，長覩漢官儀。」明 何景明 送張國賓進萬壽表還詩：「鳳管暫停秦女曲，龍旂遙覩漢官儀。」

十八、十九世紀列強覬覦臺疆年表

吳椿榮 九三、四

中國紀元	西曆	史事摘要
雍正六年	一七二八	「鴉片煙……傳入中國已十餘年，廈門多有，臺灣特甚。哀哉！」（藍鼎元 經理臺灣六事條陳、與吳達禮論治臺灣事宜書）
雍正七年	一七二九	英人至滬尾、雞籠販售鴉片，雞籠劣商以私造樟腦交易之。
八年	一七三〇	秋，英人復至滬尾以鴉片交換樟腦。冬，清廷令禁鴉片運臺，違者從嚴治罪。
道光廿一年	一八四一	英艦娜布達號（Nerbudda）攻雞籠，礮擊三沙灣。臺灣鎮總兵達洪阿令參將邱鎮功等應戰，英艦中彈，倉皇馳遁、觸礁擱淺桅折，印度籍兵卒二〇四名為清軍所俘。
廿二年	一八四二	正月，英艦三艘攻大安港，淡水同知、鹿港同知、澎湖通判、彰化知縣、北路副將等協同抵禦，英艦北馳，其中安恩號（Ann），觸礁擱淺沉沒，清軍俘虜英、印兵卒五七名。

道光廿八年	一八四八	英政府遣海軍中將戈登（Lieut R.N. Gordon）抵雞籠勘察煤層。
廿九年	一八四九	美船德芬號（Dolphin）抵雞籠。
卅年	一八五〇	清廷嚴禁採挖雞籠煤礦，並峻拒英商採購。
咸豐元年	一八五一	英駐廈門領事巴夏禮（H.Parkes）至雞籠視察。
三年	一八五三	美商基頓奈（Gideon Nye）促駐華代公使轉請美政府占領臺灣南部或東部包括紅頭嶼（今蘭嶼）。
四年	一八五四	美遣海軍提督培里（Matthew Perry）率麥西多尼安號（Maccedonian）、休普利號（Supply）二艦至雞籠，命李約翰（G.Johnes）勘礦。返國後，培里建議美政府占領臺灣。另，郝利思（Townsend Harris）撰文議價購臺灣。同年，英廈門領事巴夏禮要求價購雞籠煤，並索採炭權。
六年	一八五六	美商勞比奈（Robinet）洋行至打狗購糖，運銷華北十六萬擔，得墨銀四七〇〇〇〇元。十一月廿五日（西曆十二月十二日）美駐華公使派克斯（Peter Parkes）向國務卿馬西（William L.Marcy）建議：與英分占臺灣、舟山及朝鮮。
咸豐七年	一八五七	二月，美國務卿馬西公開聲明不介入中英、中法爭端。英海軍提督西默（M.Seymour）遣人自港至臺調查。

八年	一八五八	英商怡和（Jardin Matheson & Co.）連督（Dent & Co.）二洋行競購臺灣樟腦。 美商於打狗設連絡處，收購砂糖。 英副領事郇和（Robert Swinhoe）發表 Narrative of a visit to the Island of Formosa。
九年	一八五九	天主教聖多明我會（St. Dominican）遣傳教士桑英士（Fernando Sainz，華姓郭）、蒲富路（Angel Bofurull）自呂宋馬尼拉經廈門，五月十八日抵打狗，隨行者有中國教士、教友各三人，卜居打狗前金庄（今高雄縣路竹鄉），翌年設教堂於打狗。
十年	一八六〇	本年德艦愛博號（Elbe）於琅嶠與先住民發生衝突。德人李卓芬（Ferdinand von Richthofen）調查淡水河兩岸地質，撰成「臺灣北部海岸山岳構造」專文。
十一年	一八六一	十一月，郇和抵臺，設海關於滬尾。
同治元年	一八六二	怡和、連督二洋行相繼於滬尾設商館。 七月十八日，滬尾（淡水）正式開港。（天津條約）
二年	一八六三	八月十九日，鷄籠開港。（天津條約）。翌年，五月打狗、安平開港。本年，福州海關 De Meritens 稱：臺灣每年進口鴉片四五、〇〇〇箱（值白銀三〇萬兩）。 英駐淡水領事郇和撰成臺灣人種誌與殖民誌；杜德（John Dodd）於淡水附近種茶。
四年	一八六五	六月，英長老教會（Presbyterian Church）牧師馬雅谷（Dr. J. Maxwell）於臺南府城傳教、行醫。

同治六年	一八六七	美船羅發號事件 ・二月初七（陽曆三月十二日）羅發號自汕頭北經牛莊，途經臺灣海峽，遇大風漂至臺灣南部海面，於七星岩（今屬屏東縣）觸礁沉沒。 ・船長韓德（J.W. Hunt）夫婦與水手等十四人乘舢舨逃生，浮至琅嶠尾龜仔角鼻山（今屬屏東縣）登岸，悉遭先住民殺害。廣東籍水手某，一人眼尖，伏草莽中得免。渠西走至打狗告官。 ・英駐安平領事聞訊，急速告知美駐華公使。同時，派卜羅少校（Broad）駛科爾摩蘭號（Cormorant）前往搜尋，遭先住民擊退。 ・四月，美駐廈門領事李仙得（C. W. Le Gendre）抵臺，交涉未果。 ・美政府遣海軍提督貝爾（Bell）率艦二艘、兵一八一名，前來，六月十九日自鬼仔舟登陸進攻，副艦長馬肯基（A. S. Mackenzie）中箭陣亡，大敗而退。 九月十三日（陽曆十月九日）李仙得率通事等入社，與頭目卓杞篤（Taketok）面議和約，取回韓德夫婦頭顱以歸。本年，英人杜德，試種烏龍茶。
七年	一八六八	本年，中英糾紛數案並發— ・三月初二，鳳山教堂遭燬，教民被害。 ・五月，打狗英商夏禮（Hardie）與哨丁口角互毆受傷。 ・怡記洋行商人畢麒麟（Pickering）於梧棲港私設洋棧，買集樟腦，遭鹿港同知查獲並予扣留。英以兵艦三艘分泊打狗、安平，以為要挾。閩浙總督英桂責福建興永道曾憲德渡臺處理。憲德率臺灣府知府葉宗元親赴打狗與英領事吉必勳（John Gibson）交涉。 吉必勳恃強刁難，渠於十月初八（陽曆十一月廿一日）與武官茄當（Gurdon）率艦二艘赴安平。十二日，礮擊城衙，率兵登岸，佔領營署，燒燬軍藥庫，清官兵死傷二十五名。紳商黃應清等出面求和，強索賞金四萬，黃以私款予之，始撤兵。中英雙方於十月十八（陽曆十二月一日）勉強達成八項協議。 本年，四月大南澳侵墾事件。

年號	西元	事件
同治七年	一八六八	德商 美利士（James Millisch）與英人荷恩（James Horn）勾結。前者出資、給照，後者開山伐木、墾荒經營。荷恩率眾入大南澳（位蘇澳南四三・四公里）「番界」擅自以鹽、布、羽毛交結先住民，不聽噶瑪蘭通判丁承禧之勸阻，建堡樹柵、伐木取材，運售鷄籠。事經總理衙門照會英 德公使，雖允嚴辦，惟一再拖延。翌年，事態益發擴大，竟運販火藥予先住民，竊販樟腦、私典煤山，無所不用其極。六月，迭經總理衙門交涉，英 德始飭荷恩、美利士離境。十月，荷恩於赴蘇澳途中溺斃，美利士宣告破產，事件始平息。
八年	一八六九	本年，馬雅谷至岡子林向平埔族傳教。 英商確立獨佔臺灣樟腦、茶、糖等出口貿易機制。杜德、德記等洋行，以外國金融機構貸款，先交廈門 中國茶糖商買辦—時稱媽振館（Merchant），經臺灣本地買辦預先貸給茶、蔗民，茶、糖製成後，沿同樣機構溯回，交英商。未經上述程序均無法出口。同時，臺灣進口貨運，亦已悉由英人海運公司所獨占。
九年	一八七〇	英 長老教會教士甘為霖（William Campbell）於臺南等處建立教會五十餘處並兼辦學校（臺南 長榮中學前身）。
十年	一八七一	牡丹社事件 十月十五（陽曆十一月廿七日）琉球 宮古島住民六九人，因船遇風，漂至瑯嶠附近八瑤灣（今屏東 滿州鄉），溺死三人，存活六六人登岸，誤入牡丹社，為排灣族戮殺五四人，餘十二人得居民楊友旺 劉天保等救助脫險，後經鳳山縣護送府城，轉往福州，閩撫優予撫卹，遣返之。

年號	西元	記事
同治十一年	一八七二	八月，日 鹿兒島縣參事大山綱良 建議興師、問罪臺灣。外務卿副島種臣、參議西鄉隆盛、板垣退之助力表贊同。十二日（九月十四日）日冊封琉球王 尚泰為藩主，以確定日、琉之「主屬關係」。同時，照會各國公使，申明琉球已歸日本，以為犯臺之藉口。 本年，加拿大 長老教會 馬偕（George L. Mackay）來臺傳教，並劃大甲溪以北為教區。
十二年	一八七三	五月廿六日（六月廿日）日使副島種臣命其副使柳原前光面詢我總理衙門大臣昶熙有關牡丹社事，昶復以：「琉球、臺灣俱屬中國，不煩 貴國過問。且生番原屬化外，未便窮治。」
十三年	一八七四	二月十日（三月廿七日）樺山資紀、小野遵等一行抵琅嶠勘測。 三月廿二日（五月七日）日軍登陸琅嶠。四月初三（五月十八日）小戰於四重溪，日軍敗退。 四月七日（五月廿二日）西鄉從道所部亦登陸，隨即攻掠牡丹社。排灣族人堅守石門天險，依壁以抗。十八日（六月二日）日軍分三路攻社，先住民不敵，日紮營統領埔，建都督府為久駐之計。 四月十四日（五月廿九日）清廷派沈葆楨為欽差辦理臺灣等處海防兼理各國事務大臣。 五月一日（六月十四日）沈抵臺，積極將事。 七月卅日（九月十日）日遣內務卿大久保利通為全權大臣至北京交涉，英、美從中斡旋。 九月廿二日（十一月卅一日）中 日協議成立—— 1. 清廷承認日本出兵為保民義舉。 2. 賠償撫卹難民銀等五〇萬兩。 3. 中國將妥為約束該處生番。 十一月十二日，日軍撤離臺灣。旋，琅嶠築城置官，定名恆春縣。清廷始重臺事。

光緒二年	一八七六	設煤廠於八斗子，聘英人翟薩（David Tyzack）實勘，採西法以機器開挖，日產約三、四十噸。十二月，刑部左侍郎袁保恆奏請臺灣建省，以專責成，部議不決。
五年	一八七九	三月十日，日併琉球。
九年	一八八三	冬，法謀染越南；越人恐，籲清廷保護。清廷命兵部尚書彭玉麟視師兩粵。法亦派船調兵，遂起戰端。廷諭：臺灣為東南海疆重地，著嚴防務。十二月十八日，左宗棠奉命增防臺灣。
十年	一八八四	三月十八日（四月十三日）法巡洋艦拉扶大號（Laovlta）泊鷄籠，強行登岸，似從事勘測，且索售煤。閏五月初四（六月廿六日）詔劉銘傳以一等男署巡撫銜督辦臺灣軍務。廿八日，抵臺北府，驟籌戰事。六月十二日（八月二日）法水師提督孤拔（Anatole Conrbet）令部屬李士卑斯（Lespes）來攻。十五日晨，礮轟鷄籠，清軍悉力以拒，首礮命中來艦，法軍小挫。旋法軍於大沙灣登陸。十六日午後，法軍復出擊，清軍反撲，直破其營，潰逃返艦，計法軍死百餘人，遺步槍十枝、帳篷十餘副、軍旗二面。七月初一（八月廿一日）孤拔西窺福州、泊馬尾、燬船政廠，以牽制臺海戰局，臺灣勢危。初九（八月廿九）再迫雞籠，不支，朝滬尾敗退，八月廿日（十月八日）滬尾陸戰，法大敗，死六十六名、受俘十四名。九月初五（十月廿三日）法令封鎖臺灣，北至蘇澳、南至鵝鑾鼻，凡三三九海里，禁出入。廷諭：兩江、閩浙、兩廣、雲貴、火速援臺。

光緒十一年	一八八五	法軍三千人於正月十八日（三月四日）掠北臺，敵我互有勝負。 二月十三日（三月廿九日）孤拔犯澎湖，十五日佔媽宮，全島俱陷。 三月廿一日（四月十六日）中法議和成立，法解除封鎖臺灣。四月廿九日（六月十一日）孤拔病死澎湖。五月初九（六月廿一日）法撤離鷄籠，六月十一日（七月廿二日）撤離澎湖。 五月初五，軍機大臣醇親王奕環等，奏請改福建巡撫為臺灣巡撫，詔可。福建巡撫事務，由閩浙總督兼理十月，福建巡撫劉銘傳調臺灣巡撫。十二年，夏四月到任。
十二年	一八八六	六月十三日，劉銘傳、楊濬昌合奏臺灣改革事宜十六條。
十三年	一八八七	三月，滬尾、雞籠、臺北電線通。六月，臺北—雞籠建鐵路。
十四年	一八八八	二月，設郵政總局。 四月，架八堵、雞籠鐵橋；基隆河發現沙金。 本年，實施減四留六，由小租戶直接納稅。
十五年	一八八九	全臺土地清丈完竣，計徵銀五一二、九〇〇餘兩。
十六年	一八九〇	巡撫劉銘傳請辭。
十七年	一八九一	十月廿四日，巡撫邵友濂接篆。 本年，建安平燈塔。
十八年	一八九二	五月，裁清賦局，設沙金總局於雞籠。

光緒十九年	一八九三	本年，臺北—新竹鐵路全線通車。
廿年	一八九四	三月廿九日，朝鮮東學黨亂。四月，邵撫奏移省會至臺北。六月八日，清廷出兵朝鮮。本月十二日，日本出兵。八月，甲午戰爭。九月，唐景崧署臺灣巡撫。
廿一年	一八九五	一月十三日，日大本營決定攻佔澎湖。二十日，伊東亨佑掠澎湖。卅日，威海衛南幫礮臺陷。二月一日，日軍佔威海衛。十二日，水師提督丁日昌自盡，北洋水師覆滅。廿二日。光緒召見李鴻章等，孫毓汶主張割地。三月一日，南洋大臣張之洞奏陳臺灣地位重要。四日，日軍占牛莊。六日，營口陷。廿日（二月廿四）李鴻章一行於日本馬關春帆樓與日相伊藤博文、外相陸奧宗光首次談判。廿四日，李鴻章正式拒絕日方所提停戰條件，於返寓途中，遭日浪人小山豐太郎行刺，槍傷臉龐。廿八日，日允無條件停戰，卅日，中日簽署為期二十一天之停戰協定。四月十七日（三月廿三日）中日馬關條約假春帆樓簽訂。臺澎割讓日本。五月二日，清廷批准馬關條約，八日，中日於煙臺換約。廿三日（四月廿九）公告臺灣民主國宣言。廿五日，民主國成立。廿八日，日軍分兩路攻臺。六月三日，基隆陷，四日，唐景崧化裝，攜臺灣巡撫印信乘德船自滬尾內渡，六日歸上海。翌日，臺北陷，「臺灣民主國」亡。十七日，日於臺北行始政式。

主要資料來源

臺灣通史　連橫（臺灣通史社，大正九年）
臺灣省通志　臺灣文獻委員會，民八一
臺灣史　盛清沂等撰（臺省文獻會，民六六）
清史稿　（洪氏出版社，民七〇）

五一六、腹藁

陳朝龍

滿腹珠璣組織中①，不須起草遞吟筒②。笑他十日冥思苦③，索盡枯腸句未工④。

【析韻】

中、筒、工，上平、一東。

【釋題】

腹藁，詩文稿先已構思妥當者。意謂成竹在胸之文稿也。唐段成式酉陽雜俎卷十二語資：「王勃每為碑頌，先磨墨數升，引被覆面臥。忽起，一筆書之，初不點竄，時人謂之腹藁。」清趙翼不寐詩：「老來無寐夜景清，聊營腹稿待天明。」藁，ㄍㄠˇ。

【注解】

①滿腹……中　一肚子美好的素材，正在構思措詞。滿腹，一肚子。喻極多。莊子逍遙遊：「偃鼠飲河，不過滿腹。」後漢書祭祀志上：「建武三十年二月，羣臣上言，……宜封

禪泰山。詔書曰：『即位三十年，百姓怨氣滿腹，吾誰欺，欺天乎？……。』」三國 魏 李康 運命論：「執杓而飲河者，不過滿腹。」珠璣，本用以比喻美好的詩文繪畫……。唐 方干 贈孫百篇詩：「羽翼便從吟處出，珠璣續向筆頭生。」清 黃鷟來 題黎于鄭為楊舒文畫山水冊頁詩：「尋常尺幅那復得，況乃連冊浮珠璣。」本句此處，應係指稱詩句素材組織，參卷二八、四八九、注④。中，表正在進行某一活動或行為。

②不須……筒　沒有必要撰擬稿本；直接爽快地投送他的作品。不須，參卷三、四八、注⑤。起草，擬稿。打草稿。後漢書 百官志三：「一曹有六人，主作文書起草。」唐 韓愈 張中丞傳後敘：「為文章，操紙筆立書，未嘗起草。」明 唐順之 脅府燕集奉和上宰松皋公詩之二：「分日傳經清禁裏，罷朝起草紫宸旁。」遞，ㄉㄧˋ。投送。紅樓夢第六回：「周瑞家的……一面說，一面遞了個眼色兒，到劉老老會意。」吟筒，即詩筒。南宋 王讜 唐語林卷二文學：「白居易，長慶二年以中書舍人為杭州刺史，……時吳興守錢徽、吳郡守李穰皆文學士，悉生平舊友，日以詩酒寄興。……後元稹參其酬唱，每以筒竹盛詩來往。」（引自今人周勛初 唐語林校證上）後人稱筒竹盛詩曰詩筒。

③笑他……苦　近日來，他絞盡腦汁、苦苦思索，引人嘲訕。笑，嘲訕。孟子 梁惠王上：「……以五十步笑百步，則何如？」戰國策 韓策一：「兵為秦禽（擒），智為楚笑，過聽於陳軫、失計於韓，明也。」西漢 鄒陽 獄中上梁王書：「毋使臣為箕子接輿所笑。」十日，猶連日。南朝 齊 陸厥 奉答內兄希叔詩：「平原十日飲，中散千里遊。」唐 韓翃

贈兗州孟都督詩：「願學平原十日飲，此時不忍歌驪駒。」唐 李白 尋魯城北見范置酒摘倉耳作詩：「還傾四五酌，自訣猛虎詞。近作十日歡，遠為千載期。」北宋 蘇軾 和劉景文見贈：「留子非為十日飲，要令安世誦亡書。」冥思苦索，省詞作冥思苦。謂絞盡腦汁，苦苦思索。

④索盡……工　耗罄枯竭的文思，詩句還是不精采啊！索盡，猶云耗罄。枯腸，亦作「枯腸」。喻枯竭的文思。唐 盧仝 走筆謝孟諫議寄新茶詩：「三椀搜枯腸，唯有文字五千卷。」南宋 朱熹 再用韻題翠壁：「珍重詩翁莫相惱，枯腸攪斷鬢絲華。」清 李漁 慎鸞交 久要：「須待我情中生法，把枯腸偏搜。」句未工，詩句並不精采。句，聯字分疆，以足一意。古謂之言，秦 漢以後謂之句。在此，指詩句。未工，不工。未，不。儀禮 鄉射禮：「眾賓未拾取矢，皆袒決遂。」鄭玄注：「未，猶不也。」孟子 滕文公下：「（仲子）所食之粟，伯夷之所樹與？抑與盜跖之所樹與？是未可知也。」淮南子 天文川：「（太白）當出而不出，未當入而入，天下偃兵。」北宋 林逋 書孤山隱居壁詩：「山木未深猿鳥少，此生猶擬別移居。」工，巧。精。晏子春秋 問上二四：「任人之長，不彊其短，任人之工，不彊其拙。」文心雕龍 誄碑：「杜篤之誄，有譽前代。吳誄雖工，而他篇頗疎。」北宋 王安石 上仁宗皇帝言事書：「夫課士之文章，非博誦強學窮日之力則不能。及其能工也，大不足以用天下國家，小不足以為天下國家之用。」

五一七、觀　榜

陳濬芝

桂花消息果誰佳①？觀榜紛紛遍六街②。我卻泥金閒待報③，不須走馬逐同儕④。

【析韻】

佳、街、儕，上平、九佳。

【釋題】

觀榜，諦視京、鄉、院試中舉名單。榜，ㄅㄤˇ。告示應試錄取名單。唐 杜牧 及第後寄長安故人詩：「東都放榜未花開，三十三人走馬迴。」南宋 葉適 校書郎王公夷仲墓志銘：「至今稱策士之盛，必曰：『丁丑榜為然。』」清 孫枝蔚 避亂贈劉二含哲詩：「回首劉蕡失意時，相逢榜下淚雙垂。」

【注解】

①桂花……佳　同赴鄉試的結果，究竟哪個人獲售？桂花消息，赴鄉試的結果。昔鄉試例在桂花飄香時節（農曆八月）舉行，中試者稱折桂。消息，指榜示的訊息。餘參卷二、二八、注③。果，究竟。終究。唐 韓愈 與馮宿論文書：「不知其人果如何耳。」北宋 王安石答沖卿詩：「賢愚各有用，尺寸果誰長。」明 方孝孺 甄琛：「人君之職，為天養民者也。然一人至寡也，天下至眾也，人君果何以養之哉？」誰佳，謂何人得售。美好曰佳。西漢

揚雄反離騷：「閨中容競以綽約兮，相態以麗佳。」

②觀榜……街　查看金榜的人潮，擠滿了大街、鬧市。觀榜，詳本首釋題。紛紛，參卷九、一七五、注①。遍，猶擠滿。餘參卷九、一六一、注②。六街，參卷一七、二八〇、注④。

③我卻……報　我反而在家裏靜候喜訊。我卻，參卷一五、二五八、注③。泥金，借指泥金帖子。用泥金（金箔與膠水製成的金色顏料）塗飾的箋帖。唐以來恆用于報鄉會試登科之喜。南宋張元幹喜遷鶯慢詞：「姓標紅紙，帖報泥金，喜信歸來俱捷。」清李漁慎鸞交耳醋：「少不的泥金捷到也香車至，不教望得眼生淚。」閒待，靜靜地等候。信息曰報。唐韓愈祭十二郎文：「東野云：汝歿以六月二日；耿蘭之報無月日。」

④不須……儕　不必急急忙忙，追著夥伴。不須，參卷三、四八、注⑤。走馬，形容急忙或匆忙狀。餘參卷三、四八、注①。逐，追。自後及之。易睽：「初九，悔亡。喪馬勿逐，自復。」左傳隱公一一年：「潁考叔挾輈以走，子都拔棘以逐之。」漢書高帝紀：「當是時，秦兵彊，常乘勝逐北。」同儕，夥伴。

鄉試題名錄

同伴。南宋何薳春渚紀聞啗蛇出虱身輕：「寨卒有蕭愁者，為人性率，同儕多狎侮之。」清周亮工書影卷二：「鹿伯順有使者來寬，同儕三人，擬一時婚娶。」近人蘇曼殊與柳亞之書：「同儕一若散沙，公約恐不克踐，奈何？」

五一八、觀　榜

應　奎

揭曉催傳到六街①，親看名姓榜頭排②。深閨謝汝關情甚③，簷鵲聲中卜繡鞋④。

【析韻】

街、排、鞋，上平、九佳。

【釋題】

同前首。

【注釋】

①揭曉……街　鄉試的錄取名單已經公布的訊息，很快地在大街、鬧市騰播、走告。揭曉，公布考試錄取名單。南宋魯應龍（？—？，世次不詳。）閒窗括異志（榮按：一作「閑」）：「又有張湘，亦以乙卯魁亞薦。揭曉兩夕前，夢人持巨螯撲賣……及榜出，乃為小薦第一。」明葉盛水東日記翟泰安：「比揭曉，泰安名在第五。」儒林外史第四二回：「過了二十多天，貢院前藍單取進墨漿去，知道就要揭曉。」催傳，急速騰播、走告。催，促。西

晉李密陳情表：「郡縣逼迫，催臣上道。」唐孟浩然歸終南山詩：「白髮催年老，青陽逼歲除。」劉長卿杪秋洞庭中懷亡道士謝太虛詩：「青楓私何意，此夜催人愁。」傳，轉達。唐岑參逢入京使詩：「馬上相逢無紙筆，憑君傳語報平安。」楊炯夜送趙縱詩：「趙氏連城璧，由來天下傳。」到，參卷八、一五九、注①。六街，參卷一七、二八〇、注④。

②親看……排　見到自己的名字，列在榜單的前端。親看，未假他人，自己見及。謂親覿、親見也。名姓，名與姓。即姓名。穀梁傳莊公二六年：「言大夫而不稱名姓。」史記項羽本紀：「書足以記名姓而已。」唐李復言續玄怪錄張質：「名姓偶同，遂不審勘。」清孫枝蔚村居雜感詩：「雄心閒自笑，名姓竟誰知。」榜頭，榜單的前端。榜，ㄅㄤˇ。告示應試錄取名單。唐杜牧及第後寄長安故人詩：「東都放榜未花開，三十三人走馬迴。」南宋葉適校書郎王公夷仲墓志銘：「至今稱策士之盛，必曰：『丁丑榜為然。』」清孫枝蔚避亂贈劉二含哲詩之一：「回首劉蕡失意時，相逢榜下淚雙垂。」始曰頭。初始之稱。舊唐書楊瑒傳：「……每至帖試，必取年頭月日，孤經絕句。」明楊繼盛（一五一六—一五五五）赴義前一夕遺囑：「把這手卷，從頭至尾，念一遍，合家聽著。」排，列。謂依一定順序就列也。漢書朱買臣傳：「相推排陣成，列中庭拜謁。」唐會要：「篇卷錯亂，卿為朕排比。」

③深閨……甚　我轉身進入內室，向她（此處宜改第三人稱為妥）多年來全力持續的體貼、

鼓勵和支持，表達衷心的感激。深閨，舊時指女子居住的內室。唐白居易長恨歌：「楊家有女初長成，養在深閨人未識。」明陳汝元金蓮記媒合：「欲聘深閨窈窕娘，試商量，文園病客，可遂求凰？」謝汝，向妳表示感激。汝，指作者德配。（譯白時，改稱她，似較妥。）關情，對人或事物的注意、重視。唐崔峒（？—？，開元、貞元間人。）送蘇修遊上饒詩：「世事關情少，漁家寄宿多。」明劉基鷓鴣天冬暖詞：「塵勞事，莫關情，清風皓月共忘形。」再生緣第一四回：「君王聞言心大悅，連呼繼父太關情。」此處，關情甚。意謂德配為其應舉極重視，且盡力、持續予以支持、鼓勵。

④簷鵲……鞋　屋簷上，喜鵲清脆的啼唱聲中；她正用繡鞋在預估吉凶。屋瓦邊滴水的部分，稱簷，讀ㄧㄢˊ。東晉陶潛歸園田居詩之一：「榆柳蔭後簷，桃李羅堂前。」唐韓愈苦寒詩：「懸乳零落墮，晨光入前簷。」北宋孫光憲菩薩蠻詞：「寒影墮高簷，鉤垂一面簾。」鵲（Pica pica Serica）即喜鵲。又稱乾鵲。屬鳴禽類。體長一尺四五寸，形略似烏而尾特長；嘴尖；頭背黑褐色，背有青紫色光澤，肩、頸、腹、翼之下羽皆呈白色，腳細黑。俗以其鳴聲象徵吉祥。性最惡濕。聲中，謂正在啼唱。以己意預估猶未發生的事，謂之卜。ㄅㄨˇ。繡鞋，亦作「綉鞋」。使用絲線繡上圖案的女鞋。唐韓偓五更詩：「懷裏不知金鈿落，暗中微覺繡鞋香。」白居易紅線毯樂府：「美人踏上歌舞來，羅襪繡鞋隨步沒。」紅樓夢第四〇回：「可惜儞們的那綉鞋別沾髒了。」

五一九、夜　課

王　松

絳帷獨坐夜無聊①，一盞青燈起草挑②。振觸錦衾誰獨旦③，聯吟辜負月明宵④。

【析韻】

聊、挑、宵，下平、二蕭。

【釋題】

日暮張燈後之學習活動，通稱夜課。

【注釋】

①絳帷……聊　晚上，自個兒坐在紅色帷幕裏，鬱悶難過。絳帷，紅色帷幕。西漢劉向九嘆遠遊：「張絳帷以襜襜兮，風邑邑而蔽之。」唐舒元輿（七八九—八三五）贈李翺詩：「湘江舞罷忽成悲，便脫蠻靴出絳帷。」獨坐，一人坐著。西漢李陵答蘇武書：「獨坐愁苦，終日無覩。」唐王維竹里館詩：「獨坐幽篁裏，彈琴復長嘯。」清方文宛陵雨中訪蔡四芹溪詩：「與其獨坐愁心煩，何如赤腳著短褌。」夜，參卷一、一一、注③。無聊，精神空虛。鬱悶。東漢王逸九思逢尤：「心煩憒兮意無聊。」唐牟融客中作詩：「幾度無聊倍惆悵，臨風搔首獨興哀。」南宋趙與時賓退錄卷二：「張無垢亦有論語絕句百篇……顏子簞瓢曰：『貧即無聊富即騷，回心獨爾樂簞瓢。』」

②一盞……挑　為了撰寫詩稿，輕輕地抉剔著案上那盞光泛青熒的油燈。一盞，用以稱單個的燈火。盞，ㄓㄢˇ。量詞。唐 白居易 和李中丞與李給事山居雪月同宿小酌詩：「一盞寒燈雲外夜，數盃溫酎雪中春。」兒女英雄傳第六回：「那廚房裏牆上掛著一盞油燈。」青燈，參卷二七、四六〇、注①。起草，參本卷五一六、注②。挑，ㄊㄧㄠ。抉剔。唐 岑參 邯鄲客舍歌：「邯鄲女兒夜沽酒，對客挑燈誇數錢。」白居易 夏夜宿直詩：「寂寞挑燈坐，沈吟踏月行。」

③振觸……旦　誰？自個兒挨著錦緞大被，直到天色大白。振觸，引申作「挨著」解。餘參卷一〇、一八六、注③。錦衾，錦緞製成的大被。詩 唐風 葛生：「角枕粲兮，錦衾爛兮。」南朝 梁 江淹 學梁王兔園賦：「美人不見紫錦衾，黃泉應至何所禁。」唐 溫庭筠 更漏子詞：「山枕膩，錦衾寒，覺來更漏殘。」明 劉基 楚妃嘆詩：「錦衾一夕夢行雲，萬戶千門冷如水。」衾，ㄑㄧㄣ，又讀ㄑㄧㄣˊ。誰，何人。那個人。獨旦，獨處至旦。詩 唐風 葛生：「予美亡此，誰與獨旦。」

④聯吟……宵　不同作詩詞，可對不住金

夜讀圖

輪光滿的夜晚啊！聯吟，猶聯句。指兩人或多人共作一詩。初刻拍案驚奇卷一五：「花欄竹架，常聞韻客聯吟。」清曹寅十五夜射堂看月寄子猷二弟詩：「侍香班散聯吟去，疎柳長牕坐卯君。」沈復浮生六記閨房記樂：「日落時，登土山，歡晚霞夕照，隨意聯吟。」辜負，參卷九、一六一、注④。月明宵，參卷二五、四二五、注④。

五二〇、夜課

鄭燦南

閒坐閨中究典墳①，涼生衣袂夜將分②。鷄鳴戒旦風詩句③，摘向燈前課細君④。

【析韻】

墳、分、君，上平、十二文。

【釋題】

詳本卷、五一九、釋題。

【注釋】

①閒坐……墳　靜靜地坐在內室，鑽研三墳五典。閒坐，ㄒㄧㄢˊ ㄗㄨㄛˋ。亦作「閑坐」。謂靜坐。閒，靜。表性態。墨子非儒下：「孔丘與其弟子閒坐。」唐祖咏（？－？，神龍、至德間人。榮按：「咏」一作「詠」。）蘇氏別業詩：「寥寥人境外，閒坐聽春禽。」閨中，參卷一五、二六五、注③。究，鑽研。窮。詩小雅節南山：「家父作誦，以究王訩。」

荀子大略：「善學者盡其理，善行者究其難。」史記孔子世家：「累世不能殫其學，當年不能究其禮。」三墳五典省稱典墳。亦作「典賁」。傳說中的古書。在此，亦指各種古代文籍。淮南子齊俗訓：「衣足以覆形，從典墳。虛循撓便身體，適行步。」西晉潘岳楊荊州誄：「游目典墳，縱心儒術。」北宋梅堯臣送代州錢防禦詩：「鐘鼓陳牛酒，衣裘論典墳。」近人夏曾佑（一八六三—一九二四）送汪穀白詩：「江湖斷梗藩龍翼，一槎生平負典墳。」

②涼生……分　衣袖間有些許寒意，漫漫長夜就要消逝。涼，微寒。東漢劉楨公宴詩：「華館寄流波，豁達來風涼。」三國魏曹丕燕歌行：「秋風蕭瑟天氣涼，草木搖落露為霜。」唐孟浩然宿業師山房詩：「松月生夜涼，風泉滿清聽。」司空曙立秋日詩：「捲簾涼暗度，扇迎曙先降。」北宋孔仲武和竹元珍夜雨：「帝城塵土熱如湯，喜有殘宵雨送涼。」生，發。起。孟子公孫丑上：「生於其心，害於其政，……。」明薛蕙（一四八九—一五四一）海上雜歌：「天雞鳴處夜生潮，東望蓬萊翠霧消。」衣袂，衣袖。周禮春官司服：「齊服有玄端素端。」鄭玄注：「士之衣袂，皆二尺二寸。」亦借指衣衫。南宋劉過賀新郎詞：「衣袂京塵曾染處，空有香紅尚軟。」元王實甫西廂記第四本第四折：「你是為人須為徹，將衣袂不藉。」夜將分，參卷一八、三〇三、注①。

③鷄鳴……句　天未大白、就趕緊起牀，準備教學作詩撰句。鷄鳴戒旦，生怕失曉而耽誤正事，天未亮就起身。語本詩齊風雞鳴序：「雞鳴，思賢妃也。哀公荒淫怠慢，故陳賢

妃貞女夙夜警戒相成之道焉。」晉書 文苑傳 趙至：「雞鳴戒旦，則飄爾晨征；日落西山，則馬首靡託。」亦作「雞鳴候旦」。北宋 徐鉉 和張先輩見寄之二：「雞鳴候旦寧辭晦，松節浸霜幾換秋。」雞，俗作「鷄」。風詩句，教學作詩撰句。風，ㄈㄥ。教育。感化。史記 儒林列傳：「今陛下昭至德，開大明，配天地，本人倫，勸學脩禮，崇化厲賢，以風四方。」南宋 周煇 清波雜志卷一一：「唯擇其好學從善者稍加崇厲，以風其餘。」詩句，詩的句子。泛指詩。唐 韓愈 和侯協律咏筍：「侯生來慰我，詩句讀驚魂。」元 薩都剌 登北固山無傳人小樓詩：「百年詩句裏，三國酒杯間。」

④摘向……君　面朝燈前，專心選材，好考驗、考驗姬人。摘，擇取。選取。唐 韓愈 送窮文：「傲數與名，摘抉杳微。」北宋 梅堯臣 秋日同希深昆仲游龍門香山極一時之娛詩：「摘景固無遺，揮筆曾未休。」向，參卷二五、四二六、注③。燈前，參卷一五、二五三、注④。課，試。考驗。戰國 楚 屈原 天問：「僉曰何憂，何不課而行之；……。」注：「課，試也。」史記 匈奴列傳：「秋，馬肥。大會蹛林，課校人畜，計其法。」後漢書 左雄傳：「雄上言諸生試家法，文吏課牋奏。」細君，特指妾。即姬人。清 俞正燮（一七七五—一八四〇）癸巳類稿 釋小補楚語笄內則總角義：「小妻曰妾……曰細君。」李漁 奈何天 妒遣：「只因我家老爺，是個風流才子，娶着一位夫人，十分醜陋，心上氣憤不過，只得另娶兩位細君。」周亮工 竹枝詞為胡彥遠納姬賦之二：「喃喃細說細君賢，一意溫存百意憐。」

五二一、夜　課

鄭神寶

伴讀鷄窗事唱酬①，青燈共對數更籌②。寒門也有泥中婢③，風雨宵深助校讎④。

【析韻】

酬、籌、讎，下平、十一尤。

【釋題】

詳本卷、五一九、釋題。

【注釋】

①伴讀……酬　她！在書齋作陪，侍奉我作詩酬答。伴讀，參卷二八、四八七、注③。鷄窗，本作「雞窗」、「雞牕」。藝文類聚卷九一引南朝宋劉義慶幽明錄：「晉兗州刺史沛國宋處宗嘗買得一長鳴雞，愛養甚至，恆籠著窗閒。雞遂作人語，與處宗談論，極有言智，終日不輟。處宗因此言巧大進。」後以「雞窗」指書齋。唐羅隱題袁溪張逸人所居詩：「雞窗夜靜開書卷，魚檻春深展釣絲。」南宋范成大嘲蚊四十韻：「雞窗夜可誦，蛩機曉猶織。」清孫道乾小螺庵病榻憶語：「還期他日，雞窗映雪，早作和羹。」鷄，同「雞」。事，侍奉。論語學而：「……事父母能竭其力，事君能致其身；與朋友交言而有信……。」又，先進：「未能事人，焉能事鬼。」孟子梁惠王下：「滕小國也，間

於齊楚，事齊乎？事楚乎？」唱酬，亦作「唱醻」、「唱詶」。謂以詩詞彼此酬答。唐白居易因繼集重序：「足下雖少我六七年，然俱已白頭矣……而又未忘少年時心，每因唱酬，或相侮謔。」金元好問論詩詩之二一：「窘步相仍死不前，唱醻無復見前賢。」明唐寅送行詩：「此日傷離別，還家足唱詶。」清吳偉業送山東耿中丞青藜詩：「幕中壯士爭超距，稷下高賢共唱酬。」

②青燈……籌　光泛青熒的油燈邊，一起尋思、應答，已經好幾個時辰了。青燈，參卷二七、四六〇、注①。共對，猶彼此應答。共，同。皆。一起。表性態。史記灌嬰列傳：「與絳侯陳中共立代王為孝文皇帝。」對，應答。詩大雅桑柔：「聽言則對，誦言如醉。」鄭玄箋：「對，答也。貪惡之人見道聽之言則應答之。」數更，猶云好幾個時辰。數，ㄕㄨˋ。幾。約舉之詞。表不定之少數。左傳僖公三三年：「一日縱敵，數世之患也。」孟子梁惠王上：「……數口之家，可以無饑矣！」北宋蘇轍龍川別志卷下：「不數日，誦寺中所有經殆遍，遂去，不知所在。」一夜的五分之一曰更。ㄍㄥ。午後六至八時，稱初更。八至十時，稱二更。十至十二時，稱三更。十二時至次日二時，稱四更。二時至四時，稱五更。更籌，本義謂夜間報更用之計時竹籤。恆用以借指時間。唐李福業（？—？，永徽、神龍間人。）嶺外守歲詩：「冬去更籌盡，春隨斗柄迴。」元范康（？—？，大德、至順間人。）竹葉舟第三折：「你不索問更籌，則看這水雲收。」清朱暀（？—一六八一？）十五貫乞命：「更籌促，典刑明正，無復累蕭何。」

③寒門……婢　敝宅同樣有能詩的丫鬟、侍女。寒門，謙稱自己的家。猶敝宅。敝舍。二刻拍案驚奇卷三：「賢壻既非姓白，為何假稱舍姪，光降寒門？」西遊記第二〇回：「那老者一骨魯跳將起來，忙斂衣襟，出門還禮道：『長老，失迎。你自哪方來的？到我寒門何故？』」近人歐陽予倩（一八八九—一九六二）人面桃花第三場：「博陵崔護是何人？不該題句到寒門。」也有，參卷三、四四、注③。泥中婢，謂能詩的丫鬟、侍女。典出「泥中之對」，詳世說新語 文學。餘參卷六、一〇五、注③、④。

④風雨……讎　風雨交加的深夜，還幫著仔細考訂、用心正誤呢。風雨，參卷一九、三一九、注②。宵深，夜深。謂深夜也。助，參卷一九、三一七、注①。校讎，ㄐㄧㄠˋ ㄔㄡˊ。亦作「校讐」。考訂詩文書籍等，以糾正訛誤。一人獨校曰校，二人對校曰讎。西漢 劉向 管子序：「所校讎中管子書三百八十九篇。」

五二二、夜　課

鄭登瀛

涼宵併坐讀書牀①，一卷風詩課幾章②？讀到小星三五句③，笑將詩意問檀郎④。

【析韻】

牀、章、郎，下平、七陽。

【釋題】

詳本卷、五一九釋題。

【注解】

①涼宵……牀　秋夜裏，兩人相挨坐在書案前。涼宵，猶涼夜；多指秋夜。併坐，相挨着坐。近人郭沫若女神湘累：「妙齡女子二人，裸體、散髮，併坐岸邊巖石上，互相偎倚。」挨，ㄞ。靠。表性態。坐，ㄗㄨㄛˋ。以臀著物，使支持軀體。禮記曲禮：「坐如尸，立如齊。」又，「虛坐盡後，食坐盡前。」讀書牀，指書案與坐具。牀，ㄔㄨㄤˊ。坐具。禮記內則：「長者奉席請何趾，少者執牀與坐。」北史吐谷渾傳：「以皂為帽，坐金師子牀。」唐杜甫樹間詩：「幾回霑葉露，乘月坐胡牀。」

②一卷……章　一冊詩經國風，（究竟）考驗了多少章？一卷，猶一冊。卷，ㄐㄩㄢˋ。近人葉德輝（一八六四—一九二七）書林清話書之稱卷：「帛之為書，便於舒卷（捲），故一書謂之幾卷。凡古書，以一篇作一卷。」漢書藝文志：「有稱若干篇者，竹也；有稱若干卷者，帛也。」餘參卷四、七三、注②。風詩，指詩國風。課，參本卷、五二〇、注④。幾章，多少張。幾，ㄐㄧ。參卷一〇、一八八、注②。南宋朱熹詩經集傳將詩分八卷（明清通行本）。自詩篇本身探尋主旨，每篇末述其指歸，章末敘其大意，釋義簡潔明白，多有新解。文字訓詁兼採毛、鄭，間用三家之說，以己意為取捨，卓然自成一家。積句成文，不限句數，抒情表意，起止完整者曰章。詩國風計一六〇篇、四八二章。其中，召南十四

篇、四十章。

③讀到……句 吟誦至小星「三五在東」那一句的時候。讀道，猶云吟誦至。餘參卷二七、四六三、注②。小星，詩 召南篇名。三五，詩 召南 小星：「嘒彼小星，三五在東。」句，指那一句。

④笑將……郎 笑瞇瞇地，請我析解、詮釋。笑將，面帶笑容地把……。詩意，詩的內容與意境。元 朱德潤（一二九四—一三六五）凝香亭記：「仍得江 浙行省參知政事孛木魯公題其扁（匾）曰『凝香』，用唐刺史韋應物詩意也。」榮按：韋應物曾任蘇州刺史，其五古郡齋雨中與諸文士燕集詩云：「兵衛森畫戟，燕寢『凝』清『香』。海上風雨至，逍遙池閣涼。煩疴近消散，嘉賓復滿堂。自慚居處崇，未瞻斯民康。理會是非遣，性達形迹忘。鮮肥屬時俊，蔬果幸見嘗。俯飲一杯酒，仰聆金玉章。神歡體自輕，意欲凌風翔。吳中盛文史，羣彥今汪洋。方知大藩地，豈曰財賦強。」茲錄如上。清 王應奎（一六八四—一七五七）柳南隨筆卷六：「詩意大抵出側面。」問，參卷五、八九、注②。晉書 潘岳傳、世說新語 容止載：晉 潘岳美姿容，嘗乘車出洛陽道，路上婦女慕其丰儀，手挽手圍之，擲果盈車。岳小字檀奴，後因以「檀郎」為婦女對夫婿或愛慕之男子的美稱。唐 溫庭筠 蘇小小歌：「吳宮女兒腰似束，家在錢唐（塘）小江曲。一白檀郎逐便風，門前春水年年綠。」南唐 李煜 一斛珠詞：「繡床斜凭嬌無那，爛嚼紅茸，笑向檀郎唾。」

五二三、爛時文

戴珠光

浸淫十載歎儒酸①，八比當時欲廢難②。文運分明關國運③，神州糜爛一般看④。

【析韻】

酸、難、看，上平、十四寒。

【釋題】

爛時文，對時文之蔑稱。爛，作詈詞用，有鄙薄、不屑等意存焉。舊時，對科舉應試文體通稱時文，明清兩代特指八股文。警世通言老門生三世報恩：「若是三家村一個小孩子，粗粗裏記得幾篇爛舊時文，遇了個盲試官，亂圈亂點，睡夢裏偷得個進士到手。」儒林外史第卅六回：「門生覺得自己時文到底不在行。」近人鄭觀應盛世危言考試上：「雖豪傑之士，亦不得不以有用之心力，消磨於無用之時文。」

【注解】

①浸淫……酸　十年來，沉漬在時文堆裏，貧窘、蹭蹬，令人感慨。浸淫，沉漬。喻為某種事物深深吸引、不能自拔。在此，該某事物，雖未明言，實係指時文也。明高攀龍崇正學辟異說疏：「明詔中外，非四書五經不讀，而不得浸淫于佛老之說。」十載，參卷一九、三一三、注①。歎，參卷二八、五〇二、注①。儒酸，猶云寒酸儒生。形容士子貧窘

之態。北宋周敦頤任所寄鄉關故舊詩：「老子生來骨性寒，宦情不改舊儒酸。」南宋陸游客至鳳州來言岐雍間事悵然有感詩：「會須一洗儒酸態，獵罷南山夜下營。」明瞿佑歸田詩話竹雲齋：「曳履先生太寒乞，煮茶學士真儒酸。」清俞正燮癸巳存稿詩文用字說：「宋孝宗於斷橋酒樓屏風上，見太學生臨川俞國寶風入松詞：『明日重擕殘酒，來尋陌上花鈿。』以為儒酸，因為改定『重扶殘醉』。」

②八比……難　那時候，想停止八股制藝，談何容易。八股文別稱八比。明沈德符野獲篇婦女婦人能時藝：「性嚴而慧，深於八比之業。」清紀昀閱微草堂筆記灤陽消夏錄四：「雷陽一老副榜，八比以外無寸長。」近人王闓運論文體：「八家之名，始於八比，其所宗者韓也；其實乃起承轉合之法耳，固無足論。」當時，參卷二、二三、注①。欲廢難，想停止辦理，談何容易。榮按：科舉取士始於隋大業二年（六〇六）初設進士科，廢於清光緒卅一年（一九〇五），前後長達一、二九九年。

③文運……運　科考的氣運顯然牽連國家氣勢的盈虛、消長。文運，自廣義言，指文學的氣運。元袁桷送馬伯庸御史奉使河西詩之三：「清寧闡文運，攬彼古帝都。」狹義則恆指科考的氣運。三元里人民抗英鬭爭史料梁廷楝傳：「文運蹇塞，年逾強仕，不青其衿，而利人濟物之志未忘也。」分明，參卷一、三、注①。關，干。牽連。北史趙綽傳：「上曰：『不關卿事。』」國運，國家的氣運。明高啟送張貢士祥會試京師詩：「邇來國運屬中圮，爭慕死節羞生全。」清侯方域宦官論：「夫漢之常侍，唐之中尉，何嘗不翦除

於操、溫之手，然而國運隨之以亡。」

④神州……看　時政隳壞，罄竹難書。戰國時代齊人鄒衍稱華夏之地為赤縣神州。（詳史記孟荀列傳）「神州」，後恆用以指中原地區或作為中國之別稱。在此，隱指清廷。糜爛，腐爛。腐化。晉書　孔羣傳：「（孔羣）性嗜酒，導嘗戒之曰：『卿恆飲，不見酒家覆瓿布，日月久糜爛邪？』」此處，引申作「（時政）隳壞」解。一般看，猶可見一般。一般，通常。

五二四、觀競渡

林資銓

簫鼓喧闐鬧夕暉①，輕鳧畫鷁一齊飛②。錦標奪得人聲沸③，羨汝乘風破浪歸④。

【析韻】

暉、飛、歸，上平、五微。

【釋題】

觀競渡者，諦視、欣賞划船比賽也。競渡，亦作「競度」。相傳，戰國時代楚大夫屈原於農曆五月初五日投汨羅江以死，民俗因於是日舉行龍舟競渡，以示紀念。一說悼念伍子胥。其他傳說尚多。南朝　梁　宗懍　荊楚歲時記：「按五月五日競渡，俗為屈原投汨羅日，傷其死所，故命舟檝以拯之。」三國　魏　邯鄲淳（？—三二一？）曹娥碑云：「五月五日，時迎伍君，逆濤而上，為水所淹。」斯又東吳之俗，事在子胥，不關屈平也。越地傳云起於越王勾踐，不可詳矣。隋書地理志下：「屈原以五月望日赴汨羅，土人追至洞庭不見，湖大船小，莫得濟者，乃歌曰：『何由得渡湖！』因而鼓棹爭歸，競會庭上，習以相傳，為競度之戲。」清張岱陶庵夢憶金山競渡：「看西湖競渡十二三次，己巳競渡于秦淮，辛未競渡于無錫，壬午競渡于瓜州，于金山寺。」

【注解】

①簫鼓……暉　吹簫擊鼓，熱鬧、震耳，干擾了緘默的黃昏餘暉。簫鼓，簫與鼓。亦泛指樂奏。南朝梁江淹別賦：「琴羽張兮簫鼓陳，燕趙歌兮傷美人。」清昭槤嘯亭續錄端午龍舟：「乾隆初，上於端午日，命內侍習競渡於福海中，皆畫船簫鼓，飛龍鷁首，絡繹於鯨波怒浪之間。」喧闐，ㄒㄩㄢ　ㄊㄧㄢˊ。亦作「喧填」、「喧嗔」。喧嘩，熱鬧。唐杜甫鹽井詩：「君子慎止足，小人苦喧闐。」北宋蘇軾竹枝歌：「水濱擊鼓何喧闐，相將扣水求屈原。」清張岱陶庵夢憶金山夜戲：「鑼鼓喧填，一寺人皆起看。」一本作「喧填」。黃景仁入市詩：「喧填騶從除道來，呼聲直欲緣雲上。」鬧，ㄋㄠˋ。（干）擾。擾亂。唐元稹有鳥詩序：「荊州樹木州渚處，晝夜常有翅羽百族，鬧心不得閒靜，因為有鳥詩二十章以自達。」夕暉，日暮前餘暉映照。唐韋應物送別河南李功曹詩：「雲霞未改色，山川猶夕暉。」前蜀韋莊婺州和陸諫議將赴闕懷陽羨山居：「故國饒芳草，他山掛夕暉。」北宋秦觀晚出左掖詩：「金爵觚稜轉夕暉，翩翩宮葉墮秋衣。」

②輕鳧……飛 靈巧敏捷的野鴨、鷁首鮮明的龍舟，一道向前奔馳。輕鳧，靈巧敏捷的野鴨。鳧，ㄈㄨˊ。本作「鳬」。游禽。嘴扁腳短，趾間有蹼，雄色灰白有黑點，頰呈綠色，有光澤。雌體多淡黑色。翼長善飛、秋來春歸，常羣游湖沼中，因與鴨肖似，故俗稱野鴨。和漢三才圖會 鳧 輕鳧：「全體黑色，頭後帶青有光，眼上有淡白條，（觜）黑啄而端淡赤，腹淡赤白色而有黑縱一條，腳掌俱赤，其味甚佳。」畫鷁，船的別稱。在此，指龍舟。淮南子 本經訓：「龍舟鷁首，浮吹以娛。」高誘注：「鷁，大鳥也，畫其像著船頭，故曰鷁首。」鷁，ㄧˋ。水鳥，善飛。南朝 陳 陳正見（？—？，世次不詳。）泛舟橫大江詩：「波中畫鷁涌，帆上錦花飛。」唐 溫庭筠 昆明治水戰詞：「滇池海浦俱喧豗，青翰畫鷁相次來。」明 顧大典 青衫記 鑾素邀興：「澄波瀉影，畫鷁隨流轉。」一，皆。全。即全部、全體之代稱；或以為副詞。史記 曹相國世家：「參代何為相，舉事無所變更，一遵蕭何約束。」齊飛，共同向前奔馳。齊，共。同。皆。副詞，表範圍。韓非子 內儲說：「齊王使人吹竽，必三百人齊吹。」飛，奔。後漢書 孔融傳：「收合士民，起兵講武，馳檄飛翰，引謀州郡。」舊唐書 薛收傳：「飛轂轉糧，更相資哺。」北周 庾信 馬射賦：「落花與芝蓋齊飛，楊柳共春旗一色。」唐 王勃 秋日登洪府滕王閣餞別序：「落霞與孤鶩齊飛，秋水共長天一色。」

③錦標……沸 競渡優勝的旗幟，力取到手。一時，觀眾興奮至極、喧嚷不已。錦標，錦製的旗幟，古恆用以頒贈競渡領先者。唐 白居易 和春深之十五：「齊撓爭渡處，一匹錦標

斜。」南宋 文天祥 端午感興詩：「楚人猶自貪兒戲，江上年年奪錦標。」清 潘榮陛 帝京歲時紀勝 里二泗：「五月朔至端陽日，於河內鬥龍舟，奪錦標。」奪得，力取到手。奪，力取。強取。左傳 僖公二年：「是天奪之鑒而益其疾也。」論語 子罕：「三軍可奪帥也，匹夫不可奪志也。」史記 蕭相國世家：「後世賢，師吾儉。不賢，毋為勢家所奪。」人聲沸，即人聲鼎沸。形容眾人極興奮、喧嚷之聲沖天，猶如鼎內之水沸騰一般。鼎，古亨煮用具。醒世恆言 劉小官雌雄兄弟：「一日午後，劉方在店中收拾，只聽得人聲鼎沸。」

④羨汝……歸　歆慕之餘，盼望你、順著風向、劈斷波浪。安返渡口。羨，ㄒㄧㄢˋ。亦作「羡」。歆慕。謂喜愛且希望得到。詩 大雅 皇矣：「無然歆羨，無然畔援。」毛傳：「無是貪羨。」東漢 張衡 思玄賦：「羨上都之赫戲兮，何迷故而不忘。」呂向注：「羨，慕也。」北宋 蘇軾 前赤壁賦：「哀吾生之須臾，羨長江之無窮。」汝，你。乘風破浪，順著風向，劈斷波浪，向前行駛。宋書 宗慤傳：「慤少時，炳問其志。慤答曰：『願乘長風破萬里浪。』」痛史第一七回：「且說大隊船隻，乘風破浪，不日來到匡山。」歸，參卷六、一一〇、注④。

五二五、觀穫稻

林朝崧

打稻家家趁早冬①，寒郊游眺一攜筇②。村童拾穗歸來晚③，笑指斜陽挂遠峰④。

【析韻】

冬、笻、峰，上平、二冬。

【釋題】

觀穫稻，細看農戶收割稻穀也。穫，ㄏㄨㄛˋ。收割。收成。詩 豳風 七月：「八月其穫。」又：「十月穫稻。」國語 吳語：「以歲之不穫也，無有誅焉。」稻，ㄉㄠˋ。學名 Oryza sativa。禾本科。一年生草本。稈直立，中空有節，有分櫱習性。葉片線形，葉鞘有茸毛。圓椎花序，成熟時向下彎垂，小穗有芒或無芒，稃上一般有毛，穎果。性喜溫濕。我國為原產地之一，約有六千九百餘年栽培史，為南方（長江以南）主要作物，總穫量為世界第一。類型、品種甚多。按生理特性與品種親緣關係之差異分秈稻、粳稻；按對光照長短之反應與生育期之長短分早、中、晚稻；按土壤水分之適應性分水稻、深水稻、陸稻；按米粒含澱粉量分黏稻、糯稻。米粒主要作糧食外，可釀酒、製澱粉。稈、米糠可做飼料、燃料與工業原料。近半世紀，臺灣農業試驗所對水稻育種之發展與改良，不遺餘力，績效卓著。夙為全球農業界、生物科技界所肯定。

【注解】

①打稻……冬　每一家趕緊在初冬去藁取穀。打稻，參卷二八、四九四、注①。家家，參卷二、二三、注④。一門之內，（夫妻子女祖孫）共同生活者曰家。呂氏春秋 察微：「吳往報之，盡屠其家。」趁，猶趕緊。餘參卷二五、四一六、注②。早冬，謂初冬。

②寒郊……笻 大伙兒都持著竹杖，到冷落寂靜的郊野游覽。寒郊，冷落寂靜的郊野。南朝梁 江淹 望荊山詩：「寒郊無留影，秋日懸清光。」唐 沈佺期 扈從出長安應制詩：「是節嚴陰始，寒郊散野蓬。」李羣玉 遊玉芝觀詩：「木落寒鮫迥，煙開疊璋明。」游眺，猶遊覽。聊齋志異 雹神：「唐太史濟武，適日照會安氏葬，道經雹神李左車祠，入游眺。」近人康有為 大同書甲部第五章：「進而為士、為官、治事、為學，皆以終日無定時之游眺，無復日之止息，體昏氣索，神明役役。」一一，參本卷前首注②。携笻，隨身持著竹杖。「携」，「攜」之俗字。讀作「ㄒㄧ」或ㄒㄧㄝˊ（語音）提。持。詩 大雅 生民之什 板：「天之牖民，……如取如攜。……。」笻，同「筇」。ㄑㄩㄥˊ。笻竹宜于製杖，故用以泛稱手杖。南宋 張孝祥 菩薩蠻詞：「待得月華生，攜笻獨自行。」

③村童……晚 村裏童子們到田間撿取散落的稻穗，回家都已不早了。村童，參卷

收割圖，作者張秋台 民83.水彩。
（收錄於發現臺灣產業之美，國立臺灣藝術教育館印行）

一〇、一九六、注③。拾穗，撿取散落在地的稻穗。列子 天瑞：「林類年且百歲云云，拾遺穗於故畦，並歌並進云云。子貢逆之壟端，面之而歎曰：『先生曾不悔乎？而行歌拾穗。』林類行不留，歌不輟。」歸來，指回到家。晚，遲。謂不早。孔子家語 弟子行：「慮不先定，臨事而謀，不亦晚乎？」史記 李斯列傳：「（趙）高曰：『蓋聞聖人遷徙無常，就變而從時，……故霜降者草花落，水搖動者萬物作，此必然之效也。君何見之晚？』」

④笑指……峰　面帶微笑，用手示意：斜照的夕陽還高懸遠方的山頭。笑指，面含笑容，以手示意。斜陽，參卷一三、二三一、注④。挂，懸。遠峰，遠方的山頭。南朝 宋 謝靈運 游南亭詩：「密林含餘清，遠峯隱半規。」峰，同「峯」。

篩穀曬穀圖（作者等資料如前圖）

五二六、觀穫稻

賴紹堯

秋成纔了又收冬①，打稻歸來有喜容②。笑我硯田今不穫③，四時長共白雲封④。

【析韻】

冬、容、封，上平、二冬。

【釋題】

詳前首。

【注解】

①秋成……冬　秋熟的作物，剛剛收拾妥當；冬季再次又有收穫。秋成，秋季成熟。南朝梁王僧孺吏部郎表：「寧為天覆地長，復與雨露相滋，秋成春發，必如喧寒無爽。」纔了，剛剛完工。謂甫打理妥當。纔，參卷一〇、一九四、注①。了，ㄌㄧㄠˇ。完畢。結束。晉書傅咸傳：「官事，未易了也。」又，復。再。表次數。史記淮陰侯列傳：「項梁敗，又屬項羽。」收冬，冬季的所穫。謂所穫在冬季。

②打稻……容　去藁取穀。回家途中，臉泛喜悅的神色。打稻，參卷二八、四九四、注①。歸來，參本卷前首注③。有，參卷一、二〇、注③。此處引申作「泛」解。喜容，喜悅的神色。唐劉肅大唐新語容恕：「（盧）承慶既無喜容，亦無媿詞。」二十年目睹之怪

現狀第三九回：「喜容原好，愁容也好，驀地間怒容越好。」

③笑我……穫　譏訕我以硯代田，筆耕糊口；現在，卻沒有收入。笑，參卷二五、四一五、注②。硯田，以硯喻田。謂依筆墨維生也。北宋唐庚（一〇七一－一一二一）次泊頭詩：「硯田無惡歲，酒國有長春。」清戴名世硯莊記：「世之人以授徒賣文稱之曰筆耕，曰硯田。以筆代耕，以硯代田，於義無傷，而藉是以供俯仰，此貧窮之士不得已之所為也。」今，現在。表時間。孟子離婁上：「今天下溺矣，夫子之不援，何也？」不穫，猶謂沒有收入。不，未。沒有。孟子梁惠王上：「以五十步笑百步，……直不百步耳，是亦走也。」穫，收。禮記禮運：「為義而不講之以學，猶種而弗耨也；講之以學而不合之以仁，猶耨而弗穫也。」國語吳語：「王孫雒曰：『……我既執諸侯之柄，以歲之不穫也，無有誅焉，而先罷之，諸侯必說。……。』」

宋人耕稼圖（團扇畫）

④四時……封 年頭到年尾，久久常常與高士陳摶一樣，足未出戶、隱居歛藏。四時，四季。易 恆：「日月得天而能久照，四時變化而能久成。」禮記 孔子閒居：「天有四時，春夏秋冬。」前蜀 韋莊 晚春詩：「萬物不如酒，四時唯愛春。」南宋 陸游 老學庵筆記卷二：「靖康初，京師織帛及婦人首飾衣服，皆備四時。」長共，始終與。長，久也。白雲，特指陳摶。北宋 王闢之（？—？，世次不詳。）澠水燕談錄 高逸：「陳摶，周世宗常召見，賜號白雲先生。太平興國初，召赴闕（北宋），太宗賜御詩云：『曾向前朝出白雲，後來消息杳無聞。如今若肯隨徵召，總把三峰乞與君。』」封，埋葬。左傳 文公三年：「遂自茅津濟，封殽尸而還。」杜注：「封，埋藏之。」引申作「歛藏」解。南朝 梁 江淹 麗色賦：「及冱陰凋時，冰泉凝節，軒疊厚霜，庭澄積雪，鳥封魚歛，河凝海結。」本處，從後解，謂隱居歛藏。

五二七、觀穫稻

蹈 刃

綠女紅男樂事濃①，山場鐮刃會村傭②。硯田我自秋成歉③，廡下歸來愧賃舂④。

【析韻】

濃、傭、舂，上平、二冬。

【釋題】

詳本卷五二五釋題。茲從略。

【注解】

①綠女……濃　男男女女，對刈稻的活兒，興致不淺。綠女紅男，本作紅男綠女。盛服出遊的男女。泛指男女。清 舒位 修簫譜 擁髻：「紅男綠女，到今朝野草荒田。」富察敦崇 燕京歲時記 萬壽寺：「萬壽寺在西直門外五六里，門臨長河，乃皇太后祝釐之所。每至四月，自初一日起，開廟半月。遊人甚多，綠女紅男，聯蹁道路。」樂事，歡樂的事。南朝宋 謝靈運擬魏太子鄴中集 詩序：「天下良辰、美景、賞心、樂事，四者難并。」唐 白居易和微之春日投簡陽明洞天五十韻：「醉鄉雖咫尺，樂事亦須臾。」南宋 張孝祥虞美人 贈盧堅叔詞：「舉案齊眉樂事、看年年。」此處，指刈稻的農活兒。濃，厚。不淺。表性態。唐 白居易石楠詩：「書芽細炷千燈焰，夏蕊濃焚百和香。」北宋 蘇軾飲湖上初晴後雨詩：「若把西湖比西子，淡妝濃抹總相宜。」

②山場……傭　持著銳利的鐮刀，穿梭在田地的稻叢，來回收割，體驗一番雇工的勞作。山場，泛指田地。清 顧炎武恭謁天壽山十三陵詩：「人給地數晦，把耒耕山場。」吳榮光（一七七三─一八四三）吾學錄初篇 律例三賊盜：「若止於田園山場內盜葬者，杖九十，徒二年半，仍勒限一月押令犯屬遷移。」鐮刃，鐮的刀鋒，謂銳利的鐮刀。說文：「鐮，鍥也。从金、兼聲。」集韻：「鐮，或从廉。」南宋 何薳 春渚紀聞：「本朝太宗征澤潞

時，軍士於澤中鎌取馬草，鎌刃透成金色，或以草然，斧底亦成黃金焉。」會，體驗。領悟。隋煬帝重與智者請議書：「智者融會，盡有階差。」村傭，農村雇工。清 紀昀 閱微草堂筆記 灤陽消夏錄三：「景城南有破寺，四無居人，惟一僧攜兩弟子司香火，皆蠢蠢如村傭，見人不能為禮。」

③硯田……歉　老夫、我以硯代田，筆耕收入微薄。硯田，參本卷五二六、注③。我自，猶云老夫我。餘參卷一八、三〇二、注③。秋成，參前首注①。歉，不足。新唐書 柳公綽傳：「歲歉饉，其家雖給，而每飯不過一器，歲豐乃復。」宋史 黃廉傳：「使民遇豐年而思歉歲也。」

④廡下……春　在堂下周屋，受傭春米，回到窩居的地方，內心自慚不已。典出後漢書 逸民傳梁鴻：「遂至吳，依大家臯伯通，居廡下，為人賃春。」廡下，ㄨˇ ㄒㄧㄚˋ。史記 李斯列傳：「居大廡之下，不見人犬之憂。」新唐書 舒元輿傳：「元和中，舉進士，……吏一唱名乃得入，列棘闈，席坐廡下。」明 陳謨苦雨詩：「寄人廡下苦淹留。」歸來，參考前首注②。愧，慚。自慚。詩 大雅 抑：「相在爾室，尚不愧于屋漏。」書 說命：「其心愧恥，若撻於市。」舊唐書 許圉師傳：「嘗有官吏犯贓事露，……犯者愧懼，遂改節為廉士，其寬厚如此。」賃春，ㄌㄧㄣˋ ㄔㄨㄥ。受傭為人春米。東觀漢記 吳祐傳：「公沙穆遊太學，無資糧，乃變服客傭，為祐賃春。」北宋 歐陽修尚書都官員外郎歐陽公墓志銘：「縣民王明與其同母兄李通爭產，累歲，明不能自理，至貧為人賃春。」近人 郁達夫毀家詩紀

之九：「亦欲賃舂資德曜，扊　初譜上鯤弦。」

五二八、觀穫稻　林資銓

刈了香秔有笑容①，豚蹄社內祭神農②。伯鸞不肯因人熱，卻為豐年廡下舂③。

【析韻】

容、農、舂，上平、二冬。

【釋題】

詳本卷五二五釋題。茲從略。

【注解】

①刈了……容　割完香粳，臉上泛現滿意、快樂的神情。刈了，謂割畢。刈，ㄧˋ。割取。穫。晉書 羊祜傳：「祜出軍行吳境，刈穀為糧，皆計所侵，送絹償之。」了，ㄌㄧㄠˇ。完畢。結束。晉書 傅咸傳：「官事，未易了也。」香秔，本作香粳。一種有香味的粳米，原產於江浙一帶。東漢 張衡 南都賦：「若其廚膳，則有華薌重秬，滍皐香秔。」呂向注：「香秔，稻名。」唐 李頎 贈張旭詩：「荷葉裹江魚，白甌貯香秔。」明 李時珍 本草綱目 穀一粳：「香粳，長白如玉，可充御貢，皆粳之稍異也。」秔，ㄍㄥ。語音ㄐㄧㄥ。粳，同「秔」。有笑容，謂面帶喜悅的神情（態）。有，參本卷、五二六、注②。笑容，笑時面部呈現的

情態。樂府詩集 子夜歌 夏歌二十首之一：「吹歡羅裳開，動儂含笑容。」

②豚蹄……農　備妥豬蹄子，在社壇裏，敬謹地供奉土地神。豚蹄，ㄊㄨㄣˊ ㄊㄧˊ。亦作「豚蹏」。豬蹄子。史記 滑稽列傳：「淳于髡曰：『今者臣從東方來，見道傍有禳田者，操一豚蹄，酒一盂。』」元 劉壎 隱居通議 古賦一：「謹無豚蹏壺酒，有穰穰滿家之祈。」明 夏完淳 獄中上母書：「有一日中興再造，則廟食千秋，豈止麥飯豚蹄，不為餒鬼而已哉！」社內，謂社壇裏面。社，社檀。古祭祀土神之壇。封土為社，各栽種其土所宜之樹，以為祀社神之所在。左傳 昭公一七年：「夏六月甲戌朔，……昭子曰：『日有食之，天子不舉，伐鼓於社；……。』」公羊傳 哀公四年：「社者，封也。」何休注：「封土為社。」祭，供奉。論語 為政：「非其鬼而祭之，　也。」「孟懿子問孝，……子曰：『生，事之以禮；死，葬之以禮，祭之以禮。』」八佾：「祭神如神在。」神農，謂土神。禮記 月令：「（季夏之月）毋發令而待，以防神農之事也。」鄭玄注：「土神稱曰神農者，以其主於稼穡。」

③伯鸞……舂　梁鴻不接受別人深厚的同情；收獲大好的年頭裏，竟受傭堂下，舂米為生。伯鸞，梁鴻字。後漢書 逸民傳 梁鴻：「梁鴻字伯鸞，扶風 平陵人也。」不肯，不接受。穀梁傳 宣公四年：「公及齊侯平莒及郯，莒人不肯。」唐 韓愈 汴州亂詩之二：「廟堂不肯用干戈，嗚呼奈汝母子何！」因人，謂依憑他人。熟，情意濃厚。紅樓夢第一七回：「他又沒有親爹熱娘，只有一個醉泥鰌姑舅哥哥，他這一去，那裏還等得一月半月？」卻為，竟變成。為，ㄨㄟˊ。變成。詩 小雅 十月之交：「高岸為谷，深谷為陵。」唐 白居易

冷泉亭記：「山樹為蓋，巖石為屏。」豐年，收成大好之年。詩 小雅 無羊：「眾維魚矣，實維豐年。」唐 張說 登歌：「喜黍稷，屢豐年。」元 趙孟頫題耕織圖詩之一一：「農家值豐年，樂事日熙熙。」廡下春，謂受雇廡下為人春米。餘參前首注④。

五二九、餞別詞

蔡振豐

【敲】詩鬥酒一春過①，無奈江頭送別何②？此去天涯共明月③，相思兩地是誰多④？

【析韻】

過、何、多，下平、五歌。

【釋題】

設酒送行時，所撰動聽之辭令曰餞別詞。設酒食以送行，乃古禮也。詩 大雅 崧高：「申伯信邁，王餞于郿。」鄭玄箋：「餞，送行飲酒也。」國語 周語上：「宴、饗、贈、餞，如公命侯伯之禮，而加之以宴好。」韋昭注：「餞，謂郊送飲酒之禮。」唐 韋應物 送宣州周錄事詩：「英豪若雲集，餞別塞城闉。」

【注解】

①敲詩……過　打詩寶、比酒量，整個春季就這麼打發走了。「敲」原刊訛作「敲」，茲訂正之。敲詩，俗稱打詩寶。屬一種詩謎。清 張燾（？—？，世次不詳。）津門雜記 敲詩：

「以紙條約四五寸長者，摘錄時下新刻詩句，於句中隱去一字，注於紙尾，用信套籠插。即在詩句之旁，添擬大意相通者四字，並紙尾原字則為五。另攤方紙於桌，劃為五度，以便押錢。射中者每一文賠三文。其中五字中，大抵極不通者即其所隱之字也。向惟考試時為多，輸贏亦甚微細。今則到處皆是，圍繞爭射者頗不乏人，託名風雅，實則賭博也。」鬥酒，亦作「鬬酒」。比酒量。唐 杜牧 街西長句：「遊騎偶同人鬬酒，名園相倚杏花交。」清 陳維崧 菩薩蠻 為竹逸題徐渭文畫紫牡丹詩：「時年鬬酒紅欄下，一叢姹紫真如畫。」陳于王（？—？，世次不詳。）燕久竹枝詞之九：「觀傍培塿氍毹新，酒市爭看鬥酒人。」

一春，一個春天。指整個春季。南朝 梁 江淹 雲山贊：「山無一春草，谷有千年蘭。」唐 常建 落第長安詩：「恐逢故里鶯花笑，且向長安度一春。」又，亦指一年。戴叔倫 將巡郴永途中詩：「行役留三楚，思歸又一春。」過，度。由此至彼。北宋 王禹偁 清明詩：「無花無酒過清明，興味蕭然似野僧。」

②無奈……何 甚麼緣故？無可奈何地在江邊岸頭送行、道別。無奈，亦作「無柰」。謂無可奈何。戰國策 秦策二：「楚懼而不進，韓必孤，無柰秦何矣！」南朝 陳 徐陵 洛陽道詩之一：「潘郎車欲滿，無奈擲花何？」北宋僧惠洪 冷齋夜話 東坡屬對：「識之，然無奈其好吟詩。」西遊記第五八回：「弟子無奈，只得投奔南海，見觀音訴苦。」江頭，江邊。江岸。隋煬帝 鳳艒舟歌：「三月三日向江頭，正見鯉魚波上游。」唐 姚合 送林使君赴邵州詩：「江頭斑竹尋應遍，洞裏丹砂自採還。」元 沈禧（？—？，世次不詳。）一

枝花 詠雪景套曲：「這其（期）間江頭有客尋歸艇，我這裏醉裏題詩漫送程。」送別，送行道別。唐 祖咏 別怨詩：「送別到中流，秋船倚渡頭。」元 張昱（？—？，天曆、至正間人。）贈沈生還江州詩：「客裏登臨俱是感，人間送別不宜秋。」何，什麼緣故。為什麼。論語 先進：「夫子何哂由也？」史記 孟嘗君列傳：「聞先生得錢，即以多具牛酒而燒卷書，何？」南宋 邵博 聞見後錄卷一一：「大賢如孟子，其可議，有或非或疑或辯或黜者，何也？」清 和邦額 夜譚隨錄 碧碧：「（孫）且驚且喜，陰念：何今日奇遇之多也？」

③此去……月 這一分手，雖然相隔遙遠，依然同享皎潔的金輪。此去，這一離別。謂這一分手。天涯，參卷六、一〇四、注④。共，參卷二、二七、注②。明月，參卷一、一六、注④。唐 張九齡 望月懷遠詩：「海上生明月，天涯共此時。情人怨遙夜，竟夕起相思。滅燭憐光滿，披衣覺露滋。不堪盈手贈，還寢夢佳期。」

④相思……多 各在一方，到底誰比較想念誰？相思，參卷一一、一九七、注①。兩地，兩處。兩個地方。南朝 梁 何遜 與胡興安夜別詩：「念此一宴笑，分為兩地愁。」唐 元稹 齊煛饒州刺史王堪澧州刺史制：「俾分兩地之憂，佇聽二天之諺。」是，表加強語氣。書 金縢：「史乃冊祝曰：『惟爾元孫某，遘厲虐疾，若爾三王，是有丕子之責于天，以旦代某之身。』」南宋 梁 丘遲 與陳伯之書：「夫迷途知返，往哲是與，不遠而復，先典攸高。」誰，何人。多，勝，勝過。史記 高祖本紀：「臣之業所就，孰與仲多？」

五三〇、作文枕上

劉廷璧

歐陽筆力掃千軍①，枕上推【敲】勵志勤②。飲墨也曾頭覆被③，一般拍案【歎】奇文④。

【析韻】

軍、勤、文，上平、十二文。

【釋題】

假牀榻之上，藉枕為几、濡墨構思以撰作文章之謂也。枕上，猶云牀上。唐岑參春夢詩：「枕上片時春夢中，行盡江南數千里。」南宋陸游秋聲詩：「人言悲秋難為情，我喜枕上聞秋聲。」枕，ㄓㄣˇ。安寢時，墊於腦杓之具。今語「枕頭」。

【注解】

①歐陽……千軍　永叔啊！您寫作的才情，冠絕羣彥！歐陽，指歐陽修。修，北宋廬陵吉水人。（一〇〇七－一〇七二）。字永叔，自號醉翁、六一居士。天聖八年（一〇三〇）舉進士甲科。官至樞密副使、參知政事。因議新法，與王安石不合，致仕，退居潁川，卒諡文忠。一生博覽羣籍，以文章著名。渠反對宋初西崑派浮豔文風，主張文學須切合實用；名列唐宋八大家。生前撰有毛詩本義、新五代史、集古錄等，並與宋祁合修新唐書。後人輯為歐陽文忠公集一五三卷、附錄五卷，其中居士集為修晚年自編。宋史有傳。筆力，

寫作能力。北宋范仲淹與韓魏公書：「眾謂之翰（榮按：梁周翰，？—一〇〇八，宋史卷四三九有傳）醇儒，本無他腸，但思之未精，筆力未至爾。」清陳康祺郎潛紀聞卷八：「國朝駢體，自以陳檢討（榮按：即陳維崧，一六二五—一六八二）為開山，由其才氣橫逸，澤古淵醰，而筆力又足以駕馭之。」掃，ㄙㄠˇ。清除。平定。東漢張衡東京賦：「掃項軍於垓下，紲子嬰於軹塗。」薛綜注：「掃，除也。」南朝梁簡文帝與魏東荊州刺史李志書：「今皇師外掃，天鉞四臨，海蕩電飛，雲蒸雨合。」明李東陽秋懷詩：「萬古中華還此地，我皇親為掃神州。」千軍，參卷一〇、一九三、注②。

②枕上……勤　在牀榻上，字斟句酌、反復考慮，專注如一、不怠不忽。枕上，參本首釋題。南宋董弅（？—？，世次不詳。）閒燕常談：「歐陽文忠公謂謝希深（榮按：謝絳，字希深，九九五—一〇三九）曰：『吾平生作文章，多在三上—馬上、枕上、廁上也；蓋惟此可以屬思耳。』」後蜀何光遠（？—？，世次不詳。）鑑誡錄賈忤旨：「（賈島）忽一日於驢上吟得：『鳥宿池中樹，僧敲月下門。』初欲著『推』字，或欲著『敲』字，煉之未定，遂於驢上作『推』字手勢，又作『敲』字手勢。不覺行半坊。觀者訝之，島似不見。時韓吏部愈權京尹，意氣清嚴，威振紫陌。經第三對呵唱，島但手勢未已。俄為官者推下驢，擁至尹前，島方覺悟。顧問欲責之。島具對：『偶得一聯，吟安一字未定，神遊詩府，致衝大官，非敢取尤，希垂至鑒。』韓立馬良久思之，謂島曰：『作敲字佳矣。』」後因以「推敲」指斟酌字句，亦泛指對事情反復考慮。南宋張孝祥念奴嬌再用韻呈朱丈詞：

「忍凍推敲、清興滿，風裏烏巾獵獵。」明 徐渭 過陳守經留飯海棠樹下賦得夜雨剪春韭：「醉後推敲應不免，只愁別駕惱郎當。」清 孔尚任 桃花扇 投軒：「你的北來意費推敲，一封書信無名號。」勵志，奮志。謂集中心思致力於某事。東漢 班固 白虎通 諫諍：「勵志忘生，為君不避喪生。」舊唐書 李渤傳：「渤恥其家汙，堅苦不仕，勵志於文學，隱於嵩山，以讀書業文為事。」勤，不怠。盡心竭力任事而無所愛惜之稱。左傳 宣公一二年：「箴之曰：『民生在勤，勤則不匱。不可謂驕。』」

③飲墨……被　曾經腦袋蓋著衾被，含筆構思。飲墨，謂筆置口中，濡墨構思。猶含筆。含毫。文心雕龍 神思：「相如含筆而腐毫，揚雄輟翰而驚夢。」唐 唐彥謙 鸂鶒詩：「華屋撚絃彈鼓舞，綺窗含筆澹毛衣。」也曾，曾經。唐 元稹 贈崔元儒詩：「最愛輕欺杏園客，也曾辜負酒家胡。」西遊記第八八回：「雖不曾重報師恩，卻也曾渡水登山，竭盡心力。」說岳全傳第四〇回：「太太先前也曾請箇飽學先生，教他讀書。」頭覆被，用被蓋住腦袋。人首曰頭。今俗稱腦袋（瓜子）。急就篇顏注：「頭者，首之總名也。」戰國策 魏策四：「魏王曰：『衣焦不申，頭塵不去。』又，安陵君因使唐且使於秦，以頭搶地爾。」史記 項羽本紀：「項王乃曰：『吾聞漢購我頭千金。』」覆，ㄈㄨ。蓋。掩蓋。詩 大雅 生民：「誕寘之寒冰，鳥覆翼之。」集注：「覆，蓋；翼，籍也。」漢書 揚雄傳：「今學者有祿利，然尚不能明易，又如玄何？吾恐後人用覆醬瓿也！」晉書 文苑傳左思：「陸機與弟雲書曰：『此間有傖父，欲作三都賦，須其成，當以覆酒甕耳！』及思賦出，機絕歎服，以

為不能加。」衾曰被。寢臥時用以覆蓋之具。戰國宋玉楚辭招魂：「翡翠珠被，爛齊光些；……。」王逸注：「被，衾也。」西晉傅玄被銘：「被雖溫，無忘人之寒，無厚于己，無薄于人。」晉書祖逖傳：「逖與司空劉琨共被同寢。」

④一般……文　眾人不約而同地，擊桌讚賞絕妙佳文。一般，一班。表數量。恆用以指花鳥、人羣等。唐司空曙過長林湖西酒家詩：「湖草青青三兩家，門前桃杏一般花。」拍案，以手擊桌。表示驚異、發怒、感慨、振奮等情緒。西遊記第四回：「也有大笑拍案，叫命，命，命。」說唐第四二回：「李密見秦王，拍案大怒。」歎，作者原作「嘆」。茲校正之。本字辨似云：「嘆近於哀，故有吞聲之意；歎近於善，故有咏歎之意，雖今二字互通，初則彼此微別。」禮紀郊特牲：「賓入大門，而奏肆夏，示易以敬也。卒爵而樂闋，孔子屢歎之。」注：「歎，稱美也。」奇文，美好絕妙的文章。奇，佳。妙。漢書王褒傳：「詔使褒等皆之太子宮虞侍太子，朝夕誦讀奇文及所自造作。」元史儒學傳胡長孺：「卓行危論，奇文瑰句，端平嘉定間，士大夫皆以為不可及。」

五三一、兒童冬學

蔡　振　豐

比鄰讀【鬧】課童嚴①，雛鳳清音聽隔簾②。立雪餘閒呵凍筆③，兒時心事上眉尖④。

【析韻】

嚴、簾、尖，下平、十四鹽。

【釋題】

古，凡年齡大於嬰兒而尚未成年者，概稱兒童；今則僅指年紀小於少年者。列子 仲尼：「聞兒童謠曰：『立我蒸民，莫匪爾極。』」唐 杜甫 羌村詩之三：「兵革既未息，兒童盡東征。」冬學，昔，農村於冬閑所開辦之季節性學堂。南宋 陸游 冬日郊居詩：「兒童冬學鬧比鄰，據案愚儒卻自珍。」自注：「農家十月，乃遣子弟入學，謂之冬學。」

【注解】

①比鄰……嚴　鄰居教導兒童，認真、用心，朗誦之聲，響亮、嘈雜。比鄰，參卷二七、四六三、注③。讀鬧，朗誦的聲音響亮、嘈雜。鬧，原訛刊「閙」，茲訂正之。喧曰鬧。謂響亮嘈雜。課童，教導兒童。與「課蒙」意近。嚴，認真不馬虎。易 遯：「君子以遠小人，不惡而嚴。」清 陳康祺 郎潛紀聞卷七：「當時諸將一心，戰守艱苦，威德洽而紀律嚴。」

②雛鳳……簾　間夾著一層珠簾，我耳聞才華橫溢的子弟，傳來清脆悠揚的書聲。雛鳳，參卷二七、四六三、注④。清音，清翠悠揚的聲音。在此，指書聲。淮南子 兵略訓：「夫景不為曲物直，響不為清音濁。」西晉 左思 招隱詩之一：「非必有絲竹，山水有清音。」唐 張文姬（？—？，女詩人）沙上鷺詩：「沙頭一水禽，翼鼓揚清音。」耳聞曰聽。轂

梁傳桓公一四年：「聽遠音者，聞其疾而不聞其舒。」論語公治長：「子曰：『吾始於人也，聽其言而信其行；今吾於人也，聽其言而觀其行。於予與，改是。』」西晉嵇康琴賦：「伯牙揮手，鍾期彈琴。」隔簾，參卷二〇、三三七、注④。

③立雪……筆　服侍老師的空檔時間，趕緊哈氣，使天冷凝固變硬的毛筆，恢復柔軟、正常。立雪，典故有二：一景德傳燈錄禪宗二祖慧可求達摩大師廣度眾生，堅立大雪之故實。二程門立雪之故實。在此，指後者。宋史道學二楊時：「……。至是，又見程頤於洛，時蓋年四十矣。一日見頤，頤偶瞑坐，時與游酢侍立不去。頤既覺，則門外雪深一尺矣。」後人恆以之為尊師篤學之典故。明李東陽再用韻示兆先：「莫倚家風比謝王，正須立雪似游楊。」清趙翼可型內弟罷官歸詩：「臺有歌風迹，門多立雪人。」餘閒，參卷二八、五一〇、注③。呵，ㄏㄜ。哈氣（使提高溫度）。開元天寶遺事卷下美人呵筆：「李白于便殿對明皇撰詔誥，時十月大寒，筆凍莫能書字。帝敕宮嬪十人侍于李白左右，令各執牙筆呵之，遂取而書其詔，其受聖眷如此。」

勤讀圖

南宋陸游己酉元日詩：「桃符呵筆寫，椒酒過花斟。」凍筆，因天冷，已濡墨的筆毫凝固變硬。南宋范成大南塘冬夜唱和：「寒釭欲暗吟方苦，凍筆艱驅字更遒。」

④兒時……尖 髫齡時的情懷，不自覺地浮現眉頭。兒時，參卷一六、二六九、注④。心事，情懷。唐高適閑居詩：「柳色驚心事，春風厭索居。」北宋蘇軾寄餾合刷瓶與子由詩：「老人心事日摧頹，宿火通紅手自培。」清李漁玉搔頭情試：「玉簪失去，還有甚麼心事坐朝！」上眉尖，參卷二、二六、注④。

五三二、催租敗興

林維丞

着意推【敲】是也非①？忽聞租吏扣荊扉②。空留風雨重陽句③，辜負花黃蟹正肥④。

【析韻】

非、扉、肥，上平、五微。

【釋題】

敦促佃戶儘速繳交地租不果，內心不悅，謂之催租敗興。催，ㄘㄨㄟ。敦促對方儘速處理，謂事已延宕，始有此作為也。租，ㄗㄨ。田賦。地租。雙方彼此約定應付之錢糧。敗興，遇不悅，興致低落。興，ㄒㄧㄥ。南宋范成大後催租行：「室中更有第三女，明年不怕催租苦。」元馬致遠青衫淚第一折：「白侍郎要住下，着這二位催逼的慌，好生敗興。」

【注解】

①着意……非　是不是留意斟酌？着意，ㄓㄨㄛˊ 一ˋ。留意。在意。清 李漁 蜃中樓 耳卜：「你也替我留心，我也替你着意。」聊齋志異 人妖：「媼常至生家，游揚其術，田亦未嘗着意。」紅樓夢第九五回：「王夫人只知他因失玉而起，也不大着意。」推敲，猶斟酌。仔細考慮。餘參本卷、五三〇、注②。是也非，是不是？也，表疑問。同「耶」、「乎」、「歟」、「呢」。孟子 梁惠王上：「鄰國之民不加少，寡人之民不加多，何也？」餘參卷八、一四二、注①。

②忽聞……扉　突然，聽到催收田賦的吏役敲著柴門。忽，倏。突然。表性態。論語 子罕：「瞻之在前，忽焉在後。」漢書 高帝紀：「人乃以嫗為不誠，欲苦之，嫗忽不見。」聞，聽。聽到。左傳 僖公一〇年：「欲加之罪，其無辭乎？臣聞命矣。」論語 陽貨：「子之武城，聞弦歌之聲。」孟子 公孫丑上：「聞其樂而知其德。」租吏，掌理收繳田賦、地租的吏役。扣，參卷一八、三〇〇、注④。荊扉，柴門。東晉 陶潛 歸園田居詩之二：「白日掩荊扉，對酒絕塵想。」北周 庾信 枯樹賦：「沈淪窮巷，蕪沒荊扉。」清 黃景仁 步從雲溪歸偶作詩：「太息歸荊扉，燈火慘不紅。」

③空留……句　徒然留下「風雨滿城仍覓句，催租防有再來人」的詩句。空留，參卷五、九五、注②。風雨重陽句，參卷一八、二九五。句，指詩句。

④辜負……肥　虧待黃菊盛綻、肥蟹卵熟的來臨。辜負，參卷九、一六一、注④。此處，引

申作「虧待」解。花黃，指黃菊盛綻。菊，學名 Chrysanthemum morifolium。通稱菊花。菊科，多年生草本。葉呈卵圓形至披針形，具粗大鋸齒或深裂。秋季開花，顏色、形狀因品種而異。原產我國，古人亦稱黃英，蓋以花呈黃色者為其正色。西京雜記卷三：「九月九日佩茱萸，食蓬餌，飲菊華酒，令人長壽。菊華舒時，並採莖葉，雜黍米釀之，至來年九月九日，始熟，就飲焉，故謂之菊華酒。」南朝 梁 宗懍 荊楚歲時記：「九月九日宴會，未知起于何代……今北人亦重此節，佩茱萸，食餌，飲菊花酒，云令人長壽。」唐 孟浩然 過故人莊詩：「待到重陽日，還來就菊花。」王績（五九〇—六四四）贈學仙者詩：「春釀煎松葉，秋杯浸菊花。」南宋 戴復古 九日詩：「醉來風帽半欹斜，幾度他鄉對菊花。」蟹，ㄒㄧㄝ。**Brachyura spcrab**。甲殼綱、十足目、爬行亞目。尾短，頭胸背面覆以頭胸甲，腹部扁平緊貼在頭胸部腹面。胸部有腹肢八對—前三對為顎足，後五對為螯足與步足。腹部附肢：雌性四對，用以附著卵子；雄性兩對，為生殖肢。多數棲息海中，少數生活於淡水或鹹淡水中。種類甚多，有些水陸兩棲或陸棲。常見者有河蟹、梭子蟹、青蟹、毛蟹、蟳……等。正，方。表時間。史記 五帝本紀：「象鄂不懌，曰：『我思舜，正鬱陶。』」後漢書 更始傳：「帝方對我飲，正用此時持事來耶！」肥，腯。多肉。語林：「孟業甚肥，或以為千斤。」北宋 歐陽修 醉翁亭記：「臨溪而漁，溪深而漁肥。」交秋後，蟹正成熟，雄者多肉，雌者卵巢盈腹，成膏狀，味特美，曰蟹黃，佐酒尤佳。南宋 陸游 舟中曉賦詩：「香甑炊菰白，醇醪點蟹黃。」

拾伍、哀　輓

卷三〇

五三三、詠鄭貞女詩

洪　繻

鄭谷徵詩詠女鸞①，貞珉一集八閩【刊】②。于今海岱無顏色③，合洗黃金鑄木蘭④。

【析韻】

鸞、刊、蘭，上平、十四寒。

【釋題】

歌頌貞女鄭慧脩生前事略之詩句也。詠，ㄩㄥˇ。歌頌。唐張籍和裴司空酬滿城楊少尹詩：「聖朝偏重大司空，人詠元和第一功。」貞女，節操堅定不移，始終如一，毫無二心之婦人。鄭慧脩（新竹縣志，作「慧修」。一八九三－一九一一），竹塹聞人鄭如蘭（一八三五－一九一一）之女孫，安杜之長女。天資明慧，自幼深獲雙親鍾愛，髫齡讀孝經，即知曉大意，侍親無微不至。稍長，渠以不忍捨離膝下，婉拒親事。父遭構陷，入牢，隨祖母陳太夫人（閨諱潄法名普慈，一八四五－一九一一）持淨戒，祈福，數月，父得釋，益虔誠禮佛。時陳氏闢建淨業堂，渠乃前往持修。祖母病，入侍湯藥、旬不解衣。宣統三年（日明治四十四年、一九一一）四月初十（陽曆五月八日）申時，祖母壽終，哀慟欲絕，竟至不起，得年僅二十六。各地文士，相與吟輓詠歎其事。如蘭賢伉儷與長女孫相繼於同年辭世，誠令人不忍也。

【注解】

①鄭谷……鸞　為歌頌貞潔女紀，高士求人詩贊。鄭谷，借指高士。谷，又名樸（三輔決錄），字子真，隱於雲陽谷口。西漢成帝時，大將軍王鳳禮聘之，不應。漢書王貢兩龔鮑傳敘：「……其後，谷口有鄭子真，蜀有嚴君平，皆修身自保，非其服弗服，非其食弗食。成帝時，元舅大將軍王鳳以禮聘子真。子真遂不詘而終。」西漢揚雄法言問神：「谷口鄭子真，不屈其志而耕乎巖石之下。」唐上官儀高潔之士策：「鄭君谷口，擅不言之謠；曹相府門，多清靜之化。」徵詩，求人作詩。徵，求也。詠，參本首釋題。女鸞。猶云貞潔女紀。鸞，即鸞鳥，傳說中鳳凰一類的鳥，昔稱神鳥、瑞鳥。詳漢書息夫躬傳、山海經西山經。

②貞珉……刊　讚美的詩文初成，立刻傳布福建各地。貞珉，亦作「貞碈」。石刻碑銘的美

稱。唐權德輿金紫光祿大夫司農卿邵州長史李公墓志銘：「萬安鮮原，風雨晦兮。鏤此貞珉，隧之內兮。」一本作「貞岷」。元余闕（一三〇三—一三五八）化城寺碑：「斲辭貞珉，永告無斁。」清唐鑑（一七七八—一八六一）戚母蔣太恭人墓志銘：「慈雲去，渺何之？貞碈不朽勒此辭。」「珉」、「碈」、「岷」，均讀作ㄇㄧㄣˊ。又「珉」、「碈」屬同字異體。貞珉，在此，引申作「讚美的詩文」解。一集，猶一成。謂初成。集，成。詩小雅黍苗：「我行既集，蓋云歸處。」箋：「集，成也。」左傳襄公二六年：「今日之事幸而集，晉國賴之；不集，三軍暴骨。」今福建省於元時分設福州、興化、建寧、延平、汀州、邵武、泉州、漳州等八路，歸江浙行中書省節制，明置福建省巡撫，八路改稱八府，故有八閩之稱。（詳明史地理志六）「刊」，原訛作「刋」（ㄑㄧㄢ），茲訂正之。刊，ㄎㄢ。印行。清魏源聖武紀目錄：「索觀者眾，隨作隨刊，未遑精審。」在此，引申作「傳布」解。

③于今……色　至今，海岱清士亦當自嘆不如。于今，至今。書盤庚上：「先王有服，恪謹天命，茲猶不常寧，不常厥邑，于今五邦。」三國魏曹冏六代論：「大魏之興，于今二十有四年矣。」唐裴諧（？—？，晚唐人。）觀修處士畫桃花圖歌：「一從天寶王維死，于今始遇修夫子。」海岱，「海岱清士」的省詞。典出世說新語賞譽：「庾公為護軍，屬桓廷尉覓一佳吏。乃經年，桓後遇見徐寧而知之，遂致於庾公，曰：『人所應有其不必有；人所應無，己不必無。真海岱清士。』」無顏色，猶無顏。慚愧。唐杜甫送韋諷上閬

州錄事參軍詩：「操此綱紀地，喜見朱絲直。當今豪奪吏，自此無顏色。」

④合洗……蘭　應淘沙滌金、冶鑄造像、供奉座前，永懷典模。合，應當。作助動詞用。後漢書　獻帝紀：「皇后非正嫡，不合稱后。」唐　韓愈　論佛骨表：「皆云天子大聖，猶一心敬信，百姓微賤，於佛豈合惜生命。」（舊唐書卷一六〇）「皆云……，於佛豈合『更』惜生命。」（新唐書卷一七六）洗，除垢令潔。謂淘沙取金也。黃金鑄木蘭，運用黃金鑄像之典，謂造像供奉、永懷典模。典源：國語　越語下：「（范蠡）遂乘輕舟以浮於五湖，莫知其所終極。王命金工，以良金寫范蠡之狀而朝禮之。」吳越春秋　勾踐伐吳外傳：「……。於是，越王乃使良工鑄金像范蠡之形，置之坐側，朝夕論政。」元　陳基（一三一四—一三七〇）垂虹橋詩：「伯國黃金聞鑄像，王門白玉想為標。」榮按：垂虹橋，在今江蘇　吳江縣（太湖東岸），原稱利往橋。伯，通霸。伯國，謂勾踐滅吳而為東南一霸。王門，即玉門，詳尸子卷下、呂氏春秋　首時。黃金，先秦恆指銅而言。書　舜典：「鞭作官刑，扑作教刑，

陳湫女士遺照
（貞女鄭慧脩之祖母）

金作贖刑。」孔傳：「金，黃金也。」孔穎達疏：「此傳黃金，呂刑黃鐵，皆是今之銅也。」鑄，ㄓㄨˋ。銷。謂熔金入模型以冶之。清梁章鉅楹聯叢話廟祀下引松江徐氏女題岳墳楹聯：「青山有幸埋忠骨，白鐵無辜鑄佞臣。」一作「香骨」。木蘭，傳說的孝女、英雌。或姓花、或作朱，亦作木，均無確證。渠女扮男裝，代父從軍，凱旋歸來。故事最早見于北朝民歌木蘭詩。此處，以木蘭引喻典型模範。

五三四、輓鄭慧脩貞女

羅炯南

淨盡塵緣入佛門①，佛燈更喜祖傳孫②。知君別有心頭佛③，不種情根種善根④。

【析韻】

門、孫、根，上平、十三元。

【釋題】

輓，ㄨㄢˇ。哀悼死者。唐岑參故僕射裴公輓歌之三：「哀輓辭秦塞，悲笳出帝畿。」清姜宸英哭魏叔子詩之一：「鸞江哀輓一時聞，惜別他年悵離羣。」輓，俗作「挽」。餘詳前首。

【注解】

①淨盡……門　不餘絲毫俗世因緣，削髮為比丘尼。淨盡，亦作「淨盡」。一點都不剩。唐

劉禹錫再遊玄都觀詩：「百畝中庭半是苔，桃花淨盡菜花開。」明高攀龍講義達巷黨人章：「聖人於人間人慾、病痛，能去得淨盡，不能於天理本分上加得毫末。」近人康有為大同書乙部第四章：「故『國』之文義不刪除淨盡之，則人人爭根、殺根、私根無從去而性無由至於善也。」塵緣，參卷二〇、三六三、注①。入佛門，出家為（僧）尼。入，參卷三、五一、注④。佛門，猶佛家。二刻拍案驚奇卷一：「他是個佛門中再來人，專一精心內典，勤修上乘。」二十年目睹之怪現狀第九一回：「我一生最信服的是佛門。」比丘尼，亦作「比邱尼」。佛教語。梵文Bhikṣuṇī之譯音。又譯作「苾蒭尼」。為佛教出家「五眾」之一。指已受具足戒的女性。俗稱尼姑，亦簡稱尼。

②佛燈……孫　益發高興的是：薪火相承、有了第三代的傳人。佛燈，本謂供于佛前的燈火。北宋蘇軾是日宿水陸寺寄北山清順僧詩之一：「農事未休侵小雪，佛燈初上報黃昏。」清龔自珍一痕沙錄言詞：「高閣佛燈青，替鈔經。」在此，隱指修佛志業、薪火相承。更喜，參卷一九、三一六、注③。祖傳孫，謂有第三代傳人。父之父曰祖，子之子曰孫。父、子、孫計三代。

③知君……佛　我察覺您的內心，另有一番頓悟。知君，察覺您。知，覺。察覺。公羊傳宣公六年：「趙盾起，將進劍，祁彌明自下呼之曰：『盾，食飽則出，何故拔劍於君所？』趙盾知之。」注：「由人知曰知，自己知曰覺。」君，猶稱您。指貞女鄭慧脩。別有，參卷一、五、注③。心頭佛，猶言發自內心的頓悟。心頭，內心間。心上。唐白居易思往

喜今詩：「爭似如今作賓客，都無一念到心頭。」南宋 朱淑真 秋夜聞雨詩之二：「獨宿廣寒多少恨，一時分付我心頭。」東晉 袁宏 後漢紀 明帝紀下：「浮屠者，佛也。西域天竺有佛道焉。佛者，漢言覺，將悟羣生也。」

④不種……根　一心去除人欲，致力勤修善果之法。不種，猶云去除。情根，謂（各種）人欲。餘參卷一〇、一九五、注②。種，栽植。引申作「（勤）修」解。善根，梵文 **Kuśala-mūla** 的義譯。屬佛教語。大意謂人所以為善之根性。善根指身、口、意三業之善法，善能生妙果，故謂之根。維摩詰經 菩薩行品：「護持正法，不惜軀命；種諸善根，無有疲厭。」舊唐書 高祖紀：「弘宣勝業，修植善根。」

五三五、輓鄭慧脩貞女

王仁驥

長齋繡佛享清閒①，浙水閩山獨往還②。海外已無乾淨土③，留將玉骨壽名山④。貞女擬歸骨閩省崇福寺

【析韻】

閒、還、山，上平、十五刪。

【釋題】

歸骨，猶歸葬。西漢 班婕妤 自悼賦：「願歸骨於山足兮，依松柏之餘休。」釋氏往生，恆荼毘（火化）後始葬之。林騷 重修承天寺碑記云：「泉叢林三，開元，崇福，承天。」

泉州府志卷一六：「崇福寺在府治東北隅。名勝志：『寺故在城外，(北)宋初陳洪進有女為尼，以松灣地建寺。』」「閩通志：『地有晉松四株，故名。』拓羅城包之，名千佛庵。太平興國中，賜名崇福，……。」又，晉江縣志卷一五，亦有相近之記載。鄭慧脩，詳本卷五三三釋題，茲從略。

【注解】

①長齋……閒 茹素如恆，虔奉佛尊，心性純正恬靜、無罣無礙、從容自適。長齋，終年(身)茹素。東晉 葛洪 抱扑子 雜應：「又乘蹻須長齋，絕葷菜，斷血食。」世說新語 棲逸：「郗尚書與謝居士善，……。」注引檀道鸞 續晉陽秋：「(謝敷)崇信釋氏，初入太平山中十餘年，以長齋供飲為業，招引同事，化納不倦。」南朝 陳 徐陵 東陽雙林寺傅大士碑：「自修禪遠壑，絕粒長齋。」唐 杜甫 飲中八仙歌：「蘇晉長齋繡佛前，醉中往往愛逃禪。」仇兆鰲注：「廣弘明集：『宋 劉義隆時(榮按指南朝 宋文帝 元嘉年間，公元四二四—四五三年)靈鷲寺有羣燕共銜繡像，委之堂內。』據此，則繡佛之製久矣。」清 方苞(一六六八—一七一七)七思伯姊詩：「中歲長齋兮祝嫡姑，宵旦依依兮臥起扶。」繡佛，用彩絲刺繡的佛像。詳前引杜詩八仙歌。又，舊唐書 蕭瑀傳：「太宗以瑀好佛道，嘗賚繡佛像一軀，并繡瑀形狀於佛像側，以為供養之容。」清 黃宗羲 毛烈婦墓表：「麻衣菜食，繡佛香燈，有死之心，無死之氣。」享，受。保有。左傳 僖公二三年：「保君父之命而享其生祿。」杜預注：「享，受也。」莊子 讓王：「我享其利，非廉也。」後

漢書 致惲傳：「劉氏享天永命，陛下順節盛衰，取之以天，還之以天，可謂知命矣。」晉書 傅玄傳：「天下享足食之利。」清閒，亦作「清閑」、「清間」。謂內心純正恬靜、悠然自適、無罣無礙。唐 寒山 詩之二九四：「騰騰且安樂，悠悠自清閒。」北宋 曾鞏 孫少述示近詩兼仰高致詩：「少陵雅健材孤出，彭澤清閑興最長。」

②浙水……還　自個兒來回穿梭在浙江、福建之間。浙水，指浙江省。浙江，古稱漸水，又稱漸江、之江，以其多曲折，因稱浙江；該省亦以之得名。（讀史方輿紀要卷八九。）閩山，指福建省。位我國東南沿海，北連浙江，西鄰江西，南通廣東，與臺灣隔海相望。周時為七閩地，秦設閩中郡，漢初為閩越王國，唐改設江南道，宋稱福建路，元屬江浙行中書省管轄，劃為八路，改稱八閩，明設省、清因之。（讀史紀方輿紀要卷九五）。簡稱閩，境內多山，故稱閩山。獨，參卷一五、二六四、注①。往還，參卷二六、四三九、注②。榮按：鄭女曾隨侍祖母陳氏買舟內渡，遍謁名剎：鼓山 湧泉寺、普陀山 紫竹林、鎮江 金山寺、焦山寺，西湖 天竺寺、昭慶寺等，參尋妙諦，以修真自樂也。

③海外……土　國境之外，已經沒有清淨無染的世界了。海外，與「海內」相對。猶云國境之外。古謂我國疆土四面環海。孟子 梁惠王下：「海內之地，方千里者九。」焦循正義：「古者內有九州，外有四海……此海內即四海之內。」詩 商頌 長發：「相土烈烈，海外有截。」鄭玄箋：「四海之外率服。」史記 孟荀列傳：「先列中國名山大川，通谷禽獸，水土所殖，物類所珍，因而推之，及海外之所不能睹。」已無，已經沒有。已，謂已經。

已，既。表過去時間。論語 微子：「道之不行，已知之矣。」史記 高祖本紀：「老父已去，高祖適從旁舍來。」「有」之反曰無。論語 為政：「大車無輗，小車無軏，其何以行之哉？」北宋 蘇軾 賀子由生第四孫詩：「無官一身輕，有子萬事足。」乾淨土，即淨土。淨土本謂佛所居住的無塵世汙染的清淨世界。一名佛土。多指西方阿彌佗佛淨土。南朝 宋 謝零運 淨土詠：「淨土一何妙，來者皆精英。」唐 白居易 畫西方幀記：「有世界號極樂，以無八苦四惡道故也。其國號淨土，以無三毒五濁業故也。」明 高濂 玉簪記 譚經：「禪機玄妙，法流淨土，一似蓮開朵朵。」

④留將……山　打算把遺下的骸骨，永存於名山。留，遺下。北宋 蘇軾 和子由繩池懷舊詩：「泥上偶然留指爪，鴻飛那復計東西。」明 于謙 詠石灰詩：「粉骨碎身至不顧，要留青白在人間。」將，ㄐㄧㄤ。欲。打算。左傳 隱公元年：「國不堪貳，君將若之何？」論語 八佾：「天將以夫子為木鐸。」孟子 梁惠王上：「叟！不遠千里而來，亦將有以利吾國乎？」玉骨，白骨。死者的骸骨。北宋 王安石 悼慧休詩：「玉骨隨薪盡，空留一分香。」南宋 陸游 十二月二日夜夢遊沈氏園亭詩：「玉骨久成泉下土，墨痕猶鎖壁間塵。」清 納蘭性德 山花子詞：「林下荒苔道蘊家，生憐玉骨委塵沙。」物能久存曰壽。ㄕㄡˋ。西漢 揚雄 法言 君子：「或問：『龜龍鴻鵠，不亦壽乎？』曰：『壽。』曰：『人可壽乎？』曰：『物以其性，人以其仁。』」名山，指鄭女埋骨之處。餘參卷一二、二一六、注②。

泉州崇福寺大雄寶殿

泉州崇福寺山門

作者略傳

鄭兆璜（一八五五—一九二一）字渭卿，一字葦汀。曾自署竹谿先生。咸豐五年（一八五五）生於竹塹北門。先世自金門渡臺。幼聰穎，博聞強記，頗受業師鄭維藩器重。年廿三取秀才，入淡水廳學，補廩生。光緒十六年（一八九〇）恩貢，迭應鄉試不售，遂絕意科場。乙未割臺，攜眷內渡泉州，捐納、籤分吏部主事文選司，記名簡放道員、加三品銜、賞戴花翎。勤慎任職，具幹練長才。民國成立，婉辭北政府之邀，還歸竹塹，籌營貨殖，家業益興。竭力於鄉里公益，寄情農圃，蒔花刈草，擊鉢飛觴。民國十年（日大正十年、一九二一）卒，遺有硯香齋詩草，未梓。

施天鈞（生卒年待考）字和丞。福建福清縣人。歷任沙縣、新竹、宜蘭、臺灣訓導，卒於官。

陳濬芝（一八六五—一九一一）字瑞陔，一字士芬、樹冬，號紐石。先世自福建安溪徙臺。同治四年（一八六五）生於竹塹西門石坊腳。髫齡家貧，陳父四處舉債，渠誓言父債子還，本息並計，悉將償清。債主感其孝心，卒未苦苦相逼。母為人浣衣，濬芝每讀書課餘，必往代勞，鄉人稱孝。北門富紳鄭時霖愛其才德，邀讀於家塾，與其子兆璜相切磋，學問大進。時霖更以女妻之。光緒初，補新竹縣學廩生，八年（一八八二）中壬午科舉人，佐巡撫劉銘傳清理田賦、協辦團練，因功擢五品銜，掌教明志書院。時與林鼈雲等詩唱往還，名聞北臺。甲午戰起，受命協辦防務，旋參與乙未抗日，事敗，舉家內渡安溪，掌教崇文、考亭等書院。光緒廿四年（一八九八）入京補行殿試，取戊戌科進士。鑒於政事日非，遂絕意仕宦，隱居鄉里。濬芝為人謙恭，平易近人、崇禮篤實，鄉人咸以先生稱之。宣統三年（日明治四十四年、一九一一）去世，得年四十七。渠平生詩作甚多，惜動亂奔波多已散失，僅存竹梅吟草擊鉢吟四卷，計一七三首。

陳朝龍（一八五九—一九〇三）字子潛，號臥廬。咸豐九年（一八五九）生於竹塹。年少即以工詩能文而名聞同儕。光緒四年掌教東城義塾，七年（一八八一）入新竹縣學、旋補廩生。家藏圖書甚豐，讀書尤勤，設館於北門後街靜修書齋。恒與林奕圖、劉廷璧、蔡振豐詩酒往還，為竹梅吟社社員，詩作多且獨具新意，名噪當時。朝龍嗜癖夥，自題居所曰十癖齋，每遠行必壺酒隨車，遊吟各地。性豪放，與張謙六、傅子顯結莫逆，有竹塹三傑之譽。光緒十三年（一八八七）知縣方祖蔭委以隆恩圳長之差，維持水圳通暢。十五年，協辦團練有功，賞六品軍功頂戴。光緒十八年巡撫邵友濂設臺灣通志纂修總局於臺北。知縣葉意深委渠與鄭鵬雲採訪之任。翌年，竹塹義塾併於明志書院，禮聘朝龍為長班（即山長）。廿年（一八九四）四月呈交新竹採訪冊（十一冊）於通志纂修總局。未幾，臺疆見棄、稿件散失，通志自不及刊行；而朝龍亦避居福州，安溪縣令劉威延為幕賓，抑鬱不得志，光緒廿九年（一九〇三）卒，得年四十五，遺有十癖齋詩文集，未梓行。

蔡振豐（一八六二－一九一一）字啟運，又字見先，號應時，以字行。同治元年（一八六二）生於竹塹客雅（一說生於苑裡，待考）。幼聰慧，博聞強記，當時有神童之稱。渠青壯尤好孫吳兵書。喜交遊、酬唱。光緒十二年（一八八六），奔走籌畫，終將咸豐年間先後成立之竹、梅二詩社改組成竹梅吟杜，風城名流，幾悉網羅於其中。十七年（一八九一）登新竹縣學為附生，捐納浙江候補巡檢。廿年（一八九四）徙居苑裡。次年，臺灣民主國成立，渠與丘逢甲屬中表戚誼，嘗參贊軍務，多所建議。乙未抗日事敗，遣散義軍，佯狂於詩酒徵逐，隱度其「買田買宅買青山、好茶好酒好盤飧」之生活。光緒廿三年（日 明治卅年，一八九七）與鹿港許劍漁合創鹿苑吟社。三月，應苗栗支廳長橫掘之聘，出任事務囑託（特約顧問）。十月，應苑裡辦務署長淺井之邀，編輯苑裡志，閱一月完稿。光緒廿八年（日 明治卅五年、一九〇二）列名櫟社創始人。振豐一門風雅，妻林次湘、子汝修亦能詩，曾自詡「臺疆南北耳詩名，中部吟壇久主盟」，遺有養餘軒詩鈔，惜未付梓，櫟社第一集錄存其詩作十八首，名啟運詩草。（詳見臺灣文獻叢刊第一七〇種櫟社沿革志略、民五二、二臺銀經研室編輯發行）。光緒卅四年（日 明治四十一年、一九〇八）囑其子汝修錄藏丙戌秋以來竹梅吟社擊鉢之作五百餘首，名曰臺海擊鉢吟集。

林清漪（生卒年不詳）。字仲廉，江蘇人。藍翎同知銜、福建候補知縣。

辛邦彥（生卒年待考），字柏亭，淡水縣附生。

林朝崧（一八七五—一九一五）一名秋岳，字俊堂，號痴仙。光緒元年（一八七五）十月初十日生。阿罩霧（今臺中霧峰區）人。父文明公、父兄文察公迭著軍功，累升至福建水陸路提督、掌戴花翎。朝崧舞勺之齡即負才名，年十四為邑諸生，光緒十八年補廩，詩文驚動中臺。乙未割臺，避地晉江，後轉申江，偏歷名山大川，詩思益進。光緒廿七年（日明治卅四年、一九〇一）返臺定居。次年，組成櫟社，時有雅會、互為唱酬。宣統三年（日明治四十四年、一九一一）三月，梁啟超父女應邀遊臺，櫟社集全島詩友宴之於萊園，海外觥籌，推此為盛。任公尤推崇朝崧叔姪，渠於贈朝崧詩云：「披雲見青天，慰為饑渴腸。」斯時斯境，奚若相對新亭！民元（日大正元年、一九一二）朝崧新築無悶草堂於詹厝園（今大里夏田里），日以詩酒自娛，並與諸弟姪、地方士紳籌創臺中中學（今臺中一中前身），不辭勞瘁，悉力於募款、營構。民國四年（日大正四年，一九一五）十月七日卒，得年四十有一。遺有無悶草堂詩存二卷，（民廿二，陳槐庭等付梓，線裝。民四九，臺銀經濟研究室重刊，列臺灣文獻叢刊第七二種）。另著有思問錄、周書讀法等未梓行。臺灣省通志、臺中縣志等有傳。

林資修（一八八〇—一九三九）一名幼春，字南強，晚年又號老秋。光緒六年（一八八〇）正月廿九日（一作正月初十）生於福州衙前街。阿罩霧（今臺中霧峰區）人。父朝選捐納廣東候補知縣。四歲，隨父母回臺定居。髫齡聰明好學，博覽群籍，從林克宏、王君右勤讀經史，並師事梁成枏（鈍庵）。從此，詩境大進。乙末割臺，隨乃叔朝崧奔泉州。光緒廿八年（日明治卅五年、一九〇二）參與創立櫟社，春秋佳日，每作文酒之會，切磋風雅道義，託物興懷，詩篇大增，或感人生、或慨國事，狀物抒情、筆挾風霜，高華警絕。民七（日大正七年、一九一八）秋，與清水蔡惠如倡議成立臺灣文社，次年發行臺灣文藝叢誌，苦心經營歷七年始停刊。民九（日大正九年、一九二〇）幼春參與臺灣議會設置運動，經選任為同盟會專務理事。十年七月文化協會成立，與從叔獻堂，益積極運籌。十二年十二月十六日晨，與蔡培火等人同時遭逮捕。翌年，三月二日經判決定讞，繫獄臺中。刑滿後志未稍屈，仍致力抗日運動。民廿八（日昭和十四年）八月廿四日病逝霧峰，享年六十。幼春工詩，每借筆墨抒志，其詩諷時事，寄托遙深，被譽為「臺灣三百年來最卓絕之詩人」與胡南溟、連雅堂鼎足而三，為海嶠詩壇一代泰斗。遺有南強詩草存世。臺灣省通志、臺中縣志均有傳。

陳編，字連三，光緒年間新竹縣學附生。其餘生平事略待考。

鄭肇基（一八八四－一九三七），字伯端。竹塹人。光緒十年八月五日（陽曆九月廿三日）生。祖如蘭公，父諱拱辰，為風城聞人。渠幼習漢學，造詣頗深，曾活躍於吟壇。光緒卅二年（日明治卅九年、一九〇六）起，從事採礦、製糖、拓殖、保險、金融、帽蓆、電器等事業，迭有成就，為一方巨富。曾任新竹街助役、新竹州協議會員等公職。民廿六（日昭和十二年，一九三七）五月廿九日病逝。

林榮初（一八七七－一九四四），字震東，號傳爐，署潛園小主人。光緒三年生於竹塹西門內公館。祖諱占梅（一八一七—一八六五，字雪村），嘗毀家紓難、督辦團練；築潛園於今新竹西門內。震東髫齡，受教於宿儒張麟書、張鏡濤等人。乙未清廷棄臺，五月，日軍進抵新竹，渠父尚義，攜眷西渡泉州原鄉，榮初以弱冠之年，留臺獨撐，備嚐艱辛。日據初，竹梅吟社重組為竹社，林氏始終參與，恆落筆成詩、掄元而返，與外公館鄭幼佩齊名，有「內初外幼」之譽。櫟社每有雅集，渠與鄭毓臣、以庠等共襄盛事。宣統二年，梁任公受邀來臺，渠與櫟社諸同好及時過從，朝夕切磋。任公贈七絕一首：「江上秋風宋玉悲，長官手自葺茆茨，人生窮達誰能料，蠟淚成堆又一時。」林氏在世，曾遍遊故土，悠然來回於日本、大陸間，歷練彌豐、感懷尤深，詩境遂隨之益拓。年六十，返新竹定居。民國卅三年（日昭和十九年）病逝。所作詩文，惜未結集刊行。

吳逢清（生卒年待考），字澂洲，又作澄秋，號水田。竹塹東門人。同治十三年（一八七四）入新竹縣學，光緒十二年（一八八六）舉歲貢，十七年（一八九一）署臺灣縣訓導。光緒十年渠與士紳吳希唐、顏振昆、鄭守恭、鄭養齋、高士元等人，於竹塹城北門外，建福長社，醫療施藥，並設壇講授善書。另於鄭氏家廟後堂墨稼齋設帳授徒。乙未割臺，一度攜眷內渡晉江原籍。未幾，返竹。開館於城隍廟後，以教讀為業。吳氏個性淡泊，酷好吟咏，恆與王松切磋，過從甚密，為竹社主要成員，光緒十二年加入竹梅吟社，作品散各處，臺海擊鉢吟集、師友風義錄等有其詩作多首。

王松（一八六六—一九三〇），譜名國載，字友竹，又字寄生，別署滄海遺民。同治五年，生於竹塹北門。為人富奇氣、灑脫不群。讀書為求致世，熟覽經史，獨斥帖括制藝之文。樂天任性，自謂「愧無金榜緣……坐臥群書堆」；又，明其志曰：「我誠惡今之有頭巾氣者，重虛譽、獵衣冠，是自欺其志也；無志不可以為人，自欺不可以立身，故藉山水、詩酒逃之。」每遇鄉里有事，輒勇於肩任，不退不避。乙未清廷棄臺，渠憤而攜眷返泉原籍，於舟中頻顧臺員，悲痛無奈。不幸，海上遇盜，行囊悉遭洗劫，狀甚狼狽、僅以身免。光緒廿二年丙申（一八九六）臺地粗安，再返竹塹，抱憾臺灣割讓，瘡痍滿目、塊壘填胸，將舊居易名「如此江山樓」，藉嘆「如此江山付諸庸奴不可守，付諸異族不可居」也。渠詩作淵穆宏肆、出手至情。所撰臺陽詩話，乙巳（光緒卅一年、日明治卅八年）於新竹梓行，民國四十八年一月臺銀重刊，列入臺灣文獻叢刊第三四種。滄海遺民賸稿，民十四於上海刊行，收錄渠五十歲前作品，合如此江山樓詩存、四香樓少作附存（原題四香樓餘力草（新竹市志訛作四「春」樓餘力草）為一集，民國四十八年六月臺銀重刊，列入臺灣文獻叢刊第五〇種。另友竹行窩遺稿（王石鵬編輯），刊刻於民廿二年（日昭和八年），收錄作者五十歲以後、辭世前各作品。

劉廷璧（一八五四？—一八八九？），字維奎，號雪和。（榮按：臺海擊缽吟集同仁齒錄作字維圭，號雪如。）世居竹塹南門。幼齡聰明穎慧，過目成誦，聞名閭里。同治十三年，入臺北府學，光緒五年補新竹縣廩生。渠自為學生員，即以才華洋溢，深受教諭之推重，經詡為具翰林資材，特題贈「翰村補筆樓」懸諸書齋門額，蓋「村」加補一筆，即成「林」字，冀其更上層樓。惜三赴鄉試不售，從此絕意仕途，以授徒為業。竹塹聞人鄭如蘭，久慕其才情，禮聘於北郭園吾亦愛館教導鄭氏子弟、族親；外姓來學者以戴還浦較出色。廷璧喜吟詠，光緒十二年，與蔡振豐合組竹梅吟社。近人吳朝綸燈謎體格類纂：「（雪和）擊鉢敲詩，每每奪魁。復以書法殊佳，擅長行書，每有詩文之作，墨寶常為士人相求之佳品。閑時亦好燈謎，其射覆之佳，製謎之巧，時人望塵莫及。」詎胡天不佑，遽而仙遊，得年僅三十有六。留有翰村補筆樓遺稿，未刊。

陳錫金（一八六七—一九三五），字基六，號式金。臺中清水埔姜林（今北寧里）人。同治六年二月十一日生，光緒間補邑諸生。海桑後，與里人創鰲西詩社，並為櫟社中堅。渠生平不慕榮利，懸壺濟世，譽滿中臺，有儒醫之稱。詩作清警、雋拔不俗，出入於漢魏諸家。詩才敏捷，擅作五七古，益具見性情。晚年酷嗜白陸，多清真確切、無贅字泛詞。胞兄其成，亦有文名，時人稱陳家二雄。民國廿四年二月捐館，生前所撰鰲峰詩鈔卅六首，經收錄於櫟社第一集。

蔡汝修（一八七九—？）字柳州。與父振豐，皆酷嗜吟詠，臺海擊鉢吟集乃渠奉父命編輯，初輯成約四百餘首，民初增輯成五三五首。該集收錄汝修詩作十首。

林鵬霄（一八四六—一九〇四），字世弼，號漢侯。道光二十六年生。乾隆年間，林氏先祖高庇公，自同安渡臺，世居竹塹苦苓腳莊，以是，渠自署苦苓村人。同治七年，入淡水廳學，光緒四年補廩。八年，舉歲貢。中法戰爭期間，渠參預防務著績，光緒十四年以五品軍功存記。十六年，署臺灣縣教諭。乙未割臺，地方動盪，悉心維持秩序，光緒廿二年（日明治廿九年）任新竹辦務署參事。越五年，轉任新竹監獄教誨師。鵬霄畢生致力程朱之學，專心在家設塾授徒。光緒十二年，竹梅二社合為竹梅吟社，渠穿梭其間，指引後學，嘗被譽為吟壇飛將。作品經輯為苦苓村人詩草（上下集），計存詩約百餘首。今人王國璠臺灣先賢著作提要謂渠「文筆精嚴、深入史奧。」詩草原刊不傳，零星散見諸臺疆前人筆記、雜錄；臺海擊缽吟集收錄其詩作五首。

大樗（？—？）姓氏名諱、籍里、事略等，均待考。

陳貫（一八八二—一九三六），字聯玉，號豁軒。兄陳瑚（滄玉）。今苗栗苑裡人。自幼遍涉羣籍，嗜詩好屬文，與乃兄滄玉有一門雙璧之譽。曾加盟櫟社、臺灣文社。生前任教公學校教職，臺灣新聞記者、苑裡庄長、水利組合長。公餘恆競逐擊鉢吟咏、養蘭賞菊；自行結集豁軒詩草，其中廿一首，曾收錄於櫟社第一集。其哲嗣陳南邦先生於五十九年予以排印行世，計三卷另附詞一卷。今人張子文謂聯玉詩勁氣直達，多古調云。

蜻蛉（？—？）姓氏名諱、籍里、事略等均待考。

補牢（？—？）姓氏名諱、藉里、事略等均待考。

林維丞（一八二一—一九〇二），字薇臣，又字亦圖、怡圖。（新竹市志作奕圖。）自署萬梅庵主、補竹山房主人、補竹生。福建閩縣人。道光元年生，十四歲隨父遊臺，越年返鄉。稍長，再度來臺，入淡水廳學，為新竹縣附生。道光卅年三度來臺。卜居竹塹，林占梅奉為潛園上賓，主持潛園文酒之會幾三十年。渠嗜酒好吟。詩作富靈機、香奩尤佳，著有潛園寓草。同治七年（一八六八）竹塹佃農命案，林占梅與北門鄭氏構訟，糾纏難解，含冤飲恨，遂自戕而卒。維丞哀痛逾恆，以淚洗面，幾至雙目失明。光緒初，設帳潛園，聊以度日。弟子中，以鄭鵬雲最能得其旨趣。乙未後，益憂時憤世，顛避於詩酒間，光緒廿八年（日明治卅五年、一九〇二）辭世，享壽八十有二。

陳世昌（生卒年不詳），字錫茲。福建泉州人。光緒間，補新竹縣附生，任教竹塹。其餘事略待考。

陳懷澄（一八七七—一九四〇），字沁園，號槐庭，又署心水。（臺灣歷史人物小傳作字槐庭，又字水心，號沁園。）臺灣縣（轄今臺中市、南投縣、彰化縣）人（按：懷澄屬鹿港人）。光緒三年六月生。祖克勤公，善貨殖，為中臺巨賈。父諱宗華，補廩、早逝。母吳氏細心撫養成人。懷澄性聰敏、好學，善古文辭、嗜吟咏，知音律、工篆刻、小楷。早期詩作豔麗浮靡，纏綿多情。棄臺後，閱歷興亡，感懷邦家，一變而為激越悽愴。渠為櫟社創社九老之一，亦為鹿苑吟社、鹿江詩會、大治吟社之台柱，詩壇僉稱健將。平時，獎掖後進，不遺餘力；亦深鑽陽明之學。民初（日治中期）曾出任公職，造福鄉梓。民廿九（日昭和十五年（一九四〇）七月，舊疾復發，病卒。所撰沁園詩草經收錄於櫟社第一集，另輯有媼解集（七絕）於民廿三（日昭和九年，一九三四）梓行。

張　貞（生卒年不詳），一名珍（臺灣詩錄），字謙六。祖籍江西，先代遊幕來臺，遂僑寓竹塹。光緒間，補新竹縣學附生。渠幼即能咏，有神童之譽。所作五絕：「落日滿空山，山空草有色。樵子破雲濃，難覓幽人跡。」王松臺陽詩話評以：「頗合唐音」。

鄭家珍（一八六八—一九二八），字伯璵，號雪汀。同治七年生於竹塹城外東勢莊。渠個性純樸，聰穎勤學。童年親炙於通儒陳世昌（錫茲）門下，頭角崢嶸，頗受器重。光緒十四年入新竹縣學，次年補廩，廿年（甲午、一八九四）中舉。次年，日軍陷竹塹，不勝其辱，忿而挈眷內渡，居泉州開館授徒多年。光緒廿四年，會考二等，籤分鹽運使。辛亥鼎革，閩南動亂，民八，避地來臺，仍居新竹，先後受聘於北門鄭肇基水田耕心齋、鄭希康寓所等教讀。與王松等人酬唱甚密，指導新竹公學校教職員組成亂彈會習作詩文。家珍除詩、詞、古文外，曆法、星象、輿地、卜筮……亦造詣深奧。民十七，渠病逝南安祖厝，遺有倚劍樓詩文存（泉州古華閣書局刊行）、雪蕉山館詩集（民七二、中華民國傳統詩協會出版）等書。

曾逢時（一八五八—一九二九），一名逢辰（臺灣詩錄），又作逢臣（新竹市志）。字吉甫，號鏡湖，自署南豐逸老。咸豐八年生於淡水廳溪埔仔莊。光緒五年（一八七九）入新竹縣學、補附生。十二年，加入竹梅吟社。乙未割臺，詩社寂寥凋零，日治初，國人再張旗鼓，易名竹社，經推為副社長，重振詩教。海桑初，逢時曾受命為貓兒碇庄長，旋辭退，仍以任教為業。課餘，完成新竹縣志初稿四卷。渠待人謹慎，未嘗疾言厲色，受其教者僉敬而親之。晚年，為亂彈會詞宗。民十八，病逝於新竹北門寓所。

林資銓（一八七七－一九四〇），字仲衡，號壺隱，晚號孤山客。臺灣臺中縣人。渠係霧峰林家下厝剛愍公林文察之孫，棟軍統領林朝棟之次子。光緒三年十一月十日（陽曆十二月十五日）生於霧峰。乙未之變，隨父兄內渡泉州，就學閩垣。又，東渡日本，入中央大學深造，開臺人留日之先。仲衡夙以詩聞，遊歷所至，多所吟咏。光緒廿八年（日明治卅五年，一九〇二）與從叔朝崧（癡仙）、從弟資修（幼春）組成櫟社，時稱櫟社三傑，於臺灣詩教，貢獻良多。櫟社廿周年創社紀念，渠被推舉為理事，所作仲衡詩草卅二首，經收錄於櫟社第一集。多詠史、詠景、詠物之作。民五八，其長婿杜聰明先生曾重加整理，改稱仲衡詩集附吟香集一卷，公開梓行，今有臺灣先賢詩文集彙刊影印本行世。

簡楫（一八六九－一九三五），乳名舟，字若川。臺灣桃園（街）人。渠好學博聞、遍涉經史，事親至孝、名著鄉里。光緒十八年（壬辰、一八九二）登臺北府學案首。乙未清廷棄臺，舉業遂寢。從此，蟄居養晦，設帳課徒，門生遍桃園。民初（日大正初年）與鄉賢鄭永南、黃守謙等人合組桃園吟社，寄情詩文，同倡風雅。其詩洗鍊清新，不同凡響。遺作經編者校注，於壬冬以若川吟草為名。公開梓行。

戴珠光（生卒年待考），竹塹人。字還浦。光緒間，補新竹縣學附生。日治後，曾任舊港區長，其餘事略仍待搜集。

陳叔寶字瑜卿，號紫亭。光緒間，補新竹縣廩生。生卒年、籍里、事略等均待考。

施廷俊（生卒年不詳），字逸希。福建福清縣人。光緒間，補閩省增生，旋隨堂兄施天鈞遊宦臺灣，流寓竹塹。加入竹梅吟社為社員。

鄭以庠（一八七二－一九三九），譜名安國，號養齋。鄭用鑑（一七八九－一八六七）之孫。同治十二年生於竹塹北門外。家學淵源，學有根柢，以幼童入臺北府學。乙未，臺灣見棄，內渡泉州。未幾，復返竹塹，閉戶讀書，不預俗事，有高士之稱。日治初，竹梅吟社重組，易名竹社，經舉為社長。渠積極招募社員，規劃章程，並與瀛社（臺北）、桃社（桃園）組成瀛桃竹聯吟會，彼此輪值，遇值東，恆於北郭園集會，文士咸集，名園增輝，重振嘉慶、道光間竹塹藝文盛況。以庠詩作以性靈取勝，見聞傷感，一一見諸詩句，時人推為詞宗。光緒廿七年（日　明治卅四年、一九〇一）渠作品經輯為拾翠園詩稿，惜已不傳，鄭鵬雲師友風義錄曾選錄多首；晚年作品，不復輯錄。民廿八（日　昭和十四年、一九三九）廣邀全島詩人，主辦五州聯吟會於新竹，尤為風城大事。詎以庠亦於該年仙遊。生前熱心參與福長社之創建，宣講善書，不遺餘力，至今仍傳為美談。

林次湘　蔡振豐之妻，一說蔡之姬人。居里、生卒年月等均待考，清　光緒間人，能詩。臺海擊缽吟集錄有調外等五首。生前撰有碧雲軒小稿，已佚。

鄭鵬雲（一八六二－一九一五），字毓臣，一作毓丞，自署北園後人。同治四年（一八六五）春，渠尊翁祥和公署理淡水廳學訓導，遂自福建　永春原籍渡海來臺，卜居竹塹北門外滴雅。鵬雲穎悟勉學，受業於通儒林維丞，學識大進。光緒九年（一八八三）入臺北府學，廿年補廩，旋肄業海東書院。日治初，一度應命勉任新竹廳囑託，與曾逢時合修縣志。光緒廿七年（日明治卅四年、一九〇一、辛丑）遠赴北京條陳興革建言，未果；南走五羊，東返臺灣。渠一生雅好詩文，活躍於竹梅吟社，亦為櫟社之上賓。光緒廿九年（日明治卅六年）輯刊師友風義錄，計收錄清季本島與流寓臺疆士宦詩作二百七十餘首，作者達一二七人之眾。鵬雲晚境蕭條，坎坷中客死福州。平生作品雖夥，惜家貧，未及時結集付梓，今幾多已散佚，本集收錄渠作十九首。

梁啓超（一八七三—一九二九），字卓如，號任公，署飲冰室主人。廣東新會人。光緒甲午科舉人，次年赴京會試，隨其師康有為（一八五八—一九二七）發動公車上書。光緒廿二年，於上海主編時務報，發表變法通議，編輯西政叢書。次年，主講長沙時務學堂，積極鼓吹並推展維新運動。光緒廿四年，入京參與戊戌維新，以六品銜辦理京師大學堂、譯書局。維新失敗後，逃亡日本。初編清議報，續編新民叢報，堅持立憲保皇。渠介紹西方社會、政經等學說，對當時知識份子有相當影響。民國成立後，曾組進步黨，一度出任北政府司法總長、財政總長等要職，並曾參與反袁。晚年，任教於清華大學。其著作經編為飲冰室合集。

李祖訓（一八四九—一九〇八），字恢業，號警樵。竹塹人。道光廿九年出生於北門。年少有志於學，同治十一年（一八七二）入臺灣府學附生。光緒元年補廪、五年，移撥臺北府學食廪，十二年考舉歲貢，十六年銓選教職，十九年充臺灣府學訓導。割臺初，曾出任新竹辦務署參事，新竹縣、臺北縣參事。渠性敦厚仁慈，為鄉里推重。

魏清德（一八八六—一九六四），字潤庵。光緒十二年出生於竹塹。日明治卅六年（一九〇三）畢業於新竹公學校（第一屆），旋入總督府國語學校師範部肄業，明治卅九年學成，返母校任教。後轉任臺灣日日新報記者、兼漢文部主任，前後達四十年。渠自幼受其父紹吳公（一八六二－一九一七）啟迪，漢學根柢甚深，尤酷好詩文。明治四十三年（一九一〇）加入瀛社為創會社員，曾任第三屆社長。同時，亦為竹社重要成員，與葉文樞、張純甫等時相切磋，頗為連雅堂（一八七八－一九三六）所推重。潤庵詩作各體兼備，古詩尤出色。遺有滿鮮吟草（日治昭和十年刊）、潤庵吟草（民四一刊、收錄一二〇首）、尺寸園瓿稿（民五二刊、收錄近二百首，多記遊、唱酬之作）、魏潤庵詩草（載於雅堂叢刊詩稿，僅廿九首。）

鄭神寶（一八八〇－一九四一），字珍甫、一字幼香。光緒六年生於竹塹北門外，祖諱用錦，善貨殖，家道大亨，田園達數千畝。父諱如蘭，增生，以辦團練有功，賞戴花翎、加道員銜，且旌表孝友。神寶幼時，即以聰明慧思聞於鄉里，好學不倦，詩文或莊或諧，皆神來之筆。書法尤擅篆隸，遒勁不凡。渠承繼祖業，轉投資於製糖等新興實業，家產由是益豐；民初重修北郭園，恢復昔日盛況。晚年熱心公益，修橋造路、建廟立寺、賑災濟貧，慷慨解囊，迄今風城仍傳為美談。遺有東遊隨筆、去思集等詩文作品。

莊　龍（？－一九三五），字雲從，號南村。臺中大甲南莊人。日治初，總督府國語學校師範部畢業，曾任公學校教職多年，並於大甲設帳授徒，講授漢學。其後，轉臺中新聞社，司筆政。渠性疏狂，不拘細節。好學、通五經。嗜禪、善吟咏。與同鄉許天奎、苑裡陳瑚昆玉交契，並隨之入櫟社為社員。日治昭和六年（一九三一）渠與杜香國、許天奎等人改組衡社為衡社，致力詩教。雲從詩作近劍南，筆力清新，陳貫詡為「百戰騷壇每冠軍」。惜渠境遇多舛，中年之後，竟罹狂疾，與外界不相往來多年。生平詩作，多已散佚。櫟社第一集收錄有雲從詩草廿六首。另，連雅堂先生嘗輯成南村詩稿兩帙，民七六臺省文獻會影印行世。

王國材（一八七一？—？），字瑤京。光緒間人，能詩，王松族弟。其餘待考。榮按：臺灣詩錄：「王國垣，字瑤京。」

鄭登瀛（一八七三—一九三七），一名學瀛，字十洲，署竹溪詩隱。出生於竹塹北門外。開臺進士鄭用錫（一七八八—一八五八）之曾孫、如梁之文孫、少希之冢子。五歲喪父、母高太夫人督教綦嚴，渠受業於明經高敬修，勤讀經史，鑽研舊學。青壯經營酒廠，獲利甚豐，日殖民政府行專賣後，遭徵購，從此斂跡北郭園。寄情書畫，日與同門劉梅溪、羅炯南煮酒論詩，以遺濁世。渠工書法，與炯南俱宗石菴（榮按：劉墉、一七一九—一八〇四，字崇如、號石菴。）炯南秀潤，幾於亂真；登瀛剛勁，猶有魯公面目。詩作瓣香隨園，專事性靈；而憤時感奮，則慷慨激昂，有廉頑立懦之功。九一八變起，日帝箝制逾甚、時加搜查，渠為免禍及子孫，部分詩文忍痛付丙。殘卷於光復後，愛婿羅君悉心輯成鄭十洲先生遺稿，計收錄詩一一〇首，於民國五十六年梓行。張漢（一八八八—一九四一，字純甫、號筑客）論其詩曰：「雖宗隨園而典贍乃類義山。」今人王國璠評以：「醞釀深醇、詞氣雅潔，一字一句出於內心，不假外力。」

鄭燦南（生卒年不詳），字幼佩，光緒間新竹人。

丘逢甲（一八六四—一九一二），字仙根，號蟄庵、蟄仙，又號仲閼，署倉海君、南武山人，民國成立即以倉海為名。彰化翁仔社人（後隸臺灣縣轄）。同治三年生。幼齡於筱雲山莊，從吳子光（一八一九—一八八三）受學。年十四，應童子試，院試第一，主考福建巡撫丁日昌贈「東寧才子」方印一枚獎賞之。二十五歲，應鄉試，連捷進士，授工部主事。未幾，返臺主講宏文（臺中）、崇文（臺南）、羅山（嘉義）等書院。乙未割臺，渠倡議自主。臺灣民主國成立（光緒廿一年五月廿五日，一八九五），被舉為團練使，為義軍首領，守新竹、臺中一線，抗敵二十晝夜，臺北淪陷，知大勢已去，於七月底內渡廣東，返原籍鎮平（今蕉嶺），顏其廬曰「念臺」。創辦學校，推行新學。曾任廣東教育總會會長、廣東諮議局議長。民國成立後，赴南京，被推為參議院議員，因病返粵，卒。著有蟄庵詩存、柏莊詩集、羅浮遊草，經合輯為嶺雲海日樓詩鈔十四卷，計存古今體詩一、六一九首。其詩多抒發愛國情操，風格上受杜甫、陸游等諸家之影響殊深。

子　滄（？—？）姓氏名諱、籍里、事略等均待考。

連日春（一八五〇—？），字靄如。（臺灣詩錄作「字藹如，淡水三貂嶺人。」）臺北大稻埕人，原籍福建長泰縣。八歲，能文。弱冠，遍讀羣籍，為古文辭，下筆千言。光緒二年（一八七六）應鄉試，上春官，不售，遂閉門不出，設帳稻江，課徒育才。渠生平貞介絕俗，屏跡公府。顏其居曰「鳩之居」，經史外，無長物。所撰詩文，類多散佚。本集收錄其七絕一首而已。靄如書法峭麗，墨寶於今猶偶得見及。

蔡惠如（一八八一—一九二九），本名江柳，字鐵生。祖籍福建晉江縣。乾隆間，高祖世璉公渡臺，卜居牛罵頭（今臺中清水鎮），曾祖鴻元公設元順號船郊，往返沿海各省與臺灣，從事海上貿易，生意興隆，富甲一方。家境殷實，與霧峰林家相伯仲。父敏南公，勤奮守成，棣華增映，里人傳為美談。光緒七年，惠如出生於牛罵頭街（今清水鰲峰里）。渠幼習經史，能詠能文，少年老成，有經營才。乙未棄臺，惠如年方十五。翌年，即孑然走臺中從事米穀生意，前後十四年，獲利可觀。光緒卅四年（日明治四十一年、一九〇八）創辦協和製糖，自任社長，復陸續成立牛罵頭員林輕便鐵道會社。餘暇不忘詩文，渠為櫟社創社九老之一。民七（日大正七年、一九一八）主導鰲西、櫟等二社聯誼，與會詩友近卅人，齊聚蔡府伯仲樓，濟濟一堂，分箋酬唱，堪稱盛會。同年初冬，與林獻堂等人於臺中成立文社、創刊臺灣文藝叢誌。民八，捐資創刊臺灣青年。民十，參與臺灣文化協會之組成，當選理事。翌年，兼臺灣雜誌董事，為文啟發民族思想，揭露日本殖民政府愚民政策。民十二，「治警事件」遇捕，二審判決禁錮三月，出獄後益堅決抗日。民十三，與林獻堂，假臺北、臺中、臺南三地辦理「無力者大會」，不慎墜車，大腿骨折，臥床數月。晚年，突罹中風引發腦疾，民十八、五月二十日病逝臺北中村醫院，得年四十九歲。櫟社第一集收錄有鐵生詩草五首。

王石鵬（一八七七—一九四二），字箴盤，號了庵。光緒三年出生於竹塹。少聰慧，十歲通韻。稍長受業於鄭家珍門下，勤攻典籍，且好讀近世譯本，視野大為開拓。乙未既已棄臺，舉業為之中輟。從此，寄情山水、詩文，足跡遍及兩岸各地。渠與友竹（王松）、瑤京（王國材、亦作國垣），同宗同鄉，訪友論詩，恆相過從，有「新竹三王」之稱。而文采風流與名士謝介石齊，又有「新竹二石」之名。石鵬多才多藝，曉日語，能詩、能文、能談、能飲。書法亦佳，長隸篆、工金石，詩作清警、淡遠有緻。民十五（日治大正十五年、一九二六）應聘臺灣新聞報編輯，家移臺中，並加入櫟社，與林資修、林朝崧、蔡惠如莫逆。晚年，潛心佛學、禮佛至誠。撰著有女學揭要四種、臺灣三字經、箴盤鐵筆、釋迦佛歌、清宫遊記等書，並譯有農學八種。

桃園吟社 繼竹社（新竹）、瀛社（臺北）之後，於民初成立於桃園街（今桃園市），時相聚會於桃園公會堂，擊鉢分箋、相互唱酬。餘參簡楫略傳。

施士洁（一八五三—一九二二），字應嘉，號澐舫，又號喢雲，晚年號耐公。臺南米市街人。進士施瓊芳之子。年未弱冠補學生弟子員（秀才），縣、府、院三試均第一，有「小三元」之譽。光緒二年廿四歲，舉鄉試。翌年，連捷進士，授內閣中書。旋返臺掌理白沙（彰化）、崇文、道學、海京（臺南）等書院。渠長於詩，與弟子許南英、丘逢甲合稱清季臺灣三進士，亦為三大詩人。唐景崧撫臺，延為幕友。乙未割臺，渠攜眷內渡，避地岑江，時往來於閩垣、廈門，與避禍諸文士唱和。宣統三年（一九一一）一度出任同安馬巷廳長。民六，參與福建修志。後寄居廈門，十一年病逝鼓浪嶼。遺有鄉談聲律啟蒙、喢園吟草、後蘇

龕草。今人將其遺作等輯成後蘇龕合集十七卷刊行（臺灣文獻叢刊第二一五種、民五四、十一）

耀　卿（？—？）姓氏名諱、籍里、事略等均待考。

莊　嵩（一八八〇—一九三八），字伊若，號太岳，晚號劣存、又號松陵。彰化鹿港人。光緒六年七月廿五日（陽曆八月卅日）生。父士哲公，廩生。叔世勳，光緒己卯孝廉。渠幼聰穎，九歲能文，有神童之目。個性溫厚內歛，訥言、有威儀，鳳山知縣吳鴻賓愛其優異不俗，妻以季女。日據後，渠入學臺中師範學校，後執教鹿港公學校六年。光緒卅二年（日明治卅九年、一九〇六）三月，太岳加入櫟社，宣統元年（日明治四十二年、一九〇九）應霧峰林家之聘，課讀林氏子弟。並與林朝琛昆玉創一新會、立一新義塾，講學論道達卅年。民六（日大正六年）與施家本、陳懷澄合組鹿江大治吟社，並繼施任社長，宏揚詩教、獎掖後進，不遺餘力。渠復善書法，真、行、草皆孤標峻潔。民廿七（日昭和十三年）冬卒。遺有太岳詩草四卷（經收錄於櫟社第一集）、文存二卷。三子幼岳，亦以詩鳴，有聲於時，校刊太岳詩草（民五七）、太岳詩草補遺（民七六）二書行世。

林馨蘭（一八七〇—一九二三），字湘沅，一字湘畹，號壽星，署六四居士。臺灣臺南人。祖籍福建同安縣。同治九年八月初三生於下茄苳北堡菁寮庄（今臺南後壁寮菁區里），幼隨父移居府治辜婦媽廟街（今臺南市青年路二〇六巷）。渠少穎悟絕倫，從舉人蔡國琳（一八四三—一九〇九）學。年十八，補生員，兩赴秋試（光緒十七年辛卯科、廿年甲午科）皆不售。割臺之變，舉家內渡。光緒廿四年（日　明治卅一年、一八九八）臺局稍安，全眷復返臺南。初設帳授徒於鄉野。卅二年（日　明治卅九、一九〇六）連雅堂、趙鍾麒、謝石秋等組南社，加入為社員，後應全臺日報、臺南新報、臺灣日日新報等聘為漢文部記者。民七（日　大正七年、一九一八）應臺北市　太平公學校之邀，任該校漢文教員，夜則居家課徒，且加入瀛社為社員，相互唱和。此期間與門人創設萃英吟社，任社長，積極推展詩教。湘沅恬澹自適、耿介不阿、寡言鮮笑、工詩善文、博通今古。弟子蔡敦輝曾輯其遺稿成湘沅吟草，未及付梓，蔡君遽爾辭世，稿遂多散佚。

黃鴻翔（一八八一—一九四五），字幼垣，號景度。父諱星華（譜名澄照），居鷺江（又稱鷺嶼，今廈門），道光中，徙嘉義　樸仔腳（今朴子）。光緒間歲貢生。鴻翔為其季子。光緒中補龍溪縣附生，庚子辛丑恩正併科，秋闈獲雋。旋赴東京入早稻田大學法政科深造。曾任南聲日報主筆、廈門教育會長、廈門市政府參事、福建省臨時省議會議員，一度旅次香港。嘉義縣志　藝文志　錄有渠作七絕一首，尚清警，本集及臺灣詩錄，均錄集其詩。

陳寶琛（一八四八—一九三五），字伯潛，號弢庵、陶庵、聽水、橘叟、橘隱，別署聽水老人、滄趣樓主、鐵石道人、聽水齋主人。福建　閩縣人。生於道光廿八年九月廿三日（陽曆十月十九日）。同治七年（一八六八）年廿一，中戊辰科二甲進士，授翰林院庶吉士，累官編修、右庶子。光緒九年，晉內閣學士兼禮部右侍郎，以言朝政得失，知名海內，與張佩綸、寶廷、鄧承修（或謂黃體芳）有「四大金剛」之稱，又與張之洞等有「清流黨」之譽。

十年，中法戰爭起，受命參預軍務，會辦海防，與壽恆等赴天津會商法約，以法使逗留上海，改於滬上議約。詎戰爭再起，廷議寶琛濫舉，貽誤非輕，勅令即行革職，交部嚴處；自是歸臥故山，築滄趣樓居之。撫時感事，盡託詩文，尤長五古。光緒廿二年，於福州烏石山創東文書院，卅三年秋，創全閩師範學堂。宣統二年秋，應召為資政院議員。三年五月特簡山西巡撫，未赴任。七月，任溥儀漢文師傅，於毓慶宮授讀。清室既屋，宣統遜位，寶琛恪守孤忠，隨侍廢帝左右，迄民國二十年冬止。廿二年秋，以藏書二萬餘冊移儲福州協和大學，金雲銘為撰陳氏書庫福建人集部著述題解。二十四年三月五日病逝舊京，享壽八十有八。遺有滄趣樓詩、滄趣樓文存、徵秋館藏印、徵秋館藏古封泥、徵秋館吉金圖錄、大清德宗景皇帝實錄等書。

黃如許（生卒年不詳），字淦亭。竹塹人。光緒五年（已卯、一八七九）恩貢，旋署理彰化縣教諭。

鄭如蘭（一八三五－一九一一），譜名德桂。字香谷，號芝田，竹塹水田庄人。鄭崇和之孫。父諱用錦淡水廳學附生。渠雙親早逝，胥賴繼母張氏撫育成人。事母孝，母有疾，藥必先嚐之。禮部奏題孝友，如蘭謙恭未敢建坊。繼母卒，喪葬盡禮。同治五年，奉旨建節孝坊，以旌表之。家固巨富，惟性儉樸；然凡地方義舉，則未嘗後人。讀書至勤，受知於臺灣道丁日健，擢拔優等、補增廩生；惜屢試秋闈不第。光緒十五年，辦團練有功，授候選主事，賞戴花翎，復加道員銜。宣統三年（日明治四十四年、一九一一）卒，享壽七十有七。

遺有偏遠堂吟草一卷，存古今體詩一五八首。

櫻井勉（？—？）號兒山，日本人。明治卅年（一八九七）五月，奉派為（日治）第一任新竹縣知事。渠為漢學世家，能詩能文，公餘常與竹塹諸名士吟詩寄慨，文采風流，頗獲肯定。在任年餘，即歸鄉優遊。王松臺陽詩話下卷：「櫻井兒山太守（勉），丁酉來治吾邑，公餘之暇，嘗開詩會於潛園，大集文人學士，互相唱和，並以西洋食觴之；文雅風流，近今罕覯。……」

濟　卿（？—？）姓氏名諱、籍里、事略等均待考。

徐莘田（？—？），號東海，署擷紅主。廣東 澳門人。一說廣州人（臺陽詩話、臺灣詩錄）。光緒廿四年（日 明治卅一年、一八九八）秋來臺，流寓基隆。臺灣詩錄收有渠記遊詩多首。王松臺陽詩話上卷：「吾竹素稱禮義之邦，不獨山水秀媚已也；謙讓之風，令人思慕，故來遊者往往愛家焉。廣州 徐莘田曾有和韻一絕云：『竹塹溪山久豔稱，舊游如夢憶曾經。故園松菊雖堪戀，爭似移家住武陵。』」著有擷紅吟館集行世。

林朝琛（一八八一—一九五六），學名大椿，譜名朝琛，字獻堂，號灌園，以字行。臺中 阿罩霧（今霧峰區 甲寅里）人。祖籍福建 漳州 平和縣。乾隆間，太高祖林石攜眷渡臺墾殖、曾祖甲寅公，為避林爽文之亂（乾隆五十一年十一月，一七八七、一—乾隆五十三年一月，一七八八、二）自大里杙（今大里區）遷阿罩霧（今霧峰區）。林氏力田習武、世有令德，忠義家風，著在旂常。堂伯文察公，官至福建提督，平戴潮春（？—一八六三）之亂

（同治元年三月，一八六二、三－一八六三、十一）著勳。後身殉於征剿太平天國之役，諡剛愍。族兄朝棟，棟軍統領兼全臺營務處撫墾局、專賣全臺樟腦，助平施九緞之亂（光緒十四年九月，一八八八、九－一八九〇、？）。父文欽公，癸巳恩科（光緒十九年、一八九三）舉人。獻堂幼失恃，悉賴祖母羅太夫人撫育成人。七歲入家塾－蓉靜齋，受何趨庭啟蒙。年十七從白煥圃讀經史。乙未割臺，渠年僅十五，奉羅太夫人之命，率全眷四十餘口內渡泉州避禍。翌年，始返臺。二十歲，父喪，赴港迎櫬歸葬，自是承當父祖事業，悉心經營。光緒卅三年（日 明治四十年、一九〇七）春，遊東京，秋歸，次奈良，邂逅梁啟超，遂獲訂交。宣統二年（日 明治四十三年）加入櫟社。辛亥春，梁任公、湯覺頓、梁令嫻（任公愛女）一行自基隆登陸，三月初四（陽曆四月二日）會於萊園 瑞軒。民三（日 大正三年）捐資創辦臺中中學校（後改制為臺中州立第一中學校，即今國立臺中第一高級中學前身）。民十（日大正十年）赴東京請願設置臺灣議會，並組臺灣文化協會以促成之。民十二、四月原臺灣雜誌，更名臺灣民報（周刊），於東京發行，獻堂任社長。民十八（日 昭和四年、一九二九）一月，創臺灣新民報，任社長，聘羅萬俥主持。二戰前，渠先後赴大陸、日本、歐 美遊歷考察，始終積極從事民族運動，不懈不怠。日 東京帝大名教授矢內原忠雄（一八九三－一九六一）於昭和二年（一九二七）曾專文評論日本治臺實況，稱許林氏為臺灣民族運動之先聲。光復後，渠歷任臺灣省參議員、彰銀董事長、臺灣省政府委員、省通志館館長等職。民卅八秋，以年邁多病，旅日養疴。四十五年九月八日病逝東京寓所。遺有海上唱和集、東遊吟草、環球遊記等書，其中灌園詩草二十首，經收錄於櫟社第一集。今人葉榮鐘（一九〇〇—一九七八）曾將林氏各遺作編成林獻堂先生紀念集（全三冊）於四十九年十二月印行；另撰成林獻堂年譜。

林載昭（一八八五—一九二八），亦作「載釗」（臺灣詩錄、臺灣歷史人物小傳），字望洋（臺灣歷史人物小傳謂：號望洋，附誌之）。臺中葫蘆墩（一作潭子頭家厝）人。光緒十年十二月二十五日生。幼齡岐嶷，且精少林拳。青壯設敬業軒書房，招鄉里子弟課讀，謝絕束脩贄儀。光緒卅三年（日明治四十年、一九〇七）入盟櫟社。渠曾任臺灣新聞記者、法院通譯等職。林獻堂組成臺灣文化協會，載昭曾加入，並致力民族運動。民十六（日昭和二年）入臺灣民眾黨，任該黨中央委員。所作望洋詩草（十首）經收錄於櫟社第一集。

施梅樵（一八七〇—一九四九），字天鶴，（榮按：一作本名天鶴、字梅樵，以字行。），號雪歌、蛻奴，晚年署可白。彰化鹿港人。同治九年十一月初一（陽曆十二月廿二日）生。祖籍福建晉江。祖閣銓公渡臺。父諱詒瑜，同治間歲貢，官福寧教諭。渠少受業於溫陵，年廿四，以府試案首補學生員。甲午之役，清廷割臺，避難晉江，臺局粗安，始歸鹿港。從此，絕意仕進，寄情詩酒。與洪繻（一八六七—一九二九）、許夢青、蔡振豐（一八六二—一九一一）創組鹿苑吟社，郵筒唱和，聯繫南北詩友聲氣。又曾加盟鹿江詩會、中州敦風吟社，並受聘為大治吟社顧問。日大正十年（民十、一九二一）前後，渠應草屯仕紳李春盛之邀，設帳授徒。昭和七年（民廿一、一九三二）創櫻社於埔里，鼓吹文風。梅樵一生喜吟詠、善書法，章炳麟（太炎，一八六九—一九三六）對渠詩作評價甚高。遺有捲濤閣詩草（大正間刊行）、鹿江吟集、玉井詩話，姪讓甫分類編次，於民四六以鹿江集之名印行。

鄭秋涵（一八八〇—一九三〇），一名賡光，字虛一，號錦帆。竹塹人。鄭用鑑（崇和之姪、用錫之堂弟，一七八九—一八六七）之曾孫。少承庭訓，受業鷺江周少雲帳下，博聞強記，遍涉羣籍。弱冠後，好酒、工詩，尤擅擘畫大字。乙未臺局動盪，祖業冷泉別墅殃及兵燹，隨父以亭公西避泉州。宣統元年（日明治四十二年、一九〇九）始返竹。旋設帳於竹塹成趣園守默窩，鄉黨子弟，多來從學。秋涵吟詠未輟，為竹社台柱，「冷泉品茗」，與族叔鄭以庠、以徵，族姪邦紀、舉人鄭家珍等恆為座上客，至今風城老成，仍傳為美談。渠與王松、劉承幹、邱菽園或為莫逆或為忘年之交。盧江陳子言且詡為「臺疆碩果」（淞濱野乘）。日大正十三年（民十三、一九二四），子建中行醫清水，一度移家中臺，未幾返竹。生前曾刊成趣園詩鈔四集（大正十四年）、山色夕陽樓吟草（昭和二年），民八一臺北龍文出版社合印，改稱虛一詩集刊行；另行齋剩稿，至今未見傳本。

李碩卿，生卒年、事略均待考，渠曾服官臺員多年，則係事實。桃園簡楫（一八六九—一九三五）曾作送李碩卿歸隱七律一首，詳若川吟草卷一一。

鄭邦鑪　鄭崇榜（崇和從弟）之曾孫。鄭氏族譜（新遠東、民五〇）作邦臚。渠與鄭肇基屬同輩。其餘均待考。

蹈　刃（？—？）姓氏名諱、籍里、事略均待考。

陳　瑚（一八七五—一九二二），字滄玉，號枕山，今苗栗 苑裡人。祖籍福建 廈門，先人於乾隆間徙臺。幼授經史、專習制義，夙以詩聞。乙未棄臺，舉業遂寢，改志商籌，曾營大甲藺草帽蓆之業，亦應聘臺中新聞報為漢文記者。渠雄於文、負時譽，為櫟社創社九老之一。其後復加盟臺灣文社，詩文均優，且究心經世之學，惜年四八遽逝。遺有趣園詩草（廿六首，經收錄於櫟社第一集）、枕山詩鈔。

趙鍾麒（一八六三—一九三六），臺灣歷史人物小傳作一八六〇—一九三六。乳名光泰，字麒士，一作麟士、麟生，號雲石，晚號老雲、老云，別署畸雲。府城溝仔底（清水寺街，今臺南市 中山路一至十九號一帶）人。祖籍福建 泉州 南鼓樓。高祖若桂公，乾隆末，徙臺定居府城。渠早慧好學，岐嶷逾常。年十歲失怙，賴母、姑二人訓讀，入富紳吳朝宗家塾，學業大進。光緒四年（一八七八，一作六年、一八八〇）補學生員，十三年（一八八七）補廩，四赴秋闈，不售；為蒙館師。十六年（一八九〇）進士許南英邀蔡國琳、胡殿鵬組浪吟詩社，雲石參與焉。乙未割臺，遂絕仕進之意。光緒廿年（日 明治廿九年、一八九六）十一月，應臺南地方法院之聘，任通譯。廿三年（日 明治卅二年）與李瘦雲、李步青重振浪吟詩社。卅三年（日 明治四十年、一九〇七）南社成立，被推為副社長。民七（日 大正七年、一九一八）臺南孔廟重修竣工，組成社以發揚聖德、重振聖樂。民十九（日 昭和五年、一九三〇）與連雅堂等籌辦三六九小報，每逢月之三、六、九日出刊一次。是年，九月九日發行創刊第一號，悉以漢文撰寫，直至民廿四（日 昭和十年、一九三五）始停刊。雲石敦厚儒雅，熱衷提携後進，於詩教之推廣，貢獻卓著。書法崇板橋三絕，亦享譽當代。遺有畸雲小稿。

珍　五（？—？）姓氏名諱、籍里、事略均待考。

賴紹堯（一八七一—一九一七），字悔之。同治十年（一八七一）生於燕霧上堡大庄（今彰化大村鄉）。光緒間，補彰化學生員。渠為霧峰林家快婿，與林朝崧、林資修叔姪誼篤，時相唱和，藉詩明志。光緒廿八年（日明治卅五年）渠等合組櫟社，詩酒爭逐，以棄材自況，多憂時悲憤之作。光緒卅二年（日明治卅九年、一九〇六）出任員林辨務署大庄區長。惜英年早逝，所撰逍遙詩草（四十六首，經收錄於櫟社第一集）。連雅堂臺灣詩薈亦選載之。連氏後以所輯，名悔之詩鈔（存詩五十六首）與無悶詞鈔（林朝崧作）合稱賴林二子詩詞，列雅堂叢刊之九。

洪　繻（一八六七—一九二九），本名攀桂，學名一枝，字月樵。彰化鹿港人。原籍福建南安。祖至忠公流寓臺灣，遂家焉。生於同治六年十一月十一日（陽曆十二月六日）。少習舉業，光緒十七年（一八九一）以案首入泮。甲午鄉試未第。乙未割臺，渠與丘逢甲、許肇清等同倡抗戰，出任中路籌餉局委員。事敗，潛歸鹿港，杜門不與聞世事。日人仰其聲名，迭次徵聘，皆婉謝不就。因仿劉向更生例，取漢書終軍傳棄繻生說，改名繻，字棄生。（終軍傳：「（終軍）步入關，關吏予軍繻。軍問：『以此何為？』吏曰：『為復傳，還當以合符。』軍曰：『大丈夫西游，終不復傳還。』棄繻而去。……出關，關吏識之，曰：『此使者乃前棄繻生也。』」改隸後，潛心著述，心有不平，悉托文寓詩。危言危行，眾以為怪誕，而不知其悲憤也。民十一（日大正十一年、一九二二）秋，偕次子炎秋（一九〇二—一九八〇）載筆西遊，遍歷故國各處。西出關中，東遊汴洛，北上京、津，走謁齊、魯，南下西湖、桐廬，復泛海八閩，尋漳、泉、汀、邵風物。返臺後，終以文字召干時忌，繫獄經年，釋歸未及旬，遽爾辭世。遺作十餘種，都百餘卷。其哲嗣炎秋先生於民五九予以刊行，題曰洪棄生先生遺書，共九巨冊。臺省文獻會復加重編、全新排印，改稱洪棄生先生全集，於八十二年五月出版。

羅炯南（？—？）生於竹塹，與鄭登瀛情誼至篤。渠書法宗石庵，秀潤幾可亂真。於今，尚得見其真蹟於世。其餘待考。

王仁驥（？—？）字選閑，其餘待考。

作者及其詩作編次　依各作者詩首次出現序排列之。如：一、五……表示第一首、第五首。又，括孤內數字，如：（五一），表示總計五十一首。

作　者　詩　作　編　次

鄭兆璜　一、五、一四、二二、二三、五〇、五三、六三、七七、九五、一〇〇、一〇八、一一七、一一九、一二四、一四四、一五九、一六五、一八三、一八九、一九二、

蔡振豐 五一六（六一）

六、八、九、一三、一六、二四、二五、二九、三〇、三六、三七、三八、四二、四四、五二、五四、六二、七三、七六、八一、八三、八八、九六、九七、一〇四、一〇六、一〇七、一〇九、一二〇、一二五、一三二、一三三、一三四、一三六、一三九、一四二、一四七、一四九、一五一、一五三、一五五、一六一、一六四、一六七、一六九、一七四、一八二、一八六、一九四、一九九、二〇〇、二〇四、二〇八、二一七、二二一、二二二、二二六、二三六、二三八、二四一、二四七、二五〇、二五四、二五五、二六三、二六五、二七三、二七五、二七六、二七七、二八一、二八五、二八九、二九八、三〇一、三〇四、三一八、三二一、三五一、三五二、三五四、三六四、三六七、三七一、三七二、三七四、三八一、三八三、三八七、三九一、三九八、四〇〇、四〇四、四〇七、四一三、四二〇、四三三、四三八、四三九、四五四、四六六、四六八、四七〇、四七三、四八七、四九二、四九八、四九九、五〇一、五〇二、五〇六、五〇七、五〇九、五一〇、五一三、五二九、五三一（一一八）

林清漪 一一、一六二、三〇三、（三）

辛邦彥 一五、四七、一八五、三九九（四）

林朝崧 一七、二一三、二六二、三〇七、四四一、四七九、四八四、五〇三、五二五（九）

趙鍾麒　五一二、五一八（二），另附錄輓詩七律四首
珍　五　五一四（一）
賴紹堯　五二六（一）
洪　繻　五三三（一）
羅炯南　五三四（一）
王仁驥　五三五（一）

同人齒錄（原刊本列於全部詩作之前、蔡序之後，（一）部分，原漏植，經查證後補列之。）

林清漪　字仲廉　江蘇人　藍翎同知銜福建候補知縣
謝壽昌　字澍泉　湖南人　歷署雲林、安平知縣（榮按：謝君或亦為竹梅吟社社員；惟未錄有其詩作。）
施天鈞　字和丞　福清縣人　歷任沙縣、新竹、宜蘭、臺灣訓導卒於官
施廷俊　字逸希　天鈞堂弟、增生
辛邦彥　字柏亭　淡水縣附生
林亦圖　字維丞　閩縣人　新竹縣附生
陳世昌　字錦茲　新竹縣貢生
鄭如蘭　字香谷號芝田　淡水廳學增貢生　四品銜分部主事旌表孝友

黃如許　字淦亭　新竹縣光緒五年恩貢署彰化縣教諭
林鵬霄　字世弼　新竹縣光緒八年歲貢署臺灣縣教諭
李祖訓　字恢業　新竹縣光緒十二年補考十年歲貢署臺灣府學訓導
吳逢清　字澂洲號水田　新竹縣光緒十二年歲貢署臺灣縣訓導
曾逢時　字吉甫　新竹縣附生
陳叔寶　字瑜卿號紫亭　新竹縣廩生
劉廷璧　字維圭號雪和　新竹縣廩生
陳濬芝　字士芬一字樹冬號瑞陔　新竹縣廩生壬午舉人甲午進士五品銜
鄭兆璜　字葦汀　新竹縣光緒十七年補考十六年恩貢候選教諭官吏部主事文選司
蔡見先　字啟運　新竹縣附生浙江候補巡檢
陳　編　字連三　新竹縣學附生
張　貞　字謙六　新竹縣學附生
黃應奎
陳朝龍　字子潛號臥廬　新竹縣學廩貢生候選訓導
鄭鵬雲　字毓臣號北郭園後人　臺北府學廩貢生考職分發廣東
戴珠光　字還浦　新竹縣學附生
鄭家珍　字伯璵號雪汀　甲午科舉人分發鹽大使

鄭以庠　字養齋　臺北府學增貢生
鄭燦南　字幼佩
鄭神寶　字珍甫
鄭登瀛　字十洲北郭園小主人
魏清德　字潤菴
鄭邦鑪　字松軒
林震東　字榮初潛園小主人
王　松　字友竹
王石鵬　字箴盤
王國材　字瑤京
林〔馨蘭〕　字湘沅　安平縣學附生
林朝〔崧〕　字俊堂別號痴仙　臺中縣學廩生
林朝〔琛〕　字獻堂萊園主人
林資銓　字仲衡
林幼春　字南強
陳錫金　字基六　臺中縣學附生
傅董南　字錫祺　臺中縣學附生

賴紹堯

陳　瑚　字滄玉

陳〔貫〕字聯玉

莊雲從

蔡惠如

林載昭

徐莘田　廣東廣州人流寓

鄭秋涵　字虛一

鄭肇基　字伯端

蔡汝修

附錄輓櫟社長新竹蔡啟運先生　趙鍾麒雲石

詩星昨夜墜中臺一代風流付刦灰黃土鶯花齊下淚青春桃李有餘哀枌榆山斗孚人望壇坫文章失霸才一點可憐心坎血祇應蓮社日飛來

哀樂中年感不支人生草草竟如斯乍遲春酒三年約望斷秋葭一水思擊鉢記催金躍會遺琴悵失玉溫儀生芻百里憑詩寄大雅云亡益可悲（今春南社大會約爲予題鴛鴦百壽圖又明年爲君花甲之期擬集同人彼此觴祝竟棄我先逝矣噫噫）

素生心跡玉瓏玲每對鶯花倍有情到處春風詩酒樂愛人冬日岸崖平玉樓召合天仙去蓉郭懽爲地主迎千里

詞林齊作誄誰能浪得好聲名

旗鼓騷壇氣未衰管城多穀燕能詒落花時節人歸去遺

稿人間血嘔爲杜氏寶田傳德業王家瓊樹有馨兒知君

撒手成功退含笑泉臺日賦詩君於詩社聯吟無不赴會去年赴台北瀛社詩會今春赴南社春季大會又時與櫟社諸君子作擊鉢吟

校注後記

余髫齡從　先王大父認字、屬對。每月朔望之夕，三五長者，恒聚書齋，烹茗煮酒，或切磋詩文、或暢述掌故。余有幸承歡膝下、侍立座前，偶聞渠等論及詩史，略謂：「咸光間，吾臺風騷熾盛。昔淡水廳舊治竹塹，人文薈萃、才俊輩出，亦未遑多讓也。」言猶在耳，意象綦深。癸巳仲夏，為校注鄉先賢簡若川先生遺稿，頻出入於國立中央圖書館臺灣分館①借閱文獻、舊籍。無意間，得一睹遺世孤本臺海擊鉢吟集，經用心拜讀，益徵　先王大父等之所言，洵有源有據。

擊鉢催詩，始於南齊。南史列傳第四九：「蕭文琰，蘭陵人。丘令楷，吳興人。江洪，濟陽人。竟陵王（蕭）子良嘗夜集學士，刻燭為詩，四韻者則刻一寸，以此為率。文琰曰：『頓燒一寸燭，而成四韻詩，何難之有。』乃與令楷、江洪等共打銅鉢立韻，響滅則詩成，皆可觀覽。」

臺灣詩學，萌於晚明②，倡於延平③。乾嘉道咸，漳泉粵東移民日眾，拓殖益廣④，富而後教，才士漸出，詩社紛立，蔚為風氣。同光間，吟唱之風已盛極一時。擊鉢吟之於前清，猶盛行閩粵，傳入臺疆，不減風靡。詩友聚集一堂，先公推詞宗，旋同擬詩題，公開拈韻，限時交卷（多以三至四小時為限）。敲鐘報時，擊鉢催詩，儼若應舉子試。評選名次，眾詩友則戲稱曰臚唱。其前三名，亦皆以狀元、榜眼、探花等頭銜呼之。前述拈韻，其方式有三：

一、取古人詩作中某一句，將該句拆散分拈，以抽中某一平聲字為韻賦之。詩友人數不多時，適用之。古今詩集中，凡注明：「分韻詠○○，得○字」者，即以此種方式拈韻賦詩也。

二、抽韻目籤　事先備妥竹籤，分別寫妥韻目後置入籤筒，詩友一一當眾抽取，並以已抽取之籤示韻目作詩。此適用於人數眾多之聯吟。

三、翻書點韻　任取一書，隨口唱出某行某字，旋翻至某頁該行該字，以該字所居韻目為聯吟限韻。

律詩、絕句合稱近體詩，一稱今體詩。平仄與對偶一定，音節和諧，章句整齊。擊鉢吟悉為絕句。絕句又稱截句，簡稱絕。每首四句，一般多採散體，間亦有以對句型態呈現之。或一二句相對、或三四句相對。絕有二說：

一、絕，截也。截取律詩之半，或中間四句、或前後各二句之詩體。元范椁（一二七二—一三三○）詩學禁臠主此說。

二、兩句為聯，四句為絕，始於六朝，原非近體，後人誤以絕句為絕律體。清趙翼（一七二九—一八一四）聲調後譜主此說。

歸納之，截非僅止於截取，謂截然而止，或更周延。清董文煥（一作文渙，一八三三—一八七七）聲調圖譜云：「五絕之法，雖仿自齊梁，但黏對尚未有定，唐人此體乃『律絕』、『古絕』、『拗絕』之判。律絕者即世所傳平起仄起四句是也。並用則為絕句，雙用則為律詩。」

絕句依字數分，又有五言絕句（簡稱五絕）與七言絕句（簡稱七絕）之別，將其一、二式分述如次：

一、五絕

㈠仄起第一式　首句不入韻，仄起仄收。（旁注「△」者為韻腳。）

｜｜——｜，——｜｜—。
　　　　　　　　　　△

———｜｜，｜｜｜——。
　　　　　　　　　　△

㈡仄起第二式　首句入韻，仄起平收。

　　　　△
｜｜｜——，——｜｜—。
　　　　　　　　　　△

———||，|||——△。

(三)平起第一式　首句不入韻，平起仄收

———||，|||——△。

||——|，——||—△。

(四)平起第二式　首句入韻，平起平收。

——||—△，|||——△。

||——|，——||—△。

二、七　絕

(一)仄起第一式　首句入韻，仄起平收。

||——||—△，——|||——△。

——||——|，||——||—△。

㈡仄起第二式　首句不入韻，仄起仄收。

||———||，——|||——△。

——||——|，||——||—△。

㈢平起第一式　首句入韻，平起平收。

——|||——△，||——||—△。

||———||，——|||——△。

㈣平起第二式　首句不入韻，平起仄收。

——||——|，||——||—△。

||———||，——|||——△。

表一、

區分		特徵	韻腳位置
五絕	七絕		
第一式	第二式	首句不入韻，仄起仄收。	二、四句最後一字。（五絕為第五字、七絕為第七字，以下同）
第二式	第一式	首句入韻，仄起平收。	一、二、四句最後一字。
第一式	第二式	首句不入韻，仄起仄收。	二、四句最後一字。
第二式	第一式	首句入韻，平起平收。	一、二、四句最後一字。

林占梅（一八二一—一八六八）斥資營潛園於竹塹城掖爽門（俗稱西門）內側，園邸相連。渠絕意仕進，組成梅社，以詩會友、隱市不出。鄭用錫（一七八八—一八五八）則築園於廳治城牆外，額「北郭園」，立竹社，與海內外名人，詩酒酬唱。林、鄭二人相繼辭世，文士雅集竟意興闌珊，一度且幾呈中斷。光緒十二年（一八八六）蔡振豐鑒於竹塹詩壇，人才濟濟，吟詠之風，不容式微，乃積極情邀陳朝龍、鄭鵬雲等士紳共同倡議，將竹、梅二社合組為竹梅吟社，突破樊籬、去除門檻，廣徵社友、重振旗鼓。於是「後起風雅，不減晉安。」

⑤蔡公復有感「吉光片羽，愈見可珍」，乃令其冢子汝修君錄而藏之，計四百餘首，顏曰臺

海擊鉢吟集。⑥惟今所見刊本，實際存錄五三五首：

一、蔡序稱共四百餘篇，即四百餘首。按：該序撰成於戊申（光緒卅四年、公元一九〇八年，時割臺已十三年）仲春。可見，初稿應為四百餘首，但未及時付梓。

二、今所見刊本與抄本，均有以「飛行機」為詩題者。（詳卷二八、五〇三）。按：本島於民國三年（割臺第十九年，一九一四、日大正三年）九月，始有第一次飛機空中表演。上述，似可證明臺海擊鉢吟集未及時依初稿梓行；經增編後，約於民國三年以後，方付剞劂。

三、蔡公生前並未見及臺海擊鉢吟集公開梓行，蓋今所見刊本附錄有趙鍾麒輓蔡公詩七律四首。渠卒於宣統三年（一九一一）。

民國九十一年圖書資訊顯示：全臺各公立圖書館，僅央圖臺灣分館仍藏有臺海擊鉢吟集二本。一為石印本，縱二四公分、橫一三．五公分、厚一．七—一．八公分，線裝。詩作按韻目編，附錄趙輓詩四首。使用八〇磅模造紙，以三號明體字石印，字體大而清晰。惜未標印其出版處所及刊行年月。一為手抄本，縱二三．一公分、厚一．五公分。以毛筆抄錄於八開二十二行模造紙（標示有谷野商店製本等字樣）對摺裝訂。封面署名毓癡，上鈐「昭和九年八月廿九日陳鐓厚氏寄贈，書名右上端鈐「臺灣總督府圖書館」正方陽篆印文⑦。毓癡為陳鐓厚先生字號⑧。臺灣總督府圖書館原址位於今總統府背面右後方（戰後，該址改建博愛大樓，供國防部使用。）民國卅四年五月，美軍大空襲，館舍全毀。夷為平地。絕大多數館藏，雖於事發前已分批疏散南勢角暫存；臺海擊鉢吟集石印本，極可能於搬運中散失；手抄本則倖存至今。目前，該館僅有之石印本，乃近年以高價購自舊書肆。蓋現藏本蔡序標題下端鈐有兩方條型印章。一為小篆陽文「淡水梵天閣林氏考藏圖書」，一為隸書印文「林漢章藏記」。至於是否仍有私人庋藏該集，則有待繼續瞭解⑨。斯編之已成為絕版作品，諒無疑義。其彌堪珍貴者有三：

一、日本殖民統治時期，環境生態詭譎，編者依然設法梓行；其善繼人志、耐心折衝、用心交涉，卒獲首肯。任事積極、有始有終之精神，令人欽仰。

二、作者達七十四人之眾。其中，本島籍者約占七成，謂斯編乃百年前本土重要詩集，應無不可。作者籍里統計如表二：

表二　作者籍里統計表

籍里		人數	%	備注
臺灣	臺北市	1	1.4	依今縣（市）名統計。
	桃園縣	1	1.4	
	新竹市（縣）	26	35	
	苗栗縣	4	5.4	
	臺中縣	9	12.1	
	彰化縣	5	6.7	
	嘉義縣	1	1.4	
	臺南市（縣）	4	5.4	
福建	福清縣	2	2.7	遊客、游宦各1人，流寓3人。
	閩　縣	2	2.7	
	晉江縣	1	1.4	
江　蘇（府縣不詳）		1	1.4	流寓。
江　西（府縣不詳）		1	1.4	流寓。
廣東	新會縣	1	1.4	遊客、流寓各1人。
	澳　門（郡縣不詳）	1	1.4	
日　本（郡縣不詳）		1	1.4	游宦。
不可稽		13	17.6	其中，游宦1人。
合　計		74	100	

三、就斯編全部詩作，可一窺各作者之思想、抱負趨向，割臺前後本島文士讀書、生活等片斷。而全臺當時之生態、情勢，亦得藉詩作內容瞭解之。

有鑒於此，余油然而生整理、校注等意圖。依規定，斯編僅限館內閱覽，不外借、亦不得影印。只好徒手逐首抄錄。抄竟再三檢視，確定隻字不差、毫無遺漏，方循序整理、校注。原刊本按韻目編輯，未必符合現代人閱讀習慣，經衡酌改以內容歸類、重新編排。詳表三、四：

表三　詩作韻目統計

上平		下平	
韻目	詩作數量（首）	韻目	詩作數量（首）
東	24	先	33
冬	11	蕭	29
江	6	肴	6
支	22	豪	6
微	10	歌	18
魚	13	麻	14
虞	27	陽	26
齊	13	庚	28
佳	13	青	18
灰	30	蒸	5
真	30	尤	29
文	24	侵	12
元	17	覃	6
寒	31	鹽	9
刪	12	咸	13
小計	283	小計	252
合計	30 韻、535 首		

表四 詩作歸類、卷次、詩題、作品數量統計

<table>
<tr><th colspan="2">區分</th><th>卷次</th><th>詩題數量（則）</th><th>作品數量（首）</th></tr>
<tr><td colspan="2">詠史</td><td>卷一~卷七 1-141 首</td><td>101</td><td>141</td></tr>
<tr><td colspan="2">傳奇</td><td>卷八~卷九 142-179 首</td><td>31</td><td>38</td></tr>
<tr><td colspan="2">月旦</td><td>卷一〇~卷一一 180-212 首</td><td>24</td><td>33</td></tr>
<tr><td colspan="2">懷古</td><td>卷一二~卷一三 213-234 首</td><td>17</td><td>22</td></tr>
<tr><td colspan="2">形容</td><td>卷一四 235-246 首</td><td>8</td><td>12</td></tr>
<tr><td colspan="2">生活點滴</td><td>卷一五 247-265 首</td><td>13</td><td>19</td></tr>
<tr><td colspan="2">記事</td><td>卷一六 266-277 首</td><td>10</td><td>12</td></tr>
<tr><td colspan="2">時令</td><td>卷一七~卷一八 278-309 首</td><td>25</td><td>32</td></tr>
<tr><td colspan="2">寫景</td><td>卷一九~卷二〇 310-347 首</td><td>25</td><td>38</td></tr>
<tr><td colspan="2">詠月</td><td>卷二一 348-357 首</td><td>7</td><td>10</td></tr>
<tr><td rowspan="3">詠花卉草木</td><td>四君子</td><td>卷二二~卷二三 358-390 首</td><td>22</td><td>33</td></tr>
<tr><td>百花</td><td>卷二四 391-409 首</td><td>8</td><td>19</td></tr>
<tr><td>草木</td><td>卷二五 410-426 首</td><td>10</td><td>17</td></tr>
<tr><td colspan="2">詠鳥獸蟲魚</td><td>卷二六 427-449 首</td><td>21</td><td>23</td></tr>
<tr><td colspan="2">詠物</td><td>卷二七~卷二八 450-513 首</td><td>43</td><td>64</td></tr>
<tr><td colspan="2">雜詠</td><td>卷二九 514-532 首</td><td>12</td><td>19</td></tr>
<tr><td colspan="2">哀輓</td><td>卷三〇 533-535 首</td><td>2</td><td>3</td></tr>
<tr><td colspan="2">十五類</td><td>三〇卷</td><td>379</td><td>535</td></tr>
</table>

近九成六之詩作屬七絕第一式，不足一成（四%）之詩作（計廿二首）為七絕第二式。一題兩首，標示「之一」、「之二」者，計十七件、卅四首、七人（蔡振豐、陳濬芝、陳朝龍、鄭兆璜、鄭鵬雲、戴珠光與林資修）。

各首詩作，均逐一精校，除訂正其中錯別字外，並依析韻、釋題、注解等次序，詳加整理。釋題務求詳實、周延。注解以句為單位，先行譯白，再作字、詞等解釋，並附徵引詩文。遇有同義字詞，前已注解者，多標示（詳）參某卷某首注某等字樣。經統計：全部詩作共一五、四五六字。其中，單字六、〇三〇字，複詞四、一七二則，成語、典（掌）故四五二則。單字出現六次以上者，訂有「開」等五五字。複詞出現六次以上者，計有「黃花」等四五則。釋題、注解等二項，其徵引自十三經、諸子、二十五史、名著與說文等工具書者概未一一敘明撰著者，其餘所徵引之詩、詞、曲、賦、文……等著作愈六百冊、作者多達一千二百餘人；徵引次數廿七次以上者計有張衡、陶潛、李、杜、韓、白等廿五人（杜甫二四五次居首）。為增新刊本之趣味性，按詩題酌附珍貴舊影、新照至少百餘幀，而所附相關詩文與文字資料約卅餘件。

左氏曰：「立言不朽。」斯編各作者，除確無史料、傳記等可稽者外，均一一設法依現存志書、文獻、筆記，分別撰作簡介。作品數量、作者人數統計如表五。

表五 作品數量、作者人數統計表

作品數量（則）	作者人數	%
1	23	31
2	17	23
3	11	15
4	5	7
5	5	7
6	2	2.7
7	1	1.3
9	1	1.3
10	1	1.3
11	1	1.3
15	1	1.3
16	1	1.3
19	1	1.3
51	1	1.3
54	1	1.3
61	1	1.3
118	1	1.3
合　計	74	100

（五捨六入）

不佞乞歸至今，倏已三載。日復一日，乏善可陳。讀書養疴、詩文自娛。勉強完成斯編之校注。目的無他，期本島先賢遺作得以賡續長存耳。此期間，好友國立臺灣大學編審李世彥年弟慨助尤多，藉此虔申謝悃。臺海擊鉢吟集原已有序，豈容區區掠美於後。既付剞劂，爰述校注原委與經過等如上，以明鄙志，是為記。

甲申孟秋默庵吳椿榮述於中和寄寓

①民國卅六年四月，行政院決議撤銷臺灣長官公署，依省政府組織法改設臺灣省。原臺灣總督府圖書館改名臺灣省立圖書館，六十年代改隸中央圖書館，稱臺灣分館。（臺省另於臺

中設立省屬圖書館）預定於九十三年秋冬間自現址（臺北市 八德路）遷至新址（新北市 中和區四號公園內），並定名為國立臺灣圖書館。

②連横雅言八五：「臺灣詩學之興，始於明季。沈斯庵太僕……海東文獻推為初祖。」

③延平郡王 鄭成功復臺後，於永曆八年（順治十一年、一六五四）設儲賢館，考諸生之優行者入館，以培養人才。永曆十九年（康熙四年、一六六五）八月，鄭經採陳永華議，建聖廟，立學校。（舊址即今臺南市 孔廟）以永華掌學院、葉亨為國子監助教。（以上詳從征實錄、臺灣外記、臺灣通史等書）成功能詩，反清前，曾從錢謙益學，渠為詩實受之於謙益。子經亦能詩，今仍存有延平二王集，輯錄成功父子詩作。

④

1. 十七—十九世紀臺灣人口統計

年代	人口數	年增率	備註
永曆四年（順治七年、一六五〇）	五〇、〇〇〇	3%	（不包含土著人口在內）以下同
永曆卅四年（康熙十九年、一六八〇）	一二〇、〇〇〇	2.2%	
嘉慶十六年（一八一一）	一、九四五、〇〇〇	0.3%	
光緒十九年（一八九三）	二、四六五、〇〇〇	0.4%	
光緒廿二年（一八九六）	二、五七七、〇〇〇	1.9%	

資料來源：臺灣省通志稿

2.明治卅八年（一九〇五、割臺後第九年）臺灣人口統計

區分	人口數	百分比	備註
日本人	五七、三三五	1.9％	
臺灣人	二、九七三、二八〇	98.10％	
福佬	二、四九二、七八四	82.25％	
客家	三七九、一九五	1.25％	
其他	五〇六	0.02％	
熟番	四六、四三二	1.53％	
生番	三六、三六三	1.2％	
其他	九、一三六	0.3％	
中國人	八、七〇一	0.29％	指持大清帝國護照居留臺地者言
其他	一六三	0.01％	
合計	三、〇三〇、六一五	100％	

（明治卅八年十月一日總督府統計）

3. 晚清至日治初臺灣田園面積與稅收統計

時間	田園面積（甲）	稅收
光緒十二年（一八八六）劉銘傳清賦前	七一、一五三	一八三、三六六（兩）
	四二、五二四一	六七四、四四八（兩）
光緒廿二年（日明治廿九年、一八九六）	三六一、四四七	九、六五二、〇〇〇（圓）
明治卅八年（一九〇五）據臺後第九年	六一九、〇八七	二五、四一四、〇〇〇（圓）

資料來源：臺灣省通志稿

4. 清季臺灣糖、樟腦、茶輸出統計

	糖	樟腦	烏龍茶
咸豐六年（一八五六）	二一、二八〇	一、三三〇	—
同治九年（一八七〇）	七九、四六一	二、二四〇	一、四〇五
光緒六年（一八八〇）	一四一、五三一	一、六四〇	一二、〇六三
光緒十年（一八八四）	一二八、六三二	六一	一三、一五五
光緒十六年（一八九〇）	九六、一八三	一、〇六四	一七、〇一七
光緒廿年（一八九四）	九七、八三一	六、八七七	二〇、五三四
光緒廿一年（一八九五）	九四、二一四	六、九三五	一九、五五六

單位：千磅

The Island of Formosa, Past&
Present, 1903. J. Daridson

5. 清季臺灣輸出入統計

單位　千海關兩

時間	輸出	輸入	出超 出/入×100
同治四年（一八六五）	九二九（一〇〇・〇）	一、四〇九（一〇〇・〇）	△四八〇（六九・五）
同治九年（一八七〇）	一、六六八（一七九・〇）	一、四六三（一〇三・八）	二〇五（一一四・〇）
光緒元年（一八七五）	二、九六二（三一五・〇）	二、二二二（一五七・七）	七〇四（一三一・七）
光緒六年（一八八〇）	六、四四八（六九八・四）	三、五八〇（二五一・二）	二、九〇八（一八一・二）
光緒十一年（一八八五）	五、六一六（六〇四・五）	三、一九五（二二六・八）	二、四二〇（一七五・七）
光緒廿一年（一八九五）	九、四二五（一〇一七・四）	四、八三九（三四三・五）	二、六一三（一九五・三）

資料來源：臺灣省通志稿

⑤詳蔡序。

⑥同前注。臺灣省通志稿 學藝志 文學篇略以：「日據後十三年，蔡啟運曾令其子，搜輯七絕四百餘首，印成一集，名曰：臺灣擊鉢吟集」。臺海訛作臺灣，應訂正附誌之。

⑦手抄本僅錄詩作五三五首，序、同仁錄、附錄均缺。

⑧曾笑雲編東寧擊鉢吟集前、後集（日 昭和十一年刊行）均錄有陳君詩作多首，其作者姓名錄：「（臺北）……毓痴 陳鐓厚」可資證明。

⑨民92冬，民99秋分別有楊雲亭先生、周光輝先生將所藏臺海擊鉢吟集（線裝本）贈予國立臺灣大學，該校已編目庋藏，限館內借閱。此外，新竹市文化局亦保有一冊；又民國99年臺北 博楊文化出版社刊印臺灣宗教資料彙編，其第二輯第三冊錄有臺海擊鉢吟集完整內容，據線裝本影印之，其所據線裝本為何人所藏，待瞭解。（民100、08、05補注）

主要參考書目舉隅

各版本略稱：四部備要本〔四備本〕、景印文淵閣四庫全書〔淵四本〕、叢書集成新編〔叢集新〕、四部叢刊本〔四叢本〕，次要參考書恕未一一列舉。

壹、主要工具書

說文解字注　東漢許慎原撰　清段玉裁注　台、藝文〔民五五〕
玉篇　南朝梁顧野王撰
廣韻　北宋陳彭年等增訂
集韻　北宋丁度等撰
方言疏證　清戴震撰
廣雅疏證　清王念孫撰
說文繫傳　五代南唐徐鍇撰〔以上四備本〕　台、中華〔民五四〕
康熙字典　清張玉書等編　台、文化〔民六五〕
文言文字典　張雙棣等主編　京、北大出版社〔民九二〕

文言文辭典　祝鴻熹主編　蓉、四川辭書（民九四）
辭源　吳澤炎等編纂　京、商務（民八〇）
辭海　夏征農等主編　滬、上海辭書（民七八）
大漢和辭典　諸橋轍次編纂　日、橫山印刷會社（民四九）
中國文學家辭典（清代卷）　錢仲聯主編　京、中華（民八五）
中國文學家辭典（近代卷）　梁淑安主編　京、中華（民八六）
中國近現代人物名號辭典　陳玉堂編著　杭、浙江古籍（民八〇）
日本近現代人名辭典　臼井勝美等編著　日、吉川弘文館（民九〇）

貳、主要徵引書

清十三經注疏（殿本）
四書集注　南宋朱熹集注
春秋繁露　西漢董仲舒撰
廿五史　西漢司馬遷等撰（以上四備本）　台、中華（民五四）
清史稿　近人柯劭忞等撰　台、洪氏（民七〇）
通志　南宋鄭樵撰　滬、商務（民廿六）
通典　唐杜佑撰　滬、商務（民廿六）

文獻通考　元馬端臨　滬、商務（民廿六）
續文獻通考　乾隆十二年勅令續修　滬、商務（民廿六）
資治通鑑　北宋司馬光等撰
續資治通鑑　清畢沅撰
國語　舊傳左丘明撰
戰國策　西漢劉向整理編次、東漢高誘注
穆天子傳　作者不詳
家語　三國魏王肅撰
晏子春秋　舊題晏嬰撰
越絕書　作者不詳
吳越春秋　東漢趙曄撰
列女傳　西漢劉向撰
說苑　西漢劉向撰
東觀漢記　東漢班固等編纂
宣和遺事　宋、元閒人撰、佚名
聖武記　清魏源撰
華陽國志　東晉常璩撰

十六國春秋　明、屠喬孫等輯
高士傳　西晉、皇甫謐撰
洛陽伽藍記　北魏、楊衒之撰
荊楚歲時記　南朝梁宗懍撰
歷代帝王年表　清齊召南等撰（以上四備本）　台、中華（民五四）
蜀王本紀　東漢揚雄撰
史通　唐劉知幾撰
元和郡縣圖志　唐李吉甫撰
長安志　北宋宋敏永撰
畫史　北宋米芾撰
硯史　北宋米芾撰
桯史　南宋岳珂撰
方輿勝覽　南宋祝穆撰（以上淵四本）　台、商務（民七五）
臺灣通史　連橫撰　台、台省文獻會（民八一）
日本外史　日、賴襄子成著　台、廣文（民七一影印）
讀史方輿紀要　清顧祖禹撰
契丹國志　南宋、葉隆禮撰

人物志　三國魏劉劭撰（以上淵四本）　台、商務（民七五）

明一統志　明、李賢撰

清一統志　清徐乾學等撰（以上四叢本）　滬、商務（民廿三）

三才圖會　明王圻等編　滬、上海古籍（民七七）

荀子

管子

孔叢子

孫子

吳子

司馬法

商君書

鄧析子

韓非子

尹文子

墨子

尸子

呂氏春秋

老子
關尹子
列子
莊子
文子（以上四備本；依例未錄作者姓名）　台、中華（民五四）
法言　西漢揚雄撰
新語　西漢陸賈撰
新書　西漢賈誼撰
鹽鐵論　西漢桓寬撰
論衡　東漢王充撰（以上四備本）　台、中華（民五四）
新論　東漢桓譚撰
朱子大全　清李光地等編纂
近思錄　南宋朱熹、呂祖謙合撰
增補宋元學案　清黃宗羲等撰
國朝漢學師承記　清江藩撰
中華古今注　五代後唐馬縞撰
齊民要術　北魏賈思勰撰

素問王冰注
易林　舊題（西）漢焦延壽撰
淮南子　西漢劉安等編
抱朴子　東晉葛洪著
顏氏家訓　北齊顏之推撰
博物志　西晉張華撰
世說新語　南朝宋、劉義慶撰
續冊說　北宋孔平仲撰
楚辭　戰國屈原、宋玉等撰、西漢劉向輯
蔡中郎集　東漢蔡邕撰
曹子建集　三國魏曹植撰
嵇中散集　三國魏嵇康撰
靖節先生集　東晉陶潛撰
謝宣城集　南朝齊謝朓撰
江文通集　南朝梁江淹撰、明張溥輯
何水部集　南朝梁何遜撰、明張紘輯
初唐四傑集　清項家達編

王右丞集注　唐王維撰
韓昌黎全集　唐韓愈撰
柳河東全集　唐柳宗元撰
劉賓客集　唐劉禹錫撰
孟東野集　唐孟東野撰
溫飛卿集箋注　唐溫飛卿撰
南唐二主詞　南唐李璟、李煜撰（以上四備本）　台、中華（民五四）
大唐新語　唐劉肅撰
雲仙遊記　唐馮贄撰
雲仙雜記　唐馮贄撰
博異志　唐谷神子撰
劇談錄　唐康駢撰
順宗實錄　唐韓愈撰
傳奇　唐裴鉶撰
羯鼓錄　唐南卓撰
鶯鶯傳　唐元稹撰
雲溪友議　唐范攄撰

歷代名畫記　唐張彥遠撰
北里志　唐孫棨撰
法書要錄　唐張彥遠撰
遊仙窟　唐張鷟撰
酉陽雜俎　唐段成式撰
翰林志　唐李肇撰
大唐創業起居注　唐溫大雅撰
三水小牘　唐皇甫枚撰
古鏡記　唐王度撰
二十四詩品　唐司空圖撰
松窗雜錄　唐李濬撰
續玄怪錄　唐李復言撰
隋唐嘉話　唐劉餗撰
朝野僉載　唐張鷟撰
詩式　唐皎然撰
獨異志　唐李冗撰
松窗雜記　唐杜荀鶴撰

宣室志　唐張讀撰
釵小志　唐朱揆撰
資暇集　唐李匡文撰（以上淵四本）台、商務（民七五）
宣和畫譜　無名氏撰
續世說　北宋孔平仲撰
孔氏談苑　北宋孔平仲撰
清異錄　北宋陶穀撰
北夢瑣言　北宋孫光憲撰
涑水記聞　北宋司馬光撰
墨客揮犀　北宋彭乘撰
冷齋夜話　北宋僧惠洪撰
近事會元　北宋李上交撰
太平御覽　北宋李昉等編
太平廣記　北宋李昉等編
文苑英華　北宋李昉等編
東都事略　北宋王偁撰
明道雜志　北宋張耒撰

鐵圍山叢談　北宋蔡絛撰
華光梅譜　北宋仲仁撰
宗鏡錄　北宋僧延壽撰
湘山野錄　北宋文瑩撰
玉壺清話　北宋文瑩撰
洞天清錄　北宋趙希鵠撰
澠水燕談錄　北宋王闢之撰
錢氏私志　北宋錢愐撰
唐語林　北宋王讜撰
東坡志林　北宋蘇軾撰
龍川別志　北宋蘇轍撰
朝野類要　北宋趙升撰
萍州可談　北宋朱彧撰
歸田錄　北宋歐陽修撰
雲笈七籤　北宋張君房校輯
花品　北宋釋仲林撰
洛陽縉紳舊聞記　北宋張齊賢撰

東軒筆記　北宋魏泰撰（以上淵四本）　台、商務（民七五）
雲麓漫鈔　南宋趙彥衛撰
寓簡　南宋沈作喆撰
春渚紀聞　南宋何薳撰
閒窗括異志　南宋魯應龍撰
賓退錄　南宋趙與時撰
清波雜志　南宋周煇撰
名臣言行錄　南宋朱熹編
揮麈餘話　南宋王明清撰
揮麈後錄　南宋王明清撰
夷堅乙志　南宋洪邁撰
夷堅三志　南宋洪邁撰
容齋隨筆　南宋洪邁撰
齊東野語　南宋周密撰
甕牖閒評　南宋袁文撰
曲洧舊聞　南宋朱弁撰
過庭錄　南宋范公偁撰

山家清事　南宋林洪撰
膳夫錄　南宋鄭清之撰
侯鯖錄　南宋趙令畤撰
雞肋編　南宋莊綽撰
夢粱錄　南宋吳自牧撰
邵氏聞見錄　南宋邵伯溫撰
能改齋漫錄　南宋吳自牧撰
國老談苑　南宋王君玉撰
耆舊續聞　南宋陳鵠撰
墨莊漫錄　南宋張邦基撰
侍兒小名錄　南宋張邦基撰
梁谿漫志　南宋費衮撰
梅譜　南宋范成大撰
續書譜　南宋姜夔撰
北轅錄　南宋周煇撰（以上淵四本）　台、商務（民七五）
爾雅翼　南宋羅願撰
韻語陽秋　南宋葛立方撰

青瑣高議　南宋劉斧撰
困學紀聞　南宋王應麟撰
游宦紀聞　南宋張世南撰
聞見後錄　南宋邵博撰（以上淵四本）　台、商務（民七五）
青箱雜記　南宋吳處厚撰李裕民校點　京、中華（民七四）
四朝聞見錄　南宋葉紹翁撰
武林舊事　南宋周密撰
癸辛雜識　南宋周密撰
癸辛雜識續集　南宋周密撰
東京夢華錄　南宋孟元老撰
類說　南宋曾慥撰（以上淵四本）　台、商務（民七五）
和清詩集　北宋林逋撰
歐陽文忠集　北宋歐陽修撰
東坡七集　北宋蘇軾撰
臨川集　北宋王安石撰
山谷全集　北宋黃庭堅撰
後山集　北宋陳師道撰

陸放翁全集　南宋陸游撰
稼軒詞　南宋辛棄疾撰
元遺山詩注　金元好問撰
遜志齋集　明方孝孺撰
定盦全集　清龔自珍撰
長江集　唐賈島撰（以上四備本）　台、中華（民五四）
西廂記諸宮調　金董解元撰
瀛奎律髓　元方回撰（以上淵四本）　台、商務（民七五）
栲栳山人集　元岑安卿撰（叢集新）　台、新文豐（民七三）
古今畫鑒　元湯垕撰
竹譜詳錄　元李衎撰
湛然居士集　元耶律楚材撰
靜修集　元劉因撰
雁門集　元薩都剌撰
文安集　元揭傒斯撰
至正集　元許有壬撰
吳文正集　元吳澄撰

宋學士文集　明宋濂撰
誠意伯文集　明劉基撰
南村詩集　明陶宗儀撰
高太史大全集　明高啟撰
剪燈新話　明瞿佑撰
七修類稿　明郎瑛撰
于肅愍公集　明于謙撰
石田詩選　明沈周撰
菽園雜記　明陸容撰
升庵集　明楊慎撰（以上淵四本）　台、商務（七五）
廿一史彈詞注　明楊慎撰、清張三異增訂　渝、巴蜀（民八三）
四溟集　明謝榛撰
何氏語林　明何良俊撰（以上淵四本）　台、商（民七五）
徐渭集　明徐渭撰　京、中華（民七二）
滄溟集　明李攀龍撰
海忠介公文集　明海瑞撰
震川先生集　明歸震川撰（以上淵四本）　台、商務（民七五）

文徵明集　明文徵明撰　滬、上海古籍（民七六）
大復集　明何景明撰
弇州山人四部稿　明王世貞撰（以上淵四本）　台、商務（民七五）
張太岳集　明張居正撰　滬、上海古籍（民七三）
徐霞客游記　明徐弘祖撰　滬、上海古籍（民六九）
牧齋初學集　清錢謙益　滬、上海古籍（民七二）
梅村集　清吳偉業撰（四叢本）　滬、商務（民廿四）
笠翁十種曲　清李漁撰（影印康熙間世德堂本）
顧亭林詩集匯注　清顧炎武撰、王蘧常輯注　滬、上海古籍（民七二）
隨園四十三種　清袁枚撰　滬、掃葉山房（民十七）
兩般秋雨盦隨筆　清梁紹任撰
己亥雜詩　清龔自珍撰
扶風傳信錄　清吳騫撰
揚州畫坊錄　清李斗撰
盛世危言　清王韜撰
嘯亭雜錄　清昭槤撰
帝京歲時紀盛　清潘榮陛撰

漱華隨筆 清嚴有禧撰
癸巳類稿 清俞正燮撰
癸巳存稿 清俞正燮撰
讀書雜記 清王念孫撰
板橋雜記 清余懷撰
堅瓠補集 清褚人獲撰
香祖筆記 清王世禛撰
履園叢話 清錢泳撰
讀書叢錄 清洪頤煊撰
鷗波漁話 清葉廷琯撰
藝海珠塵 清吳省蘭撰
茶香室叢鈔 清俞樾撰
白雨齋詞話 清陳廷焯撰
庸盦筆記 清薛福成撰
小螺庵病榻憶語 清孫道乾撰
冷盧雜識 清陸以湉撰（以上叢集新） 台、新文豐（民七三）
春在堂隨筆 清俞樾撰

茶香室續鈔　清俞樾撰（以上叢集新）　台、新文豐（民七三）
書林清話　民國葉德輝撰　湘、長沙（民二〇）
飲冰室全集　民國梁啟超撰　台、中華（民四七）
美術叢書　民國黃賓虹、鄧實合編　台、藝文（民六四）
古詩源　清沈德潛編　台、世界（民五一）
先秦漢魏南北朝詩　逯欽立輯校　台、木鐸（民六三）
全唐詩　清彭定永等編校　台、復興（民五〇）
全宋詩　今人傅璇琮等主編　京、北大出版社（民八四）
明詩綜　清朱彝尊編輯（淵四本）　台、商務（民七五）
閩中十子詩集　明袁表等編輯（淵四本）　台、商務（民七五）
清詩別裁　清沈德潛編選（叢集新）　台、新文豐（民七三）
樂府詩集　北宋郭茂倩編　台、中華（民五〇）
玉臺新咏箋注　南朝陳徐陵輯、清吳兆宜箋注　台、文源（民五〇）
李太白全集　唐李白著　京、中華（民六六）
杜詩鏡銓　唐杜甫著、清楊倫箋注　滬、上海古籍（民八七）
白氏長慶集　唐白居易撰　台、中華（民五〇）
白居易集　唐白居易撰　京、中華（民六八）

寒山詩注　唐寒山原著、今人項楚校注　京、中華（民八九）
岑參集校注　唐岑參原著、今人陳鐵民等校注　滬、上海古籍（民九三）
李商隱全集（附李賀詩集）　唐李商隱著　滬、上海古籍（民八八）
蘇軾詩集　北宋蘇軾著　京、中華（民七一）
歷代咏竹詩叢　成乃凡編　秦、陝西（民九三）
劍花室詩集　連橫著　台、台省文獻會（民八一）
臺灣詩乘　連橫著　台、台省文獻會（民八一）
本事詩　唐孟棨撰　滬、中華（民廿三）
唐詩紀事　南宋計有功
竹坡詩話　南宋周紫芝撰
滄浪詩話　南宋嚴羽撰
詩本事　明程羽文撰
升庵詩話　明楊慎撰
四溟詩話　明謝榛撰（以上淵四本）　台、商務（民七五）
隨園詩話　清袁枚撰　台、廣文（民六〇）
臺灣詩薈　連橫等著　台、台省文獻會（民八一）
清詩話　清王夫之等撰、丁福保編　台、明倫（民六〇）

甌北詩話　清趙翼撰　港、商務（民七二）
歷代詩話　清何文煥輯　台、漢京文化（民七二）
歷代詩餘　清沈辰垣等編　滬、上海（民七四）
倭漢朗詠集　日菅原道真輯　日、岩波（民四〇、昭和廿六）
唐宋名賢百家詞　明吳訥編　滬、商務（民廿九）
全金元詞　唐圭璋編　京、中華（民六八）
歷代詞萃　張璋選編、黃畬箋注　豫、河南（民七二）
全宋詞　唐圭璋編　台、世界（民七三）
詞品　明楊慎撰　港、商務（民七二）
古今詞話　楊湜編　遼、瀋陽（民七〇）
納蘭性德詞箋注　清納蘭性德遺作、今人張草紉箋注　滬、上海古籍（民八四）
全元散曲　隋樹森編　京、中華（民五三）
六也曲譜　怡菴主人輯　台、中華（民六六）
彙校詳注關漢卿集　藍之萱點校　京、中華（民七二）
鄭廷玉集　顏慧雲等校　豫、中州古籍（民八六）
全元曲　張月中等編　豫、中州古籍（民八五）
元刻古今雜劇　徐沁君校注　京、中華（民六九）

大藏經　台、新文豐（民八一）
續藏經　台、中國佛教學會影印（民四六）
法苑珠林　唐沙門道世撰　台、佛陀基金會（民九二）
一切經音義　台、中華佛基會（民八六）
翻譯名義集　宋僧法雲編　台、和裕（民九二）
宋高僧傳　宋僧贊寧撰　京、中華（民七六）
五燈會元　宋僧普濟著　京、中華（民七三）
景德傳燈錄　宋僧道原編著　台、佛陀基金會（民九三）
山海經　作者佚名、西漢劉向校輯
搜神記　東晉、干寶撰
拾遺記　十六國前秦王嘉撰
幽明錄　南朝宋、劉義慶撰
述異記　南朝齊、祖冲之撰
述異記　南朝梁、任昉撰
續齊諧記　南朝梁、吳均撰
開元天寶遺事　五代、王仁裕撰
楊太真外傳　北宋、樂史撰（以上叢集新）台、新文豐（民七三）

古今譚概　明馮夢龍撰輯
三國演義　明羅貫中撰
水滸傳　明施耐庵撰
西遊記　明吳承恩撰
金瓶梅　明笑笑生撰
楊家將演義　明紀振倫校閱、烟波釣叟參訂
喻世明言　明馮夢龍編輯
警世通言　明馮夢龍編輯
醒世恒言　明馮夢龍編輯
拍案驚奇　明凌濛初撰
二刻拍案驚奇　明凌濛初撰
今古奇觀　明抱甕老人撰（以上、台、世界、民四七）
清平山堂話本　明洪楩編　文古（民四六）
京本通俗小說（近人葉德輝刻本，民？）
觚賸　清鈕琇撰　京、中華（民七六）
池北偶談　清王士禛撰　京、中華（民七六）
西湖佳話　清古吳墨浪子蒐輯　滬、上海古籍（民六九）

聊齋志異　清蒲松齡撰　台、大中國（民四八）
子不語　清袁枚撰　台、廣文（民六三）
閱微草堂筆記　清紀昀撰　台、新興（民七〇）
夜譚隨錄　清和邦額撰　京、中華（民七六）
豆棚閒話　清艾衲居士撰　京、中華（民七六）
隋唐演義　清褚人獲撰　台、文源（民五〇）
儒林外史　清吳敬梓撰　台、大中國（民四八）
紅樓夢　清曹雪芹、高鶚撰　台、世界（民四六）
鏡花緣　清李汝珍撰　台、世界（民四六）
兒女英雄傳　清文康撰　台、大中國（民四八）
花月痕　清魏秀仁撰　台、大中國（民四八）
三俠五義　清石玉昆撰　台、文源（民五〇）
七俠五義（三俠五義改編本）　台、文源（民五〇）
官場現形記　清李寶嘉撰　台、世界（民四六）
文明小史　清李寶嘉撰　台、文源（民五〇）
三十年目睹之怪現狀　清吳沃堯撰　台、世界（民四六）
痛史　清吳沃堯撰　台、世界（民四六）

孽海花　清曾樸撰　台、世界（民四六）
東周列國志　清蔡奡改寫改名　台、大中國（民四八）
斷鴻零雁記　蘇曼殊撰　滬、生活（民十九）
筆記小說大觀　清王文濡主編　台、新興（民七六）
淡水廳志　清陳培桂等撰　臺省文獻會（民六六）
潮州府志　清周碩勳纂修　台、成文（民五六）
新竹縣志　黃旺成等纂　台、成文（民七二）
新竹市志　林松等主修　新竹市府（民八六）
苗栗縣志　黃新亞等纂　台、成文（民七二）
桃園縣志　石璋如等纂　台、成文（民七二）
臺中市志　王建竹等纂　台、成文（民七二）
臺中縣志　陳志聲主修　中縣府（民九九）
臺南市志　黃典權等　台、成文（民七二）
臺南縣志　洪波浪等　台、成文（民七二）
彰化縣志　賴熾昌等纂　台、成文（民七二）
臺灣通志稿　清薛紹兂等纂　台、成文（民七二）
重修臺灣省通志　林洋港等監修、簡榮聰等主修　臺省文獻會（民八七）

臺灣歷史人物小傳　國圖（民九二）
雲林採訪冊　清倪瓚元纂記　台、成文（民七二）
新竹採訪冊　日治陳朝龍撰　臺灣總督府（民前十三）
武昌縣志　清鍾銅山等纂　台、成文（民七二）
臺北縣志　盛清沂總纂　台、成文（民七二）